Stefan Heym

Die Architekten

Roman

btb

Umwelthinweis:
Alle bedruckten Materialien dieses Taschenbuches
sind chlorfrei und umweltschonend.

btb Taschenbücher erscheinen im Goldmann Verlag,
einem Unternehmen der Verlagsgruppe Random House GmbH.

1. Auflage
Genehmigte Taschenbuchausgabe Juni 2002
Copyright © 2000 by Stefan Heym
Copyright © für die deutschsprachige Ausgabe 2000
by C. Bertelsmann Verlag, München,
in der Verlagsgruppe Random House GmbH
Umschlaggestaltung: Design Team München
Umschlagfoto: AKG Images
Satz: Uhl + Massopust, Aalen
KR · Herstellung: Augustin Wiesbeck
Made in Germany
ISBN 3-442-72968-8
www.btb-verlag.de

VORBEMERKUNG

Die erste Fassung des Plans für den Roman »The Architects« enthält den Vermerk July 30, 1963. Der endgültige Plan, dem folgend das Buch geschrieben wurde, ist datiert vom 1. November desselben Jahres. Ende 1966, das mir vorliegende Manuskript trägt kein genaueres Datum, war der Roman dann fertig.

Nach Lage der Dinge war die Veröffentlichung eines solchen Buches in der damaligen DDR ausgeschlossen. Freunde brachten eine Kopie meinem englischen Verlag, Cassell's in London. Cassell's lehnten jedoch ab; wohl erschienen mir die Gründe für ihre Ablehnung wenig stichhaltig, aber was blieb mir unter den Umständen, als das Manuskript wegzuschließen – auf Zeit, wie ich glaubte.

Im Jahr 1999 dann lag ich nach einer Operation, die Komplikationen mit sich brachte, acht Wochen im Koma. Nur dank der Liebe und Hingabe meiner Frau Inge, die, Tag um Tag viele Stunden an meiner Seite verbrachte und mir Lebenskraft gab, und dank der Erfahrung meines Sohnes Stefan, der die Röntgenaufnahmen meiner Lunge richtig zu lesen verstand, und durch das Geschick und die Energie mehrerer Ärzte des Virchow-Krankenhauses, die mich per Hubschrauber auf ihre Intensivstation holten, entkam ich dem Tod. Da dachte ich mir, dass es doch ratsam sein möchte, wenn ich vor einem endgültigen Exitus mein Werk noch komplett vorlegte; ich übersetzte »The Architects« also ins Deutsche und schickte die Übersetzung an meinen Verlag nach München.

S.H.

PROLOG

Bald würden sie in Brest eintreffen, hörte er einen der Wachposten sagen. Die Posten spielten Domino; sie hieben ihre kleinen schwarzen Steine krachend auf ein Brett, das sie sich quer über die Knie gelegt hatten, und rauchten Machorka. Der Waggon, für Güter und Pferde gedacht, nicht für Menschen, ratterte über die ausgefahrenen Gleise, und der Geruch nach Schweiß und Angst wollte sich nicht verziehen, obwohl die Belüftungsklappen unter dem Dach so weit es ging offenstanden und sogar die Ladetür in der Seitenwand um einen Spaltbreit beiseite geschoben worden war.

Brest, dachte er. Seit vergangenem Jahr – soviel war durch Gefängnismauern und über die sibirische Taiga gedrungen – waren Stadt und Festung Brest wieder sowjetisch. Jenseits von Brest lag die neue Grenze, lag das Großdeutschland der Nazis.

Die Unruhe, die ihn zermürbte, seit er erfahren hatte, daß er aus der Sowjetunion abgeschoben werden sollte, schien sich auf einen einzigen Brennpunkt in seinem Innern zu konzentrieren; und es kostete ihn viel Nervenkraft, um wenigstens ein Minimum an Gleichgewicht in seinem Herzen zu wahren: Was, im Grunde, würde dem Genossen Julian Goltz denn Schlimmeres widerfahren als eine Art von Strafversetzung aus der Bratpfanne ins Feuer. Mit seinem Leben hatte er sowieso abgeschlossen. Der Tod von Babette, so grausam der Gedanke ihm auch erschien, hatte zugleich auch das Ende der Sorgen um seine Frau bedeutet; nur die Angst um Julia war geblieben, doch war sogar auch diese Angst nun leichter zu ertragen, da er hoffen durfte, daß Sundstrom, mit seinem Talent und seinen Beziehungen, einer Verhaftung entgangen war und so sich des Kindes annehmen konnte. Sein eigener Weg verlief da simpler: Nur noch eine kurze Zeremonie stand ihm bevor an der Grenze – ein Akt freundlicher internationaler Zusammenarbeit, durch welchen eine Großmacht einer anderen einen unbequemen Kommunisten geheimpolizeilich übergab – und dann würde er zu neuen Verhören geschafft werden, Verhören nun nicht mehr durch Dmitrij Iwanitsch oder Iwan Dmitritsch, sondern durch deutsche Verhörer in einem deutschen Gefängnis, oder einem Lager, und irgendwann würde es wohl auch zu einer Wiederbegegnung kommen mit Genossen, die er seit sieben Jahren, seit 1933 genau, nicht mehr gesehen hatte: Überlebenden wie er selber einer war.

Der schmale Streifen Landschaft in der offenen Schiebetür des Waggons begann zu schwanken. Das Herz in seiner Brust zog sich zusammen: Was würde er diesen Genossen sagen?

Das war ein ganz neuer Gedanke, der ihn auf eine ganz neue, eigenartige Weise erschreckte.

Die Wahrheit? Durfte er ihnen die Wahrheit sagen: daß er und Babette verhaftet worden waren wie Volksfeinde, um vier Uhr morgens, vier Uhr zehn, genauer; und weggesperrt wurden; und daß man sie hungern ließ und geschlagen hatte; und daß man sie am Schlafen gehindert hatte während des Tages und sie nächtens verhörte, Nacht um Nacht, bis Schmerz und Erschöpfung auch die letzte Gehirnwindung erfüllten...? Daß man all dies ihnen getan hatte, um Geständnisse von ihnen zu erpressen von Verbrechen, die ihnen niemals auch nur eingefallen wären, wobei Iwan Dmitritsch und Dmitrij Iwanitsch ihnen Stunde um Stunde die gleichen gelben, linierten Bogen Papier hinschoben zur Unterschrift...? Daß man ihn hatte verfaulen lassen in einem stinkenden Loch, in welches man ihn mit einer ständig wachsenden Anzahl ebenso stinkender Menschen hineingepfercht hatte – Mensch, wie stolz das klingt!, hatte Gorki einmal gesagt –, mit verwirrten und verstörten Geschöpfen, die blind vor sich hinstarrten oder in schrille Hysterie verfielen und sich um einen Löffel voll Fraß prügelten; Menschen wie er selber einer war, die auf irgendwelche von irgendeiner anonymen Dienststelle irgendwann getroffenen Entscheidungen warteten...?

Und diese Wahrheit Genossen bekennen, die ähnlich Fürchterliches erlebt hatten wie er und doch sich aufrecht erhalten hatten in dem bedingungslosen Glauben an das Land, dessen Gebiet hier, hinter Brest, endete, und an die Idee, aus der dieses Land geboren worden war – Genossen, die sich an die lichte, herrliche, glorreiche Zukunft klammerten, die von dieser Idee ausging...? Genossen in Sachsenhausen oder Buchenwald oder Dachau, die diesen ihren Glauben sodann abzuwägen haben würden gegen seine Aussagen – die Aussagen von Julian Goltz, Kommunist, ehemals Mitglied des Reichstags, und darauf nur zu dem Schluß kommen konnten, daß er genau das war, was er Dmitrij Iwanitsch und Iwan Dmitritsch zu gestehen sich stets standhaft geweigert hatte: ein Verräter an der Sache...?

Der Gedanke war ihm neu, und war ihm bis jetzt entgangen, verzeihlicherweise, besorgt wie er gewesen war um sein Kind Julia, welches Sundstrom hoffentlich zu sich genommen hatte, und in Trauer um Babette, die in ihrer winterlich kalten Zelle verstorben war, und angewidert von der Monstrosität, zu der seine Partei, seine kommunistische Partei, sich entwickelt hatte. Da war, neben der physischen Tortur, die Seelentortur gewesen, die Gewissensqual durch die Widersprüche zwischen seinem Pflichtgefühl und seinem Durst nach Leben, und er fragte sich, ob dieses die Erfindung irgendeines Polizeigehirns war oder eher eine zufällige Folge jenes Pakts, der in Moskau unterzeichnet und mit Mengen besten Krimsekts besiegelt worden war zwischen Molotow und Ribbentrop.

Die neue Situation war in der Tat pervers. Zunächst hatte er es ja bedauert, daß sein Tag vor Gericht – der Tag, den jeder normale Kriminelle erhielt –, ihm durch die Verfahrensweise von Dmitrij Iwanitsch und Iwan Dmitritsch versagt worden war; nun aber würde ihm dieser Tag doch noch zuteil werden; das

Gericht jedoch würde in einem deutschen Konzentrationslager tagen, und die eignen Genossen würden die Richter sein, obwohl sie die Fakten, die seinem Fall zugrunde lagen, von Rechts wegen gar nicht anerkennen durften.

In der Sowjetunion, so würden die Genossen sich selber einreden müssen, wird keiner ohne gute und ausreichende Ursache verhaftet. Oder lag hier menschlicher Irrtum vor? Bitte sehr, so etwas mochte es auch unter den besten Umständen geben. Aber jeder Moskauer Untersuchungsrichter hätte derart Fehlverhalten bald genug aufgeklärt und korrigiert. Zwar könnte er den Genossen auf deren Einwand hin erwidern: Genau das habe auch ich selber einst geglaubt – und könnte ihnen dazu eine kurze Schilderung von Dmitrij Iwanitsch geben, lang, hager, mausgraues Gesicht, mit fahlen Augen und faserigem Haar, wie der seine eintönigen Fragen von ein Uhr nachts bis fünf Uhr morgens in steter Folge herunterbetete, interpunktiert nur von den Schlägen seines metallenen Lineals auf die nackte hölzerne Platte seines Schreibtischs, und geduldig wartete, daß seine monotone Befragung endlich Wirkung zeigte auf die gespannten Nerven seines Opfers, oder, falls ihm die Stimme ermüdete, die Befragung seinem Partner Iwan Dmitritsch übertrug. Und würde dann Iwan Dmitritsch zu beschreiben suchen, untersetzt, den glattrasierten Schädel bläulich glänzend, den gleichgültigen Blick hinter den dicken Gläsern seiner Brille, die Zunge an den braunen Zahnstümpfen saugend... Würde man ihm solche Gestalten glauben, sowjetische gar, mit solchen sowjetischen Methoden, und was sie einem Menschen antun konnten?

Doch seine Richter würden ja wohl ähnliche Erfahrungen gehabt haben, durfte er annehmen. Nein, doch nicht ganz. Sie würden eine deutsche Hölle durchlebt haben, veranstaltet von einer Polizei, die nicht vorgab, die gleiche Sache wie sie zu vertreten; ihren hochnotpeinlichen Verhören waren sie nicht ausgesetzt worden von Kerlen, die behaupteten, den gleichen Sozialismus zu vertreten, von dem sie selber geträumt hatten. Eine deutsche Hölle und daher weniger schmerzhaft als seine es gewesen war, fast angenehm in der Tat. Und just darum würden seine Genossen Richter nicht glauben dürfen, daß es in der Sowjetunion Individuen wie Dmitrij Iwanitsch und Iwan Dmitritsch gab, ebensowenig wie die metallenen Lineale, mit denen sie dauernd auf den Tisch geschlagen hatten, oder gar zugeben, daß in der Sowjetunion Menschen existierten – zu Tausenden? Hunderttausenden? –, die zwischen derart Mühlsteinen zerrieben wurden. Noch würden seine Richter in Deutschland von den Stiefelabsätzen erfahren wollen, deren Marschtritt bei Morgengrauen in den Korridoren jenes Moskauer Hotels erschallte; und von dem kalten Schweiß auf den Stirnen der Gäste, während diese den Schritten vor den Türen ihrer Zimmer lauschten und dabei zu ihrem Gott beteten, wenn sie einen hatten, die Schritte draußen möchten noch einmal gnädig vorbeiziehen an ihrer Tür. Und wahrhaftig, es wäre besser für die Genossen, wenn sie von all dem nichts erführen…

Er wurde sich der Geräusche, die ihn jetzt umgaben, wieder bewußt. Die Räder des Waggons ratterten wie vorher gegen die Schienen, die Dominosteine knallten mit unverminderter Kraft auf das Spielbrett. Seine Mitgefangenen sprachen zueinander mit unterdrückter Stimme – nichts Wichtiges, soweit er sie verstehen konnte. Er hoffte, die Gedanken, mit denen er sich zermarterte, würden ihnen gar nicht in den Kopf kommen.

Draußen, vor der halboffenen Schiebetür des Waggons, schwankten die Birken langsam vorbei, weiße, schlanke Stämme, das Oktoberlaub goldgelb; dann eine Bauernhütte mit niedrigem Dach. Die Pastellfarben am Horizont deuteten die Weiten dieses Landes an, dieses Landes, das er liebte, seit er es zum ersten Mal betreten hatte, seit seinem ersten Wort zu dem ersten Sowjetsoldaten, dem er begegnet war, dem brüderlichen Wort, Towarischtsch. Er war mit Parteiauftrag gekommen; er sollte auf die Krim fahren, um sich die Lungen zu kurieren, die Lungen, die er sich ruiniert hatte in den langen Nächten, in denen er sich an die feuchte Erde der Grenzwälder zwischen Deutschland und der Tschechoslowakei hatte pressen müssen.

Er starrte auf die vorbeigleitende Landschaft und lächelte müde. Wie einfach die Dinge ihm damals erschienen waren: eine klare Front mit klaren Fragen; sein einziger Zweifel ergab sich aus dem *Warum* jener Niederlage, die ihn – dessen Stimme die Massen auf den Plätzen Dutzender deutscher Städte in Leidenschaft und dessen beißende Reden im Parlament seine Gegner in Rage versetzt hatten – zu einem Spezialisten für Schmuggel und illegale Grenzüberschreitungen hatten werden lassen. Er hatte schmerzlich lange gebraucht, um zu erkennen, daß nichts mehr klar und einfach war. Und sogar nachdem Dmitrij Iwanitsch und Iwan Dmitritsch zu Alltagserscheinungen in seinem Leben geworden waren, versuchte er immer noch sich selber zu überzeugen, daß es sich in seinem Fall um einen administrativen Irrtum handeln mußte oder um eine feindliche Intrige. Er hatte Feder und Papier erbeten, um seinem Freund Arnold Sundstrom zu schreiben und den prominenteren Genossen in der Parteigruppe der deutschen Emigration. Einmal hatte er sogar geplant, sich an den Genossen Stalin zu wenden: nicht mit einer persönlichen Beschwerde, sondern mit einer ruhigen, grundsätzlichen Analyse, die dem Genossen Stalin die Willkür seiner Polizei aufzeigen sollte, die Entstellungen in der Praxis seiner Justiz, den bösen Hohn auf jede sozialistische Gesetzlichkeit, damit nämlich der Genosse Stalin mit einem einzigen Machtwort diesen ganzen Alptraum hinwegfegen könne.

Aber als er dann die Gelegenheit erhielt, Iwan Dmitritsch und Dmitrij Iwanitsch besser kennenzulernen, sah er, daß sie keineswegs etwas Persönliches gegen ihn hatten, sondern einfach kleine Rädchen waren in einer großen Maschinerie, die nach festgelegten Linien und auf zentrale Anweisungen hin funktionierte. Also gab er den Gedanken an eine Veränderung der Dinge durch Bittschriften auf und konzentrierte jeden Nerv und jede Zelle seines Wesens auf den festen Entschluß zu überleben.

Nach weiterem Nachdenken sah er ein, daß es sinnlos war, Arnold Sundstrom zu gefährden, indem er ihm schrieb. Sundstrom würde schon tun, was er konnte, ohne dazu besonders aufgefordert zu werden. Als ein Genosse nach dem anderen ver-schwand von denen, die sie kannten und denen sie vertrauten, hatten er und Babette und Sundstrom gewisse Möglichkeiten besprochen – apropos und ohne zunächst die bedrohliche Wirk-lichkeit gänzlich ernst zu nehmen. Aber da war das Kind ge-wesen, und Babette war schließlich zur Sache gekommen. »Du würdest dich um sie kümmern, Arnold, nicht wahr, falls mir oder Julian etwas zustieße?« Arnold Sundstrom hatte die Tisch-lampe um ein geringes verschoben, so daß das Licht auf Julia fiel, die in dem Kinderbett am Fußende des ehelichen Bettes schlief, und hatte die weichen Locken und die schlafgeröteten Wangen des kleinen Mädchens betrachtet und gesagt: »Ich ver-spreche euch das, es sei denn, ich werde durch *force majeure* daran gehindert…«

Er versuchte, sich des genauen Gesichtsausdrucks seines Freundes Arnold in jenem Moment zu erinnern. Aber dessen Züge blieben unbestimmt und zusammenhanglos, irgendwie im Abstrakten: die Augen, die gewöhnlich ein wenig zuviel von sei-nem Gefühl ausstrahlten, die edle Nase, die vollen Lippen über dem Cäsarenkinn, die Löwenmähne. *Force majeure?*… Arnold Sundstrom, Architekt und Revolutionär, war nicht der Mensch, sich irgendeiner *force majeure* zu beugen; gewöhnlich fand er Kraft und Gelegenheit, den Arm des Schicksals zu beugen, oder wenn nicht den Arm, dann doch ein paar Finger. Das Kind würde in sicheren, guten Händen sein; das war wenigstens ein Trost; und er hoffte, daß Babette in ihrer eisigen Gefängniszelle um ein geringes leichter gestorben war in diesem Bewußtsein.

Das Rattern der Räder klang plötzlich anders; ein paar schmutzige Gebäude kamen in Sicht; in der Entfernung war das Rund eines grasbewachsenen Hügels zu sehen, der dem Grab-mal eines prähistorischen Häuptlings ähnelte: wahrscheinlich ein vorgeschobenes Fort der Festung Brest. Die Wachmann-schaften sammelten ihre Dominosteine ein; dann nahmen zwei von ihnen Aufstellung in der Tür, Gewehr bei Fuß. »Brest!« wiederholte einer; die Gespräche der Gefangenen erstarben.

Er spürte den plötzlichen Stich im Herzen und schloß die Augen. Nicht daß er just jetzt besondere Furcht empfunden hätte in Vorausahnung der Fragen, die ihn erwarteten, Fragen, die seine Genossen ihm stellen würden drüben in den deutschen Lagern, schwierigere Fragen noch als die, mit denen Dmitrij Iwanitsch und Iwan Dmitritsch ihn je verfolgt hatten. Und was war mit seinen eigenen geheimen Fragen; was mit dem Moment, da die Schläge des Lineals auf die Schreibtischplatte ersetzt worden waren durch milde Rede, mit welcher Iwan Dmitritsch und Dmitrij Iwanitsch ihn zu überzeugen suchten, daß die Unterzeichnung seines Geständnisses, wenn er's richtig überlegte, eigentlich seine revolutionäre Pflicht wäre, und sein abgestumpftes, erschöpftes Hirn auf einmal einen weiteren neuen Gedanken hervorbrachte: ob nämlich dieses alles noch als eine Revolution zu betrachten war oder nicht vielmehr als eine historisch beispiellose, wildgewordene Konterrevolution.

Die Kupplungen klirrten, der Zug hielt an. Dampf zischte aus der Lokomotive; die allen Bahnhöfen eigenen Geräusche wurden allmählich leiser und verebbten schließlich ganz, so als hätten die Menschen auf dem Bahnsteig, die Eisenbahnarbeiter und Schaffner und wer sonst noch sich auf einen Kordon des Schweigens um diesen einen, besonders bewachten Waggon herum geeinigt. Jede Sekunde erwartete er das heisere »Dawaj! Dawaj!« der Wachen zu hören und die Mündungen ihrer Gewehrläufe gegen seine Rippen zu spüren; aber die Männer lehnten immer noch gegen die Türpfosten, ihre Stiefelschäfte müßig gekreuzt.

Diese Stiefelschäfte brachten ihm das Schreckbild wieder ins Gedächtnis, das ihn so lange verfolgt hatte: genau derart Stiefel in einer anderen geöffneten Tür. Dann hatten die Stiefel ihm Platz gegeben, und er hatte das eiserne Bettgestell erblickt, und die verschmutzte Decke über dem abgemagerten Leib, und Iwan Dmitritsch, der die Decke von dem Gesicht wegzog, das, Gott sei Dank, keine Ähnlichkeit mehr aufwies mit dem von Babette, außer der Form der Ohren und der Reihe weißlicher

Zähne zwischen ihren verzerrten Lippen, und Dmitrij Iwanitsch, der ihm mit feierlicher Stimme mitteilte: »Ihr feindlich-negatives Verhalten, Genosse Goltz, ist mitverantwortlich für den Tod Ihrer Frau.« Doch der erwartete Schock und die Wirkung blieben aus, welche sich die beiden von ihren Worten erhofften. Der Tod ist ein schlechter Bildner; die Masken, die er uns hinterläßt, beweisen nur, wie sehr er das Leben entstellt.

Der Waggon wurde abgekoppelt; er hörte, wie der Rest des Zugs davonfuhr, dann näherte sich eine andere Lokomotive, und er hörte den vorsichtigen Aufprall ihrer Puffer auf die des Waggons. Wahrscheinlich würde man die Gefangenen nicht umsteigen lassen, solange Lokomotive und Waggon sich noch innerhalb des Bahnhofs befanden: welch schönes Taktgefühl seitens der Behörden, der sowjetischen!

Nie zuvor hatte er diese Behörden als Muster von Diskretion erlebt; doch immer, dachte er, gibt es ein erstes Mal. Eines Nachts, nach einem besonders bösartigen Angriff Dmitrij Iwanitschs, hatte er plötzlich aufgeschrien: »Aber ihr habt doch nicht den geringsten Beweis für eure Anklagen gegen mich!« Dmitrij Iwanitsch, mehr über die Naivität dieses Protests als über dessen Unverschämtheit erstaunt, blickte ihn an aus seinen fahlen Augen und erwiderte: »Wünschen Sie zu behaupten, daß die Sicherheitsbehörden der Union der Sozialistischen Sowjetrepubliken ohne gute und genügende Gründe Strafverfolgungen von Menschen einleiten?« Er hatte seine Antwort, dachte Goltz, eher allgemein gehalten, und Iwan Dmitritsch schien den Mangel an Überzeugung in seinen Worten zu spüren. Er legte seine dicken Finger auf Dmitrij Iwanitschs Arm, als wolle er diesem bedeuten, daß er die Befragung zu übernehmen wünsche, und sagte: »Was hat es mit diesen Telegrammen auf sich, Genosse Goltz?«

»Wovon reden Sie?«

Der kugelförmige, bläuliche Schädel senkte sich gefährlich, aber die Stimme blieb unverändert geduldig. »Im Jahr 1935, in Prag, Genosse Goltz, erhielten Sie ein Telegramm mit der Nachricht vom Tode Ihres Vaters, richtig?«

»Ja.«

»Und 1939, jetzt aber in Moskau, erreichte Sie wieder ein Telegramm, und wieder aus Deutschland, und wieder mit dem gleichen Inhalt?«

»Aber –«

Das Lineal knallte auf die Tischplatte und hielt ihn davon ab, auf diese Frage hin die gleiche, im übrigen durchaus wahre und logische Erklärung ein übriges Mal zu wiederholen, die er Dmitrij Iwanitsch und Iwan Dmitritsch so oft schon gegeben hatte.

»Wie viele Väter hatten Sie?«

»Aber –«

Wieder das Lineal. »Würden Sie bitte auf die Fragen antworten, die wir Ihnen stellen?«

»Einen.«

»Also dann…!« Dmitrij Iwanitsch, der sich wieder am Verhör zu beteiligen gedachte, hatte sich zu seiner vollen, hageren Höhe erhoben, halb Drohgebärde, halb Geste von Selbstgerechtigkeit. Aber Iwan Dmitritschs Hand auf seinem Arm hielt ihn zurück, und Iwan Dmitritsch selber, unpersönlich hinter seiner dicken Brille, gab die einzige Grundsatzerklärung ab, zu der er sich während sämtlicher Verhöre des Genossen Goltz herabließ. »Dmitrij Iwanitsch und ich«, sagte Iwan Dmitritsch, »sind ein sehr gutes Team; eines der besten, würde ich meinen, auf unserm Gebiet. Lassen Sie mich Ihnen daher versichern, Goltz, daß wir von Ihresgleichen Geständnisse schon erlangt haben mit viel weniger Indizien, als uns in Ihrem Fall zur Verfügung stehen.«

Er stellte sich vor, er zitierte diese Feststellung den deutschen Genossen, die am Ende seiner Reise mit ihrem Gericht auf ihn warteten, und fragte sich, welchen Eindruck das Zitat wohl auf sie machen würde; und er bemitleidete sie. Warum nur hatte er soviel Anstrengung darauf verwendet, um mit sich im reinen zu bleiben und trotzdem zu überleben – warum hatte er Iwan Dmitritsch und Dmitrij Iwanitsch die kleine Gefälligkeit nicht getan: hier mein Geständnis, ein Federstrich, und Schluß. So blieb ihm als Alternative nur, die Stützen entweder für die moralische Exi-

stenz der deutschen Genossen ihnen unter den Füßen wegzu-
schlagen – oder sich selber…

Er zuckte zusammen. Der Waggon bewegte sich wieder. Am
Ende des Bahnsteigs sah er eine neugierige Bauersfrau stehen,
Kopftuch übers Haar geknüpft, dann ein letztes Bahnhofsschild,
die Buchstaben undeutlich, *Brest*. Und dann ein Klappern und
Rumpeln, als Lokomotive und Tender, samt dem Waggon, über
ein paar Weichen fuhren. Im Halbdunkel des Waggons begann
eine Frau hysterisch zu jammern, je schneller die Fahrt wurde,
desto lauter. Die Wachen bewegten sich. »Dawaj!« rief einer.
»Greift euch eure Sachen.«

Sein Bündel war leicht genug. Es gibt Momente im Leben
eines Mannes, da er alles, was ihm von Bedeutung ist, in seinem
Innern bei sich trägt. Er hörte, wie die Hysterie sich ausbreitete. Einer der Wachposten kam unsicheren Schritts und begann, mit seinen Stiefeln auf die Leiber im Stroh einzutreten.
Das Geheul und Gewimmere verstummte; die Menschen rich-
teten sich auf und standen, schattenhafte Figuren, die mit-
schwankten mit dem Schwanken des Waggons und Halt suchten einer am andern. Er sah jede Einzelheit, scharf gezeichnet
wie auf einem Kupferstich: den hölzernen Boden, abgestoßen
und zersplittert von tausend Ladungen; die mißgestalteten Füße
einer Frau, verfärbt noch vom Frost des letzten Winters; ein
paar Augen, getrübt bis ins Gelbliche; und draußen eine Landschaft, die nichts war als ein riesiges freies Schußfeld für unsichtbare Kanonen, kein Haus darauf, kein Baum, kein Busch,
eine einzige schiefe Ebene bis zum Ufer des bleiern dahinkrie-
chenden Flusses. Das alles sah er und sah es doch nicht; sein
Hirn klammerte sich wie im Krampf nur um einen Gedanken:
Es muß eine Antwort geben, die ich finden kann, eine gültige
Erklärung dafür, wie all das geschehen konnte, was geschah, und
wie ein Mensch den Glauben an sich selber und an seine Sache
behalten kann trotz aller Dmitrij Iwanitsche und Iwan Dmitrit-
sche – nicht nur behalten kann, sondern *muß*! Muß! Aber die
Antwort wollte ihm nicht einfallen, und die Erklärung entging

ihm, und die Bremsen des Waggons kreischten hinein in seine Gedanken, und er wurde gegen jemanden geschleudert, der laut zu fluchen anfing.

Dann folgte ein Durcheinander: Die Menschen wurden hinausgestoßen aus dem Waggon, drunten stolperten sie umher, wurden wieder zusammengetrieben, es gab Faustschläge, Wehgeschrei, Rufe – »Dawaj! Dawaj!« Da war eine Brücke, getragen von teils schon verrostetem Stahl; von einer Seite zur andern verlief ein Eisenbahngleis; auf der gegenüberliegenden Seite wartete eine Gruppe Uniformierter, behelmt und bewaffnet. Er schritt das Gleis entlang, als träumte er; nur seine Füße suchten die Realität zu ertasten, die Realität der dicken hölzernen Schwellen zwischen den zwei Schienen. Plötzlich lachte er auf: Seine Phantasie hatte ihm ein neues Bild vorgespielt, die Brücke, doch jetzt ihr stählernes Gerüst bepflastert mit Gedenktafeln ganz ähnlich den Tafeln an der Kremlmauer, und auf einer der Tafeln sein Name, *Julian Goltz*, und das Datum, *12. Oktober 1940*. Jenseits der Tafeln erblickte er den Fluß, dessen Wasser die Äste und Steine und alles mögliche Strandgut an seinem Ufer umspülten, und die Gestalten vom anderen Ende der Brücke, die auf ihn zumarschiert kamen. Die Antwort, dachte er. Was war die Antwort und wo war sie zu finden?

Und dann dachte er an Julia, ihre vom Schlaf noch geröteten Wangen, ihr Haar, weich und lose gelockt auf dem Kissen. Er atmete tief und fing an zu laufen.

Rufe. Er erreichte das Brückengeländer und war schon dabei, das eine Bein darüberzuschwingen. Unten auf dem Wasser widerspiegelten sich zwei Wolken, die eine weiß, die andere rosagerändert von der Sonne, welche sich hinter ihr verbarg. Die Brücke erschien ihm abnorm hoch.

Von welcher Seite, dachte er, würde die erste Kugel geflogen kommen; dann spürte er sie, ein einziger großer Schmerz.

KAPITEL 1

Julia liebte ihren neuen Pelz.

Es war ihr, als hätte dieser Pelz ein eigenes Leben. Sie zog ihn dicht um sich, verkroch sich in ihm und spürte, wie seine Wärme eins wurde mit der Wärme ihres Körpers. Dabei hatte sie ein Gefühl des Geborgenseins, ein Gefühl, das weit zurückreichte in ihre Kindheit: damals, als sie eingehüllt gelegen hatte in weiche Decken wie eingesponnen in einen Kokon, und Stimmen in einem Ton, von dem ihr nur noch ein Echo geblieben, ihr Zärtlichkeiten zuflüsterten, deren Wortlaut sie lang schon vergessen.

Seit dem späten Nachmittag bereits hatte es geschneit; jetzt ließ der Schneefall nach. Die Flocken lagen glitzernd unter dem Schein der Bogenlampen, der die Straße und den Parkplatz vis-à-vis in eine silberne Fläche verwandelte, auf welche die Autos, die lautlos angefahren kamen, ihre Spuren zeichneten. Die Menschen, die sich über die Fläche bewegten, schritten wie auf einem dicken Teppich in Richtung der breiten Stufen zum Portal des Rathauses. Durch das Glas der Flügeltüren hindurch erkannte Julia den gewollt gleichgültigen Gesichtsausdruck der beiden jungen Leute in Schwarz, die diskret die Eintretenden musterten. Aber selbst dieses gehörte zu der festlichen Atmosphäre und paßte auffallend zu den bunten Lichtsegmenten, die durch die bleigefaßten Butzenscheiben der hohen gotischen Fenster schienen, und dem Rot und Gold der Fahnen, das sich so sauber von dem Weiß draußen abhob, und zu dem Rascheln des Tafts und der chinesischen Brokate der Damen, die solcherart bekleidet an ihr vorbeizogen.

Dann entdeckte sie Arnold; er winkte ihr vom Parkplatz her

zu. Er trat vorsichtig auf, wollte offenbar vermeiden, daß ihm der Schnee in seine Lackschuhe geriet. Er trug keinen Hut; in der Tat besaß er gar keinen; an den wenigen Tagen im Jahr, wenn das Wetter in diesem Teil der Welt wirklich zu kalt wurde, um barhaupt ins Freie zu gehen, setzte er sich die alte Pelzmütze auf, die er aus Moskau mitgebracht hatte. Sein Haar war voll wie je; vor ein paar Jahren war es grau an den Schläfen geworden – sein Diplomatengrau, nannte er es, ohne mehr Wesens davon zu machen als von der Differenz zwischen ihrem Alter und seinem. Ihr Blick folgte ihm, wie er das Stück Straße überquerte, das für den allgemeinen Verkehr gesperrt war; die grünbemäntelten Polizisten, ob sie nun wußten, wer er war oder nicht, salutierten ihm, und mehrere der Gäste, die, in Anbetracht der Stunde, eine gewisse wohltemperierte Eile gezeigt hatten, blieben stehen, um ihn mit »Guten Abend, Genosse Sundstrom!« zu begrüßen oder »Wie geht's, Herr Professor?«

Julia war sich, während sie von der Vortreppe des Rathauses aus die Szene beobachtete, durchaus im klaren, wieviel Unterwürfigkeit sich in diesem Gebaren zeigte und wie deutsch das Ganze war; dennoch verschaffte es ihr auch Genugtuung: Schließlich gab es in dieser Stadt genug steinerne und zementene Zeugnisse für ihres Arnolds berechtigten Anspruch auf Anerkennung. Sie liebte ihn von ganzem Herzen in diesem Moment, und nicht so sehr um des Respekts willen, den man ihm allgemein entgegenbrachte, sondern weil er so überzeugt war von sich und seiner Tatkraft, so stark, so selbstsicher. Und so völlig der ihre, als er jetzt auf sie zutrat, seine Hand auf die Innenseite ihres Ellbogens legte und ihr sagte: »Du strahlst ja geradezu, Liebste.«

Die zwei schwarzgekleideten jungen Männer hielten die Tür auf für sie und ihn. Er bestätigte den kleinen Dienst mit einem freundlichen Kopfnicken und führte sie zur Garderobe im Parterre. Die kleine alte Frau hinter dem Tresen ließ die anderen Gäste stehen und eilte zu ihnen beiden, um seinen Mantel in Empfang zu nehmen, und wartete dann, bis er Julia den Pelz von der Schulter gestreift hatte. Ein kurzer, prüfender Blick im Spiegel auf das Geblink der Orden an seinem Smoking; dann bot er Julia seinen Arm, wiederholte: »Du siehst strahlend aus, wirklich!«, und führte sie die weite, teppichbelegte Treppe hinauf.

Sie spürte die Blicke, die ihn und sie musterten und schließlich auf ihr haftenblieben. Sie hatte beabsichtigt, eher unauffällig zu bleiben, und versuchte, die natürliche Bewegung ihrer Hüften so gut es ging zu unterdrücken.

»Glücklich?« fragte er.

»Sehr.«

Er betrachtete sie. War ihr klar, wie verführerisch sie war?

»Glücklich«, sagte sie. »Sollte ich etwa nicht glücklich sein? Heute ist dein Glückstag.«

Er verzog das Gesicht, als traute er seinem Glück nicht so ganz.

»Und da sind die vielen Lichter«, fuhr sie fort, »die Farben, die Menschen… Es ist schon ein Unterschied zwischen den Entwürfen eines Architekten und wie der Raum dann wirkt, wenn er mit Leben erfüllt ist. Dann erst kannst du erkennen, ob deine Arbeit gut war oder nur Mittelmaß.«

Sie war zu eifrig, dachte er – oder naiv, nach Art jener Jugend, die dem Ruf der Partei gefolgt war, um Neuland unter den Pflug zu nehmen in Sibirien oder die zerstörten Städte der Ukraine wiederaufzubauen. Diese simplen, aber äußerst nützlichen Reaktionen waren das Resultat der Erziehung, die man den jungen Leuten ganz bewußt hatte angedeihen lassen, immer die gemeinsame Sache im Auge, das gemeinsame Ziel. »Und dieses hier«, fragte er, »fügt sich ein in das Ganze, glaubst du?«

Sie blieb ein paar Stufen unterhalb des Treppenabsatzes stehen und blickte in die Runde. Sie hatte mitgearbeitet an der Einteilung und Gestaltung der Räumlichkeiten bei der Rekonstruktion des Rathauses, das zum erheblichen Teil zerstört worden war im Kriege. Hinter dem Marmor und den Bronzedekorationen sah ihr geistiges Auge die Präzision der Linien auf ihren Zeichnungen und Entwürfen; aber er ließ ihr nicht die Zeit, eine

Antwort auf seine Frage zu finden; fast schien es, als habe er die Frage selber bereits vergessen – in der oberen Vorhalle, ihr Lächeln festgefroren auf steifen Gesichtern, warteten die Gastgeber des Abends, sie zu begrüßen.

Der Oberbürgermeister, Genosse Riedel, betrachtete Julia unter schweren Lidern hervor; seine bläulichen Lippen bewegten sich, als wolle er etwas sagen, während sein schlaffer Händedruck sie berührte. Julia schob sich weiter zur Genossin Tolkening. Untersetzt und fleischig wie sie war, machte Elise Tolkening die Bemühungen selbst der besten Maßschneiderinnen, staatlicher wie privater, zuschanden; trotz ihrer wenig attraktiven Figur aber war sie imstande gewesen, den Genossen Tolkening all diese Jahre hindurch an sich zu binden, während derer andere Genossen, gleich ihm zurückgekehrt aus dem Exil oder aufgestiegen aus den niederen Positionen im Lande, sich abwandten von den altersgezeichneten Kameradinnen ihrer vergangenen Kämpfe, um ihre Sekretärinnen zu ehelichen oder gar irgendwelche Damen vom Theater.

»Vielleicht, Genosse Sundstrom«, sagte Tolkening, »können wir heute abend ein paar Minuten finden füreinander.«

Wenn er wollte, hatte Tolkening ein schlaues, beinahe konspiratives Lächeln parat, das den Eindruck schuf, als verbinde ihn ein gemeinsames Herzensgeheimnis mit seinem jeweiligen Gesprächspartner. Diesmal schloß sein Lächeln auch Julia ein. Ihr Herz schlug schneller: Berlin hatte entschieden! Wie durch einen Nebel hindurch sah sie neue Gäste in den Bankettsaal strömen – war da nicht John Hiller mit seinem sarkastischen Mund und den schmalen, fast knabenhaften Schultern? – hatte Arnold ihm eine Einladung beschafft?... Dann wurde auch sie in den Bankettsaal gedrängt und geriet in ein Gewirr von Leibern, die auf dem Parkett einem gemeinsamen Ziel zustrebten.

Dies war keineswegs der erste offizielle Empfang, an dem sie teilnahm. Das anfängliche Gedränge, wußte sie, würde sich bald geben, sobald die üblichen Reden gehalten und die üblichen Toasts getrunken waren; jetzt jedoch widerte der Druck sie an, der würdelose, in Richtung der langen weißgedeckten Tische, die mit tranchierten Rehrücken beladen waren und großen Platten, auf welchen Hummer und Räucherschinken prangten, und mit Schalen voller Orangen und Bananen, besonders importiert für den Abend. Arnold, ein Veteran öffentlicher Veranstaltungen der Art, stemmte sich gegen die Phalanx von Uniformen, um die zwei Gläser Wein, die er erobert hatte, wenigstens noch halb voll zu Julia zu bringen. Julia ihrerseits strebte ihm entgegen, erreichte aber nur, daß die nächste Tischkante sich ihr in die Hüfte bohrte. Vor ihren überraschten Augen entnahm eine blaugeäderte, mit roten Fingernägeln und schweren Ringen bestückte Hand drei, vier, fünf Orangen aus einer der Schüsseln und ließ diese in einen bauchigen goldbestickten Abendbeutel gleiten. Dann begann der Lautsprecher Unverständliches zu quäken; der Diskant und das periodische An- und Abschwellen der Stimme waren deutliche Indizien der Rhetorik des Genossen Tolkening. Die Antwortrede des Leiters der sowjetischen Delegation, dessen Gestalt Julia hinter der Menge der Anwesenden verborgen blieb, war kürzer als Tolkenings, aber nicht kurz genug; ein beträchtlicher Teil der Gäste hatte sich Messer und Gabeln und Teller gegriffen und auf das Buffet gestürzt.

»Fütterungszeit im Zoo!« kommentierte jemand. Julia wandte sich um und erkannte Axel von Heerbrecht, der sie angrinste. Was wußte Heerbrecht, dachte sie – verwöhnter Kerl, der sich soviel auf seine Feuilletons am Rundfunk einbildete –, was wußte er von dem Hunger, den andere – darunter sie, Julia – so lange erfahren hatten; wie viele Jahre war es her seit dem Kriege? Zehn, fast elf. Und von diesen zehn, wie viele waren magere Jahre gewesen? Und von den Menschen, die sich an den Tischen dort ihre Bäuche vollstopften, wie viele hatten nicht nur ein paar Jahre gedarbt, sondern ein ganzes Leben?

»Hallo, schöne Frau!« Heerbrechts Blick wanderte über sie, »wir haben eine Nische gefunden, wo man sich wenigstens in Ruhe unterhalten kann – Käthchen Kranz und Warlimont vom FDJ-Zentrallager und ihr Freund John Hiller...«

Sie unterdrückte eine Grimasse. John Hiller hatte seinen Schreibtisch in einem Studio neben dem ihren, aber zu ihren Freunden zählte er nicht. »Ich warte lieber hier auf meinen Mann«, sagte sie.

Heerbrecht verbeugte sich leicht. »Soll ich gehen und ihn holen?«

»Danke – nicht nötig.« Julia erblickte Arnold, der sich gerade aus der Menge befreit hatte, die zwei Gläser Wein, seine Beute, immer noch in den Händen. »Ach, Heerbrecht!« grüßte er leichthin und bot Julia das eine Glas. »Ich hab versucht, auf geradem Weg zu dir zu kommen«, er zuckte die Achseln, »aber man hat mich von allen Seiten umringt und hin und her gestoßen, und ich bin beim Tisch des Genossen Tolkening gelandet...«

Heerbrecht schniefte spöttisch. »Dann darf man wohl gratulieren?«

Sundstrom ärgerte sich. »Ich hatte nicht die Absicht, mich an Tolkenings Tisch zu setzen. Ich bin dorthin gelangt durch höhere Gewalt sozusagen.«

»Sie haben mich mißverstanden«, erwiderte Heerbrecht kühl. »Mein Glückwunsch galt den Ehrungen, die Sie zu erwarten haben.«

Sundstrom brachte ein Lächeln zustande und überreichte dem aufdringlichen Burschen das Glas, das er eigentlich selber hatte trinken wollen. »Auf Ihr Wohl!«

»Auf das Ihrige, Frau Julia!« Heerbrecht wandte sich Julia zu und widmete Sundstrom seinerseits ein Lächeln, ein betont neutrales allerdings, und entfernte sich nach ein paar höflichen Augenblicken mit einer ebenso höflichen Entschuldigung.

Julia suchte Arnolds Blick. Der schale Geschmack des Weins haftete ihr noch immer auf der Zunge, und sie befürchtete Unheil irgendwelcher Art, obwohl sie nicht wußte, aus welcher Ecke es kommen sollte. Sein Gesicht war tiefer gerötet als sonst, aber die Ruhe, die jetzt von ihm ausging, gab ihr ihre Sicherheit zurück. »Wollen wir auch etwas essen?« fragte er.

Der Andrang am Buffet hatte nachgelassen. Die Mehrheit der Gäste in diesem Saal und dem benachbarten kämpfte mit dem Problem, wie man seinen Teller in einer Hand balancieren und zugleich sein mühsam ergattertes Stück Braten darauf zerschneiden konnte. Sundstrom steuerte auf einen der Tische im Zentrum des Raums zu. Wohlwollende Grüße nach rechts und links verteilend, schritt er vorbei an Karl-August Mischnick, dem Dichterfürsten des Proletariats, der die Würde seines Rangs mit seinen schlechten Manieren zu vereinen suchte; vorbei an dem leicht angetrunkenen international bekannten Physiker Professor Louis Kerr, dem seine eigentümlich farblose Frau auf dem Fuße folgte; vorbei an den Genossen Leopold Bunsen, dem Chefredakteur des Bezirksorgans der Partei, dessen ständiges Zwinkern eine Art von innerer Heiterkeit vortäuschen sollte. Inzwischen hatte auf einer Balkonloge eine Regimentskapelle zu blasen begonnen, deren rot-weiß gestreifte Schulterstücke im Takt zu den Silberquasten an dem buntbemalten Zepter ihres Dirigenten auf- und abhüpften.

»Arnold?«

»Ja, Liebste?«

Aber sie entschied sich zu schweigen. Der Lärm, dieses ganze Durcheinander, gingen ihr auf die Nerven.

»Du wirst dich besser fühlen, sobald du etwas gegessen hast«, tröstete er.

Doch auf dem Tischtuch vor ihnen lagen nur Kuchenreste und Orangenschalen. Das Skelett eines gebratenen Hasen, abgenagt bis auf ein paar Sehnen, vervollständigte das melancholische Stilleben. Er kratzte etwas Eßbares für sie und für sich zusammen; einen Löffel Heringssalat, ein paar Scheiben Wurst, eine viertel Gurke. »Später werden sie, wie ich sie kenne, noch einmal vorbeikommen mit Würstchen«, sagte er.

»Wir sind doch nicht zum Essen hergekommen, oder?« sagte sie.

Er nahm ihr den Teller ab, stellte ihn beiseite und küßte ihr die Hand, eine altmodische Galanterie, die er mitunter praktizierte. Julia überließ ihm ihre Hand. Ein paar Sekunden vergingen, bevor sie merkte, daß sich plötzlich ein Stück leerer Raum um sie und ihren Mann gebildet hatte.

Sie sah sich um. Genosse Tolkening strahlte sie an, flankiert von Elise und zwei Russen von der Sowjetdelegation, zu deren Ehren der ganze Empfang veranstaltet worden war. Ein unauffälliger junger Mann, der Übersetzer wahrscheinlich, hielt sich im Schatten hinter der Gruppe.

»Tut mir leid, dich zu unterbrechen, Genosse Sundstrom«, eine bedauernde Handbewegung Tolkenings. »Ich meine aber, du solltest den Leiter der Delegation kennenlernen, die uns besuchen gekommen ist…«

»Oh, der Genosse Krylenko ist mir ein alter Bekannter!« sagte Sundstrom mit nostalgischem Lächeln. »Und wie ich bemerke, haben die Jahre ihn kaum verändert…« Hände ausgestreckt, wollte er auf den rothaarigen, rundlichen Mann zutreten, dessen glattes Gesicht keinerlei Reaktion auf seine Grußworte gezeigt hatte.

Aber Tolkening hielt ihn zurück. »Ich möchte dich mit dem Genossen Popow bekanntmachen«, sprach er mit Betonung. »Er ist der Leiter der Delegation.« Und sich dem anderen Russen zuwendend, der neben ihm stand, die dunklen Augen bewegungslos, fuhr Tolkening fort: »Genosse Popow, darf ich Ihnen Genossen Professor Sundstrom vorstellen, den Chefarchitekten unserer Stadt, und seine charmante Gattin?« Der Übersetzer murmelte simultan. »Genosse Sundstrom, wie Sie wohl erkannt haben werden« – das war die Korrektur des Fauxpas, den Sundstrom begangen hatte –, »hat beträchtliche Zeit in der Sowjetunion verbracht.«

Julia bemerkte, daß Arnold seine Hand nun Popow reichte und dabei wieder sein ruhiges Lächeln zur Schau stellte. Popow schüttelte ihm die Hand und erklärte, zu Tolkening gewandt, auf russisch: »Ich bin vertraut mit den Arbeiten von Professor Sundstrom.«

Die Feststellung, wortwörtlich übersetzt, schien Tolkening

zu beeindrucken. »So haben Sie also seine Straße des Weltfriedens bereits besichtigt? Sie ist unser Schaustück hier.«

»Bis jetzt haben wir die Gelegenheit noch nicht gehabt«, erwiderte Popow. »Ein Besuch dort steht aber auf unserem Programm, hat man mir gesagt.«

Die Peinlichkeit des Krylenko-Zwischenfalls schien damit überwunden zu sein. Julia, erleichtert, hörte Elise Tolkenings Deklamation: »Das ist die Straße, auf welcher der Frieden in unsere Stadt kam in der Person des Genossen Stalin auf seinem Weg nach Potsdam. Darum haben wir sie auch ausgewählt als die erste Straße, die von Trümmern geräumt werden, die erste, die aus den Ruinen auferstehen sollte, breiter, geräumiger, schöner und glänzender als sämtliche anderen Straßen unserer Stadt: die erste Straße des Sozialismus. Und darum haben wir ihr auch ihren neuen Namen gegeben: Straße des Weltfriedens. Unser Karl-August Mischnick hat ein langes Gedicht zu Ehren des Tages geschrieben, an dem die ersten Arbeiter das erste fertige Haus an dieser Straße bezogen. Und auf Vorschlag des Genossen Tolkening hat der berühmte Komponist Nationalpreisträger Benda eine würdige Musik zu Mischnicks Text komponiert, und Chöre in der ganzen Republik singen das Lied jetzt. Ich bin sicher, der Genosse Tolkening wird veranlassen, daß die Delegation Plattenaufnahmen davon erhält und einen Satz Fotos, der die Veränderungen im Gesicht dieser Straße zeigt…«

Popow hörte sich die Übersetzung geduldig an. Dann bedankte er sich bei Elise und versicherte ihr, die Delegation werde jede Information zu schätzen wissen, die ihr helfen würde, sich ein möglichst vollständiges Bild von den Mühen und der Arbeit der Werktätigen dieser Stadt und ihrer Partei zu machen. »Was nun die Vorhaben des Genossen Professor Sundstrom angeht«, ließ er sich wieder zum Thema vernehmen, »so habe ich mich bereits in Moskau mit mehreren seiner Entwürfe befaßt.«

»Sie sind ein Kollege?« fragte Sundstrom auf russisch, ohne auf die Worte des Übersetzers zu warten. »Architekt?«

Julia wunderte sich über die an Mißtrauen grenzende Zurückhaltung in seiner Stimme.

»Bauingenieur«, informierte Popow.

»Im Ministerium?«

Popow, die Falten wie tiefgefroren auf seinem Gesicht, schien die Frage nicht gehört zu haben. Er wandte sich Tolkening zu. »Ich habe die Vielseitigkeit des Genossen Professor Sundstrom immer bewundert. Man findet so etwas selten bei einem Architekten.«

Der Genosse Tolkening warf einen prüfenden Blick auf den Übersetzer, ganz als ließe sich aus dessen nichtssagender Miene ein zweiter Inhalt jenseits des Textes herauslesen. Dann hatte er seinen Entschluß gefaßt. »Genosse Sundstrom?«

Julia wußte, die Zeit für die große Eröffnung war gekommen. Ihre Nerven spannten sich. Und spürte just in diesem Moment Elises Fingerspitzen, überraschend sanft, auf ihrem Handgelenk. »Komm, Kind!« sagte Elise, fast etwas wie Mitgefühl in ihrem Ton. »Die Männer möchten sicher allein sein...«

Sie schob Julia beiseite. Julia wußte nicht, sollte sie lachen oder sich ärgern. Am Ende obsiegte ein Gefühl von Dankbarkeit. Es gab Momente, da zeigte diese Frau hinter ihrem unglückseligen Äußeren einen durchaus bemerkenswerten Charakter.

Elise Tolkening entließ sie inmitten einer Gruppe von Offiziersehefrauen, deutschen und sowjetischen, die von ihren Gatten instruiert worden waren, Freundschaft füreinander zu zeigen. Sie versuchte, den holpernden Bemühungen um Konversation zu folgen, aber ihre Gedanken kreisten weiterhin um die andere Sache. Seit Monaten schon, seit Arnold ihr von Tolkenings Erwähnung eines möglichen Nationalpreises für ihn gesprochen hatte, wartete sie auf diese Entscheidung. Nach außen hin gab Arnold sich gleichgültig; der Preis galt ihm nichts, verkündete er – die Arbeit zählte. Aber es war eben doch wichtig, auch für ihn – öffentliche Anerkennung, Ermutigung! Und nicht nur für ihn. Für sie ebenso, und für das ganze Kollektiv, das seinen Anteil hatte am Bau der Straße, für einen jeden von ihnen, von Architekten und Statikern und Zeichnern bis zum letzten Ziegelträger. Aber ständig waren da die Stimmen, die von überall her wisperten und sich nicht festnageln ließen und die verneinten, was jedem Menschen von Ehre und gutem Willen selbstverständlich sein mußte: daß die Straße den Geist und das Bestreben unsrer Werktätigen mit den besten Traditionen unsrer Architektur verband und etwas Großes und Edles symbolisierte, für das es sich einzusetzen lohnte.

Heerbrecht kam auf sie zu, Käthchen Kranz an seiner Seite. Ohne den leicht höhnischen Ton seiner Stimme zu mildern, rief er: »Sie sehen so verloren aus, Julia Sundstrom! …« und ergriff sie mit seinem noch freien Arm und zog sie mit sich.

Sie lachte. Alles erschien ihr auf einmal lächerlich – die Frauen, aus deren Mitte sie soeben entführt worden war, Heerbrecht mit seinem eitlen Gesicht und seinen eulenartigen Gläsern, Käthchen Kranz. Käthchen trug eine hochgetürmte Frisur und lange falsche Wimpern; ihr war es sogar dienstlich gestattet, sich so westlich wie sie wollte zu gerieren, denn mit ihrer Tap-Dance-Nummer und ihren Songs, die vom Volkstümlichen bis zu einer Art Baby-Jazz reichten, war sie die persönliche Verkörperung dessen, was das Blatt des Genossen Bunsen als die heitere Muse der Republik bezeichnete.

»Schade, daß man Sie so selten in Gesellschaft sieht, Frau Sundstrom« – Käthchen suchte die Wirkung ihrer Worte auf Heerbrecht einzuschätzen. »Sie arbeiten? Sie sind Architektin? Und Sie sind verheiratet? Wie tödlich! Ich dachte, daß Axel und ich Sie manchmal einladen könnten, könnten wir doch, was, Axel?«

»Käthchen, meine Liebe« – Heerbrecht gab ihr einen strafenden Klaps, ohne aber deshalb seinen Druck auf Julias Arm zu lockern –, »die Genossin Sundstrom hat vielleicht Wichtigeres im Sinn.«

»Und ich etwa nicht?« protestierte Käthchen. »Habe ich

nicht den echten sozialistisch-realistischen Hoopla auf den Weg gebracht, den Lipsi, und ist meine Kunst nicht mindestens so wichtig wie deine Weisheiten und die Sprüche der Genossen Warlimont und Bunsen und Tolkening?«

»Die Leute, die dich reden hören, werden glauben, du bist sarkastisch«, sagte Heerbrecht.

Julias Belustigung endete so abrupt, wie sie begonnen hatte. Sie fand sich plötzlich in der Nische, von der Heerbrecht an diesem Abend bereits gesprochen hatte. Und immer noch hielt deren ursprüngliche Besatzung sich darin auf, einschließlich John Hillers und des Genossen Warlimont, der sein am Hals offenes Blauhemd demonstrativ zur Schau trug.

Hiller trat auf sie zu, eine halb geleerte Flasche Kognak in der Hand. »Ich warne dich, Julia« – seine Zunge hatte Schwierigkeiten mit den Konsonanten –, »ich bin betrunken und werde mich unordentlich aufführen.«

»Wirst du nicht«, sagte sie mit größerer Schärfe, als sie beabsichtigt hatte. »Du wirst dich benehmen.«

»Warum sollte ich? Gib mir einen guten Grund, Julia. Deinetwegen etwa?«

»Weil du dich auf einem offiziellen Empfang befindest. Und weil auch du das städtische Architekturamt vertrittst ...«

»Das große Kollektiv, was?« Hiller zog seine Stirn kraus. »Unsre Werktätigen? Warum hörst du nicht endlich auf, die Tempeljungfrau zu spielen, Julia!« Er fuhr sich durchs Haar, eine dicke Strähne war ihm über die Stirn gefallen und ließ seine sonst einigermaßen sensiblen Züge grobschlächtig erscheinen. »Werd erwachsen! Dein geliebter Gatte wird kriegen, wonach er so heftig giert. Und Warlimont weiß, daß er es kriegen wird. Alle wissen sie es. Dafür hat der Genosse Tolkening schon gesorgt, wenn auch nur, damit ein Widerschein vom Ruhm des großen Sundstrom ihm auf das eigene Haupt fällt. Also –« Er hielt ihr die Flasche hin.

»Nein, danke schön!«

Seine Augen wurden feucht. »Julia«, bat er, schwer atmend,

»trink einen Schluck. Nur einen. Zusammen mit mir. Auf diesen Preis. Auf all die Türmchen, die wir auf all diese Dächer gepappt, und auf all die Säulchen, die wir vor all diese Hausfronten gestellt haben…«

Sie erbleichte. Er ließ die Flasche fallen. Die Flasche zerbrach.

»Ach, Julia…«

»Heerbrecht«, forderte Julia ihn auf, »wollen Sie mich bitte zu meinem Mann bringen?«

Sundstrom zündete sich eine frische Zigarette an und steckte das Endstück seiner niedergerauchten, mit der Glut nach unten, in die feuchte Erde einer Topfpalme. Die Palme gehörte zu einer Gruppe von Pflanzen, welche den Eingang zur Küche kaschierten; so konnte Sundstrom, im diskreten Schutz des Grüns, einen Anschein von Vertraulichkeit für das Gespräch mit Krylenko wahren, das er den ganzen Abend schon gesucht hatte.

»Sie können sich darauf verlassen, daß Tolkening aus jeder Gelegenheit, die sich ihm bietet, einen Vorteil zu ziehen weiß.« Sein Russisch war fehlerlos, aber seine Verärgerung über seinen Fauxpas ließ seinen deutschen Akzent stärker als sonst hervortreten. »Und ich kann Ihnen die Notiz in der Zeitung zeigen, Pawel Grigoritsch: da stand, Sie wären der Delegationsleiter.«

Krylenko zuckte die Achseln. »Man hat Popow in der letzten Minute ernannt. Meinen Sie etwa, mir war der Austausch angenehm?«

Sundstrom zerbröselte die verwelkte Spitze eines der Palmenblätter. »Ich müßte wirklich wieder mal nach Moskau kommen, und sei es auch nur für ein paar Tage. Man verliert seine Verbindung zu den Vorgängen so schnell. In diese Provinz dringen nur Informationen aus zweiter Hand – besonders über politische Entscheidungen und Kader… Es hat eine Menge Veränderungen gegeben bei euch in der letzten Zeit, nicht?«

»Die Dinge verändern sich dauernd.« Krylenko vermied es, seinem Gegenüber ins Auge zu blicken, eine Gewohnheit, die ihm zur Eigenschaft geworden war. »Das liegt in ihrer Natur.«

»Pawel Grigoritsch!« Sundstrom zügelte seine Ungeduld.
»Ein Erdbeben ist auch eine Veränderung. Aber ich kann versuchen, mich seinem Epizentrum fernzuhalten.«

Krylenko lachte. »Ich glaube nicht, daß wir ein Erdbeben hatten – oder eines haben werden. Wir können uns Erschütterungen der Art gar nicht leisten.«

Die Feststellung war in jenem Ton von Autorität getroffen worden, den Sundstrom zu schätzen wußte. Aber die Tatsache blieb, daß Krylenko, der Rangordnung der Delegation zufolge, ein Stück dieser seiner Autorität verloren hatte. »Wer ist dieser Popow?« wollte Sundstrom wissen. »Wo kommt er her?«

Krylenkos rötliche Brauen hoben sich ein wenig; der Weg, den Sundstroms Gedanken genommen hatten, war nur allzu offensichtlich gewesen. Doch vermied Krylenko es auch weiterhin, irgendwelche Unruhe zu zeigen. »Oh, Popow kennt sein Gebiet. Machen Sie sich deswegen keine Sorgen.«

»Müßte ich mir denn Sorgen machen?«

»Sie?« Krylenko lachte kurz. »Bei der Entfernung zwischen Ihnen und dem Epizentrum?« Krylenko brach ab. Seine Ironie, gerade weil sie so klar zu der Situation paßte, hatte ihn dazu verführt, etwas zuzugeben, das er bisher nicht einmal sich selber eingestanden hatte. »Ich habe Ihnen erklärt, es würde kein Erdbeben oder dergleichen bei uns geben, Arnold Karlowitsch«, sagte er ärgerlich. »Vielleicht werden wir irgendwo ein paar leichte tektonische Erschütterungen haben; so etwas passiert immer mal in unsern Apparaten, bevor neue Strukturen ihren festen Platz gefunden haben.«

Das klang vernünftig, und Sundstrom wünschte selber, es zu glauben. Der große Mann, auf dem so viele dieser Strukturen basiert hatten, war fast drei Jahre tot; und obwohl eine Anzahl seiner Spitzenleute Sitz und Rang in dem allgemeinen Stühlchenverrücken verloren hatten, das seinem Ableben gefolgt war, so hatte sich doch nichts grundlegend Neues ereignet, keiner von jenen Umstürzen, die niemandem Gutes verhießen.

»Aber sagen Sie mir, Pawel Grigoritsch«, griff er das Thema

wieder auf, »könnte diese oder jene von Ihren leichten tektonischen Erschütterungen, wie Sie es nennen, nicht auf ein viel gewaltigeres Ereignis hindeuten, einen Ausbruch in Tiefen, die kein sich verantwortlich fühlender Mensch aufgewühlt zu sehen wünschen würde? Warum hat man diesen Popow Ihnen plötzlich vor die Nase gesetzt? Wer, oder was, ist er denn eigentlich?«

»Nun« – Krylenko bewegte sich unbehaglich –, »der Mann ist eine Weile nicht so sehr hervorgetreten.«

»Also einer von *denen*…!«

»Ja, einer von denen, Arnold Karlowitsch.« Der Schatten eines Palmenblatts warf ein Streifenmuster auf Krylenkos flaches, ausdrucksloses Gesicht. »Sie kommen nach Moskau zurückgetröpfelt. Genau weiß ich nicht, woher, und ich will es auch gar nicht wissen. Ich habe auch Popow nicht danach gefragt. Sie erhalten den ihnen zustehenden Wohnraum und eine Arbeitsstelle, wenn sie gesund genug sind, um zu arbeiten, oder eine Kur in einem Sanatorium…«

»Aber das ist doch –« Sundstrom unterbrach sich. »Ich meine, sie werden so etwas à la longue nicht verdeckt und verborgen halten können. Es gibt zu viele von ihnen. Es wird durchsickern.« Seine Hand zitterte, und er bemerkte, daß auch Krylenko dies Zittern bemerkt hatte. »Habt ihr denn die Konsequenzen nicht bedacht?«

»Wer ist *ihr*?«

»Sie, Pawel Grigoritsch. Ihr alle.«

»Wissen Sie, wen ich getroffen habe, vor einer Woche etwa« – Krylenko schien das Thema wechseln zu wollen –, »mitten auf dem Arbat?«

Sundstrom zündete sich eine neue Zigarette an. Wenn ich nicht lerne, mich zu beherrschen, dachte er, wird aus mir ein Kettenraucher. Krylenko versuchte offenbar, eine Antwort auf seine Frage nach den Konsequenzen zu vermeiden, obwohl diese sichtlich sie alle betraf, das gesamte sozialistische Lager, überall auf der Welt.

»Mitten auf dem Arbat, vor einem Schaufenster stehend – Ihren Freund und Genossen Tieck, Daniel Jakowlewitsch!«

»Tieck…« Eine heisere Silbe, als hätte plötzlich eine Art Mehltau Sundstroms Stimmbänder befallen.

»Daniel Jakowlewitsch Tieck«, bestätigte Krylenko, »in Person. Das Haar schneeweiß geworden, aber sonst durchaus munter, soweit ich sehen konnte. Nun ja, er ist der zähe Typ; die ertragen so etwas am besten. Er hat auch sofort nach Ihnen gefragt, Arnold Karlowitsch.«

Krylenko beobachtete ihn. Sundstrom spürte einen leichten Schwindel. Sein Blut war ihm vom Gehirn zum Herzen geströmt; Krylenko mußte seine plötzliche Blässe wahrgenommen haben.

Aber Krylenko fuhr ungerührt fort. »Ich habe ihm gesagt, daß Sie leben und wo Sie leben und daß Sie die Tochter von Julian und Babette Goltz geheiratet haben. Zuerst hat er sich geweigert zu glauben, daß die Kleine schon so erwachsen wäre; dann hat er die Jahre rasch durchgerechnet – die Jahre, die er fort war, und die, die ein Mädchen braucht, bis es zu einer heiratsfähigen Frau wird. Dann hat er gesagt, daß er sich sehr freut, für euch beide, und mir aufgetragen, ich soll euch grüßen.«

»Wie schön.«

Sundstrom war dankbar, daß seine Stimme wieder funktionierte. Der Nationalpreis, hatte Tolkening im Beisein von Genosse Popow und Genosse Krylenko gesagt, sei ihm sicher. Und nun kam noch Daniel Tieck zu seinem Glück hinzu, aus dem Nichts sozusagen, und freute sich und sandte ihm und Julia Grüße. Es wurde also doch noch ein großer Abend, dachte er ironisch. »Es geschehen eben noch Zeichen und Wunder!« sagte er.

»Zeichen und Wunder?« fragt Krylenko. »Was haben *Sie* denn erwartet?«

Ja, was hatte er denn erwartet? Das Blut, das seinen Kreislauf wiederaufgenommen hatte, schien noch einmal abstürzen zu wollen. Nichts. Nichts hatte er erwartet, gar nichts; er hatte die

Dinge nie bis zu diesem Punkt durchdacht. Sein Hirn war gnädig genug gewesen, sich regelmäßig abzuschalten, bevor es hätte zu Folgerungen gelangen müssen.

»Warum sollte ich irgend etwas erwartet haben…«, sagte Sundstrom schließlich. »Der Genosse Tieck verschwand einfach. Das war alles. Was hätte ich tun können? Oder Sie, Pawel Grigoritsch, wären Sie an meiner Stelle gewesen? Oder irgendeiner?«

Krylenko äußerte sich nicht.

»Hat Daniel Jakowlewitsch Ihnen irgend etwas erzählt von seinen Plänen, als Sie ihn auf dem Arbat trafen?« fragte Sundstrom weiter. »Oder später irgendwann? Was geschieht mit der Art Leuten? Können sie tun und lassen, was sie wollen? Gehen, wohin es sie treibt? Reden, mit wem es ihnen Spaß macht?«

»Ich denke schon. Warum auch nicht…?« Krylenko seufzte. Seine Geduld erschöpfte sich. Er hatte das alles vor langer Zeit schon durchgespielt, als er hinter dem Katafalk einhergeschritten war, von der Säulenhalle her, durch die trauernde Stille der Moskauer Straßen, und hatte schon damals gewußt, daß dies Problem auf sie zukommen würde. Man hatte Beethoven gespielt über die Lautsprecher, den Trauermarsch aus der Eroica. Beethoven!

»Aber warum nur?« Die Frage kam tief aus Sundstroms Brust, fast wie ein Röcheln. »Warum muß das sein, Pawel Grigoritsch? Wem nützt es, die Skelette aus dem Schrank zu ziehen? Der Partei? Der Sowjetunion? Dem Sozialismus?«

»Beruhigen Sie sich doch! Was sollten wir denn tun, nach Ihrer Meinung? Die alten Mißbräuche weiter betreiben?«

Sundstrom wußte keine Antwort.

»Schließlich und endlich waren die meisten dieser Leute«, eine müde Geste Krylenkos, »gänzlich schuldlos.«

»Ich habe noch nie erlebt, Genosse Krylenko, daß Sie Fragen persönlicher Ethik für wichtiger hielten als das Wohl und den Nutzen der Revolution…« Sundstrom biß sich auf die Lippe. Er war zu weit gegangen. Auch wenn Krylenko herabgestuft

35

worden war, blieb er immer noch eine Macht. »Natürlich muß man Ungerechtigkeiten beseitigen«, gab er hastig zu. »Aber ein Tieck hier, ein Popow da – wie viele von der Sorte, frage ich Sie, werden noch auftauchen an wie vielen Stellen! Erst wird man ein Getuschel hören, dann Kritik, die immer lauter werden wird, und am Ende wird es von allen Hausdächern schallen. Und was wird dann aus den – aus den anderen?«

»Persönliche Ethik«, zitierte Krylenko ihm seine eigenen Worte. »Ungerechtigkeiten, Skelette... Ich sähe es lieber, Arnold Karlowitsch, Sie verzichteten auf diese subjektive Einstellung.« Sein Mundwinkel zuckte. »Jawohl, subjektiv. Die Dinge werden, so hoffe ich, mit Diskretion gelöst werden; keine Übereilung, keine Fanfaren: Wem liegt schon daran, mit dem eigenen Finger auf die eigene Person zu zeigen? Aber getan werden muß etwas.«

Er schwieg einen Moment. Sundstrom fuhr fort, einen dünnen Streifen von einem Palmblatt um seine Finger zu wickeln.

»Denn es ist historisch notwendig!« beantwortete Krylenko die Frage, die ihm gar nicht gestellt worden war. »Entlang des alten Weges liegt der Kollaps – ökonomisch, moralisch, politisch. Hätten Sie weiter in Moskau gelebt, auch Sie hätten es gespürt, Arnold Karlowitsch. Die Welt ist im Umbruch, unsere eigene Welt; die einzige Kraft, die diese Welt auf Kurs hielt in der Vergangenheit – war er. Das war sein Verdienst, und das wird bleiben. Aber wir haben ihn ins Mausoleum getragen. Ich sage Ihnen, Verehrter, es liegt mehr auf der marmornen Bahre dort als ein fachmännisch ausgestopfter Leib in Marschallsuniform. Solange er da war, war alles klar und unkompliziert, jede Gleichung ging auf in unsrer Rechnung; und wenn sie es einmal nicht tat, wußte man dennoch, wie man die Zahlen zu manipulieren hatte. Und jetzt...«

Er unterbrach sich.

»Aber das sind nicht Ihre Probleme«, beschwichtigte er schließlich. »In Ihrer wohlbehüteten kleinen Republik hat es nichts der Art gegeben, also müssen Sie sich nicht ängstigen...

Ich sehe, Ihre Frau kommt.« Und den Kopf in ihre Richtung neigend: »Meine liebe Julia Julianowna, Sie müssen mir verzeihen, daß ich Sie so lange Ihres Gatten beraubt habe.« Und stieß Sundstrom scherzhaft in die Seite: »Meinen Sie nicht, Sie sollten es ihr erzählen?«

Sundstrom ließ seine Augen freudig aufleuchten und lächelte von Ohr zu Ohr; dann, ganz Wärme und inneres Glück, nahm er sie in den Arm und sagte: »Ich habe eine wunderbare Nachricht für uns, wirklich wunderbar!«

»Der Preis?«

»Ja, Liebste, der Preis.«

Der Schnee hatte sich in Matsch verwandelt. Die Reifen rutschten. Sundstrom fluchte.

»Wir hätten den Chauffeur nehmen sollen«, sagte Julia, schmiegte sich an ihn und betrachtete seine breiten Finger, die fest auf dem Steuerrad lagen. Er fuhr den Wagen wie einer vom Fach; aber man sah, er war müde und mit den Nerven herunter. »Dann hätten wir im Fond sitzen und Händchen halten können.«

»Soll der Mann seinen freien Abend haben«, knurrte er. »Ich mag es nicht, wenn Leute, die sich als Sozialisten bezeichnen, ihre Fahrer draußen warten lassen, während sie sich an irgendwelchen Buffets vollstopfen und ihre Karriere fördern.«

Julia nickte. Sie schätzte das an ihm: Er hatte nicht vergessen, wer am Ende die Rechnung zahlte, und obwohl er zur sogenannten Prominenz gehörte und ein Anrecht hatte auf einen gewissen Anteil an öffentlichen Geldern, vermied er es peinlich, auch nur einen Pfennig davon für seinen eigenen Komfort, seinen eigenen Vorteil auszugeben. Manche Genossen wurden da nachlässig, sobald ihnen ein breiter Amtssessel mit einer entsprechenden Anzahl von Telefonen auf dem Schreibtisch zufiel – nicht so ihr Arnold. Kommunist sein, hatte er ihr einmal, schon vor ihrer Hochzeit, gesagt, ist eine Lebenseinstellung. Und hatte ihr erklärt, daß Korruption schon darin bestand, daß einer die Macht, die ihm für gewisse Zwecke gegeben war, nebenher für eigene Interessen nutzte. Solche Fälle erregten seinen Widerwillen; er hatte den Koch in der Kantine des Architekturamts entlassen, weil der den Arbeitern und Angestellten die ihnen zustehenden Butterrationen kürzte; aber er hatte auch den Leiter eines ganzen Bauunternehmens, eines volkseigenen, vor Gericht gebracht, nachdem dieser seine Planzahlen gefälscht und die Prämien für die Übererfüllung eingesteckt hatte. Er hatte sich sogar den Verkäufer in einem staatlichen Schuhgeschäft persönlich vorgenommen, der einem seiner Maurer durchlässiges Schuhwerk verkauft hatte, und hatte das Geld dafür zurückverlangt, oder es würde noch größeren Ärger geben; aber er scheute sich auch nicht, in Gegenwart des Genossen Tolkening einen von dessen Hauptabteilungsleitern zu kritisieren, der seiner Sekretärin von einem Tag auf den anderen, oder sollte man sagen, einer Nacht auf die andere, eine Zweiraumwohnung mit Bad zugeschanzt hatte, damit er bequemer mit ihr schlafen konnte. Ein Kommunist, hatte er Julia, seit sie politisch denken konnte, immer wieder gesagt, darf keine faulen Köpfe dulden, keine lauen Herzen und vor allem das Laisser-faire nicht, das Eine-Hand-wäscht-die-Andere und das Reg-dich-nicht-darüber-Auf; dein Denken und Handeln müssen so klar und transparent sein wie der Entwurf auf deinem Zeichentisch. Nicht daß er sich dadurch beliebt machte; aber im allgemeinen respektierte man seinen Sinn für Gerechtigkeit und seine Unbestechlichkeit.

»Der Preis«, fragte sie, »glaubst du, er wird nur dir persönlich verliehen werden oder zugleich dem Kollektiv?«

Manchmal hörte er einfach nicht. Sein Blick war auf die Straße vor ihm gerichtet oder auf ein Bild in noch weiterer Ferne. Seine Geistesabwesenheit, der sonderbare Ausdruck um Mund und Augen, erzeugten in ihr wieder das ungute Gefühl, das sie in jener Nische mit Hiller und Hillers Vertrauten schon gespürt hatte, als die Rede auf die bewußten Türmchen und Säulchen gekommen war – das Kollektiv: Das mochte für ihn nichts anderes bedeuten als John Hiller und dessentgleichen.

»Arnold!«

Er fuhr auf. »Ja, Liebste?«

»Du oder das Kollektiv?« fragte sie wieder und wurde sich, zu ihrem eigenen Unbehagen, des nörgelnden Tons in ihrer Stimme bewußt.

»Das ist doch noch gar nicht aktuell«, erwiderte er. »Und was ist daran so wichtig? Das Geld? Die Welt befindet sich inmitten von« – er zögerte –, »von tektonischen Erschütterungen; und du machst dir Gedanken über solch kindischen Kram...«

Es fröstelte sie; dabei war sie dicht in ihren Pelzmantel gehüllt, Geschenk Arnolds vom letzten Weihnachtsfest. »Was hab ich denn so Kindisches gesagt?« verlangte sie zu wissen. »Du hast dich doch selber so über die Nachricht gefreut... Ich versteh deine Haltung nicht... Oder möchtest du etwas geheimhalten vor mir?«

»Tut mir leid«, er klopfte ihr beruhigend aufs Knie. »Ich vergaß.«

Der abwesende Ausdruck war aus seinen Augen gewichen.

»Was hast du vergessen?« fragte sie.

»Daß du in mehr als einer Hinsicht noch ein Kind bist.«

Sie zuckte zusammen.

»Erinnerst du dich, was ich dir zu dem Thema Nationalpreis gesagt habe?«

»Daß nicht der Preis zählt, sondern die Arbeit.«

»Genau.« Er nickte. »Also, siehst du?«

»Aber hast du den Preis denn nicht haben wollen? Die Leute haben sogar Bemerkungen gemacht, du hättest ihm nachgehechelt...«

»So. Haben sie?«

Ihre Lippen verzogen sich. Leute – das hieß John Hiller.

»Würdest du mir vielleicht mitteilen, wer das gesagt hat?«

»Ich habe es gehört. En passant.« Jetzt log sie, und sie hatte wenig Talent zu der Art Lügen. Und warum sollte sie Hiller in Schutz nehmen? »Die Leute reden alles mögliche, besonders gegen Menschen, die weit über ihnen und ihrem bösartigen Geschwätz stehen. Gegen große Menschen.«

Und er *war* ein Großer, dachte sie: als Künstler, als politischer Denker und als Mensch. Aber schon wieder hörte er ihr nicht zu. Sein Blick war auf die Lichtkegel geheftet, welche die Straßenlampen auf die Fahrbahn warfen; auf seinem Gesicht arbeitete es, seine Kinnbacken zuckten.

»Wir sind zu Hause«, sagte er schließlich. »Gott sei Dank.«

Während er den Wagen in die Garage stellte, schloß sie das Haus bereits auf und knipste das Licht an. Frau Sommer, die Haushälterin, war anscheinend schon zu Bett gegangen; doch die Zentralheizung war noch warm, der Dampf in dem Heizkörper in der Eingangshalle zirpte wie eine Grille; man müßte einen Heizungsmonteur holen, aber wo bekam man einen, und wie lange würde er brauchen, die Sache in Ordnung zu bringen; es waren die kleinen Dinge im Leben, die einem an den Nerven zerrten. Sie tat ihren Pelz auf den Bügel und streichelte ihn, in Gedanken, einen Moment lang, bevor sie ihn in der Garderobe aufhing.

Dann schritt sie langsam durch die Halle und die Treppe hinauf. Tapeten und Anstrich der Räume waren in angenehm warmen Tönen gehalten, ein dunkles Rot vorherrschend; die Stille um sie herum war fast körperlich spürbar. Sie war sich sehr bewußt in dem Augenblick, daß dieses *sein* Haus war: Er hatte es ausgewählt unter dreien oder vieren, die man ihm angeboten, er hatte, obwohl sie die Innenarchitektin war in der Familie, die Farben ausgesucht, die Art der Holzverkleidung, die Teppichböden, die Stühle, Polsterbänke, Tische, und hatte die Bücherregale und Wandschränke einbauen lassen nach seinen Zeichnungen. Sie hatten ihre Sowjetmöbel in Moskau stehenlassen und nur die Teppiche mitgenommen – Arnold hatte ein paar sehr schöne Bucharas gesammelt – und ihre Kunstgegenstände: georgische Widderhörner, mit ziseliertem Silber geschmückt, Palechdosen mit ihren leuchtenden Miniaturen auf schwarzem Lack, gehämmertes Kupfer aus Samarkand, Silberarbeiten aus Tula und Gemälde – darunter einen Levitan, einen Bach im Frühling zeigend, das Wasser gurgelnd um das letzte Eis, das sich noch an die Wurzeln am Ufer klammerte, und an das Weiß der Birken, deren hellgrüne Blätter noch nichts als Knospen waren. Die Bilder erregten ihr Heimweh, Waldlandschaften mit diagonal durch die Bäume brechenden Sonnenstrahlen, unendlich hohe, unverwechselbar russische Bäume in einem unverwechselbar russischen Wald; und das Bild einer unverwechselbar russischen Dorfstraße, tief durchfurcht, die vorbeiführte an ebenso unverwechselbar russischen Häuschen, halb schon in die Erde versunken, mit Dachbalken fein geschnitzt wie Filigran.

Sie hörte das leise Wimmern und blieb stehen. Dann, den Rest der Treppe hinaufeilend, lief sie zu dem Kinderzimmer hin, riß dessen Tür auf und hob den kleinen Jungen mit einem tröstenden »Julian, Liebster!« aus dem Bett.

Sie spürte das hastige Pochen seines Herzens; seine Augen, samtiges Dunkelgrau, waren weit aufgerissen von den Nachwehen großer Angst.

»Tut es dir weh, Liebling? Wo?« Jede, auch die kleinste Krankheit, die ihn befiel, brachte sie in Panik; und es gab kaum eine Krankheit, die er nicht gehabt hatte, Halsentzündung, Masern, Mumps; eine Verschwörung der Natur, um ihn blaß zu halten, untergewichtig und überempfindlich.

»Der Mann!« sagte er erregt. »Julia« – seit er sie das erste Mal rief, hatte er sie Julia genannt, und sie hatte es nie korrigiert –, »der Mann war schon wieder da!«

»Welcher Mann? Hier ist doch gar niemand.«

»Der fremde Mann mit der roten Mütze. Er hat schrecklich lange Arme und kein Gesicht. Manchmal trägt er einen großen Koffer bei sich, damit er dich hineinstecken kann und wegnehmen von mir…« Er unterdrückte ein Schluchzen. »Er kommt jede Nacht. Nein, nicht jede Nacht, aber oft.«

»Es gibt keinen solchen Mann. Und niemand will mich dir wegnehmen. Du hast einen schlechten Traum gehabt.«

»Ich war aber die ganze Zeit wach. Und ich kann den Mann auch sehen, wenn meine Augen zu sind.«

Sie fühlte ihm die Stirn. Die Stirn war feucht. »Aber jetzt siehst du ihn nicht, oder?«

»Nein. Aber doch war er hier. Julia?«

»Ja?« Sie hüllte ihn in seine Decke.

Er befreite seinen Arm und legte ihn ihr um den Nacken. »Warum hat er diese rote Mütze auf?«

»Aber wenn es gar keinen solchen Mann gibt, wie kann er da irgendeine Mütze aufhaben?«

»Eine rote Mütze, ohne Rand.«

»Du hast wach gelegen, sagst du. Und hast den Mann gesehen. Warum hast du Frau Sommer nicht gerufen?«

Plötzlich richtete er sich auf. Julia wandte sich um. Arnold war ins Zimmer seines Sohnes getreten und lächelte ihm zu, halb wohlwollend, halb besorgt. »Warum schläfst du nicht, Junge?«

Julian schwieg. So berichtete Julia von dem Traum ihres Sohnes, von dem Mann ohne Gesicht und mit der sonderbaren roten Mütze.

»Woher hat der Junge solche Ideen?« knurrte Sundstrom. »Ich glaube, es wird Zeit, daß ich mich einmal gründlich mit Frau Sommer unterhalte.«

Julian verkroch sich gegen die Rückwand seines Betts und zog die Decke hoch bis zum Kinn. Hatte er etwa, dachte Julia jäh, Angst vor seinem Vater? Sundstrom setzte sich auf den Bettrand und betrachtete das zusammengekauerte Kind. Warum zog sein Sohn sich von ihm zurück?

Die Kinnbacken des Jungen zuckten; den nervösen Tic hatte er wohl von ihm geerbt, dachte Sundstrom, und den trotzigen Ton des unbedingten: »Ich will, daß der Mann weggeht!«

Sundstrom beugte sich zu ihm hinab. »Ich kann ihn nicht verjagen. Das kann nur einer und für immer und immer: *du*. Nur du bist stark genug dafür.«

Julian blickte seinen Vater an, interessiert, aber skeptisch. Die Decke glitt von seiner Schulter herab. Seine Handgelenke, in Sundstroms Augen viel zu zerbrechlich, staken aus den Ärmeln seines Pyjamas hervor; seine Finger, dünn, hilflos, bewegten sich, als suchten sie Stütze und Beistand.

In Julias Herz breitete sich ein Schmerz aus wie ein Fremdkörper. Sundstrom hüllte seinen Sohn wieder in die Decke und bettete ihn mit wohlüberlegt zärtlicher Geste in seine Kissen zurück und sagte: »Du wirst sehen, du bist stärker als der Mann mit der Mütze.«

Doch Julian blieb reserviert. »Der Mann ist aber ganz schrecklich groß.«

»Ich habe mein Leben lang gegen Leute kämpfen müssen, die ganz schrecklich groß waren und stärker als ich«, fuhr Sundstrom fort und streichelte die Finger seines Sohnes, »manche von ihnen doppelt so stark wie ich oder sogar zehnmal.«

Der Junge nickte; er schien auf das Zauberwort zu warten, das ihm die nötigen Ausmaße und Kräfte verleihen würde für den Kampf, den sein Vater ihm prophezeite. Julia suchte sich zu erinnern: Als sie noch ein Kind war und Arnold sich auf den Rand ihres Bettes setzte, hatte alles in ihr zu ihm hingestrebt, ihr Herz hatte sich ihm geöffnet, dankbar für jede, auch die kleinste Zärtlichkeit, jeden Beweis, daß sie nicht allein und verlassen war.

»Wie stark einer ist, hängt davon ab, wofür er kämpft und für wen.« Sundstrom schloß seine Hand um die Finger seines Sohnes. »Siehst du, du hast eine richtige Faust... Wenn der Mann kommt, der Mann ohne Gesicht und mit der roten Mütze, wirst du mit deiner Faust zuschlagen. Und für wen wirst du kämpfen?«

»Für Julia«, sagte der Junge, sehr leise, aber intensiv, und behielt seine Finger zur Faust geballt, wie sein Vater sie ihm zurechtgelegt hatte.

Julia sah die blauen Äderchen, die durch die weiße Haut am Hals ihres Kindes hindurchschienen; sie sah den sonderbaren Zug um den Mund ihres Mannes, als er sich erhob; dann kniete sie sich neben Julians Bett und bedeckte das Gesicht des Kindes mit Küssen; zugleich nahm sie Arnolds Hand und hielt diese fest, fast als versuche sie mit ihrem Leib eine konkrete körperliche Verbindung herzustellen zwischen den beiden, ihrem Mann und ihrem Sohn.

»Wirst du jetzt schlafen können, Liebling?« fragte sie sanft.

Der Kleine dachte nach. »Wirst du die Tür offenlassen?«

Er blickte auf die Tür, die er meinte: die Verbindungstür zwischen dem elterlichen Schlafzimmer und seinem. Julia bemerkte Arnolds abwehrende Handbewegung, sagte aber: »Selbstverständlich, Liebling!«, streichelte das Kind noch einmal und schüttelte ihren Kopf besänftigend in Richtung ihres Mannes.

Dann, als sie beide die Treppe hinabstiegen, hing sie sich an seinen Arm und führte ihn zu dem großen Lehnsessel vor dem Kamin im Wohnzimmer.

»Du darfst nicht jeder Laune des Kindes nachgeben«, warnte er.

Sie dämpfte die Lichter und ging zu dem Eckschrank, in dem sich eine Miniaturbar befand, und goß zwei große Brandys ein.

»Wenn du glaubst, daß du die Tür später immer noch schließen kannst«, fuhr er fort, »täuschst du dich. Ich kenne den Jungen. Er wird sofort aufwachen und den ganzen Rest der Nacht wach liegen. Er wird nicht jammern, und er wird nicht protestieren; er wird nur sein Vertrauen zu dir verlieren – und zu mir.«

Sie setzte sich auf die Armlehne des Sessels und reichte ihm sein Glas.

Er starrte auf die Holzscheite die, knorrig und lang schon getrocknet, auf den Kaminböcken lagen. Der Kamin wurde, obwohl er perfekt funktionierte, nur selten angezündet; wie oft haben wir schon Zeit für uns selber, dachte er, und selbst wenn wir uns die Zeit einmal nehmen, finden wir auch kaum Ruhe vor unseren Plagen und Belastungen. »Du kannst mir schon glauben, was ich dir über den Jungen sage«, fuhr er dann fort, »ich habe längere pädagogische Erfahrungen als du, und wenn ich dich anschaue, meine Liebe, habe ich mit meinen erzieherischen Methoden keine schlechten Resultate erzielt.« Seine Fingerspitzen glitten über ihren Oberschenkel, der, fest und elastisch zugleich, auf der breiten Armlehne des Sessels ruhte.

»Ich hatte gar nicht die Absicht«, sagte sie, »die Tür zu seinem Zimmer zu schließen.« Sie stieß an mit ihrem Mann und ließ sich ihren Brandy auf der Zunge zergehen. Da war der sonderbare Ausdruck wieder, der seinen Mund entstellte. »Du wirst doch nicht etwa eifersüchtig sein – auf Julian?« Sie versuchte zu lachen.

»Jedenfalls hilfst du ihm nicht, indem du seine Verbindungstür zu unserm Schlafzimmer offenhältst.« Er ärgerte sich: Durch seine eigene Verbohrtheit wurde aus jeder Nichtigkeit ein Streit. »Ein Mann ohne Gesicht und mit einer roten Mütze!« sagte er. »Was wird ihm als nächstes einfallen?«

Sie entknotete die schwarze Smokingschleife, die er immer noch um den Hals trug; dann knöpfte sie seine gestärkte Hemdbrust auf und ließ ihre Hand über sein Schlüsselbein und seine Rippen gleiten. Er hob sein Gesicht zu ihrem. »Du hast sehr schön ausgesehen heute abend«, lächelte er. »Alle haben darüber geredet.«

Sie küßte ihn. Seine Lippen schmeckten nach dem Brandy.

Er streifte ihr das Kleid von den Schultern. »Wirklich sehr schön.« Ihre Schultern waren geschmeidig, warm, jung; ein schwacher Duft von dem Parfüm, das sie sich zwischen ihre Brüste getupft hatte, haftete dort noch; die Form ihrer Brüste erregte ihn, das Lachsrot der Brustwarzen gegen das Pastell ihrer Haut. Es war das Knospen dieser Brüste gewesen, das ihn – nun auch schon vor gut ein paar Jahren – zum ersten Mal des Wandels seiner Gefühle ihr gegenüber bewußtgemacht hatte. Es war ein heißer Sommertag gewesen auf einer Datsche außerhalb Moskaus, kurz nach dem Krieg; Julia trug nur ein Baumwollhemd und Höschen und kletterte barfuß über die bemoosten Steine im Bett eines Bachs; glitt aus; schrie auf; er eilte zu ihr und hielt die Erschreckte mit stützender Hand; dabei sah er, daß ihr Hemd, total durchnäßt, von oben bis unten durchsichtig geworden war. Das alles hatte ihn bestürzt und erregt – was war er, ein Monstrum, ein geiles? –; da war seine Verpflichtung gewesen Julian und Babette Goltz gegenüber, die ihm als heilig gegolten hatte, bis er sich jetzt überlegte: Sie war kein Kind mehr, sie war im Begriff, eine Frau zu werden mit Brüsten, Hüften, Schenkeln und Haar in den Achselhöhlen und auf dem Hügel zwischen ihren Beinen. Auch sie spürte die Veränderung, die über sie gekommen war; sie gestand es ihm sogar, und er hörte sie ernsthaft an, obwohl er wußte, daß sie noch zu jung war, seine komplexen Beziehungen zu ihr und deren Ursachen und Geschichte ganz zu begreifen. Sie wurde scheu und zurückhaltend; das uniformierte Leben von Schule und Pionierorganisation erwies sich als eher hilfreich, das Unattraktive daran, die puritanischen Muster, das Aufrechte, die Geometrie; aber darunter lagen ihre unruhigen Nächte. Er mußte viel reisen in jenen Jahren, man hatte ihn zum Mitglied einer Kommission von Experten ernannt für den Wiederaufbau der vom Krieg zerstörten Städte; und jedesmal wenn er auf die Weise einen legitimen Grund fand, sich für ein paar Tage von ihr zu trennen, fühlte er sich erleichtert und war doch tief unglücklich bereits im Moment, da er die Wohnungstür hinter sich schloß; er sehnte sich nach ihr, nach den zarten Zügen ihres schmalen Gesichts das, just durch den Verlust seiner kindlichen Proportionen, bei jedem ihrer Wiedersehen ihm noch zarter und liebenswerter geworden zu sein schien; Eifersucht quälte ihn, auf Lehrer, auf Aufsichtspersonen, Studienkollegen, Komsomolsekretäre; in seinen Träumen sah er sich, wie er ihr den gestärkten weißen Kragen und das grobe braune Tuch ihrer so wenig schmeichelhaften Schuluniform vom Leib riß, und der Angstschweiß brach ihm aus ob seiner unziemlichen Gier nach ihr.

Aber auch, wenn er in Moskau war, träumte er von ihr. Sie lebten in einem Raum einer Gemeinschaftswohnung, einem ziemlich großen allerdings, einschließlich Benutzung einer Gemeinschaftsküche und eines Gemeinschaftsklos, in dem zwei der anderen Mieter auch ihre Fahrräder unterstellten; sie schliefen getrennt durch einen wackeligen Kleiderschrank und einen

Vorhang, der an einem stählernen Draht hing; Sundstrom hörte jede ihrer Bewegungen im Bett und jeden ihrer Atemzüge und sah sie, er konnte nicht anders, in den verschiedenen Stadien von Entkleidung und berührte sie, ob er wollte oder nicht, wenn sie sich zu Tisch setzten oder einen Koffer umstellten oder zur Tür hereinkamen oder hinausgingen. Julia fuhr fort, das brave kleine Mädchen zu spielen, aber sie war zu jung, um die Anzahl und Tiefe der Fallgruben zu kennen, zwischen denen sie sich bewegten, und konnte daher in aller Harmlosigkeit von dem erotisch geladenen Schweigen zwischen Mann und Frau zu dem bedeutungslosen Geplapper eines Fast-noch-Kindes und umgekehrt übergehen. Bis eines Tages, bei einem Aufenthalt in Riga, ihm jemand ein gebrauchtes Abendkleid zum Kauf anbot, schwarz, tief ausgeschnitten, mit aufgenähtem Glitzerband. Er bezahlte eine Menge Geld dafür, und in Moskau dann beschaffte er die Accessoires: Seidenstrümpfe, Schuhe mit hohen Absätzen, ein dünnes, aber edles Goldhalsband. An dem Abend sagte er ihr, zieh deine Schuluniform aus und zieh an, was ich dir mitgebracht habe, und kämm dir deine Zöpfe aus, sie stehen dir so komisch vom Kopf ab. Dann wartete er hinter dem Kleiderschrank und lauschte dem Rascheln des Tafts, als sie das neue Kleid überzog, und dem Knistern der Seide, als sie die neuen Strümpfe glattstrich. Und dann, als er den Vorhang zur Seite schob, sah er sie vor dem Spiegel stehen, der über dem Waschtisch hing, und sah, wie sie ihre Ellbogen hob, um ihr Haar im Nacken zu kämmen, und der Mund trocknete ihm aus ganz plötzlich. Dann trat er hinter sie, legte seine Hände um ihre Brust und streifte ihre Schläfe mit seinen Lippen. Und sagte mit heiserer Stimme: »Ich werde dich heiraten, Julia…«, und fügte hinzu, hastig, als eine Art Rückversicherung vor Julian Goltz und dessen Babette, tot all diese Jahre, und vor dem Gesetz, »…sobald du erwachsen bist.«

Und nun war sie erwachsen und war die Mutter seines Kindes und war doch in mehr als einer Hinsicht immer noch so kindlich wie damals. Er küßte ihre Brüste. »Julia?«

»Ja, Liebster?«

»Ich hab dich den ganzen Abend begehrt.«

Das stimmte nicht ganz; er hatte auch noch ein paar andere Themen im Kopf gehabt als Sexualverkehr mit seiner Frau: die Straße des Weltfriedens, Tolkening, den Nationalpreis, Krylenko – und den plötzlich aufgetauchten Genossen Tieck. Aber jetzt verlangte es ihn nach ihr.

»Ich wollte dich auch«, antwortete sie.

Das war ebensowenig die volle Wahrheit. Da war die Unruhe gewesen in ihrem Herzen, ihre Nerven, die an ihr zerrten; und die Wärme des Pelzes und ihr Glück darüber, das bald verpuffte; und John Hillers beleidigender Ausbruch gegen sie. Sie hatte Arnold gewollt – unter anderem. Doch in diesem Augenblick wollte sie nichts anderes als ihn.

Mit einer Wendung ihres Leibs half sie ihm, sie ihres Kleides zu entledigen. Sie spürte seinen Blick – auf ihre Hüften, ihre geschmeidigen Bewegungen.

Er erhob sich aus dem Polster seines Sessels; dann legte er einen Arm um Julias Taille, den anderen unter ihre Knie und trug sie hinüber zu der Couch. Dort ließ er sie niedergleiten, behutsam, als könnte sie unter seinen Händen zerbrechen, betrachtete sie noch einmal und dachte: was für ein Wunder, dieses Wesen, dieses Glück; wer hätte je geglaubt, daß mir das jemals noch zuteil werden würde nach allem, was ich durchlebt habe. Glück, dachte er, meine Kindfrau, mein Kind, meine Kunst, meine Arbeit, meine Position; und da war dieser Stich wieder, der ihm den Atem benahm, sein Herz spürte die Bedrohung all dessen.

»Arnold?«

»Julia?«

»Ich liebe dich.«

Er warf seine Kleider ab, gleich, wo sie hinfielen. Sein Blick auf ihren Leib geheftet, war er sich zugleich bewußt, wie schlaff sein Fleisch geworden war. Er zog seinen Bauch ein, straffte die Schultern. Diplomatengrau, dachte er. Und dachte: In solch einem Moment sollte man überhaupt nicht denken; nicht über sich selber und nicht über Hosen, die man hätte über den Bügel hängen müssen, und nicht über mein Glück, mein unverdientes, und nicht über Daniel Tieck, der noch lebt und zurückgekommen ist nach all den Jahren; wenn man nachdenken muß über sein Glück, ist es ein Abstraktum, und Abstraktion ist der Tod.

Sie lachte leise.

»Worüber lachst du?« Er fror auf einmal.

»Nichts Besonderes.« Sie hatte eins ihrer Knie angehoben und schien nun völlig entspannt, den rechten Arm hinter dem Kopf. »Ich hab gelacht, weil ich mich so wunderbar fühle. Sollte ich das nicht?«

Er warf sich neben sie. Sie spürte seine Küsse, den Druck seiner Schultern, seine Hände, den Aufruhr ihrer Nerven; und erzitterte. Ihre Finger wühlten sich in sein Haar, und sie preßte sein Gesicht an ihres – dann, auf einmal, ließ er von ihr ab.

»Tut mir leid«, sagte er.

Sie verstand nicht. Sie lag sehr still. Die Fragen in ihrem Hirn waren in keine Ordnung zu bringen. Und über dem Ganzen lastete ein böses Gefühl von Scham – als sei ihre Nacktheit das Eingeständnis irgendeiner Schuld; die Leidenschaft, die sie getrieben hatte, war tot, tot, tot; ihre Handflächen waren feucht vor Schweiß.

»Vergib mir, Julia«, sagte er, kleinlaut und elend.

Sie blickte ihn fragend an. »Hat es an mir gelegen?«

Er kauerte sich hin vor sie, einen Teil der Decke, die am Fußende der Couch gelegen hatte, um seine Lenden gezogen. Sie griff nach dem Rest der Decke und schob sich diesen über ihren Unterleib.

Er zwang sich zu einem kurzen Lachen. »Solche Peinlichkeiten erlebt man eben mitunter, weißt du…« Dann war er wieder im Besitz seiner väterlich markanten Stimme und verachtete sich nun erst recht – welch schlechtes Theater! –, aber er fand keinen überzeugenderen Ton und nichts Besseres zu sagen, wenigstens nicht in diesem Moment. »Wir können nur froh sein, daß es uns nie vorher passiert ist.« Weiterreden, dachte er, rasch weiterreden. Wann hatten diese Dinge angefangen, falsch zu laufen? Wann hatte das bohrende Gefühl hinter seiner Stirn sich das erste Mal gezeigt, diese Angst, Angst vor dem Versagen, die das Versagen erst hervorrief, ein Teufelskreis, wenn man ihn nicht brach, eine wahre Falle. »Da gibt's das Gehirn, Nerven, Drüsen, was weiß ich. Aus dem Gesamten entsteht Sex. Wenn auch nur ein Teil davon gestört ist, funktioniert gar nichts mehr. Aber das Schlimmste daran ist die Leichenbeschau hinterher, die Untersuchungen ex post facto, die gezielten Rückblicke, wieso hatte sich dies ergeben und das und jenes. Vergessen wir's. Hoffen wir auf beßre Zeiten. Und jetzt schlafen wir ein bißchen.«

Julia hatte den Eindruck, als hätte er zu ihr über andere Leute gesprochen und über Ereignisse aus ferner Vergangenheit. Und tatsächlich hatte er große Ruhe ausgestrahlt und Autorität und Selbstvertrauen. »War ich vielleicht« – sie zögerte, zog die Decke höher – »zu leidenschaftlich?«

»Warum verstehst du mich nicht…?« Da hatte schon Tadel durchgeklungen, wenn auch noch kein allzu strenger. »Eine Fehlfunktion, eine kurze, die sich natürlich sofort überträgt. Derlei kann tausend Gründe haben. Julian, der darauf bestand, die Tür zu unserm Zimmer offenzuhalten; oder die Unannehmlichkeiten mit Popow; oder daß der Wagen plötzlich ins Schleudern geriet auf der Heimfahrt. Die menschlichen Gefühle sind ein einziges Gewirr – man muß schon ein Seelenarzt sein mit langer Praxis, um irgendwo irgendwie auf den Grund zu gehen.«

Er schwieg. Dummes Zeug, dachte er, das er da redete. Der Grund lag bei mir, dachte er, nur bei mir, wenn ich weiter Gespenster sehe, werde ich Julia verlieren. Er stöhnte innerlich und verfluchte die namenlose Gefahr, die er seit dem Tod des großen Mannes vor sich selber verborgen gehalten hatte und die sich plötzlich auf dem Arbat gezeigt hatte und nun sein Leben bedrohte, seine Karriere, ja sogar seine Potenz. Und dachte nach über die grausame Ironie des Schicksals, das, um Rache zu üben an ihm, Arnold Sundstrom, seine eigene junge Frau benutzte, das Geschöpf seiner eigenen Emotionen, seines Mitleids, seiner Versuche zu sühnen für seine eigenen Sünden.

Er vergrub sein Gesicht an ihrer nackten Schulter und sprach zu ihr, als könnte er seine Worte über den Hohlraum in ihrer Schulter direkt zu ihrem Herzen leiten. Sie streichelte ihm den Rücken mit langsamen kreisenden Bewegungen. »Nein«, sagte er, »es hat nicht an dir gelegen. An keinem von uns beiden. Es war dieser Tag, die Aufregung, das Hin und Her. Ich bin einfach erschöpft gewesen. Es wird vorübergehen.«

»Was hat dieser Genosse Krylenko dir erzählt?«

Sundstrom hob den Kopf. »Nichts Aufregendes. Nur örtlichen Moskauer Klatsch. Wieso willst du das wissen?«

Sie fuhr fort, ihn zu streicheln; ihr Ausdruck um Augen und Mund deutete an, daß sie in Frieden war mit sich selber.

KAPITEL 2

Der lange Konferenztisch war überhäuft mit Stößen von Papieren – Blaupausen, Skizzen, Grundrissen. Jedesmal wenn jemand einen einzelnen Bogen heraussuchte, um seine Ausführungen damit zu illustrieren, geriet alles durcheinander mit gefüllten Aschenbechern, Bleistiften, Notizheften und sonstigen Paraphernalia.

Die Diskussion befaßte sich, wie üblich zu so früher Stunde, mit technischen Punkten; in seinen Arbeitsbesprechungen suchte Arnold, ideologische Auseinandersetzungen zu vermeiden. Bei irgendeiner Gelegenheit hatte er ihr seine Gründe dafür dargelegt: in einem guten Kollektiv, hatte er gesagt, sollte das Grundsätzliche von vornherein klar sein; er sehe keine Notwendigkeit für die Erörterung von ästhetischen und theoretischen Fragen, wenn man über die Länge eines Tragbalkens zu entscheiden hatte.

Warum dann, fragte sich Julia, brach er diesmal seine eigene Regel? Warum fing er, mitten in seiner Antwort auf eine völlig legitime Frage von Waltraut Greve, eine Haßtirade an gegen die kapitalistische Architekur mit ihren Modernismen? Gewiß, Waltrauts Stimme und ihre dünnen Lippen und ihr Gehabe von geistiger Überlegenheit konnten einen Menschen schon irritieren; aber das war kaum der Grund für Arnolds Verhalten im Augenblick.

Er war von seinem Sitz am Frontende des Tisches aufgestanden und schritt entlang der Wand mit den Entwürfen, die da einer neben dem anderen angeheftet waren – Entwürfen, die vom Gegenteil der kahlen, kubistischen Formen zeugten, welche er in seiner Rede just verdammt hatte.

»Nicht eine architektonische Idee in dem Funktionalismus dieser Leute!« rief er aus, während sein prüfender Blick die Gesichter entlang des ganzen Tisches testete. »Die gleiche Fassade an Bau um Bau, nackt, ein Stück Wüste vom Erdgeschoß bis zum Dach, ohne auch die kleinste Oase fürs Auge!«

Die Dekadenz dabei lag darin, erklärte er, daß hier jeder Sinn des Menschen für Schönheit und seine Sehnsucht danach und nach menschlicher Würde verneint wurden. Schließlich war ein Gebäude mehr als ein gelegentlicher Behälter; es bedeutete Permanenz; ein Denkmal, das die Menschen ihrem Streben, ihren Träumen und Idealen setzten; nur eine Klasse wie die Bourgeoisie, die lange schon keine neuen Ideen mehr entwickelt hatte und zutiefst erfüllt war von dem Gefühl ihrer eigenen Vergeblichkeit, konnte eine Zusammenstellung häßlicher Betonplatten als eine Errungenschaft betrachten.

»Die Arbeit eines bourgeoisen Architekten« – er blieb stehen und lächelte ironisch – »wird ihm leichtgemacht. Er muß sich weder um ästhetisch gültige Formen und Einteilungen kümmern noch um Balance und Gleichgewicht oder um das Arrangement und die Proportionen von Fenstern, Simsen, Balkons, Toren und anderem Beiwerk …«

Er hatte geendet und blickte triumphierend in die Runde. Die Mehrzahl der Köpfe entlang des Tisches nickte Übereinstimmung: Waltraut Greve, deren Frage, wie es schien, den Strom seiner Wort verursacht hatte, hielt ihr Haupt gesenkt, als hätte ein Segen sich darauf ergossen. Und er *war* in großer Form gewesen, dachte Julia, nach einer Nacht, in welcher er kaum Schlaf gefunden hatte. Auch sie hatte wach gelegen und seinem unregelmäßigen Atem gelauscht, seinem ruhelosen Hin und Her, seinem halbunterdrückten Stöhnen. Sie hatte erwartet, daß er sie rufen und mit ihr reden würde; er hatte es nicht getan; sie hatte zu ihm kriechen wollen auf seine Seite des Betts, aber war dann doch lieber auf der ihrigen geblieben und hatte durch das Dunkel des Raums auf das noch dunklere Viereck gestarrt, welches die offene Tür zum Schlafzimmer ihres Kindes war.

Dennoch konnte sie sich am Frühstückstisch überzeugen, daß die Nacht keine sichtbaren Spuren auf seinem Gesicht hinterlassen hatte; die Schatten unter seinen Augen waren nicht tiefer als sonst. Er gab sich gelassen, freundlich sogar, scherzte mit Julian und Frau Sommer und schien den Abend gestern völlig vergessen zu haben, den Empfang, die Gespräche über den Nationalpreis, die Rückfahrt nach Hause und was zu Hause darauf folgte.

Julia konzentrierte sich von neuem auf das Meeting. Arnold hatte seinen Platz am Kopfende des Konferenztisches wieder eingenommen und sprach von Terminen, von Baumaterialien und wer sich um welche fehlenden Posten zu kümmern hätte. Er leitete die Versammlung in seiner üblichen ruhigen Weise, räumte Zeit ein für Vorschläge und Kritik und behandelte dennoch einen jeden strikt nach Rang und Ruf und hielt ihn innerhalb der Grenzen der Funktion, die er im Kollektiv hatte. Alles lief glatt genug; die Hindernisse und Beschwernisse, welche die Leiter der verschiedenen Baustellen aufzählten, waren nicht zahlreicher als an anderen Tagen und ließen sich durch den üblichen Mangel an Material begründen; man würde herumtelefonieren müssen, Ersatz finden, arrangieren, improvisieren; hatten Marx, Engels, Lenin oder Stalin je versprochen, daß der Weg zum Sozialismus stets nur geradeaus führen und gut gepflastert sein würde? Er hatte die richtige Art, an eine Situation, selbst die verworrenste, heranzugehen und sie als weniger schwierig erscheinen zu lassen, als sie in Wirklichkeit war, ihre Lösung fast schon greifbar; und er erwähnte die Nachricht von dem Preis – er würde dem ganzen Kollektiv verliehen werden – in solch legerer Weise und unter Rücknahme seiner eignen Person und dennoch zum psychologisch so genau richtigen Zeitpunkt, daß man fast körperlich spüren konnte, wie die allgemeine Stimmung, die gerade dabei gewesen war, in Langeweile und allgemeine Depression zu versinken, auf einmal umschlug.

Trotzdem wollte die leichte Unruhe in Julias Herz sich nicht geben. Er hatte seine Leute so sicher in der Hand, und die Arbeit schritt zufriedenstellend voran, und der Nationalpreis war nun eine fest vorgesehene Sache – weshalb dann hatte er es für notwendig gehalten zu verteidigen, was keiner Verteidigung bedurfte, und hochzuloben, was seinen Wert tausendfach bereits bewiesen hatte, und sich für die Architektur einzusetzen, die dem Sozialismus eigentümlich war: von den Straßen und öffentlichen Plätzen der Stadt Wladiwostok am Pazifischen Ozean bis zum letzten Bauplatz der Straße des Weltfriedens hier um die Ecke? Focht er gegen die Schatten des Bauhauses, das längst begraben und vergessen war zusammen mit den späten zwanziger Jahren und deren abgetanen Begriffen von Kunst und Architektur, welche zu nichts als geistigem Bankrott geführt hatten? Oder gegen welche Schatten denn?

Julia wurde sich bewußt, daß er seine Gedanken schon weiterentwickelt hatte und nun dabei war, Selbstkritik zu üben. Selbstkritik, pflegte er zu sagen, entrostet den Kopf; er forderte Selbstkritik von jedem im Kollektiv; aber er setzte auch selber das Beispiel dafür wie in allem, was er von anderen verlangte.

»Es war mein Versäumnis«, sagte er, und seine Nervosität zwang ihn noch einmal aufzustehen und hin und her zu laufen. »Und es ist meine Schuld, daß die Pläne für die Verlängerung der Straße des Weltfriedens noch nicht vorliegen. Wir haben oft genug davon geredet und die Probleme besprochen, die wir dabei zu bewältigen haben würden – die Einheit des Ensembles, die wir schaffen müssen bei einem Projekt, in welchem Reihen von öffentlichen Gebäuden und Wohnhäusern in schöner Abwechslung sich nach der Stadtmitte hin öffnen mit der Vista auf die große Plaza für Aufmärsche und Demonstrationen als sichtbarem Beweis für die Macht des Volkes, und auf den zentralen Hochhausturm, in dem die Büros von Partei- und Bezirksleitung sich befinden werden, und ...«

Er holte tief Atem. Sein Blick hob sich und glitt hinweg über die Köpfe entlang des Konferenztisches, weit in die Ferne, als sähe er jetzt schon das fertige Bauwerk und die Perspektive auf den kuppelgekrönten Turm und die Tribüne zu dessen Füßen und die Menschen, die über die Plaza schwärmten mit flatternden Fahnen, die kleinen Kinder auf den Schultern ihrer Väter, damit auch sie einen Eindruck fürs Leben hätten von den großen Führern und Organisatoren des Sozialismus. Julia war vertraut mit dem Phantasiebild; er hatte es ihr mehr als einmal beschrieben, und immer mit diesem leichten Vibrato in der Stimme und, seinen Kopf dicht neben dem ihren, ihr skizziert: die Straße, die Plaza, den Hochhausturm, bis unter den Gesten seiner breiten, fähigen Hände Bauten und Plazierung reale Dimensionen anzunehmen schienen.

Zufällig begegneten ihre Augen denen John Hillers, und das Phantasiebild löste sich auf; verärgert über sich selber, daß sie nicht imstande gewesen, die Frage in Hillers Blick ohne weiteres abzuwehren, betrachtete sie die Tischplatte vor sich und griff nach ihrem Stift, um auf der nächsten leeren Seite ihres Notizblocks die Hauptlinien des Projekts nachzuzeichnen. »Sollten wir längst organisiert haben… unsere Vorbereitungen…« Abgerissen, wie durch Nebel, erreichten Arnolds Worte ihr Ohr. »…letzte Nacht… nach der erfreulichen Nachricht… wie ich bereits hier berichtet… verlangte Genosse Tolkening zu wissen…« Julia zwang sich zu größerer Aufmerksamkeit. »…Genosse Tolkening fragte nach unseren Plänen, konkret. Er steht fest hinter uns und unseren Ideen; aber es könnte sein, daß wir nicht die einzigen sein werden, die man auffordert, Pläne vorzulegen. Wir müssen begreifen: Die Straße des Weltfriedens, samt ihrer Verlängerung, ist nicht länger nur eine örtliche Straße. Wir haben diese Straße ins nationale Interesse gerückt. Sie ist zu einer Herzensangelegenheit der ganzen Republik geworden; man prüft sie und beschäftigt sich mit ihrer Struktur, im Osten wie im Westen; sie ist zu einem Symbol des sozialistischen Wiederaufbaus geworden und ein Hauptbeispiel für unsere ästhetischen Auffassungen und unsere Architektur.«

Er hielt inne in seinem Marsch, ein fleckiger Spiegel an der Wand wie eine getrübte Aureole um seinen Kopf. »Es war mir unangenehm genug, das kann ich wohl sagen, all diese Forde rungen von Genosse Tolkening hören zu müssen und nicht in der Lage zu sein, ihm zu antworten: Morgen, Genosse Tolkening, haben Sie die Pläne auf Ihrem Tisch. Wir alle kennen den Genossen Tolkening und sein Interesse für Architektur und sein Verständnis für die Schwierigkeiten schöpferischer Künstler. Aber gerade weil er ein solcher Mensch ist, hat er ein Recht, jegliche Bemühungen und Hingabe von uns zu fordern. Ich wiederhole – was immer unser Versagen, es ist meine Schuld. Und ich bitte Sie, mir zu helfen. Ich bin sicher, zusammen werden wir imstande sein, das Notwendige rechtzeitig auszuarbeiten...«

Am liebsten wäre Julia aufgesprungen, hätte die Hand gehoben und Arnold ihrer begeisterten Mitwirkung versichert. Aber wieder verfingen sich ihre Augen in denen John Hillers: Fischaugen, kalt, ohne einen Funken Emotion. Also entschloß sie sich, was immer ihrer beider Konflikt, ihn jetzt ans Licht zu bringen; ein Mensch, der keinen Sinn dafür hatte, wenn ein anderer ihm sein Inneres offenbarte, damit sie gemeinsam voranschritten, gehörte nicht in ein Kollektiv, das dem Aufbau einer neuen Zukunft gewidmet war. Vielleicht aber war es auch eine Eigenart der Menschen in diesem Deutschland, sich zurückzuhalten, bis sie abschätzen konnten, wieviel Nutzen sich für sie selber aus einer Sache ziehen ließ.

»So, in unser aller Namen«, hörte sie ihren Mann proklamieren, »habe ich dem Genossen Tolkening versprochen, daß wir die neuen Pläne« – er unterbrach sich, um die Spannung zu steigern – »innerhalb der nächsten zehn Tage für ihn zur Verfügung haben würden.«

Stille. Das war mehr als das Schweigen, das gewöhnlich auf die Worte des Hauptredners folgte – die physische Arbeit schon, die es kosten würde, um die architektonischen Entwürfe für etwa anderthalb Kilometer bebaute Straße innerhalb der gegebenen Frist fertigzustellen, erschien beängstigend.

Eine Geste von Arnold Sundstrom. »Ja, Wukowitsch?«

»Wir könnten schon ein paar hübsche Entwürfe hinlegen. Ich habe keine Zweifel daran« – wie immer wenn Wukowitsch sich erregte, durchsetzte sein schwerer kroatischer Akzent sein Deutsch –, »in weniger noch als zehn Tagen, wenn Sie das von uns haben möchten, Genosse Sundstrom!«

Julia beobachtete den raschen Wechsel von nachdenklicher Entschlossenheit zu lächelnder Billigung in Arnolds Gesichtsausdruck; auch schien er verblüfft zu sein über eine so prompte Unterstützung von seiten eines so gewissenhaften Architekten, wie es dieser junge Jugoslawe war. Vielleicht aber auch, dachte Julia, wollte Edgar Wukowitsch ihrem Mann seine Dankbarkeit zeigen: Wukowitschs Vater, einst Partisanenführer im Bürgerkrieg, dann jugoslawischer Attaché in einer der Hauptstädte im Osten, hatte sich auf die Seite Titos geschlagen, als dieser gegen Stalin revoltierte; kurz danach war der Alte gestorben und hatte seinen Sohn Edgar in der Deutschen Demokratischen Republik hinterlassen, ohne eine gesetzliche Möglichkeit zur Heimkehr nach Jugoslawien; Arnold, der immer gemeint hatte, daß ein Mensch aufgrund seiner eignen Taten beurteilt werden müsse, hatte den jungen Mann in seinen Stab aufgenommen trotz der zahlreichen Zungen, die gegen ihn als Jugoslawen gegeifert hatten.

»Aber, Genosse Sundstrom«, begann Wukowitsch wieder, »haben Sie uns nicht neulich erst ermahnt, über eine neue Art und Weise nachzudenken, wie an unser Projekt heranzugehen wäre – eine Art und Weise vielleicht noch repräsentativer als unsre gegenwärtige für die neue Zeit und den neuen Menschen, der diese Zeit herbeizuführen strebt?«

Das Lächeln auf den Lippen ihres Mannes schien zu versteinern; seine Lider schlossen sich zur Hälfte; aber dies waren die einzigen Zeichen, die Julia entdecken konnte, daß er auf der Hut war.

»Wir möchten diese neue Art und Weise schon ganz gerne entwickeln«, fuhr Wukowitsch fort. »Auch wir sind uns bewußt, daß die Straße des Weltfriedens eine mehr als lokale Bedeutung hat… Aber innerhalb von zehn Tagen? Innerhalb einer so kurzen Frist lassen sich neue Ideen kaum bis zur Reife entwickeln. Da kann man nur das Gewohnte noch einmal aufwärmen, die alten Elemente in neuer Mischung wiederkäuen.«

Der Einwand hatte mancherlei für sich. Julia versuchte John Hillers von der Seite herkommendem Blick auszuweichen, war aber irgendwie nicht fähig dazu; Hiller lehnte sich zurück auf seinem Stuhl und begann, an seinem Ohrläppchen zu zerren, eine wenig schöne Angewohnheit, die Julia mehrmals schon an ihm beobachtet hatte. Sie wußte, das Wukowitsch in einem halb ausgebombten Haus in einer der südlichen Vorstädte auf der gleichen Etage wie John in einem Mietzimmer lebte: Hatten sie diesen Angriff auf Arnold gemeinsam abgesprochen, mit Wukowitsch als dem Frontmann für Hiller? Hiller mochte von der Zehntagefrist gewußt haben; er war ja auf dem Empfang gestern abend gewesen...

»Wiederkäuen...!« sagte sie mit eisiger Kälte. »Wäre es nicht besser, wir gingen mit all unseren Kräften an die Arbeit? Leichte Lösungen gibt es sowieso nie.«

»Julia!« Das klang, von ihrem Arnold kommend, sehr sanft. Er umkreiste den halben Tisch, um in ihre Nähe zu gelangen, und blieb stehen. »Wukowitsch hat ein Recht auf seine Zweifel, und ein Recht sie zu äußern. Und was mich betrifft, so begrüße ich eine ehrliche Meinung zu jeder Zeit.« Wieder begann er, um den Tisch zu zirkulieren. Mehr noch, erläuterte er, Wukowitschs Widerspruch gebe ihm die Möglichkeit, den Unterschied zwischen dem Neuen und dem *wahrhaft Neuen* dialektisch darzulegen. Das neue Element, welches die sozialistische Architektur zu finden suche, sei nicht das Sensationelle, das Fremdartige, das Experiment mit der Form, Novität um jeden Preis; unser Ziel sei, nicht zu schockieren, sondern in Übereinstimmung zu kommen mit dem angeborenen Schönheitssinn der Arbeiterklasse und zu helfen, diesen zu fördern und zu entwickeln.

Seine Worte waren wie ein angenehm warmes Bad; man konnte sich hineingleiten lassen, schläfrig und widerstandslos, mit einem kleinen sinnlichen Schauder vom Nacken abwärts bis zum Ende der Wirbelsäule.

Sundstrom umklammerte die oberste Sprosse der Lehne von John Hillers Stuhl und sprach nun über des jungen Mannes Kopf hinweg zu ihnen allen, aber zu ihr, empfand Julia, insbesondere. »Die Auffassung des Neuen, das ich mir vorstelle, ergibt sich nicht aus der Laune irgendeines Architekten oder dem Wunsch aufzufallen oder einem inneren Bestreben, eigene Ideen an den Mann zu bringen. Das Neue, das ich sehe, erwächst vielmehr organisch aus den großen Erfahrungen der Menschheit – was Goethe, in seinem Faust, als die Harmonie der Sphären bezeichnete. Diese meine Auffassung stammt von den Arbeiten von Genies wie Michelangelo, von den Meistern unsres deutschen Barock und von Schinkel, der die reinen Linien der alten Griechen erfaßte und sie in Proportionen übersetzte, die wir hier und jetzt verstehen können. Aber sie kommt auch her von den Motiven unsrer Volkskunst, durch welche unsre arbeitenden Menschen sich ausdrücken und aus denen wir alle nur lernen können …«

Seine Augen glänzten. »Diese Straße, die wir erbauen, diese Paläste, wie gewisse Leute teils höhnisch und teils neidisch sagen …« Er gestattete sich eine große Handbewegung, »… wir bauen sie ja nicht für uns selber. Der Bauherr, für den wir arbeiten und dem wir verantwortlich sind, ist …«

»… das Volk«, ergänzte Julia flüsternd. Die Vorbehalte, welche sie geplagt hatten, waren verschwunden. Sie überließ sich wieder dem Flügelschlag jenes Geistes, der ihr von ihren frühesten Jahren her eingeprägt worden war durch die Bücher, die man ihr lieh, und die Stimmen am Radio, durch Lehrer und Funktionäre und durch den Mann, der ihr Liebe gegeben hatte, die Liebe eines Vaters, aber bald auch eines Geliebten: Wie glücklich konnten wir uns preisen, die wir zum ersten Mal in der Menschheitsgeschichte frei waren, für das Volk zu bauen, zu dem wir gehörten und für das wir arbeiteten als Teil seiner schöpferischen Arbeit, seines Kampfes, seines Traums.

Arnolds Art hatte sich wieder verändert. Er sprach flüssig, wie unter seinesgleichen, so als zöge er alle im Raum in sein Vertrauen. »Ich erinnere mich an ein kleines Erlebnis – aber ein typisches. Als wir die im Maßstab verkleinerten Modelle des ersten Abschnitts der Straße des Weltfriedens ausstellten, kamen viele Menschen, um sie zu betrachten und uns ihre Kommentare und Vorschläge mitzuteilen, und ich hörte eine kleine alte Frau sagen: Aber sind diese Häuser auch für gewöhnliche Leute wie uns?…« Er zwinkerte Julia zu, der Mitarbeiterin, Mitverschwörerin. »Ich gestehe, daß ich für einen Moment keine treffende Antwort wußte. Dann erwiderte ein Mann, ein Bauarbeiter, nach seiner Kleidung zu urteilen. Wieso gewöhnliche Leute? sagte er. Wir sind keine gewöhnlichen Leute – und er blickte uns alle an, die wir vor den Modellen unsrer Träume standen –, wir sind ganz außerordentliche Menschen!«

Er setzte sich hin, zündete sich eine Zigarette an und inhalierte tief. Die Schlußzeile seiner Geschichte wirkte noch nach; er besaß dieses Talent, die rechten Pointen zur rechten Zeit zu finden; Julia war stolz auf ihn, ihr Gefühl ganz ähnlich wie gestern abend, als er die frisch verschneite Straße unter dem Salut der Polizisten überquerte. Nein, ihr Stolz war unpersönlicher jetzt: Er umschloß die Tatsache, daß sie Teil seiner Arbeit war, ein Architekt wie er, schöpferisch, imstande, ein spinnwebenfeines Gewebe von Phantasie in die ordentlichen, harmonischen Umrisse auf einer Blaupause zu verwandeln und dieser Blaupause wiederum Dimensionen in Stein und Stahl und Glas zu verleihen, die bleiben würden – so manch ein Architektentraum hatte die Zeitalter überdauert.

Der freudige Optimismus, den sie für ihren Privatgebrauch in ihrem Herzen erzeugt hatte, verging ihr, als der Sinn des Gemurmels, das entlang des Tisches entstanden war, ihr ins Bewußtsein drang: allgemeine Übereinstimmung mit der Selbstverpflichtung des Genossen Professor Sundstrom – mehrere freundlich gestimmte Jawohl! und Sehr richtig! und sehr wenige Aber, und diese eher in Einzelfragen. Sie hatte ein Ohr für Untertöne. Es war, als vollführten sie alle eine Art Ritual: langsam, mit feierlichen Bewegungen, die altetablierten Regeln folgten, Worte, deren innere Bedeutung sich längst verloren hatte. Das Ritual endete. Eine Einzelstimme noch, wie ein Amen – dann, Schluß... Nur daß Arnold dasaß und die ganze Prozedur mit einem breiten Lächeln auf den Lippen zu genießen schien, der Löwe, der die Antilope verspeist hatte und sich nun seinen muskulösen Rücken in der Nachmittagssonne wärmte, ohne ein Knurren hören zu lassen, ohne eine Klaue zu zeigen. Hatte Arnold denn nichts Bedrohliches bemerkt?

Und der Gedanke, den sie den ganzen Morgen schon unterdrückt hatte, brach sich Bahn. Sie verstand plötzlich: Ihr Mann versuchte, das Geschehen der vergangenen Nacht aus seinem Bewußtsein zu verdrängen. Das war es, was ihn veranlaßt hatte, um diesen Tisch marschierend seinen Vortrag über das Grundsätzliche zu halten, die Schwächen ihres Berufs zu verdammen, die Dekadenz, den Mangel an schöpferischen Ideen bei der Bourgeoisie. Darum zwang er sich und sein Kollektiv zu dieser fast unmöglichen Zehntagefrist, statt mit dem Genossen Tolkening das Problem zu besprechen und einen Zeitaufschub zu verlangen.

Abrupt schloß er die Versammlung

Julia war eine der letzten, die den Konferenzraum verließen. Das weiße Licht der Fluorlampen warf einen fahlen Schein auf das Durcheinander der Stühle, die man hatte stehenlassen wie sie standen. Waltraut Greve lief mit eifrigen Schritten umher und sammelte die Papiere ein, die den Tisch verunzierten, und ordnete sie zu festen Bündeln. Julia spürte Waltrauts kurzsichtigen Blick, die Feindseligkeit darin, unangenehm.

Das Halbdunkel im Gang draußen war wie eine Erlösung. Da hingen die großen schwarzen Tafeln an der Wand mit den daraufgehefteten Ankündigungen und Informationen, Fotos von Arbeitern mit Reihen von Auszeichnungen auf der Brust, einem vergilbten Leitartikel, mehreren Aufrufen, deren Aktualität lange schon nicht mehr galt. Die Studios, wie man die Kammern euphemistisch nannte, in denen die Kollegen ihre Arbeit zu verrichten suchten, lagen hinter einer provisorischen Scheidewand; ungehobelte Planken mit Türen dazwischen, die in ihren Angeln quietschten und schlecht schlossen. Der gedämpfte Schall von Stimmen und Schritten drang aus der ganzen Länge des Korridors zu ihr; der kasernenartige Bau bot keinerlei Möglichkeit für Privates; doch im Augenblick war Julia ganz froh über die Nähe von Menschen.

Sie verlangsamte ihren Schritt. Ihr eigenes Studio befand sich mehrere Türen weiter entlang des Gangs, behaglicher ausgestattet als die Nachbarräume und mit ein paar persönlichen Gegenständen darin, soweit das ernüchternde Vorhandensein von Zeichentisch und Aktenschrank und Nachschlagebüchern dieses gestattete. Sie hätte längst dort sein sollen, um die Zettel und Ausrisse zu sammeln, die Notizen und Entwürfe, die sie auf Arnolds Vorschläge hin und zum Teil in Zusammenarbeit mit ihm über die Verlängerung der Straße des Weltfriedens zusammengestellt hatte. Vielleicht wenn man diese alle in ein System und eine richtige Folge brachte, würde man eine Grundlage haben, von der aus man weiteres unternehmen konnte – oder auch nicht, nur Wiederholung und Wiederkäuen, wie Wukowitsch es genannt hatte.

Sie hörte Wukowitschs Lachen. Sein Lachen klang nicht einmal unangenehm, es schien von Herzen zu kommen, und er lachte aus vollem Halse. Er hatte eine glückliche Natur, dachte sie, daß er angesichts der Aufgaben, die vor ihnen lagen, etwas zu lachen finden konnte! Oder jemand hatte einen Witz erzählt, John Hiller wahrscheinlich, Hiller hatte ein ganzes Arsenal von Witzen zu seiner Verfügung, viele davon uralt und wenig witzig, und ein paar von ihnen sehr zynisch, obwohl sie wußte, daß man sie mit den meisten von der Sorte verschonte: Sie war die Frau des Chefs und, politisch, zu linientreu, um ihr die wirklichen Perlen zuzumuten. In der Tat war Hiller gerade beim Reden; sie konnte nicht verstehen, was er im einzelnen sagte, aber ihm schien es jedenfalls Spaß zu machen, immer wieder ertönte Gelächter; jemand klatschte sich laut auf den Schenkel.

Eine tiefe Verärgerung stieg auf in Julia. Alle die Belehrungen und Ermahnungen, die sie in ihrem Leben hatte anhören müssen, hallten in ihr nach und bildeten einen mißklingenden Akkord, genannt moralische Pflicht; was ihr während der Konferenz als Möglichkeit durch den Kopf gegangen war, wurde zu einem belastenden inneren Zwang. Mit drei oder vier langen Schritten war sie vor der Tür zu Hillers Studio.

Die zwei erschraken, als sie die Tür aufriß. Wukowitsch, am Reißbrett, hielt seinen dicken Stift noch zwischen den Fingern; neben ihm, nur zur Hälfte sichtbar, lag aufgeschlagen ein großformatiges braungebundenes Buch, daneben ein Bogen mit den Anfängen eines Entwurfs: in vertikaler Projektion der perspektivische Ausblick auf eine Straße mit ihren ersten Gebäuden, zum Teil schon einskizziert.

Hiller war der erste, der sich faßte. Er griff nach dem Buch, klappte es zu mit dem Titel nach unten und rollte den Bogen mit Wukowitschs Skizze nonchalant zusammen.

»Geheimnisse?« fragte sie, noch von der Tür her.

»Jawohl, schöne Julia« – Hiller klopfte die Papierrolle gegen die Fläche seiner linken Hand –, »auch wir haben mitunter unsre Geheimnisse.« Sein Blick wurde nachdenklich. »Aber wir möchten dein reizendes Köpfchen nicht damit belasten.«

Wukowitsch schwieg und bot ihr den Stuhl an, auf dem er gesessen hatte, und hielt ihr sein Päckchen Zigaretten hin.

Sie setzte sich, schlug ein Bein über das andere. Während sie sich von Wukowitsch Feuer geben ließ und ihr erstes Rauchwölkchen in die Luft blies, zog sie ihren Rock über die Knie.

»Schöne Julia«, sagte Hiller, »wir stehen zu deiner Verfügung.«

»Du warst sehr unangenehm gestern abend«, sagte sie. »Du hast dich aufgespielt und mich hineingezogen in deine Schau.«

»Ich bin untröstlich. Mein Herz bricht mir. Gleich werd ich auf die Knie fallen vor dir.« Er tat, als wolle er wirklich niederknien, hielt aber mitten in seiner Bewegung inne und wandte sich ihr zu. »Siehst du denn nicht, daß ich wirklich untröstlich bin? Warum trinke ich denn? Warum benehme ich mich wie ein Flegel? Dreimal darfst du raten. Deinetwegen! Deinetwegen! Deinetwegen!« Dann wurde er wieder sentimental. »Ach, schöne Julia…«

»Ein Narr bist du«, sagte sie.

»Er *ist* ein Narr«, bestätigte Wukowitsch. »Aber selbst Narren können leiden.«

Julia drückte ihre Zigarette aus, obwohl sie nur ein Viertel davon geraucht hatte. »Solchen Unsinn hat er zu mir geredet, seit er ins Städtische Architekturbüro eingetreten ist. Ich weiß nicht, welchen Genuß er davon hat.« Sie blickte schräg hinauf zu Hiller. »Ich bin nicht Waltraut Greve oder irgendeine andere von deinen Damen. Ich bin eine verheiratete Frau, mit Kind.«

»Frau Professor Sundstrom«, Hiller legte das zusammengerollte Papier zur Seite, »wie es sich nun aber ergeben hat, bin ich dir in Liebe verfallen.«

Sie nahm die Rolle zur Hand und war schon dabei, sie zu öffnen.

»Bitte nicht! Nein!« Wukowitsch griff danach. »Bitte, laß das! Ich meine das ernst. Es ist nur ein erster Entwurf und in keiner Weise vorzeigbar. Es ist noch nicht einmal richtig entwickelt. Es ist – ein Witz!«

Eine Bewegung ihrer Hand hielt ihn zurück. »Die Sache fängt aber an, mich zu interessieren…« Sie zögerte. Wukowitschs Lippen zuckten, so verwirrt war er; John Hiller betrachtete sie neugierig, etwas Provokatives in seinen bemerkenswert hellbraunen Augen.

Julia hatte eine Art Vorahnung. Sie konnte die ganze Angelegenheit auf sich beruhen lassen; die Papierrolle auf das Reißbrett zurücklegen; ein paar nichtssagende Worte äußern; hinausgehen – und alles würde wieder sein wie vorher: keine Komplikationen, keine Seelenschmerzen, kein Riß in der glatten Oberfläche. Aber so ein Mensch war sie nicht; wer eine neue

Welt errichten wollte, durfte nicht zurückschrecken vor dem Unbekannten. Und die Ereignisse des gestrigen Abends schlossen einen Rückzug der Art aus: Irgendwie waren die Dinge nicht mehr die gleichen nach dem, was da geschehen war.

Sie gab Wukowitsch seine Rolle zurück; aber das war nur eine Geste. »Ich habe sowieso mit euch reden wollen«, sagte sie. »Mit euch beiden.«

Wukowitsch nickte ergeben; John Hiller starrte schon wieder auf ihre Beine.

»Hört zu!« sagte sie gereizt. »Ihr seid wahrscheinlich die talentiertesten zwei Leute in diesem Kollektiv. Erkennt ihr denn nicht die Verpflichtung, die euch das auferlegt?«

»Schöne Julia«, John Hiller verbeugte sich mit einer dramatischen Armbewegung, große Pose. »Wir werden alles tun, was du von uns verlangst.«

»Mich könnt ihr nicht frustrieren!« warnte sie. »Ich meine es ernst. Mir liegt die Arbeit am Herzen.« Sie spürte, wie eine hilflose Wut ihr die Kehle zuzuschnüren begann. Bitte, lieber Gott, dachte sie, laß mich jetzt nicht laut losheulen, nicht vor diesen zwei Kerlen.

»Wir haben dir doch bisher noch nie etwas verweigert«, sagte Hiller freundlich, »stimmt's, Edgar?«

»Ich kann die Zeit nicht vergessen« – ihr Gefühl, das in ihrer Stimme durchklang, war echt –, »die Zeit, als noch nichts von all dem hier aufgebaut war, als hier nur Trümmer waren und verbrannter Stein. Und als wir die Menschen aufriefen, uns zu helfen. Und ihnen die ersten Entwürfe der Straße des Weltfriedens zeigten, nur ein paar Skizzen, die Rohfassung einer Idee, und sie fragten: Könnte das nicht schön werden?... Erinnerst du dich nicht, John?«

Er stand gegen das Reißbrett gelehnt, die Arme vor der Brust gekreuzt, die Schultern gekrümmt, und verzog seine Stirn. »Ich erinnere mich.«

»Und die Menschen kamen – aus freiem Willen, nach ihrer Tagesarbeit. Zu Tausenden.« Sie brach ab. Das war nicht lange nach ihrer Rückkehr in dieses Land gewesen, und sie sah sich selber, an Arnolds Seite, im Licht des Monds und von ein paar Scheinwerfern, zusammen mit den Menschen, die wie schwarze Ameisen über die Ruinen krochen und mit Spitzhacken und Meißeln und Hämmern die Trümmerziegel voneinander trennten und die geborgenen Steine von Hand zu Hand weitergaben und sie sauber abklopften und sorgfältig aufstapelten. Auch dies war Deutschland, auch diese waren Deutsche gewesen. »Wo hat es je Architekten gegeben«, fragte sie und blickte von John Hiller zu Wukowitsch und wieder zurück, »die auf einer solchen Grundlage bauen konnten?«

Sie schwiegen beide.

Julia hielt ihnen die leeren Hände hin, als wollte sie ihnen bedeuten: Das ist alles, ich habe gesagt, was ich zu sagen habe, der Rest liegt bei euch. Der Ausdruck von Ironie wich aus Hillers Zügen; seine Miene wurde sanft und ähnelte der eines Kindes, dem man ein Märchen erzählt. Wukowitsch spielte mit seinem Stift; er war ein wenig blaß geworden, als sie nach der Skizze griff und sie nun aufrollte und einen ersten Blick darauf warf.

»Aber das ist« – sie unterbrach sich und betrachtete das Blatt noch einmal, um die Perspektive des Ganzen auf sich wirken zu lassen –, »das hat etwas! Hat Schwung und … gute Proportionen…«

»Hat es das?« Wukowitschs Stimme war sonderbar leise geworden, beinahe tonlos.

Waltraut Greve war eingetreten. Sie warf eins von ihren Bündeln auf einen Aktenschrank und wartete nun, ihre Augen unsichtbar hinter der Lichtspiegelung auf ihren Brillengläsern.

»Schau dir das an, Waltraut!« sagte Julia und wies auf die Skizze, obwohl ihr klar war, daß sie keiner moralischen Unterstützung bedurfte, und gewiß nicht der von Waltraut Greve. »Es ist nur ein Entwurf – aber spürst du nicht die Möglichkeiten darin? Diese Gruppierung hier, mit den Säulen in der Mitte der Front…«

Waltraut Greve hielt sich das Blatt vor die Augen. Diese Frau legte sich nie fest, wenn es sich irgendwie machen ließ, dachte Julia; sie spezialisierte sich immer nur auf Einzelheiten, eine Rosette hier, eine Täfelung da; sie war eher eine Batikdruckerin als eine Architektin.

»Ob du mir glaubst oder nicht, Waltraut« – Julia lachte verlegen –, »ich bin hierhergekommen, um den Jungens meine Meinung zu sagen…«

Waltraut legte die Skizze zurück auf das Reißbrett. Das Blatt rollte sich langsam von selber zusammen und lag nun in Richtung des großen braunen Buches weisend.

»In zehn Tagen«, sagte Julia. »Anderthalb Kilometer Straße. Selbstverständlich wird da noch dies und das und jenes fehlen… Ich schäme mich, es zugeben zu müssen…« Sie errötete ein wenig. »Nach dem Abend gestern… Aber hier liegt ja ein erster Entwurf bereits vor uns. Ihr habt also angefangen mit der Arbeit, und sie sieht weiß Gott vielversprechend aus. Kann ich das Blatt mitnehmen – zu Arnold?«

Ihre Finger spielten nervös mit der papierenen Rolle, dann mit dem braunen Buch, spürten den Rand eines eingelegten Buchzeichens. Sie stand auf. Sie wollte endlich sehen, was zwischen den abgeschabten Deckeln dieses Buches zu sehen war. Sie bemerkte, wie Wukowitsch abwehrend den Arm hob und John Hillers Gesicht sich verzog. »Mein Gott«, sagte sie, halb besorgt, halb verärgert, »was gibt's denn da für neue Geheimnisse…?«

John Hiller legte seine Hand auf den Einband des Buches und hielt es auf die Art geschlossen. Dabei preßte sich sein Körper gegen den ihren.

Einen Moment lang verschwammen Buch, Reißbrett, die hölzernen Wände vor Julias Augen. Die Knie wollten ihr versagen, nur Johns Nähe, seine Berührung hielten sie aufrecht.

Er trat zurück. »Entschuldigung«, hörte sie seine heisere Stimme.

Danach stellte sich in ihrem Hirn alles wieder her in seinen normalen Formen und Farben. Hatten Wukowitsch oder Waltraut irgend etwas bemerkt, fragte sie sich, etwas Unstimmiges, außer der Ordnung? Ich muß eine Stütze finden, ein Thema, ein Bild, mit dem meine Nerven sich beschäftigen können und meine Gedanken. Ich bin eine verheiratete Frau, mit einem Kind zu Hause, Frau Professor Sundstrom – deren Sinne plötzlich verrückt spielen, nur weil sie die Nähe eines jungen Mannes spürt. Mechanisch schlug sie das Buch an der mit dem Buchzeichen markierten Stelle auf und starrte, ohne wirklich wahrzunehmen, was sich da ihrem Blick bot, auf die nunmehr offenliegende Doppelseite vor ihr.

Wukowitsch, mit peinlichem Eifer, begann sich zu rechtfertigen. »Ich hab dir vorhin schon gesagt, Julia, das Ganze ist nur ein Witz. Ich hab dich gewarnt. Warum hört ihr Weiber nie auf unsereinen.«

Sie wurde sich der Brillengläser der Waltraut Greve bewußt; die Augen dahinter beobachteten sie. Julia schüttelte den Kopf, suchte Klarheit in ihr Denken zu bringen. Das Gewirr der Linien und Schattierungen auf der geöffneten Doppelseite des Buches begann Sinn zu ergeben, Form und Gestalt entstanden, gewannen Perspektiven. Sie entzifferte die Unterschrift: *Entwurf für den Wiederaufbau der Charlottenburger Chaussee.*

Wieder dieser beobachtende Blick, Waltraut war wie ein Zahnschmerz, der vom Kiefer her bis in die letzten Gehirnwindungen weh tat. John Hiller hatte seinen Kopf zwischen die Schultern gezogen, als stünde er in einem Wolkenbruch. *Charlottenburger Chaussee*, dachte Julia, lag in Westberlin. Wukowitsch gab immer noch bedauernde Laute von sich.

Julia glättete den Bogen, auf dem seine Skizze sich befand, und plazierte ihn neben die immer noch offenliegende Doppelseite. Weder Hiller noch Wukowitsch hatten sich die Mühe gemacht, auch nur ein paar Striche hinzuzufügen. Sie blätterte zurück zur Titelseite des Buches; das schwere Glanzpapier entglitt ihren Fingerspitzen immer wieder.

»Du brauchst dich nicht erst zu bemühen«, hörte sie Hiller

sagen. »Der Band, den du da siehst, ist die berühmte *Neue Deutsche Baukunst* des Herrn Albert Speer, des Chefarchitekten von Adolf Hitler. Ich habe das Buch in einem Antiquariat gefunden; die Genossen Zensoren vom Kulturministerium müssen es übersehen haben. Ich dachte mir, das Ding könnte ganz instruktiv sein.«

Julias Ressentiment wuchs; da war sie in eine böse Falle getappt. »Du widerst mich an, John«, sagte sie, und dann, auf die Zeichnungen deutend, »und das da ist einfach bösartig!«

»Wieso denn?« wollte Waltraut Greve wissen.

Wieso? dachte Julia. Weil es ein Nazi-Erzeugnis war, im Stil der Nazis. Jeder wußte doch ... Wußte was? Hatte sie es gewußt?

»Wieso?« wiederholte Waltraut, und ihr Ton schon ging Julia auf die Nerven. »Weil es eine Kopie ist? Was ist denn keine Kopie? Michelangelo, die Meister des deutschen Barock, Schinkel – hat denn dein eigner Mann nicht, vor kaum einer halben Stunde, uns eine ganze Liste von Leuten aufgezählt, von denen wir kopieren könnten?«

»Herr Speer ist nicht Michelangelo. Herr Speer ist« – Julia verstummte. Ihr Blick fiel auf die Gruppierung mit der Säulenfront im Zentrum von Speers Entwurf seiner rekonstruierten Prachtstraße in einem siegreichen Nazi-Berlin.

»Wen kümmert's, wer dieser Speer ist – oder war« – Waltraut stand da, provozierend –, »solange es nur dazu paßt...«

»Wozu paßt?«

Julias Frage zeigte ihre Verwirrung. Und Waltraut wußte es. »Das hier«, Waltraut wies auf Wukowitschs Kopie des Speerschen Entwurfs, »zu dem dort draußen« – mit einer vagen Handbewegung in Richtung der Straße des Weltfriedens, die jenseits dieses armseligen Studios, dieser Reihe von Büroräumen, dieser ganzen Baracken sich erstreckte.

»Lüge!« Julia zog das Blatt zu sich heran; fast hätte sie es dabei zerrissen. »Eine einzige unverschämte Lüge!« Sie durchsuchte die Zeichnung nach Fehlern, die sie übersehen haben mochte, nach dem Andersartigen daran, das ihr möglicherweise entgangen war, nach etwas Konträrem, Widerlichem, das doch irgendwo zu finden sein mußte. »Das Ganze ist Schmutz!« verkündete sie.

»Aber woher denn?« fragte Waltraut. »Es ist einfach eine lange breite Straße zwischen großen Gebäuden, ein bißchen zu pompös vielleicht, aber repräsentativ.«

Waltraut umging die Frage, die eigentlich nun zu folgen hatte: repräsentativ *wofür?*, und Julia stellte die Frage ebensowenig. Die Schadenfreude kam ihr zu Bewußtsein, die Waltraut Greve empfinden mußte, während sie sie hier festnagelte, damit die Männer sich über sie lustig machen und sie verhöhnen könnten. Und Julia war wehrlos gegen sie: Man brauchte ja nur ein paar Elemente der Gorki-Straße zu nehmen und ein paar Zinnen der Kremlmauer anzufügen, dazu ein oder zwei Simse von altdeutschen Bauernhäusern in Dörfern aus der Umgebung, und all das mit dieser Charlottenburger Chaussee zu verquicken – und schon hatte man eine echte Sundstrom-Straße mit vorfabriziertem Nationalpreis bereits eingebaut in die Perspektive.

Julias Fingernägel gruben sich in ihre Handflächen. Nein, das war nicht das Ganze. Konnte es nicht sein. Weder sie noch Arnold hatten all diese Jahre eine Lüge gelebt, noch die Professoren, bei denen sie in Moskau studiert hatte und die sie die Grundsätze der Ästhetik gelehrt hatten und wie man zwischen Recht und Unrecht unterschied und Gut und Böse. Es gab bei dem Problem noch eine andere Seite. Mußte es geben.

»Julia« – Wukowitsch fuhr sich mit seinen Fingern durchs Haar –, »du darfst dir das nicht so zu Herzen nehmen. Ich zerreiß den verdammten Entwurf…«

»Das wirst du nicht!«

»Es ist *meine* Zeichnung.« Doch machte er keine Anstalten, nach dem Blatt zu greifen. Er blickte sich nach John Hiller um, als erwartete er ein Stichwort von ihm; da keines kam, sagte er: »Der Punkt ist, Julia, Architektur ist a priori amoralisch. Es gibt einfach häßliche Bauten und solche, die uns aus irgendwelchen

Gründen gefallen – alle anderen Werte sind in die Sache hinein-
gelesen worden.«

»Es ist unmarxistisch, Form und Inhalt zu trennen«, sagte
Julia mit großem Ernst. »Sozialistische Architektur hat sozialistische Inhalte; und Nazi-Architektur« – sie brachte ihren Satz
nicht zu Ende. Speers Charlottenburger Chaussee und Sundstroms Straße des Weltfriedens... Wenn ihre Theorie zutraf, war
sie in ihrer eigenen Logik gefangen.

»Aber, schöne Julia« – John Hiller lehnte sich gegen den Aktenschrank, seine Mundwinkel schiefgezogen –, »Form ist
zweitrangig, eine Art Überbau, habe ich recht? Und wir alle
wissen, wie lange es dauert, um veränderte Formen analog zu
veränderten Inhalten zu schaffen...«

Er hatte das *wir* betont und sie damit zur Gruppe hinzuge-
rechnet. Und doch traute sie ihm nicht: Er hatte nur die richtigen Ausdrücke verwendet, aber hatte er sie in die richtige Reihenfolge gestellt? »Du willst also sagen, alles hängt davon ab,
wer in einem Gebäude wohnt und wer darin arbeitet...«

»Genau.«

»...und wer der Eigentümer ist.«

»Jawohl.«

Julia nickte. Sie konnte auch ein paar eigene Beispiele anführen, um diesen Gesichtspunkt zu stützen – sagen wir, die Uniformen der Volksarmee und der Volkspolizei, die deutlich sichtbar den Uniformen von Wehrmacht und Nazi-Polizei ähnelten;
und dennoch handelte es sich jetzt und hier um eine proleta-
rische Armee und eine Arbeiterpolizei... Aber mußten einem
deren Uniformen denn auch noch gefallen?

»Edgar?«

Wukowitsch blickte auf.

»Du hast vorhin gesagt, du wolltest deinen Entwurf zerreißen.«

»Hab ich gesagt.«

»Würdest du ihn nicht lieber mir überlassen?«

Sein Blick wurde fragend.

»Ich möchte ihn Arnold zeigen.«

Waltraut Greve lachte.

»Weshalb ihm zeigen?« fragte Wukowitsch. »Um uns in Schwierigkeiten zu bringen?«

»Aber wenn ich das da nicht gesehen hätte« – Julia deutete auf Speers Zeichnung in dem großen braunen Buch –, »würde ich Arnold deinen Entwurf mit Freude im Herzen gezeigt haben. Jetzt allerdings…«

John Hiller grinste und zerrte an seinem Ohrläppchen. »Und wenn der Genosse Sundstrom nun herausfände, daß du zu ihm nicht mit einem Herzen voll Freude, sondern voll böser Absichten gekommen bist?« Und bevor ihm jemand in den Arm fallen konnte, war er zurück neben dem Reißbrett, griff nach der Skizze und zerriß sie in kleine Stücke.

Julia sah die Fetzchen in den Papierkorb flattern. Es sah endgültig aus; der Zwischenfall war vorüber; man brauchte keine Worte mehr darob zu verlieren. Sie wünschte sich, es wäre tatsächlich so. Aber da war der Abend gestern gewesen und die restlichen Unsicherheiten. Und jetzt war ihre ganze Arbeit fragwürdig geworden – ihre Arbeit und die des Kollektivs und Arnolds… Hatte Arnold denn nichts gewußt von dieser Ähnlichkeit zwischen den Linien und Flächen, die unter seinen wunderbaren Händen entstanden waren, und den Entwürfen und Konzeptionen der Veranstalter von Auschwitz und Buchenwald? Und wenn er von dieser Ähnlichkeit gewußt hatte, wie wollte er sie erklären? Und wenn er sie nicht erklären konnte, woher kam sie und was bedeutete sie?

Sie wandte sich um und ging.

John Hiller wollte ihr folgen, aber Waltraut Greve hielt ihn zurück. »Dein Herzblatt ist da in eine ziemliche Klemme geraten«, sagte sie, »nicht?«

Er betrachtete Waltraut von den Ponysträhnen, die ihr über die Stirn fielen, bis hinab zu den niedrigen Absätzen ihrer Schuhe, die ihre Füße platt und häßlich erscheinen ließen. Sie wußte, daß er durch ihre Bluse und ihren Rock hindurchblickte, und rote Flecken zeigten sich auf der ungesunden Blässe ihres Gesichts.

Arnold saß gerade am Telefon, als Julia zu ihm ins Studio trat. Er klang angeregt; was die Stimme am anderen Ende der Leitung ihm sagte, freute ihn offensichtlich; er blickte Julia an, seine Augen glänzten; mit einem Wink seiner Hand lud er sie ein, sich zu setzen.

Sie blieb jedoch stehen. Er sprach weiter, die Distanz, die sie zwischen sich und ihm ließ, offenbar nicht bemerkend.

»Um vier Uhr«, sagte er, »werden wir mit der Führung beginnen – die fertigen Gebäude, die Baustellen, die Planungsabteilung, Studios; alles wird gründlich vorbereitet sein und die Gäste erwarten, du kannst dich darauf verlassen.«

Julia kannte den Ton: leicht metallisch und doch geschmeidig; zusichernd und zugleich autoritativ; seine Stimme in den tieferen Lagen. Er sprach mit jemandem, den er für gleichrangig oder ein wenig noch über ihm stehend hielt, jemandem mit Status.

Jetzt schwieg er und hörte zu. Dann sagte er: »Du kannst dem Genossen Popow sagen, er soll sich keine Sorgen machen. Wir werden ihm die Realität zeigen, keine Potemkinschen Dörfer. Und er darf mit den Architekten reden, selbstverständlich, mit den Bauleuten – mit wem er will.«

Er betonte das *wem er will*. Julia hörte den Unterton. War da nicht ein Anklang von Unterwürfigkeit? Oder bemühte er sich ganz bewußt, demokratisch zu erscheinen?

Jetzt lachte er, sein gutes, vertrautes, männliches Lachen. »Nein, nein, nein, Genosse Tolkening! Ich weiß schon, du hast das nicht andeuten wollen. Und auch der Genosse Popow nicht. Ich möchte nur Mißverständnisse vermeiden. Nicht auf deiner Seite, meine ich. Auf seiten des Genossen Popow.«

Er zog seine Brauen nach oben und hörte weiter zu. Also würde die Delegation heute nachmittag vorbeikommen, dachte Julia; das würde schon Durcheinander genug veranlassen. Arnold zwinkerte ihr zu: Für dich und mich wird's jetzt eine

Menge Arbeit geben. Sie würde in ein und demselben Vorgang charmant und fachlich versiert zu sein haben, Gastgeberin sowie Mitarbeiterin; sie wußte sich zu verhalten in derlei Doppelrollen, das hatte er ihr mehr als einmal schon versichert.

»Popow?« fragte er in die Sprechmuschel hinein. »Ach, ich hatte da gewisse Informationen.«

Auf einmal bemerkte Julia ihre eigenen Hände. Sie waren verschwitzt; verschwitzt und leer. John Hiller hatte die Skizze zerrissen; so weit, so gut; aber das Buch lag noch da auf seinem Reißbrett, *Albert Speer, Neue Deutsche Architektur*. Warum hatte sie es dort liegenlassen? Warum, da sie doch die Absicht gehabt hatte, Arnold mit der sonderbaren Verwandtschaft zwischen der neuen Charlottenburger Chaussee und der Straße des Weltfriedens zu konfrontieren?

»Werd ich dir alles erzählen, sobald ich dich sehe, Genosse Tolkening!« Der Ton ihres Arnold war beinahe überschwenglich, seine innere Zufriedenheit war deutlich hörbar. »Einer von *denen*, ja, natürlich.« Und nach ein paar Sekunden: »Noch einmal, ich bin dir sehr dankbar, daß du mich angerufen hast, Genosse Tolkening. Bis bald.«

Er legte den Hörer zurück auf den Apparat, plötzlich müde. Sein Lächeln erlosch. »Julia?«

Sie fühlte sich unbehaglich.

»Stimmt etwas nicht, Julia?« Er stand auf und kam auf sie zu. »Stört dich etwas?«

Sie hob ihr Gesicht. Aus seinem besorgten Blick sprach seine Liebe zu ihr, und sie schämte sich zutiefst.

»Ich – eigentlich war ich gekommen, dich etwas zu fragen…«

»Was zu fragen?« Seine Stimme klang warm und herzlich.

Erregt durchsuchte sie ihr Gedächtnis nach den Ähnlichkeiten, die sie vor wenigen Minuten noch empfunden hatte zwischen dem abscheulichen Entwurf in Herrn Speers Buch von Nazi-Kitsch und der Straße des Weltfriedens, der edlen Schöpfung des Mannes, der da vor ihr stand und dessen ganzes Herz zu ihr hinzustreben schien. Jetzt aber wollte ihr nichts derart mehr einfallen, obwohl sie sicher war, daß sie sich diese Ähnlichkeiten nicht nur eingebildet hatte. Sie wünschte, sie hätte das Buch unter den Arm geklemmt und mitgebracht, und war zugleich doch froh, daß es bei Wukowitsch liegengeblieben war. Sie wünschte, sie hätte gründlicher nachgedacht, bevor sie sich in die Sache stürzte wie eine Närrin. Sie wünschte, sie hätte genug Verstand gehabt, die ganze Verleumdung zurückzuweisen: Wer waren sie denn – ein Wukowitsch, ein Hiller und diese Mißgestalt, Waltraut Greve –, und wer war dagegen ihr Arnold?

Er nahm sie in seine Arme und hielt sie fest. Sie spürte sein hartes Kinn auf ihrer Wange; er küßte ihre Augen, erst das eine, dann das andere.

Sie seufzte auf, wie nach einem Weinkrampf. So wie jetzt hatte er sie in seinen Armen gehalten, als sie ein Kind war, und hatte ihre Ängste vertrieben.

»Diese Angelegenheit gestern abend«, begann er wieder. »Ich weiß. Über so etwas kommt eine Frau nicht so leicht hinweg.«

Er bemerkte, wie sie zusammenzuckte, und hielt sie noch fester. »Hilf mir doch!« bat er.

Sie nickte und legte ihren Kopf an seine Schulter. Er roch nach etwas Würzigem: dem Eau de Cologne, das sie ihm zu Weihnachten geschenkt hatte.

»Ein bißchen zuviel hat sich in diesen letzten Tagen auf mich gestürzt«, sagte er.

Der Moment ihrer Nähe verging. »Ja, Arnold«, sagte sie.

»Vielleicht sieht man es mir nicht so an«, lächelte er, »aber auch ich habe Nerven.«

»Ja, Arnold.«

Seine Finger preßten sich in ihren Rücken; dann ließ er sie los. »In bezug auf die Delegation«, sagte er. »Du solltest lieber nach Hause fahren und dich umziehen.«

»Ich fahre gleich nach Hause«, sagte sie. »Aber ich lege mich ins Bett.«

»Ich dachte, du wolltest mir helfen.«

»Ich fühle mich nicht wohl. Ich bin zu dir gekommen, um dir das mitzuteilen.«

»Ich verstehe.«

Er trat zurück hinter seinen Schreibtisch und setzte sich. Dann schlug er seine Hände vors Gesicht. Sie sah sein volles, gewelltes Haar, das Diplomatengrau an den Schläfen. Sie sah seine breiten Fingerspitzen, die seine schwere Stirn stützten. Sie bemerkte all diese Einzelheiten mit beängstigender Klarheit und dachte, wieviel man unter gewöhnlichen Umständen doch übersah, sogar bei denen, die einem am nächsten standen, und wieviel man von ihnen nicht wußte und ob es vielleicht sogar besser war, man erfuhr es nie.

KAPITEL 3

Die Sonntagszeitung druckte den vollen Wortlaut des Berichts des Genossen Tolkening auf der Bezirksparteikonferenz. Ein zweispaltiges Bild auf dem oberen Drittel der Frontseite des Blattes zeigte den Genossen Tolkening, seine Frau Elise und daneben den Chefarchitekten der Stadt, den Genossen Professor Arnold Sundstrom, der in Richtung des Obergeschosses eines fast schon vollendeten Gebäudes an der Straße des Weltfriedens blickte.

Sundstrom lehnte die Zeitung gegen die Kaffeekanne und begutachtete sie, während er sich Butter aufs Brot strich.

»Er sieht aus auf dem Bild, als ob der Heilige Geist gerade dabei wäre, sich auf seinem Haupt niederzulassen«, bemerkte Julia von der anderen Tischseite her.

»Wessen Haupt? Des Genossen Tolkening?«

Sie nickte.

»Das liegt an der Art, wie der Fotograf seine Kamera gehalten hat«, sagte Sundstrom. »Der Mann hätte es besser wissen müssen. Oder der Bildredakteur. Wenn ich Tolkening wäre, würde ich sie beide hinausschmeißen lassen... Ich sehe aber nicht schlecht aus«, fügte er hinzu. »Was meinst du?«

»Du bist eben fotogen, Liebster«, antwortete sie.

Er warf ihr einen raschen Blick zu. War das Ironie gewesen? Das wäre etwas Neues an ihr. Aber sie wischte in aller Ruhe einen Klecks weichgekochtes Ei von Julians Kinn und schickte ihn spielen.

»Hör dir das an«, sagte er, »von Tolkening: *Die Architektur, wie jede Kunst, wird ihrer sozialen Aufgabe nur gerecht werden können, wenn sie sich bemüht, Menschen heranzubilden, die mit sozialistischer Kultur erfüllt sind und mit Liebe zu Kunst und Verständnis für diese, und die ihre Umgebung in diesem hohen Sinn zu gestalten imstande sind.«* Er nahm die Zeitung von der Kaffeekanne und legte sie auf den Tisch, zog einen Stift aus der Brusttasche seiner chinaseidenen Hausjacke und unterstrich das Zitat. »Interessant, nicht?« Und nach einer Pause, »Und höchst klug gesagt.«

Julia rührte weiter in ihrer Tasse. In diesen letzten Wochen war es ihr schon fast gelungen, die Erinnerung an die offene Doppelseite in dem Buch auf Hillers Zeichentisch aus ihrem Gedächtnis zu tilgen; nur in seltenen Momenten tauchte es noch einmal auf, wobei die Abbildungen dort von Mal zu Mal undeutlicher wurden. »Ich frage mich«, sagte sie unsicher, »ob der Genosse Tolkening wirklich soviel von den Dingen versteht, über die er sich dauernd ausläßt.«

Arnold Sundstrom steckte seinen Stift wieder in die Tasche. Wahrscheinlich ließ sich da nicht viel machen: In ihrer Sowjetvergangenheit hatte Julia Gedanken der Art nie geäußert; aber man befand sich nicht mehr in einer Provinz weit hinter dem Ural; man lebte in Deutschland, in Ostdeutschland, der Republik mit der nach Westen weit offenen Grenze, über welche die Zweifel selbst in die linientreuesten Herzen fluteten. Vielleicht sollte er besser aufpassen; eine Bemerkung wie die soeben, in der falschen Gesellschaft geäußert, würde ihm eine Menge Schwierigkeiten einbringen; die Heranbildung eines jungen Menschen zu korrektem Denken war eine nie endende Arbeit.

»Bei jemandem wie dem Genossen Stalin waren solch breitgefächerte Kenntnisse glaubhaft«, fuhr sie fort. »Aber man muß eben ein Genie sein, um stets die richtigen Antworten zu Problemen der Landwirtschaft wie der Linguistik, der Politik wie der Künste zur Hand zu haben.«

»So kompliziert ist es nun auch wieder nicht«, sagte Sundstrom. »Jeder von uns hat Zugriff zu dem Leitbuch, das der Genosse Stalin benutzte, um zu seinen Ratschlägen zu kommen –

den Lehren von Marx und Engels und Lenin, dem ganzen Kompendium politischen, ökonomischen und philosophischen Gedankenguts, genannt dialektischer Materialismus, aus welchem du und ich uns ebenso bedienen können wie der Genosse Tolkening.«

Er biß herzhaft in seine Scheibe Brot. Julia sah ihm zu, wie er kaute und schluckte. Die Gruppe mit der Säulenfront in der Mitte schob sich zwischen sie und ihn, wie ein Stück Film, durch dessen Transparenz sein wohldurchblutetes Gesicht hindurchschien, als sei es Teil des Bildes. »Wie kommt es dann«, verlangte sie schließlich zu wissen, ein bißchen verunsichert durch die Hartnäckigkeit ihrer Neugier, »daß Joseph Wissarionowitsch immer recht hatte und die anderen nie? Hatten die denn dieses so nützliche Kompendium nicht ebenso zu ihrer Verfügung? Also gibt es doch so etwas wie Genie bei gewissen Menschen...«

Sundstrom erinnerte sich der dunklen Ringe unter den Augen des Genossen Popow, mit denen der ihn prüfend betrachtet hatte, und an seine täuschend liebenswürdigen Fragen während ihrer gemeinsamen Tour durch die Straße des Weltfriedens – nichts, auf das man Popow hätte festnageln können, und dennoch eine Bedrohung – und beschloß, sich in puncto menschliches Genie lieber in Schweigen zu hüllen. »Für alles, Julia, gibt es Spezialisten, Ratgeber... Teil der Kunst, Menschen zu führen, ist die Auswahl der richtigen Ratgeber. Was nun das Gebiet der Architektur betrifft, freue ich mich sagen zu können, daß bis zu einem gewissen Grad der Genosse Tolkening sich auf mein Urteil verläßt.«

Er wartete. Sie schien's jedoch zufrieden; wenigstens äußerte sie sich nicht weiter zu dem Thema. Seine Schwierigkeit war, daß er seit kurzem nicht mehr imstande war, ihre Reaktionen auf die verschiedenen Fragen, die in ihrem gemeinsamen Leben jetzt auftauchten, zuverlässig einzuschätzen; das hatte am Abend des verdammten Empfangs angefangen; mehrere Momente waren zusammengekommen, um den Effekt zu erzeugen, und es war ein Prachtbeispiel für die Gültigkeit des Worts vom Sprung der Quantität in eine neue Qualität: Dialektik in ihrer realen Wirkung, ihrer Wirkung gegen ihn, den Genossen Sundstrom.

Die Glocke am Haustor läutete. Fast war er froh darüber, obwohl er es nicht mochte, wenn Leute seinen Sonntagmorgenfrieden störten. »Wer, meinst du, ist das schon wieder?« fragte er in seinem besten ärgerlichen Ton.

Sie lauschte. Sie wußte, er pflegte diesen Ton sorgfältig, er glaubte, dadurch steigere sich seine Autorität. Im Untergeschoß schlurfte Frau Sommer zur Haustür; Frau Sommer hatte arthritische Beine und trug Filzpantoffeln, welche die Form ihrer verkrüppelten Füße angenommen hatten. Julia strich ihre Serviette glatt und faltete sie mit raschen, geübten Bewegungen; es lag ihr wenig an Besuch, am wenigsten von John Hiller und Wukowitch plus Waltraut Greve; sie waren schon an den beiden vorhergehenden Sonntagen gekommen, trotz der eiligen Arbeit an den Entwürfen für die Verlängerung der großen Straße, die im Auftrag des Genossen Tolkening zu erledigen war; die Entwürfe, so beeindruckend ausgestaltet wie in der kurzen Zeit möglich, waren Tolkening bereits übergeben worden: die üblichen Hausfronten, symmetrisch proportioniert; mit Fenstern und Türen passend zu ihren Pendants in den bereits fertigen Teilen der Straße, aber mit ein paar neuen Ideen für die Gesimse und mit einem Fries, der unter den Fenstern des vierten Geschosses des mittleren Gebäudes der Verlängerung entlanglaufen und die Einstellung der Menschen zur sozialistischen Arbeit in klar verständlichem Basrelief darstellen sollte. Und nichts hatte man seither über diese Entwürfe gehört. Aber war es nicht immer so, rasch, rasch, alles mußte in zehn Tagen fertig sein oder fünf, oder drei, und dann das Warten. Ich werde auch immer unzufriedener, dachte sie und preßte mit einem letzten Druck die letzte Falte in ihre Serviette.

Frau Sommer erschien in der Tür. »Telegramm, Herr Professor«, verkündete sie.

Er erhob sich hastig, sagte »Danke schön, Frau Sommer« und nahm ihr das Blatt aus der Hand.

Julia, erleichtert, zündete sich eine Zigarette an. Telegramme kamen ständig: Arnold Sundstrom gehörte zu der gehobenen Schicht, deren Mitglieder zu Versammlungen und Konferenzen, zu Plenar- und nicht ganz so plenaren Sitzungen außerhalb der Stadt telegrafische Einladungen erhielten.

»Arnold!«

Er war blaß geworden.

Ihre Zigarette entglitt ihr. »Schlechte Nachrichten?«

Er winkte ab und brachte ein gepreßtes Lachen zustande. »Im Gegenteil«, sagte er, »eine gute Nachricht. Eine sehr gute.« Er strich sich mit dem Handrücken über Stirn und Augen. »Tieck kommt zu uns.«

»Tieck?«

»Daniel Jakowlewitsch.« Er hatte nicht in Betracht gezogen, daß sie sich möglicherweise Tiecks nicht mehr erinnern konnte, und dachte, dem Himmel sei Dank, sie war damals noch so bemitleidenswert jung gewesen. »Daniel Tieck war – nein, *ist*«, verbesserte er sich, »ein alter Freund von mir.«

Sie griff nach dem Telegramm. *Eintreffe Sonntag 7:45 abends Hauptbahnhof*, las sie. *Kannst du mich abholen.* Und die Unterschrift. Das Telegramm war bereits vor drei Tagen in Moskau abgeschickt worden. Gott weiß, in welchem Amt es aufgehalten worden war.

Er stand neben der großen Glastür, die zur Terrasse führte, und blickte hinaus in die Landschaft – die kahlen Bäume, den Boden, bedeckt mit dem Laub vom Vorjahr, den Rauch aus den Schornsteinen einer unsichtbaren Fabrik irgendwo, der sich weigerte aufzusteigen. Es war eine jener niederdrückenden Sonntagslandschaften, wie sie zwischen Februar und März sich zeigen: der Winter schon nicht mehr da, aber Frühling noch nicht hier, alles in stummer Starre. Es ist nicht wahr, dachte er, daß Freitag der Unglückstag der Woche ist; in Wahrheit war es der Sonntag; am siebenten Tag hatte der Herr die Schöpfung vollendet und sich danach ausgeruht, und damit fing das ganze Elend an.

»Ein alter Freund«, sagte sie, »aus Deutschland noch oder aus der Sowjetunion?«

Die nächste Frage, dachte er, würde sein: *Und warum hab ich noch nie von ihm gehört?* Und das Peinliche würde sein, daß, was auch immer er sagte, sich von Tiecks Version unterscheiden mochte.

»Daniel Tieck«, sagte er und blickte immer noch auf das wenig reizvolle Grau jenseits der Terrasse, »war ein glücklicher Mensch.«

»*War*?« fragte sie.

»War – ist –, was ist der Unterschied?« Und dachte: Glücklich – bei Gott, ja. Einfach so am Arbat aufzutauchen, im Jahr 1956 – nach dieser Geschichte! »Alles fiel ihm immer zu«, sagte er. »Es gibt solche Menschen. Die fahren nicht hinaus aufs Meer nach dem Fisch, die werfen keine Netze aus, der Fisch schwimmt *ihnen* nach, große Fische, kleine Fische…« Er wandte sich um und schaute ihr ins Gesicht. »Sie sind die wahren Genies!«

Julia hatte sich eine neue Zigarette angezündet und wartete. Sie trug enganliegende Slacks und einen Rollkragenpullover, schwarz und silber, welche beide ihre Figur betonten und dem warmen Grau ihrer Augen einen dunkleren Glanz verliehen.

»Tieck und ich haben zusammen am Bauhaus in Dessau studiert«, berichtete er bewußt sachlich. »Aber er war aller Liebling. Gropius, Meyer, Mies van der Rohe, ein jeder prophezeite ihm eine große Zukunft.«

Er zuckte die Achseln. Zog man in Betracht, daß dieser Moment, da die Vergangenheit aus den Schatten trat, wie eine Drohung über ihm gegangen hatte, seit Krylenko ihm von Tieck erzählt hatte und von ihrer beider Begegnung am Arbat, war sein, Sundstroms, Verhalten Julia gegenüber, objektiv betrachtet, doch eigentlich recht annehmbar und vernünftig.

»Und dann kam er nach Moskau«, sagte sie, »wann?«

»Natürlich«, wich er aus, »darfst du nicht vergessen, daß Gropius und die ganze Bauhaus-Schule der reinste Formalismus waren. Aber Talent erkannten sie schon, wenn es ihnen über den Weg lief.«

Er warf ihr einen prüfenden Blick zu: Wie nahm sie seine Worte auf?... Bisher hatte er nur selten von seiner Bauhaus-Vergangenheit zu ihr gesprochen, und wenn, dann nur, um seine heutige Distanz von den Zielen und Methoden jener Zeit zu unterstreichen.

»Und in all den Jahren hast du ihn nie wiedergesehen?« fragte sie unsicher. »Warum dann will er jetzt ausgerechnet zu uns kommen?«

»Weil er sonst niemanden hierzulande hat, vermutlich. Vielleicht wird er sogar eine Weile bei uns bleiben müssen!« Er unterbrach sich und sagte dann mit plötzlicher Schärfe: »Warum läßt du mich die Dinge nicht eines nach dem anderen erklären? Sie sind auch ohne deine Sprunghaftigkeit schwierig genug...« Er suchte in seinen Taschen, konnte seine Zigaretten aber nicht finden. »Hättest du vielleicht...«

Sie hielt das Flämmchen ihres Feuerzeugs an zwei Zigaretten zugleich.

»Danke«, sagte er, nachdem sie ihm die eine davon zwischen die Lippen gesteckt hatte. Dann ergriff er ihr Handgelenk und entschuldigte sich. »Tut mir leid, meine Launen. Aber du darfst mich nicht dauernd mit deinen Fragen unterbrechen. Wenn du fragen mußt, frag, nachdem du mich angehört hast. Ich erzähl dir schon alles, was sich erzählen läßt...«

Wieder zerflatterten seine Worte. Warum, warum, warum?, dachte er. Warum hatte er geduldet, daß dies Gespräch überhaupt zustande kam? Warum ließ er die Toten nicht in ihrem Gräbern ruhen? Nie mehr würde er zu Ende kommen mit dieser Geschichte, sobald man einmal anfing, den Knäuel zu entwirren, und sämtliche Fäden darin waren in Blut getaucht.

»Setz dich doch«, sagte sie und befreite ihr Handgelenk mit sanften Fingern.

»Tut mir leid«, wiederholte er, diesmal um Verzeihung bittend, weil er ihr Handgelenk zu hart umklammert hatte. Und dachte, das ist alles viel zu dramatisch. Halte es leicht. Leicht und unauffällig. Ein alter Freund kommt zu Besuch; ein wenig plötzlich, gewiß; aber warum sollte er nicht? »Ja, es ist besser, ich setze mich. Das Ganze ist so viele Jahre her. Laß mich nachrechnen – ja, sechzehn sind's jetzt. 1940 hab ich ihn das letzte Mal gesehen. Da warst du noch ein Kind…« Warum das besonders erwähnen, dachte er; ein schlimmes Jahr; auch für Julia; für uns alle. »Ich könnte dir heute nicht einmal genau beschreiben«, sagte er, »wie er damals ausgesehen hat.«

Er entsann sich aber doch; jeder Einzelheit des Gesichts, der Haltung, der Bewegungen, als er ihn das letzte Mal gesehen hatte; und der ruhigen dunklen Stimme, die kaum von ihrem gewöhnlichen Timbre abwich, als er sprach: Sie werden kommen und mich abholen, Arnold, morgen in der Früh oder übermorgen, du wirst ihnen hoffentlich nichts von dem glauben, was sie mir vorwerfen werden; wir sind so lange schon Freunde gewesen, du und ich; aber berichte es den deutschen Genossen, vielleicht können sie etwas für mich unternehmen, können erklären, intervenieren, die Sache vor höhere russische Stellen bringen… Und all das, ohne auch nur einmal die Stimme zu erheben; Jesus im Garten Gethsemane zeigte mehr Temperament; nur der Blick war da, traurig, resigniert. Und seine Finger, lange, sensible Finger, die sich in kurzer Folge verschränkten und wieder voneinander lösten.

»Wofür ich hart arbeiten mußte im Schweiß meiner Nächte«, fuhr Sundstrom fort, »Tieck packte es instinktiv. Er hatte ein großartiges Auge für Proportionen, für eine neue Lösung – überraschend zuerst, aber sobald du dich darein vertieftest, die einzig logische, einzig mögliche Lösung – immer, natürlich, wenn du von Bauhaus-Begriffen ausgingst, was ich zu jener Zeit ja auch tat.«

Er schien gleichermaßen zu sich selber wie zu ihr zu sprechen; Julia begann den Verdacht zu hegen, daß der Besuch dieses Daniel Jakowlewitsch Tieck, von dessen Existenz sie so spät erst erfahren hatte, in irgendeinem Zusammenhang stand mit dem ganzen Komplex von Ereignissen, Gedanken und Gefühlen, die ihr und ihres Mannes Leben seit kurzem zu belasten begonnen hatten.

»Daniel Tieck«, sagte er, »hat aus mir einen Kommunisten gemacht.«

Sie hob ihre Brauen. »Wirklich?«

»Du, Julia, bist als Kommunist geboren worden.« Er lachte. »Nicht jeder hat das Glück.«

Sie hatte ihn immer als unwandelbar gesehen: Arnold Sundstrom, aus einem Stück Stein gehauen. Daß er je etwas anderes als ein Kommunist gewesen sein könnte und daß vor ihm ein anderer existiert haben mochte, der ihn geformt hatte – so folgerichtig das auch schien –, erforderte von Julia neues Nachdenken und Zweifel, die sie nie gehabt. Und dieser andere löste sich nun aus dem Dämmer der Vergangenheit und warf, kaum daß er Gestalt angenommen hatte, neue Unruhe, neue Fragen auf.

»Auch dieses fiel ihm ganz leicht zu«, sagte Sundstrom, in dem nostalgischen Ton seiner Rückwärtsschau etwas wie ein fernes Echo früherer Ressentiments. »Geistige Probleme, an denen andere Leute monate- oder gar jahrelang kauten, lösten sich in seinem Kopf wie von allein. Moderne Architektur, sagte er mir immer, erfordert moderne industrielle Methoden; moderne Industrie erfordert moderne gesellschaftliche Formen; deshalb sind Architekten, moderne Architekten, vorausbestimmt, Kommunisten zu werden.«

»Am Bauhaus?« fragte sie, kehrte zum Tisch zurück und hob die Kaffeehaube von der Kanne.

Und das, dachte er, ist nur der Anfang meiner neuen Last! ... »Ich sehe da keinen Widerspruch«, sagte er, seinen Ärger unterdrückend. »Zu der Zeit glaubten wir ehrlich, daß gerade Linien und gerade Flächen aus Glas und Stahl und Beton der Ausdruck des Geistes unserer Zeit seien.«

Er beobachtete, wie sie den Kaffee in ihre und seine Tasse goß.

Sie machte es sich bequem, verflucht noch mal, um jedes seiner Worte auf die Goldwaage legen zu können, jede seiner Betonungen: der Verhörer im eigenen Heim, am eignen Tisch, in seinem eignen Bett.

»Man lebt und lernt«, sagte er. »Die Sowjetarchitektur war der große Lehrer. Unsre Ansichten damals, Tiecks und meine, waren eigentlich eine Art linker Abweichung, waren kleinbürgerlicher Radikalismus; die Arbeiterklasse ist nicht destruktiv; sie übernimmt, was an den Errungenschaften der Vergangenheit von Wert ist, und formt es entsprechend ihren eignen Zielen und Zwecken…« Er schwieg einen Moment. Er mußte einen starken, endgültigen Gedanken finden, der das Problem ein für allemal klärte. »Heute weiß ich«, schloß er, »die künstlichen, kubistischen Konstruktionen, die sich von den Lehren der Bauhaus-Professoren herleiten, sind im Wesen negativ und seelenlos, antihuman – und widerstreben dem gesunden Instinkt unserer Werktätigen.«

Noch stärker ließ die Sache sich nicht verdammen. Aber es war schwierig, gegen bestehende Bauten zu Felde zu ziehen – sie standen einfach da und waren in sich ihr eignes Argument. War es nicht Frank Lloyd Wright, der einst gesagt hatte, gegen die Fehler von Architekten ließ sich nur eines tun: Efeu darüber wachsen lassen? Efeu!… Die Lösung eines Jokers, der sein Leben lang für irgendwelche vermögende Exzentriker gebaut hatte, die nur forderten, daß ihre Häuser sich gründlich von denen ihrer Nachbarn unterschieden; das Bonmot eines Scherzbolds, der nie in seinem Leben erfahren hatte, daß eine falsche Einstellung in Fragen der Kunst einen Mann den Kopf kosten konnte! Und um wieviel leichter es die andern Künste hatten als die Architektur! Eine Symphonie endete nach ihrem letzten Ton, ein Gedicht ließ sich vergessen, ein Bild verbrennen – aber das stumme Zeugnis von Stein und Ziegeln konnte die Ächtung bedeuten für dessen Autoren über Jahrzehnte hinweg. Efeu!… Dynamit!

Und das schlimmste war, daß Julia nicht mehr so positiv und

gläubig reagierte auf seine Worte wie früher, obwohl seine Gedanken so schlüssig und einleuchtend waren wie eh und je und seine Akzente so wohlgesetzt wie stets. Zwischen Schlucken Kaffees nickte sie scheinbar Zustimmung; aber ihm konnte sie nichts vorspielen; er hatte einen sechsten Sinn auch für das kaum Angedeutete, und besonders bei ihr, deren Geist und Charakter er selber gebildet und gestaltet hatte. Was sagte sie da?

»Und auch Tieck...« begann sie.

Arnold Sundstrom rechnete kurz nach. Der Zug sollte am Nachmittag um sieben Uhr fünfundvierzig eintreffen. Vorausgesetzt, er traf nach Fahrplan ein, dann standen ihm noch sieben Stunden und dreizehn Minuten von dieser Art Konversation bevor, mit der Wahrscheinlichkeit, daß noch Unangenehmeres zur Sprache kommen würde.

»Auch Tieck hat seine Einstellung zu dem Bauhaus-Stil verändert?«

»Manierismus«, verbesserte er. »Bauhaus-Manierismus. Ich möchte doch hoffen, daß auch er sich entwickelt hat. Man war einfach gezwungen, seinen Ausdruck zu verändern, sobald man in der Sowjetunion war und sah, wie dort gebaut wurde, und gar noch selber an der Arbeit teilnahm. Es sei denn« – er zuckte die Schultern –, »du wolltest dich bewußt dagegenstellen und hungern.«

Er bemerkte die leichte Wendung ihres Kopfes, ihren Blick, der den seinen vermied. Bisher hatte er ihr stets nur von der Weisheit der Partei und dem Gewicht ihrer Argumente gesprochen, durch welche die Menschen überzeugt wurden, nie von Hunger. Ich lasse geistig nach, dachte er – zu viele Bälle, mit denen ich gleichzeitig jonglieren muß: Tiecks Schicksal, Julian und Babette Goltz', meines, Julias; und all dies am Rande des Abgrunds, ohne Reserve, ohne die Möglichkeit umzukehren.

»In Wahrheit« – er lachte wieder, überhaupt lachte er zu häufig – »hat Tieck mich öfter vorm Hunger gerettet als ich ihn. Wir beide flüchteten nach Prag, nachdem Hitler an die Macht kam. Ich hatte nur die paar Kronen in der Tasche, die mir ein Hilfskomitee für Flüchtlinge auszahlte, während er alsbald Arbeit bekam – nichts Großes, aber Auftrag ist Auftrag –, und ich muß sagen, er ließ mich treu und brav daran teilhaben. Ich kümmerte mich um die technischen Einzelheiten, er machte die Entwürfe. Ich habe nie einen Menschen gesehen, der seine Ideen so mühelos darstellen konnte. Auch war bewundernswert, wie überzeugend er mit diesen geizigen tschechischen Kleinbürgern zu reden wußte, die ihre Ladenfront oder ihre Gartenlaube umgebaut haben wollten, oder mit einem reichen Prager Juden, der hin- und hergerissen war zwischen dem Gedanken, nach Palästina zu emigrieren oder seiner Villa über der Moldau ein Obergeschoß hinzuzufügen: Tieck ließ ein oder zwei Andeutungen fallen, und kurz danach würden seine Klienten selber ihm genau das vorschlagen, was er von ihnen hatte hören wollen. Das habe ich von ihm gelernt – ein guter Architekt muß ein guter Psychologe sein. Will sagen, im Kapitalismus«, fügte er hinzu, »im Kapitalismus. In einer sozialistischen Gesellschaft ist die Beziehung zwischen dem Architekten und seinem Auftraggeber eine grundlegend andere. Hier ist der Auftraggeber das Volk.«

Er fühlte sich beinahe peinlich berührt von der Feierlichkeit, mit der er gesprochen hatte – so als redete er vor großem Publikum statt vor der eigenen jungen Frau, die sowieso in dieser Gedankenwelt aufgewachsen war und jetzt ein gehorsames »Ja« nickte. Dann, als wollte er den Fluch schon loswerden, der über dem ganzen Thema lag, seufzte er ein nostalgisches »Prag… Für zwei junge Architekten, die sonst nur wenig Beschäftigung haben, ein absolutes Paradies: Gotik, Renaissance, Barock, Rokoko, Empire – in jeder denkbaren Kombination miteinander vermischt und verzahnt, lauter Juwelen… Ich sage dir, Julia, wenn dies erst vorbei ist – ich meine die ganze Hektik hier –, werden du und ich uns einen wundervollen langen Aufenthalt in Prag organisieren und zusammen durch die alten Straßen spazieren, durch die ich damals gelaufen bin; nur wir beide. Wir hatten ja nie wirkliche Flitterwochen, Julia, die paar

Tage damals in der geborgten Datsche bei Moskau zählen da nicht...«

»Prag...«, sagte sie. »Ich erinnere mich nur an die hohen Bäume dort und die Kastanien, die braun und glänzend auf der Erde lagen zwischen ihren geplatzten Schalen, und das Wasser, das über das breite Wehr im Fluß rauschte, und Sonnenschein, so weit ich blicken konnte, und meine Mutter, die mich bei der Hand nahm, und der Mann neben ihr mein Vater, ihre Gesichter sind kaum noch erkennbar in meinem Gedächtnis.«

Er hatte ein hohes, dünnes Klingen im Ohr; das war wohl sein Blut, das vom Gehirn aus seinem Herzen zufloß und diesen Schwindel in ihm erzeugte. Er hatte gewußt, daß es zu diesem Gespräch kommen würde; er hatte es so lange wie möglich zu vermeiden gesucht: Tieck führte zu Goltz, so unvermeidlich wie der Bach zum Fluß. Dann spürte er einen plötzlichen Anfall von Mitleid für sie – sie wenigstens hatte nie jemandem geschadet. Er trat zu ihr, strich ihr übers Haar und sagte heiser: »Ach, Julia, Julia... Wir müssen einander wieder finden...«

Sie preßte seine Hand an ihr Gesicht. Einander wieder finden, dachte sie und sagte: »Du bist so gut zu mir. Und bist immer so gut zu mir gewesen.«

»Aber ist das genug?« fragte er und seufzte leise. Und dachte: Drei Jahre; etwa drei Jahre mußte sie alt gewesen sein, als sie diese Kastanien in Prag aufsammelte; wieviel bleibt im Gedächtnis einer Dreijährigen? Oder, entsprechend, eines achtjährigen Kindes? Sie war gerade acht geworden, als sie den Tritt der Stiefel hörte im Korridor des Hotels. Sundstrom verzog seine Stirn: Eine Minute darauf war Tieck in sein Zimmer gestürzt gekommen, atemlos – die Goltzens waren verhaftet worden, beide; selbst das Kind, stumm vor Entsetzen, hatten sie mitgenommen; sie hatten alles von oben nach unten und von innen nach außen gekehrt und gebrüllt: Wo ist das Telegramm... das Telegrann... das Telegramm...?

Nach so vielen Jahren immer noch das Echo, dachte Sundstrom. Er hatte versucht, Tieck zu beruhigen; vergeblich. Erschreckt, verwirrt, hatte Tieck immer wieder gerufen, das Telegramm! – dann hatte er angefangen zu schluchzen; ein Mann, ein Kommunist, der schluchzte, es war eine schlimme Erfahrung gewesen. Wenn sie Julian Goltz verhaften konnten, hatte Tieck gesagt, wer war dann kein Verräter in den Augen des NKWD? Julian, der Leiter ihrer Parteigruppe in ihrer Prager Zeit, ihr Lehrer, Mentor, Freund?... Und dies unbeherrschte Geschrei Tiecks, während die Kerle vom NKWD noch immer das Hotel absuchten... Vergeblich seine Warnungen, seine Bitten; Tieck wollte partout nicht einsehen, daß der Lärm, den er vollführte, allein schon genügte, einen Mann zu hängen.

Und: Wieviel begreift ein Kind von acht Jahren? Wieviel bleibt in des Kindes Unterbewußtsein, um wieder aufzutauchen, wenn man es am wenigsten erwartet? All diese Jahre hindurch hatte er versucht, darauf eine Antwort zu finden, nur um die Frage dann wieder von sich zu weisen; und es gab Stunden, da ihm der verdammte Verdacht kam, daß alles, was er für Julia getan hatte – einschließlich seiner Ehe –, nur dem Zweck gedient hatte, sie in seiner Nähe und unter Beobachtung zu halten; dann hatte er's wieder geleugnet; aber er war zur Genüge Realist, um nicht zu erkennen, daß sein Mitleid mit der Kleinen, sein Bedürfnis, ihr zu helfen, sowie seine allgemeine Sympathie für sie und was noch an edlen Emotionen in ihm vorhanden sein mochte, aufs glücklichste mit den praktischen politischen Notwendigkeiten seines Lebens übereinstimmten...

Ihr Schweigen dauerte an und wurde unerträglich. Warum redete sie nicht weiter – von ihren Eltern, von Tieck? Gab es nicht genug Fragen? »In Moskau«, sagte er, und es klang, als suche er eine neue Verbindung herzustellen zu ihr, »in Moskau war ich imstande, Tieck für all das, was er vorher für mich getan, zu entschädigen. In Moskau wendete sich das Schicksal, und *ich* erhielt die Aufträge – nichts Großes und Wichtiges, aber genügend, um davon zu leben und es auch ihm zu ermöglichen, sich zu ernähren.«

Nichts Großes, dachte er; das war jedoch nicht der Eindruck, den er ihr in der Vergangenheit gegeben hatte. Die Rehabilitationsklinik, die er mit Ausblick auf den Fluß in der Nähe von Kaschyra erbaut hatte, war kein kleines Projekt gewesen, und ebensowenig der Bergarbeiterklub in Stalinogorsk oder die Serie von Sechs-, Acht- und Zehnklassenschulen in Kreis- und Bezirksstädten. Groß, klein, wie auch immer... Tiecks Ankunft hier rief die ganze Vergangenheit wach.

»In Moskau«, fragte sie, »war es anders als in Prag?«

»Aber das weißt du doch, Liebste!« sagte er. Und merkte zu spät, daß der Unterschied, von dem sie sprach, keiner von den jedermann sichtbaren war – miteinander verflochtene Zwiebeltürme auf St.-Wassilys-Kathedrale statt der Prager Gotik der Thein-Kirche; sozialistische Enthaltsamkeit statt Kaffeehaus-Laisser-faire. Sie hatte jenen kardinalen Unterschied im Auge, dem zufolge jetzt *er* es war und nicht mehr Tieck, der die Sprache seiner Auftraggeber sprach und den Geschmack seiner Auftraggeber traf und sich ihren Gefühlen anpaßte; Tieck schien in Moskau unbeweglich geworden zu sein, seine Ideen außerhalb der Generallinie, seine Vorschläge zu intellektuell, seine Lösungen unakzeptabel. Trotzdem arbeitete er; arbeitete hart; man brauchte ihm nur in allgemeinen Begriffen zu erklären, was verlangt wurde, den Rest erledigte er von sich aus, und in bester Qualität, und stets mit der kleinen persönlichen Note, die seine Entwürfe aus denen der anderen herausragen ließ – einer gewissen Delikatesse, einer besonders reizvollen Proportion.

»Wann kam er denn nach Moskau?« fragte sie.

»1936.«

»Im selben Jahr wie du.«

»Sogar im selben Monat«, sagte er. »Wir alle kamen auf Anweisung der Partei.«

»Ach so«, sagte sie und verstummte. Und wieder war da der Stich in Arnold Sundstroms Herzen. *Wir alle* war ein viel zu umfassender Begriff gewesen für zwei noch jugendliche Architekten, die auf verschlungenen Wegen in die Hauptstadt des Sozialismus gereist waren; *wir alle* schloß die Goltzens ein: Julian,

Babette und das Kind; *wir alle* war nur wieder ein mißglückter Ausdruck in der Reihe von Fehlern, die er machte. Es war ihm, als hörte er sie bereits: *Wir alle*: du und Tieck – und wer noch?

Aber statt dessen sagte sie nachdenklich: »Und wie kommt es, daß du ihn aus dem Auge verloren hast?« Und da seine Antwort auf sich warten ließ, fuhr sie zögernd fort: »Ich meine, nachdem ihr so eng miteinander gearbeitet habt, erst du mit ihm, dann er mit dir...«

»Eines Tages war er verschwunden.«

»So einfach?«

»Die Sowjetunion ist ein großes Land«, sagte er. »Du bist dort viel gereist. Du weißt also.«

Er sah, wie sie mit einer Zigarette spielte, ohne sie jedoch anzuzünden. Sie zerdrückte sie langsam und ließ den Tabak auf eine Untertasse krümeln. Er liebte ihre schlanken Finger, ihre schmalen Hände. Sie ist alles, was ich habe, dachte er, alles, was ich habe nach einem Leben voll Kampf und Arbeit und Treue und Ausdauer und List und, ja, Unterwürfigkeit; ich werde mich zur Wehr setzen, bevor ich diese Frau aufgebe, und es ist mir gleich, wen es dabei trifft.

»Hast du denn nicht nachgeforscht?« fragte sie. »Wohin er gekommen sein könnte? Und weshalb er dorthin kam?«

Er wandte sich ihr zu und blickte ihr voll ins Gesicht. »Es gibt Fälle, wo eine einzige falsche Frage genügt.«

»Oh«, sagte sie.

Wie im Fall meiner Eltern? Eigentlich mußte das jetzt folgen. Er wartete darauf. Er hatte ihr so viele Erklärungen gegeben im Lauf der Jahre, eine nach der anderen, eine jede vorsichtig ihrem Alter angepaßt und ihrem Verständnis, und ebenso vorsichtig eine jede derart abgefaßt, daß sie mit der vorhergehenden übereinstimmte und gleichgewichtet war zwischen dem Erlaubten, dem Wahrscheinlichen und dem gerade noch Erträglichen, bis, nach der Geburt des Kindes, der ganze Themenkomplex nicht mehr erwähnt wurde, so als hätte ihr Sohn Julian das Gedenken an ihren Vater Julian gelöscht. Nun aber, von diesem Augenblick an, würde keine seiner vorsichtig formulierten früheren Erklärungen mehr genügen. Tieck würde sie entkräften, hatte sie eigentlich entkräftet und ihrer Gültigkeit beraubt, einfach durch seine Existenz. Warum war Tieck nicht gestorben... Er hatte so viele Gelegenheiten gehabt zu einem unauffälligen Abgang – in den Gefängnissen des NKWD, in Sibirien, jenseits des Polarkreises, Gott weiß, wo noch – einem stillen, spurlosen Abgang, anstatt sich an seinem Leben festzusaugen wie ein Blutegel, ein Inkubus, alptraumhaft.

Sundstrom hielt inne, dachte von neuem nach. Was für ein Schlangennest trug er da in seiner Brust!

»Warum sprichst du nicht offen?« sagte sie.

»Offen?« Er lachte, anders als vorher – es klang nicht mehr gezwungen; dieses Lachen schien ein eigenes Leben zu entwickeln, wie ein Krampf.

»Offen«, wiederholte sie. »Deine Freundschaft für Tieck ist doch keine Schande. Oder glaubst du, daß ich von gar nichts weiß?«

»Davon weißt du also?«

»Hat der Genosse Stalin uns nicht gelehrt?« sagte sie. »Der Klassenkampf verschärft sich, nachdem das Proletariat die Macht übernommen hat... Wenn Männer, deren Namen zu den größten in der Geschichte der Revolution gehörten, zu Verrätern werden konnten, warum nicht ein Architekt, selbst ein guter?... Die Genossen vom NKWD würden auch dich mitgenommen haben, zumindest für eine Untersuchung, wenn der geringste Verdacht bestanden hätte, du könntest in eine derartige Sache verwickelt sein. Aber du warst sauber, und du mußt auch nicht ins Stottern geraten, nur weil du mit Tieck befreundet warst.« Die parteiliche Strenge, mit der sie gesprochen hatte, schwand; ihre Lippen begannen zu zittern. »Du bist sehr großzügig, und wohl auch couragiert, Tieck zu uns ins Haus zu bringen nach all dem, was da offensichtlich gewesen ist. Ich nehme an, du fühlst, daß er genug gebüßt hat; und ich stimme dir zu; wir haben kein Recht, härter zu urteilen als die Gerichte...«

Er begann zu begreifen. »Julia«, sagte er, Verwirrung noch immer in seinem Ton, »meine liebe, wunderbare Julia!«

Sie verstand dies als ein Kompliment und erwiderte: »Gar so wunderbar bin ich nun nicht. Ich glaube nur an den Sozialismus und die Lehren, nach denen ich erzogen worden bin von … Und an dich …«

Sie brach ab. Der Entwurf der Charlottenburger Chaussee, schattenhaft, aber hartnäckig, fiel ihr wieder ein. Vielleicht hätte sie längst mit Arnold darüber reden sollen. Oder war die Wahrheit nicht doch, daß eine säulenbestückte Front unterm Sozialismus sich grundsätzlich unterschied von einer ähnlich dekorierten Front an einer Triumphstraße der Nazis; das gleiche war eben nicht immer das gleiche; alles hing ab von dem großen *Wofür* und *von Wem*.

»Julia!«

»Ja, Liebster?«

»Du träumst am hellichten Tage. Ich wollte dir gerade zu bedenken geben …«

Er hatte ihr zu bedenken geben wollen, daß unter gewissen Bedingungen so etwas wie die Gewährung mildernder Umstände angebracht sein mochte und daß zu gewissen Zeiten die diktatorische Macht des proletarischen Staates mit größerer Milde angewandt werden mußte als zu anderen Zeiten. Seine Erklärungen hätten jedoch, fürchtete er, wenig oder sogar das Falsche bewirkt; aber zu seiner großen Erleichterung spürte er dann, daß Julia, wohl immer noch unter dem Einfluß ihrer doktrinären Erziehung, eine recht geradlinige, unkomplizierte, beinahe bigotte Haltung zu der Rückkehr Tiecks einnahm, so daß er eigentlich keinen Grund sah, sich jetzt schon Sorgen zu machen.

»Ich wollte dir sagen, daß wir Tieck mit großer Rücksicht behandeln müssen; immer den richtigen Ton finden: herzlich, aber nicht zu herzlich, freundschaftlich, aber nicht mitleidig. Das Beste wird sein, wir verhalten uns einfach normal – das Beste für ihn, und für uns.«

»Sicher«, sagte sie und erhob sich, »das wäre das Beste.«

Ein wenig zu rasch erkundigte er sich: »Wohin gehst du?«

Sie blickte überrascht auf. »Zu Julian!... Ich hab ihm versprochen, ich würde nach dem Frühstück mit ihm spielen.«

Trotzdem war es ein unglücklicher Sonntag.

Ausschließlich sein Fehler. Er hatte das Unheil kommen sehen, war aber nicht fähig gewesen, etwas dagegen zu tun. Was auch immer er begann, stets wachten die um ihn herum schlafenden Hunde auf, entstanden Wirbel und Unruhe.

Er saß in seinem Lehnstuhl mit der Sonntagszeitung. Die Buchstaben ordneten sich gehorsam zu Wörtern, die Wörter zu Sätzen; dennoch, wenn die Spalte zu Ende war, hatte er immer noch keine Ahnung, was er gelesen hatte, und dachte, das nächste Mal, wenn er den Genossen Bunsen, den Chefredakteur, traf, würde er ihm die Meinung sagen – Langweiler, allesamt, da machten sie in der schwierigsten Zeit der Weltgeschichte im schwierigsten Land der Welt Zeitungen, die kein Mensch lesen konnte.

Er ließ das Blatt zu Boden gleiten. Er blickte über die Terrasse hin auf die kahlen Bäume, die im Wind, der inzwischen aufgekommen war, hin und her schwankten. Der Himmel verdüsterte sich. Bald wird es regnen, dachte er, lieber Gott, endet das denn nie; und dann dachte er an die Worte der Lady Macbeth, die monatelang sein Gedächtnis belastet hatten, nachdem er die Vorstellung im Städtischen Schauspielhaus gesehen hatte – eine mittelmäßige Vorstellung, aber selbst die mittelmäßigen örtlichen Talente konnten das Grauen, das von dem Stück ausging, nicht ganz abtöten –

Unheilbare Dinge wären besser auch
Undenkbar. Was geschehn ist, ist geschehn

Ich müßte es rekonstruieren, dachte er, das Ganze, in Reihenfolge, alles, was ich ihr erzählt habe: zuerst dem Kind und so weiter, über die Jahre; jetzt sich in Widersprüche zu verfangen wäre verhängnisvoll. Und doch waren Widersprüche unvermeidbar, wollte man Geschichte dieser Art und von solchen Proportionen den verschiedenen Graden von Verständnis eines jungen Menschen anpassen.

Die Eltern waren mitgegangen mit diesen Onkeln, würden aber bald zurückkommen, ja, sehr bald. Und warum hatten diese Onkel so laut geredet und sie, Julia, woandershin mitgenommen? *Die Onkel waren sehr beschäftigte Leute und waren ungeduldig geworden.* Und später, als er ihr erklärte, was tot zu sein bedeutete und daß ihr Vater und ihre Mutter nicht mehr zurückkommen würden, sie aber sehr geliebt und gewünscht hatten, sie möchte bei ihrem Onkel Arnold bleiben und zusammen mit ihrem Onkel Arnold leben: *Nein, sie hatten nichts Schlechtes getan; wie kannst du so etwas von deinem Vater oder deiner Mutter denken?* In der Schule hatten sie das gesagt? *Die wissen auch nicht alles in der Schule, woher sollen sie auch?* Und später dann, da war sie schon dreizehn, und der Krieg war vorbei und sie wohnten wieder in Moskau, und im Direktionssekretariat war sie gefragt worden: Deine Eltern sind im Krieg gestorben?... *Du mußt verstehen, Julia, das waren schwere Jahre, sehr schwer, vielleicht noch schwerer als jetzt, ein Mensch konnte in etwas hineingeraten, ohne es zu wollen, zum Beispiel nur weil er die falschen Freunde hatte; nein, ich glaube nicht, daß dein Vater oder deine Mutter etwas Böses oder Verbotenes getan haben...* Aber warum denn dann? *Wie ich schon versucht habe, dir klarzumachen, Julia, Liebe: Der Klassenfeind ist tückisch und imstande, Menschen für seine Zwecke zu benutzen, ohne daß diese überhaupt merken, daß sie benutzt wurden.* Aber wenn sie's nicht wußten, wie konnten sie dann schuldig sein und schuldig gesprochen werden. *Vielleicht wußten sie's am Ende doch, waren aber nicht mehr in der Lage, sich aus den Krallen des Feindes zu befreien?* Und dann, als er bemerkte, daß seine Rede ein wenig zu hoch für sie und nicht ganz überzeugend erschien, benutzte er das Argument, das alle Argumente schlug: *Glaubst du denn, Julia, daß die Sowjetregierung und die*

Partei, die anstelle deines Vaters und deiner Mutter getreten sind und die wollen, daß du als gute Kommunistin und Kämpferin für eine neue Welt und für die Rechte der Werktätigen aufwächst, ein solches Verbrechen begehen würden? Vielleicht aber war das meiste von all dem auch nicht im Verlauf eines einzigen Gesprächs gesagt worden, sondern von mehreren, die über Monate oder sogar Jahre hinweg stattgefunden hatten; oder die Nuancen waren andere gewesen; oder er hatte es so überhaupt nicht gesagt und hatte es nur sagen wollen – wer protokolliert schon seine Konversationen mit einem Kind? Jedenfalls kam es auf derart Einzelheiten auch gar nicht mehr an. Ganz gleich, was er gesagt oder auch nicht gesagt hatte, jetzt war Tieck da, Tieck der Überlebende, der von allem wußte – wieviel wußte? Man mußte Tieck erklären, ihn überzeugen, daß dies nun eine andere Zeit war, ein anderes Land, und die Menschen, deren er sich erinnerte, nicht mehr die Menschen von damals: Ich bitte dich, Daniel Jakowlewitsch, störe nicht, was da inzwischen gewachsen ist, du mußt die Zukunft sehen, die wir erbauen, die Straße des Weltfriedens. Nur fürchtete er, daß Tieck ihn nicht verstehen – nein, eher zu gut verstehen würde. Gab es überhaupt einen gemeinsamen Boden, auf dem er und Tieck einander begegnen konnten, ein gemeinsames Interesse zwischen dem allgemein geehrten Staats- und Parteifunktionär und dem endlich frei gekommenen Häftling eines jener Lager in der Taiga Sibiriens?

Er hörte Julia nicht, bis sie fast neben ihm stand. Sie war zum Ausgehen gekleidet, ihren Pelzmantel über dem Arm.

»Ist es denn schon Zeit?« fragte er und stand auf. Jenseits der kahlen Bäume draußen verbreiteten die ersten Gaslampen ihren fahlen Schein. »Nebel«, sagte er, »das auch noch«, und schauderte in Erwartung der feuchtkalten Luft auf den Straßen.

»Ich habe das Gästezimmer vorbereitet für ihn«, sagte Julia. »Möchtest du's dir anschauen?«

Er schüttelte den Kopf.

»Ich habe die Bilder umgehängt.«

Er blickte sie fragend an.

»Ich habe anstelle deiner Entwürfe die gerahmten Landkarten aus dem achtzehnten Jahrhundert aufgehängt, die wir letztes Jahr im Antiquariat gekauft haben.«

»Ich war nie besonders glücklich gewesen über meine alten Entwürfe an den Wänden unsres Hauses – selbst im Gästezimmer. Es ist ein bißchen wie Heerbrecht, der seine ganze Wohnung mit Porträts von sich selber bepflastert hat…« Er seufzte, dann lächelte er. Sie hatte nicht vergessen, daß es einen Architekten nach sechzehn – waren es so viele Jahre schon? –, ja, nach sechzehn Jahren erzwungener Untätigkeit schmerzen mochte, wenn er die Bauten eines anderen Mannes ihm von den Wänden seines Zimmers entgegenstarren sah. Julia war empfindsam in dieser Hinsicht – eine gute Eigenschaft, für gewöhnlich. Für gewöhnlich.

Der Nebel lag in großen Flächen auf den Feldern. Wenn man in eine solche Fläche geriet, fiel das Licht der eigenen Scheinwerfer auf einen selber zurück, und die Konzentration, die der Fahrer aufbringen mußte, verursachte einem Schmerzen im Kopf und im Rückgrat. Und dazu noch Julias Geplappere – Arnold Sundstrom hätte sie am liebsten angeraunzt, aber er wagte es nicht: Auch er mußte Rücksicht üben.

Zurückgelehnt in die Ecke ihres Sitzes saß sie und rauchte, scheinbar völlig entspannt, und wunderte sich laut, wie er wohl aussehen würde: Daniel Tieck, Ex-Strafgefangener. War er hochgewachsen? Nicht besonders? Ach, so… Anscheinend paßte ein hochgewachsener, knochiger Mann besser zu dem harten Gesicht, das sie sich vorstellte – eine Kreuzung von Exilant und Pionier, Straßenräuber und Forscher.

Langsam ertasteten sich die Wagen, die ihm entgegenkamen, ihren Weg durch das suppige Grau. Sundstrom blickte auf seine Uhr – er hatte nicht mehr viel Zeit, wenn nicht auch Tiecks Zug Verspätung hatte. Dann, plötzlich, lag die breite Fahrbahn der Hausfronten vor ihm, leergefegt, schwarzer, glänzender Asphalt. Die viergegabelten elektrischen Straßenlampen brachten jede Einzelheit der Hausfronten in dreidimensionale Sicht und markierten Brüstungen, Säulen, Pfosten, Kapitäle in aller Schärfe: die Straße des Weltfriedens. Er wußte nicht, ob er die plötzliche Auflösung des Nebels als ein gutes oder schlechtes Vorzeichen verstehen sollte; er trat aufs Gas; der Wagen schoß vorwärts, die Gebäude glitten vorbei wie übergroße Bühnendekorationen, auf den Baustellen ragten die Kräne wie Galgen empor. Auf der Rückfahrt vom Bahnhof, versprach er sich, würde er eine andere Strecke fahren – aus Rücksicht, man mußte immer Rücksicht nehmen.

Der Bahnhof, zum Teil immer noch ohne Dach nach den letzten Bombardements des Krieges, kam in Sicht. Julia sagte nichts mehr, er wußte nicht, wie lange schon, ihr Schweigen war ihm jetzt erst aufgefallen. »Ich glaube, wir haben's geschafft!« sagte er aufmunternd, doch klang sein Ton zu sehr gekünstelt, um die trübe Stimmung auszugleichen, die von den Ruinen ringsherum ausging und von dem Nebel, der sich wieder zu senken schien.

Das Echo des Wagenschlags, der krachend zufiel, hallte über den ganzen leeren Bahnhofsvorplatz. Ein einsames Taxi wartete in der Entfernung, der Fahrer schien sich absentiert zu haben. »Wir hätten Blumen mitnehmen sollen«, sagte Julia. »Aber am Sonntag...« Sie klang resigniert.

Er eilte mit ihr die Treppen hinauf zum Bahnsteig, vorbei an einem verschlafenen Kontrolleur. Ein blechern tönender Lautsprecher verbreitete unverständliche Texte. Eine Lokomotive pfiff; von den Schienen her spürte man das dumpfe Zittern. Sundstrom blickte dem einfahrenden Zug entgegen, sein Haar wirr vom Wind. Dann eine Wolke Dampf aus dem Schornstein der Lokomotive, dann die Wagen, die langsam vorbeirollten. Sundstrom versuchte, hinter den Fenstern ein halbvergessenes Gesicht zu erkennen.

»Da!«

Unter den wenigen Fahrgästen, die dem vorletzten Waggon entstiegen, ein etwas zerbrechlich wirkender Mann, der einen zu langen Mantel anhatte und sich um einen in einem Tuchfutteral steckenden Koffer mühte.

»Tieck! … Daniel! …«

Julia spürte, wie sie in Richtung des Waggons gestoßen wurde. Der zerbrechlich wirkende Mann setzte seinen Koffer ab, wandte sich ihr zu und nahm seinen breitgerandeten russischen Hut vom Kopf. Ein Lächeln huschte ihm übers Gesicht.

»Daniel!« Sundstrom atmete schwer und breitete seine Arme aus.

Aber Tieck schaute nur auf Julia, als versuche er, sich eine alte, kaum noch vorhandene und doch unverkennbare Erinnerung ins Gedächtnis zu rufen. »Das Ebenbild von Julian!« sagte er dann und schüttelte den Kopf. »Julians Augen, Julians Mund … Aber die Form des Gesichts ist von der Mutter.« Und, zu Arnold Sundstrom: »Das ist wenigstens etwas, an das man sich halten kann.« Und fügte hinzu: »Außer dir, Arnold – außer dir, selbstverständlich, selbstverständlich.«

Dann gestattete er sich, von Sundstrom umarmt und auf beide Wangen geküßt zu werden, auf russische Art; sie hatten dort zu lange gelebt, um nicht wieder in den alten Brauch zu verfallen, und außerdem half die demonstrative Vertraulichkeit, die ersten Momente des neuen Lebens hinter sich zu bringen. Schließlich deponierte er seinen Hut auf seinem Koffer, nahm beide Hände Julias in die seinen und sagte: »Ich hoffe, ihr habt nicht zu lange auf mich warten müssen.«

Sechzehn Jahre, schoß es Julia durch den Kopf. Er sah so völlig anders aus, als sie ihn sich vorgestellt hatte; irgendwie ausgebleicht, in den Augenwinkeln feine Fältchen, das Haar über der breiten, intelligenten Stirn weiß, und trotz allem, was er durchgemacht haben mußte, ein Gesicht, von dem eine Wärme ausstrahlte, die sein Visavis zu ebensolcher Wärme ihm gegenüber zwang.

»Keine zwei Minuten!« versicherte ihm Sundstrom. »Wir waren kaum auf dem Bahnsteig, als der Zug einfuhr – der Nebel, weißt du, wir haben Nebel heute, konnten zeitweise keine zehn Meter vor uns sehen …« Er unterbrach sich, nahm Tiecks Koffer. »Nitschewo! Ist dies dein ganzes Gepäck? Vor allem, wie geht's dir? Nach all diesen Jahren... Eigentlich siehst du gut aus. Etwas müde vielleicht, als könntest du eine Erholungskur brauchen, ich werde das mit den Genossen besprechen, kein Problem... Du hast schon eine Erholungskur gehabt in der Sowjetunion?... Also schön, wir werden das alles später diskutieren. Wir haben Zeit, viel Zeit. Hier lebt sich's gut, wir haben große Fortschritte gemacht, und auch du wirst deinen Platz finden...«

Julia hatte den Verdacht, daß Tieck ihrem Arnold nicht länger zuhörte. Er hatte sich seinen Hut wieder auf den Kopf gestülpt und lief den ganzen Bahnsteig entlang neben ihr her, im Gleichschritt, übrigens, wurde ihr bewußt, ganz als wären ihre Füße und seine ihrer beider Lebtag aufeinander eingestimmt gewesen – die Kofferschlepperei überließ er Arnold. Julia fühlte sich sonderbar: Da war die Vergangenheit Tiecks; und doch konnte sie nicht, noch wollte sie, eine größere Distanz zwischen sich und ihn legen; überhaupt fand seine Ankunft in einer unwirklichen Atmosphäre statt, die durch den Nebel, der durch die Lücken im Dach der Bahnhofshalle drang und sich mit dem Dampf aus der Lokomotive vermengte, ständig unwirklicher wurde. Ab und an trieb eine schreckliche Neugier sie, Tieck immer wieder zu mustern: Konnte, was er durchgemacht haben mußte – Schuld und Sühne, innere Konflikte, die Behandlung in Lager und Gefängnis und endlich seine Rückkehr ins Leben –, konnte all das an ihm vorbeigegangen sein, ohne sein Gesicht für alle Zeit zu entstellen?

Auch änderte sich ihre Stimmung nicht, als sie aus dem Bahnhof traten und in den Wagen stiegen; ohne sich darüber Gedanken zu machen, setzte sie sich in den Fond neben Tieck und überließ es Arnold, das Fahrzeug zu chauffieren, heftete ihren Blick aber auf Arnolds Nacken, während er seinen Weg durch das gestaltlose Grau der Straßen verfolgte.

Nach einer Weile wandte Tieck sich ihr zu. Er klopfte ihr leicht auf den Handrücken und sagte: »Ich habe keine Stoßzähne im Maul, wie du sehen kannst, noch den Blick eines Raubtiers. Ich bin ein ganz normales menschliches Wesen...«

Arnold hatte sie gewarnt – *Das Beste wäre, wir verhalten uns, als wäre da nichts Außergewöhnliches...* »Ich dachte nur –«, sagte sie, und brach ab, verlegen.

»– daß ich anders aussehen müßte, als ich aussseh'? Wie ein geschlagener Mann? Ein Schatten meiner selbst? ... Ja, gewiß – ich habe gebrochene Menschen erlebt. Aber es hilft, wenn man sich als Kommunist fühlt, obwohl das die Dinge auch kompliziert...« Er hielt inne. Das war nicht gewesen, was er hatte sagen wollen. Er hatte keine Ahnung, wieviel Julia Sundstrom von seinem Schicksal und dem ihrer Eltern wußte, und überhaupt von der ganzen bösen Geschichte; und es oblag ihm auch nicht, sie darüber aufzuklären. Aber wenn sie glaubte, er sei irgendein Ungeheuer, ein abgeurteilter Feind des Volkes...

»Warum entspannt ihr beide euch nicht?« Arnold Sundstrom schaltete den Scheibenwischer an, um das Glas von der Schicht schmieriger Feuchtigkeit darauf zu befreien. Sein Kopf schmerzte ihn von der Anstrengung, die es ihn kostete, die Straße im Auge zu behalten und zugleich die Untertöne im Gespräch zwischen den beiden hinter ihm zu hören. Der Scheibenwischer, in regelmäßigem Rhythmus erst nach rechts, dann nach links schwenkend, entzog die paar Meter Asphalt, die er vor sich erkennen konnte, immer wieder seinem Blick; er klang verärgert, als er fragte: »Könnt ihr die ernsthaften Gespräche nicht verschieben, bis wir alle drei zu Haus einen Drink gehabt haben?«

Tieck preßte seine Hand auf Julias, um zu verhindern, daß sie eine Antwort gab, die Sundstrom gezwungen hätte, sich irgendwie festzulegen. Dann, nach kurzem Schweigen, sagte er: »Ich habe jetzt und hier sowieso nicht den Wunsch, ernsthafte Gespräche zu führen.«

»Entschuldigung«, sagte Sundstrom, »ich wollte nicht unhöflich sein.«

»Ich bin nicht so empfindlich – und außerdem ziemlich stubenrein...« Tiecks Lippen verzogen sich. Da war es wieder: Seine Gedanken kreisten um das gleiche alte Thema. Er hatte angenommen, er hätte sich in Moskau schon von dem ganzen alten Ballast befreit; es war ja auch wie ein Wunder gewesen, nachdem er wieder in Freiheit war, die Menschen zu sehen, die ihre eigenen Geschäfte verfolgten, ohne auch nur den geringsten Gedanken an die Ereignisse, die sein Leben zerstört und im Effekt, in größerem oder geringerem Maße, auch das Leben jedes einzelnen von ihnen berührt haben mußten. Damals hatte er sich entschlossen zu vergessen – nicht zu vergeben, aber zu vergessen –, falls es sich machen ließ und falls man ihm gestattete, seine Tage ohne die ewige Beschallung mit den großen, hohlen Worten zu Ende zu leben. Aber, wie es schien, sollte ihm so etwas Einfaches doch nicht vergönnt sein. Von der Sekunde an, da sein Auge auf Arnold und Julia fiel, war die Vergangenheit wieder da. Er warf einen Blick auf Julia. Nein, es tat ihm nicht leid, daß er nach Deutschland gekommen war – und noch konnte er Arnold Sundstrom einfach sagen, er solle den Wagen wenden und ihn, Daniel Jakowlewitsch Tieck, zum Bahnhof zurückbringen.

Sie wuschen sich die Hände vorm Abendbrot in dem großen, rosafarbenen Doppelbecken, Arnold Sundstrom rechts, unter dem Regal, auf dem seine Zahnbürste, Wässerchen und Rasierseife standen; Tieck benutzte die linke Seite, die offensichtlich Julia gehörte. In dem Spiegel darüber, der die ganze Breite über beiden Waschbecken einnahm, betrachtete Sundstrom so unauffällig wie möglich das Abbild seines alten Freundes und suchte das Gesicht wiederzufinden, das er einst so gut gekannt hatte. Und dies altvertraute Gesicht überlagerte das heutige, das sich dort neben dem seinen blicken ließ – eine Doppelansicht, beunruhigend wegen der Wandlung, die sich darin erkennen ließ, und deren noch unbekannter Bedeutung.

Nüchtern betrachtet bestand natürlich kein Grund für irgendeine größere Unruhe, als die allgemeine Situation auf jeden Fall erzeugte. Tieck – der Tieck, der jetzt langsam und zufrieden seine Hände trocknete –, stellte keine Bedrohung dar, höchstens in Verbindung mit gewissen anderen Umständen, die man eben zu vermeiden hatte. Gewiß, wie Tieck auf der Fahrt im Wagen hierher gesagt hatte, war er kein geschlagener Mann; aber das Netz von dünnen Fältchen auf der beinahe transparenten, schlaffen Gesichtshaut deutete an, wie abgespannt und innerlich erschöpft der Mann war, und das verwaschene Blau seiner Augen zeugte vom Verlust jeglicher Illusion. Asche, Asche; wenn da noch Feuer war, glomm es nur noch in der Tiefe; allerdings mußte man sich vor dem plötzlichen Windstoß hüten, der die Flamme zum Auflodern bringen mochte; das Wichtigste jedoch war, daß der alte Widerstandsgeist, der ihm eigen gewesen, nicht mehr vorhanden zu sein schien; Verhöre, Gefängnisse, Lager, Gott weiß, was noch, hatten diesen Geist erstickt; Daniel Tieck war nicht mehr der Mann, der die Herzen der Menschen ergriffen und ihre Hirne inspiriert hatte mit seiner Phantasie und seinen Worten.

Ein letzter Blick noch in den Spiegel, diesmal sie beide umschließend. Nein, sie waren nicht mehr ebenbürtig. Obwohl gleichen Alters – genauer gesagt war Tieck um ein paar Monate jünger –, war der eine gealtert, während der andere auf dem Höhepunkt seines Lebens und seines Erfolgs stand, kräftig, ja robust und voller Schwung, und sein scharfes Auge die Gelegenheiten suchend, die eine Zeit großer Gelegenheiten bot. Er hatte nichts zu fürchten, versicherte sich Sundstrom; im Gegenteil, er konnte sich leisten, großzügig zu sein, sobald er die Linie gezogen hatte, welcher sein Gast zu folgen haben würde.

Sundstrom faltete sein Handtuch zusammen und legte es auf den Halter. Dann, seinen Arm um Tiecks Schulter, sagte er: »Bevor wir ins Speisezimmer gehen – bitte, vergiß nicht, daß Julia von den schlimmsten Dingen nichts weiß…«

»Nichts?« Tieck entzog seine Schulter dem Zugriff seines Freundes. »Aber Julia war zu der Zeit doch schon alt genug, um zu verstehen, daß ihre Eltern abgeholt worden waren, und von wem…!«

»Und?«

Tieck suchte in seinen Taschen.

»Zigarette?«

Tieck akzeptierte die Zigarette und das Flämmchen, das Sundstrom ihm bot. »Aber dann – muß sie doch glauben, daß Julian und Babette – daß ihre Eltern – Verräter waren – Verbrecher …«

Sundstrom zuckte die Achseln. »So eindeutig habe ich es ihr nie gesagt.«

»Aber dann muß sie doch glauben – daß ich – nun …«

»Wie viele Möglichkeiten gibt es denn für uns? Entweder es glaubt einer an den Sozialismus oder an – an das andere. Und ich zog es vor, daß Julia an den Sozialismus glaubt. Ich habe auch gedacht, daß das mehr mit den Lebenszielen ihres Vaters übereinstimmen würde. Und ich wünschte, daß du –«

»– daß ich mich entsprechend verhalte.« Tieck kehrte zu dem Waschbecken zurück und ließ kaltes Wasser in ein Glas laufen. Er trank langsam, genoß, wie es schien, jeden Schluck, und wischte sich dann die Lippen an seinem Handtuch. Schließlich sagte er: »Also, gehen wir.«

Julia hatte eine Art Hausrobe angelegt, weitärmelig und tief ausgeschnitten, welche die Linien ihres Körpers betonte. Ihr Haar trug sie glatt zurückgekämmt und hielt es durch eine Spange. Tieck zögerte. Das Dekor in dem Raum und die junge Frau darin beeindruckten ihn, und einen Moment lang sah er sich in seiner Bretterhütte, verdreckt und unrasiert, das graue Wattefutter aus seiner zerrissenen Jacke hervorquellend, und langsam und methodisch an einem Stück schwarzen, klebrigen Brotes kauend, um das Maximum an Nährwert daraus zu gewinnen, und dachte, nein, ich gehöre nicht hierher, und dachte dann, da siehst du, was du gehabt haben könntest, wenn du es richtig gespielt hättest im Leben, vielleicht habe ich doch einen Fehler gemacht irgendwo, oder?

Julia deutete in Richtung des Tisches, auf dem ein Tablett mit Wodka und Sakuski stand. »Wie zu Hause«, begann sie, erinnerte sich aber noch rechtzeitig, daß für Daniel Tieck die Emigrantenexistenz in der Sowjetunion nicht gar so üppig gewesen sein mochte. Verwirrt wies sie auf den lange aufgesparten schwarzen und roten Kaviar, die Scheiben von Stör in Aspik, die sauren Gürkchen. »Du siehst«, sagte sie entschuldigend, »Arnold und ich tragen immer noch sowjetische Erde an unseren Schuhsohlen.«

Sundstrom goß Wodka in die Gläser. Tieck hob das seine. »Auf diese Erde – möge sie die Frucht tragen, die wir alle erhoffen!«

Ein Fünkchen schien aufzuglimmen in seinen müden Augen. Sundstrom bemerkte es, und eine momentane Unsicherheit befiel ihn. Aber Tieck hatte das Thema bereits gewechselt. Er befragte Julia über den kleinen Julian und bedauerte, daß er zu spät angekommen war, um das Kind noch zu sehen. Er liebe Kinder, sagte er.

Und verstummte. Und schaute sie an, so wie er sie auf dem Bahnhof bei ihrer ersten Begegnung angeschaut hatte, und sprach mehr zu sich selber als zu ihr oder Sundstrom. »Ganz der Vater. Goltzens Augen, sein Gesichtsausdruck…« Fast wäre ihm Sundstroms rascher Seitenblick entgangen. »Aber du wirst dich kaum so deutlich an deine Eltern erinnern, Julia«, fügte er, zu ihr gewandt, hinzu. »Verzeih mir.«

»Du hast sie gut gekannt?« sagte Julia.

»Selbstverständlich hat er«, warf Sundstrom ein, als wünsche er, den Punkt zu beenden. »Ebenso wie ich.« Und zu Tieck: »Julia und ich haben uns hier ein gutes Leben geschaffen, wie du sehen kannst. Das füllt uns vollständig aus« – er blickte seine Frau an –, »nicht wahr, Liebste?«

KAPITEL 4

Er fuhr erschrocken hoch und war wach; diese Art Schock war zu einer bösartigen Dauereinrichtung geworden, obwohl die Zeiten lange vorbei waren, als rohe Flüche ihn aus dem Schlaf gerissen und grobe Hände ihn von seiner Pritsche gezerrt hatten.

Gestützt auf seinen Ellbogen setzte er sich auf. Weiches Linnen, weiche Decken, weiche Kissen, und abgehoben von den gedämpften Tönen der Tapete drei sauber gerahmte Stiche aus dem achtzehnten Jahrhundert, Landkarten, handkoloriert, die alten Wappen darauf in exquisitem Detail. Und da war das Klopfen wieder, das Klopfen an der Tür, weniger ein Klopfen als ein Kratzen. Instinktiv schloß Tieck die Jacke seines Schlafanzugs und strich sich mit der Handfläche über die Stoppeln an seinem Kinn.

Die Tür öffnete sich.

Tieck ließ sich in sein Kissen zurücksinken. »Und wer magst du wohl sein?« fragte er, neigte den Kopf zur Seite und betrachtete den Kleinen, der nun vor ihm stand.

»Ich bin Julian.«

»Guten Morgen, Julian. Willst du dich nicht setzen?«

Der Junge blickte auf Tieck und versuchte, den Mann und die Bedeutung seiner Aufforderung einzuschätzen. »Gestern durfte ich nicht aufbleiben und auf dich warten«, sagte er – keine Beschwerde, eher Feststellung eines Tatbestands. »Ich hab dich aber doch gesehen, vom Fenster aus.«

»Von deinem Fenster aus sieht man die Einfahrt zum Haus?«

»Ja.« Der Junge setzte sich ans Fußende des Betts, Hände in

den Taschen seines gestreiften Bademantels. »Du bist Daniel Tieck?« Und ohne auf eine Bestätigung zu warten: »Du bist gekommen und willst hierbleiben.«

Die Augen, dachte Tieck. Julias Augen und die von Julian Goltz. Sensibles Gesicht, wahrscheinlich ein Kind mit Phantasie; aber blaß, und zu mager. »Woher weißt du das alles, Julian?« fragte er. »Sieht aus, als ob du fast alles weißt.«

»Frau Sommer.« Der Kleine zuckte die Achseln. »Sie redet. Julia redet auch; aber nicht so wirklich. Träumst du oft?«

»Mitunter.«

»Träumst du manchmal von dem Mann mit dem roten Hut und ohne Gesicht? Er hat ganz lange Arme, und sein Hut hat keine Krempe, und manchmal hat er einen großen Koffer, in dem er Julia forttragen kann. Aber du siehst gar nicht aus wie er.«

Tieck schüttelte den Kopf. Kind mit Phantasie!... Gott weiß, was für Probleme und Komplexe der kleine Kerl mit sich herumtrug. Die Sünden der Väter... eine offensichtliche Ungerechtigkeit, aber so war es. »Nein«, sagte er. »Ich besitze auch keinen roten Hut. Meiner ist dunkelblau, und außerdem hat er eine ganz breite Krempe. Möchtest du ihn sehen?«

Julian nickte.

»Schau in den Kleiderschrank. Auf dem unteren Regal.«

Der Kleiderschrank war leicht genug zu öffnen. Julian kehrte zurück ans Bett; diesmal setzte er sich näher heran zu Tieck, und das Mißtrauen in seinem Blick verschwand. »Hast du auch Kinder?«

»Leider nein.«

»Gar keine?«

»Keine.«

»Dann kannst du manchmal kommen und mit mir spielen. Magst du Häuser bauen?«

»Ja«, sagte Tieck. »Wie baust du sie denn?«

»Aus Blöcken«, sagte Julian. »Das weiß doch jeder. Du nimmst die Blöcke, viereckige oder auch längliche, und runde und kurze auch, und paßt sie aneinander, so daß du Gebäude in verschiedenen Formen bauen kannst und doch immer aus den gleichen Teilen.«

Elementar, dachte Tieck, der in den langen sibirischen Nächten in seinen Gedanken oft genug das gleiche Spiel gespielt hatte; warum überlassen wir die moderne Technik so häufig den Kindern? Er lächelte. »Du verstehst eine Menge von Architektur.«

»Meine Mutter ist Architektin.«

»Und dein Vater ist auch Architekt, nicht?«

»Mein Vater hat die Straße des Weltfriedens gebaut«, erwiderte Julian, als hätte er den Satz auswendig gelernt. »Und zweihundert große Häuser in der Sowjetunion.«

»Zweihundert...« wiederholte Tieck. Waren es so viele gewesen? Dann bedachte er, daß zweihundert wahrscheinlich die größte dem Kind geläufige Zahl war – und doch, hätte der Junge zweihunderttausend gesagt oder zwei Millionen, er hätte ebenso recht gehabt: Sundstrom hatte sie alle gebaut, oder Männer wie Sundstrom, und all diese Bauten im gleichen Geist. Tieck streichelte die schmale, fragile Hand. »Zweihundert. Und die Straße des Weltfriedens. Dein Vater ist ein sehr berühmter Mann.«

»Du nicht auch?«

»Nicht so berühmt wie dein Vater.«

Julian neigte den Kopf, wie er es hatte Tieck tun sehen, und musterte ihn. »Warum nicht?«

»Das ist eine lange Geschichte«, sagte Tieck. »Aber wo würden wir sein, wenn jeder gleich berühmt wäre? Wer würde dann die gewöhnlichen Arbeiten tun wie Teller waschen und Bademäntel nähen und Ziegel vermauern?«

»Ich will nicht berühmt sein. Nur stark.«

»Dein Vater ist beides – berühmt und stark.«

»Ich möchte aber noch stärker werden. Damit ich den Mann mit dem roten Hut verjagen kann, wenn er kommt und mir Julia wegnehmen will.« Er schien nachzudenken. »Warum hast du keine Kinder gehabt?«

Ja, warum nicht? dachte Tieck.

»Warum?«

»Weil ich nie verheiratet war.«

»Oh.«

Wieder eine Denkpause. Julian lehnte sich zurück, um Tieck besser anschauen zu können, und Tieck spürte, wie das Kind sich gegen seine Knie preßte.

»Wie kommt es dann aber«, fragte der Kleine schließlich, »daß du mit mir redest, als ob wir – als ob wir...«

»...alte Freunde wären?«

»Ja.«

Tieck zögerte. In welchem Ton sprach Sundstrom mit seinem Sohn?... »Ich werd dir was sagen, Julian«, begann er schließlich. »Wenn ich je heiraten würde und dann einen kleinen Jungen bekäme, würde ich mir wünschen, daß der ungefähr sein wird wie du. Und darum kann ich mit dir reden, als ob wir schon eine lange Zeit miteinander befreundet wären.«

Julian war aufgesprungen. Er lief zur Tür, hielt sich aber in einem letzten Moment von Unschlüssigkeit an der Klinke fest.

»Und wohin willst du jetzt?« fragte Tieck. »Wieso die plötzliche Eile?«

»Ich bin schon anderthalb Stunden hier.«

Tieck, überrascht, blickte auf seine Armbanduhr. In Wirklichkeit waren acht Minuten vergangen, seit der Kleine ihn aufgeweckt hatte.

Die Klinke klappte hoch. »Und ich muß Julia noch auf Wiedersehen sagen!«

Tieck starrte auf die Tür, noch lange nachdem die kleine Figur in dem gestreiften Bademantel verschwunden war. Er fühlte sich nicht sehr glücklich über den Besuch. Es schien ihm, als werde er in die Verhältnisse der Familie Sundstrom verwickelt, und dazu noch von einer höchst unerwünschten Seite her.

Das Wort *Nische* gewann ein ständig wachsendes Gewicht in Sundstroms Gedanken.

Es war ganz spontan während Tiecks Empfang aufgetaucht; Tieck würde seine *Nische* finden, oder es würde eine für ihn gefunden werden. *Nische* enthielt mehrere Nebenbedeutungen: Behaglichkeit, Wärme, Sicherheit steckten darin; in eine Nische konnte man sich verkriechen und den Rest seiner Tage wohlversorgt und wohlbehütet verbringen, sämtliche Probleme gelöst, dem Kampf ums Leben entzogen; außerdem war man in einer Nische geborgen, keiner konnte einem weh tun, aber ebensowenig war man in einer Position, anderen Schwierigkeiten zu machen.

Sundstrom bat Hiller, zu ihm ins Büro zu kommen, und erklärte ihm, wie Tieck möglichst schonend in seine Nische einzuführen sei. »Ich habe dich dafür ausgesucht, John«, sagte er, »weil du einen klugen Kopf auf den Schultern hast. Mein alter Freund Tieck ist ein talentierter Mann; er hat zusammen mit mir studiert und eine Zeitlang auch mit mir zusammen gearbeitet; aber durch Umstände außerhalb seiner Kontrolle konnte er mehrere Jahre lang nicht auf seinem Gebiet beschäftigt werden. Eine ziemliche Anzahl von Jahren«, fügte er mit besonderer Betonung hinzu. »Du verstehst, John?«

John Hiller hob seine Brauen. »Ich glaube dich richtig zu verstehen, Genosse Sundstrom.«

Trotzdem hielt Sundstrom es für nötig, nähere Ausführungen zu machen. »Es gibt Zeiten«, sagte er, »wenn eines Menschen Weg sich verengt und steil und schwer wird. Dann strauchelt er nur allzu leicht… Warum nimmst du nicht Platz, John?«

Hiller gehorchte, schlug die Knie übereinander und verschränkte seine Finger hinter seinem Schädel. Er wußte, daß sein Chef derart Verhalten nicht schätzte; aber Sundstrom schien die Lässigkeit jetzt nicht zu bemerken.

»Siehst du, John«, fuhr Sundstrom fort, »ich fühle eine gewisse persönliche Verantwortung dafür, daß Tieck seine Nische findet. Aber die Sache muß mit großem Takt und mit Psychologie behandelt werden: Ich möchte, daß er selber einen Platz in dieser Organisation einzunehmen wünscht. Du folgst mir doch, John?«

Hiller nickte. In den letzten Tagen hatte er mehrmals beobachtet, wie der zerbrechlich wirkende, weißhaarige Mann ihre Baracke betrat, seine Nase in Julias Büro steckte, ein Weilchen bei ihr blieb, dann zu Sundstrom hinüberging und sich schließlich so still und unauffällig davonmachte, wie er gekommen war; und Hiller hatte sich seine Gedanken über diesen Tieck gemacht.

»Ich meine nicht nur, daß er ein nützliches Mitglied unseres Kollektivs sein könnte«, erläuterte Sundstrom. »Ich meine auch, daß dies der beste Weg wäre, um zu erreichen, daß er sich auf annehmbare Weise anpaßt.«

»Sicher.«

Sundstrom blickte auf. Er mochte diese unverbindlichen Antworten Hillers nicht; bei Hiller gab es immer ein Stück seines Wesens, in das sich nur schwer eindringen ließ, einen Bereich, den er für sich allein behielt; aber die hundertprozentigen Jasager würden auch nichts taugen für dieses Projekt, sie würden Tieck durch ihre plumpe Begeisterung, ihre übertriebenen Umarmungen nur verschrecken; und er, Sundstrom, wollte Tieck in seiner Nähe haben, einen gezähmten Tieck in seinem, Sundstroms, Stall.

»Ich stelle mir vor«, erläuterte er, »du und Julia, ihr beginnt damit, daß ihr Tieck zunächst einmal durch die Studios führt, ihm unsere Organisation erklärt, unsere Arbeitsmethoden, unsere... Hörst du mir eigentlich zu?«

Hiller blickte auf. »Aber selbstverständlich...« Und dachte, *...du und Frau Sundstrom...*

Er und Julia, vernahm er weiter, würden ihren Schützling dann ins Rathaus führen, wo die Entwürfe für den gesamten Wiederaufbau der Stadt und deren zukünftige Entwicklung seit langem schon lagerten – dazu die großformatigen Zeichnungen der neuen Stadtsilhouette, projektiert für 1965 und 1975 – und ein Gipsmodell des geplanten Stadtzentrums, aus dem das Partei- und Regierungsgebäude sich hoch in den Himmel türmen würde, eine neugotische Konzeption, die an die gleichen Emotionen im Menschen rühren sollten wie die spätmittelalterlichen Kathedralen an die Gefühle der Bürger von damals. Und nachdem er und Julia Tieck auf diese Art vorbereitet hatten, die Mühen von heute in deren großen Zusammenhängen zu sehen, würde man ihm das bereits Erreichte demonstrieren: die Straße des Weltfriedens, die bereits fertiggestellten Gebäude der Straße ebenso wie die noch im Bau befindlichen.

»Die große Rundreise also, in anderen Worten«, sagte Hiller und dachte: Warum aber Julia? Warum wollte Sundstrom Julia mitschicken auf diese Tour? Damit sie Tieck beobachtete? Oder mich?

»Die große Rundreise, wenn du es so bezeichnen willst«, lächelte Sundstrom und ließ seine Zähne blitzen. Wohlgeformte, starke, ebenmäßige Zähne, die, wenn sie sich einmal in etwas verbissen hatten, nicht so leicht davon abließen. »Und vergiß nicht«, erwähnte er weiter, »daß mein Freund Tieck nicht als ein Würdenträger auf Besuch zu betrachten ist, sondern als künftiger Mitarbeiter. Laß ihn alles sehen, was er will, und es gründlich studieren; ich möchte, daß du ihm hilfst; und laß ihn Fragen stellen. Fähigkeiten, lange nicht genutzt, verkümmern nur allzu häufig, Wünsche, lange nicht erfüllt, schwinden aus dem Bewußtsein; ich möchte, daß du dem Schöpferdrang Tiecks, der jahrelang unter allem möglichen Schutt begraben war, wieder zum Durchbruch verhilfst, wenn es irgendwie geht.«

Hiller löste seine Finger voneinander und senkte seine Arme. Offensichtlich war da noch einiges, das Sundstrom zu sagen wünschte.

Sundstrom spielte mit dem Lineal, das er auf seinem Schreibtisch liegen hatte. »Ich glaube, ich sagte dir schon, daß ich eine gewisse persönliche Verantwortung für meinen Freund Tieck empfinde…« Sein Blick richtete sich auf Hillers Schultern, fast als hätte er dahinter einen verdächtigen Schatten gesichtet; dann fügte er halblaut hinzu: »Politische Verantwortung übrigens auch.«

»Ah«, sagte Hiller und nickte.

Sundstrom legte sein Lineal beiseite. »Ich kenne dich als einen intelligenten und diskreten jungen Genossen, John, einen unsrer meistversprechenden. Es kann nicht allzu schwer sein für dich, das Wesentliche in dem, was ein Mann äußert – oder auch nur andeutet –, zu erkennen und dir einzuprägen…«

Hiller streckte seine Beine. »…und über dies Wesentliche dann zu berichten?«

»Wir wollen Tieck doch helfen. Und um einem Menschen zu helfen, muß man Bescheid wissen über seine Probleme.«

»Und Julia wird meine Berichte ergänzen?«

Sundstrom schluckte. Doch als er dann zu sprechen begann, klang sein Text beiläufig genug. »Ich erwarte nicht, daß derlei notwendig sein wird. Ich habe volles Vertrauen zu dir. Ich schicke die Genossin Sundstrom nur mit, weil sie – außer mir selber –, die einzige Person ist, die eine Bindung zu Tiecks Vergangenheit hat. Er kannte sie schon als Kind…«

»Das macht es leichter«, sagte Hiller, ließ aber offen, was nun eigentlich dadurch leichter werden würde. Und dachte: …Lockente; sie soll die Lockente spielen; ich möchte nur wissen, ob er's ihr auch gesagt hat; aber sie mußte ihre Funktion ja nicht einmal kennen; ihre Anwesenheit allein genügte für Sundstroms Zwecke.

»Ich kann mich also auf dich verlassen?«

Hiller wußte, daß er sich dem prüfenden Auge seines Chefs nicht länger entziehen konnte; wie leichtgläubig die Menschen doch waren zu glauben, sie könnten in Herz und Hirn eines anderen Menschen blicken. In aller Seelenruhe betrachtete er Sundstroms Gesicht.

»Ich könnte eine Parteianweisung daraus machen«, verkündete dieser. »Aber ich ziehe die direkte Kommunikation vor. Besonders in diesem Fall: um meines Freundes Tieck willen – warum dritte Personen involvieren?«

Hiller erhob sich. »Wann fangen wir an?«

Zuerst gedachte Julia, sich zu weigern. Aber welchen Grund hätte sie angeben sollen für diese Weigerung? – daß sie bezweifelte, die Straße des Weltfriedens sei eines der besten Beispiele sozialistischer Architektur? – und daß sie diese Zweifel immer häufiger spürte? Auch konnte sie nichts gegen Hillers Anwesenheit auf dem gemeinsamen Ausflug einwenden, ohne Herrn Speers Charlottenburger-Chaussee-Projekt zu erwähnen und zu erklären, durch welch sonderbaren Zufall sie auf die Entwürfe dafür gekommen war. Und da war Daniel Tieck, statt der Melancholie, die gewöhnlich in seinen Augen lag, nun ein Ausdruck von lebhaftem Interesse darin; sie hätte Tieck höchst ungern enttäuscht.

Außerdem gewann die große architektonische Rundreise an diesem Abend plötzlich einen neuen Aspekt: Nach dem Abendessen war es ihr endlich gelungen, das allnächtliche Problem, wie man Julian ins Bett und zum Schlafen brachte, zu lösen – die Trennung von ihr, die der Kleine während des Tages widerstrebend erduldete, lehnte er bei Anbruch der Dunkelheit total ab; aber im Gedenken an ihre eigene Kindheit hatte Julia nicht das Herz, das Licht einfach auszuknipsen und das Kind seinen Phantasien und Ängsten zu überlassen. Sie kehrte zu den Männern zurück, gerade als diese dabei waren, eine Diskussion abzuschließen, die sich anscheinend mit prinzipiellen Fragen befaßt hatte: Ihr Mann war dabei, die Ideen zu resümieren, denen er beim Bau der Straße des Weltfriedens gefolgt war.

»Sozialismus«, sagte er mit nicht mehr als einem kurzen grüßenden Blick auf sie, »setzt der kapitalistischen Politik, in welcher alle menschlichen Beziehungen in der Gesellschaft zu solchen rein materieller Natur entstellt werden, das genau gegenteilige Ziel entgegen: Der Sozialismus ist bestrebt, die materiellen gesellschaftlichen Beziehungen in menschliche zu verwandeln.«

Vor einem Monat noch oder zwei hätte Julia dieser Erklärung, oder jeder anderen von ähnlichem Tiefsinn, die ihr Mann verkündete, höchsten Beifall gezollt. Jetzt aber stellte sie fest, daß sie in der Hoffnung auf einen Kommentar von Tieck sich eher abwartend verhielt.

Aber Tieck äußerte sich nicht. Doch der Anflug von Schärfe in dem Ton, in dem Arnold fortfuhr, fiel ihr auf. »Der Auffassung vom Menschen als einem Wesen ohne höhere Vernunft setzt der Sozialismus die Perspektive einer allumfassenden menschlichen Entwicklung entgegen, physisch wie geistig. Darum gerade finden wir, parallel zu dem Wachstum eines sozialistischen Bewußtseins im Menschen, die Entstehung einer Architektur mit Formen, die der Ideologie des Sozialismus entsprechen – will sagen, einer sozialistisch-realistischen Architektur.«

Die Spitze von Tiecks Zeigefinger verfolgte das Weinblattmuster auf dem graugrünen Porzellanaschenbecher – Geschenk einer chinesischen Delegation, die man durch die Straße des Weltfriedens geführt hatte. Julia fühlte sich in einen jener Träume versetzt, in denen man lief und lief und doch nicht von der Stelle kam. Vielleicht bin ich ungerecht, dachte sie; man kann die Denkweise eines Mannes nicht nach ein paar Sätzen beurteilen, mit denen er seine Argumentation abschließt; und dachte in plötzlicher Panik: *eines* Mannes? ...*Meines* Mannes! Und wer bin ich, hier überhaupt Urteile zu fällen?

Tieck schob den Aschenbecher zur Seite. »In all diesen Jahren«, sagte er, nach den rechten Worten suchend, »habe ich den Theorien wenig Nachdenken gewidmet. Ich habe *gebaut.*«

»Du hast – was?« fragte Sundstrom erstaunt.

»Ich habe gebaut. Ich habe die Steppen mit großen Städten bevölkert, aus der Taiga wuchsen meine künftigen Siedlungen – hell, luftig, vernünftig geplant, organisiert nach den Notwendigkeiten der Menschen, eine Harmonie in Grün und Silber...«

Er hatte sich verändert. Sein mattes Wesen hatte sich verflüchtigt; seine Gesichtshaut sich gestrafft; die Vision, die er dargeboten hatte, schien neue Energie in seinen hageren Körper gepumpt zu haben; und trotz seines weißen Haars wirkte er auf einmal jugendlich.

»Du meinst« – Arnold Sundstroms Lachen klang nicht ganz echt –, »die Städte, mit denen du deine Steppen gefüllt hast, die Siedlungen in deiner Taiga existieren nur in deiner Phantasie?«

»Ich meine, ich bin ein Praktiker«, antwortete Tieck. »Ich betrachte mir ein Gebäude oder auch einen ganzen Komplex von Gebäuden und versuche abzuschätzen, wie weit sie den Zwecken entsprechen, für die sie gebaut wurden.«

»Und das ist alles?« ärgerte sich Sundstrom.

»Ich kann mir die verschiedenartigsten Zwecke vorstellen«, hielt Tieck dagegen.

»Dann ist's ja gut.« Sundstrom entspannte sich. »Dann stimmen wir also überein, oder?«

Sie stimmten ganz und gar nicht überein, dachte Julia. Und erkannte mit Schrecken, daß Tiecks Vergangenheit und was immer für Schuld man ihm vorgeworfen haben mochte, ihr weniger wichtig erschienen als die Bauten, die seine Phantasie in der Taiga errichtet hatte.

Die Schlechtwetterperiode hatte geendet. Nach dem Regen warf ein zartblauer Himmel sein Licht auf die pastellfarbenen Kacheln an den Fassaden der Gebäude und akzentuierte jedes Detail, zu dessen Vorteil übrigens – die reichverzierten Balustraden am Rande der Dächer, die Simse über Toren und Fenstern, das Mosaik der Friese und die Knäufe und Rauten, welche das Dekor der Zwischenräume zwischen den Etagen der einzelnen Bauten bildeten. Zusammen mit den Lichtspiegelungen in den Fenstern auf der Sonnenseite der Straße trugen all diese Schnörkel dazu bei, die heroischen Proportionen der Häuserblocks weniger schwerfällig erscheinen zu lassen, und schufen eine Stimmung, die Julia aufatmen ließ. Wieso sollte ein Anblick, den sie vor wenigen Wochen noch reizvoll gefunden hatte, seinen Glanz plötzlich verloren haben? Warum sollte eine Ästhetik, nach deren Inbegriff sie erzogen worden war, auf einmal nicht mehr gültig sein?

Beflissen wandte sie sich an Tieck. »Eindrucksvoll, nicht? Du mußt es dir von hier aus anschauen!« Sie hatte eine Stelle ausgesucht, von der aus die Straße mit den Kränen, die an ihrem Ende aufragten, sich höchst vorteilhaft zeigte. »Von hier aus lassen sich die Gruppierungen am besten erkennen, mit den Türmchen, die sozusagen die Entfernungen interpunktieren. Es hat ziemlichen Streit gegeben über diese Türmchen, und einige wenige von uns« – sie betonte das Wort *wenige* mit verstecktem Bezug auf John Hiller – »sind immer noch nicht überzeugt. Schließlich entschied der Genosse Tolkening, die Türmchen zu bauen.«

Tieck lächelte.

»Genosse Tolkening interessiert sich sehr für unsere Arbeit.«

»Das sollte er auch«, sagte Tieck, das Lächeln immer noch um seine Lippen. »Architektur ist, mehr als alle anderen Künste, die Angelegenheit der Massen. Diese bezahlen nämlich die Rechnung.« Er fischte aus seiner Tasche sein kleines, eselsohriges Notizbüchlein und schrieb sich etwas auf. »Sollen wir weitergehen?«

Das ließ alles unentschieden. Aber Tieck hatte vom Anfang ihrer Tour an alles so gehandhabt – hatte ihre freundlichen Bemühungen akzeptiert, ohne sich selber im geringsten festzulegen. Julia spürte, daß das seine Art war, Information von ihr zu gewinnen, selbst Information, die sie ihm gar nicht zu geben beabsichtigte; aber sie konnte es nicht lassen, ihm die Berechtigung dieser Straße, ihres Entwurfs, ihrer Zwecke und Ziele zu beweisen.

Tieck schien dies ihr Bedürfnis zu spüren. Sein Verhalten wurde immer nachsichtiger, wie das eines Arztes am Bett seines Patienten; es frustrierte sie. Noch frustrierender aber war ihr sein Notizbüchlein. Sie wollte seine Notizen nicht über seine Schulter hinweg mitlesen, zögerte aber auch, ihn zu bitten, ihr deren Lektüre ganz offiziell zu gestatten; so versuchte sie, Inhalt und Sinn dieser Notizen zu erraten, indem sie eine Gleichzeitigkeit festzustellen suchte zwischen dem, was er da schrieb, und dem, was ihn just zu interessieren schien; aber auch daraus ergab sich kein erkennbares Muster.

Und Hiller war in keiner Weise hilfreich. Er fand sich nur selten in einer Position, wo sie sein Mienenspiel oder seine Körpersprache hätte beobachten können; den Rockkragen hochgeschlagen, betonte Gleichgültigkeit in jedem seiner Schritte, blieb er bei ihren Rundgängen stets ein wenig vor oder ein wenig hinter ihr und Tieck – immer jedoch in Hörweite, immer bereit, Tiecks Fragen zu beantworten, wobei er sich vorsichtig an die amtlichen Fakten und Zahlen hielt.

Tieck steuerte auf das letzte der schon fertigen Gebäude zu. Die Zementplatten für die Gehsteige waren noch nicht ausgelegt; man mußte auf Planken laufen, wollte man über den feuchten Lehm zum Haustor gelangen. Tieck blieb stehen, um das Zierwerk über diesem Tor zu betrachten: schwarzes schmiedeeisernes Blätterwerk, dicht miteinander verwoben, am Ende der Zweige idealisierte Tannenzapfen, goldbestaubt.

»Hast du eine Ahnung, was das gekostet hat?« erkundigte sich Tieck.

Die goldenen Zapfen hingen da, dachte Julia, als wollten sie jeden Moment ihre Samen auf die Häupter der beiden Männer und auf ihres herabschütten. Hiller erklärte in aller Ruhe, daß die Rechnungen nicht über das Amt des Stadtarchitekten liefen; Aufgabe des Amtes war es, dafür zu sorgen, daß die Arbeit getan wurde, und zwar mit allem künstlerischen Beiwerk; dieser schmiedeeiserne Zierat war von dem Spitzenmann auf diesem Gebiet geplant und entworfen und gefertigt worden, einer internationalen Größe...

Julias Irritation wuchs – ob über den Reiseführerton, den John Hiller angeschlagen hatte, oder weil die vergoldeten Tannenzapfen sie an Kinderzeichnungen erinnerten, die sie irgendwo einmal gesehen hatte, oder über Tiecks Achselzucken, als dieser unter dem Kunstwerk hindurch den Hauseingang betrat.

»Ich finde dich widerwärtig, John!« brach es aus ihr hervor, nachdem, zu ihrer großen Erleichterung, das Tor hinter Tieck ins Schloß gefallen war.

Hiller, der just in diesem Moment das Tor wieder öffnen wollte für sie, wandte sich ihr fragend zu, änderte seinen Entschluß aber, als er den bitteren Ausdruck um ihre Lippen erkannte. Sein spöttisches Lächeln verschwand; seine Augen schienen zu bitten. »Weißt du, Julia«, sagte er, »es ist nicht mein Lebensziel, dir widerwärtig zu sein.«

»Aber warum dann…« Sie brach ab. Er hatte ihren Arm ergriffen, um ihr, galant, von der letzten Planke des Gehwegs auf die Eingangsstufe zu helfen, zwei, drei Schritte nur; sie spürte, daß er zauderte, von ihr abzulassen.

»Vielleicht mach ich mich dir unsympathisch, Julia«, sagte er, »weil ich weniger heuchle als die andern.« Er stieß das Tor auf und hielt es auf für sie.

Tieck stand am Fuß des Treppenaufgangs und inspizierte dessen Proportionen. »Ich möchte mir das Ding schon auch von oben ansehen«, sagte er, »in der richtigen Perspektive.« Zu dritt überquerten sie die marmorgeflieste Halle mit den Mosaiken an der einen Wand und den blechernen Postkästen an der anderen. Der Aufzug befand sich am hinteren Ende der Halle. Nach einer Weile kam, mit einem knirschenden Geräusch, die Kabine an, und ein stupsnasiger Junge trat heraus, laut pfeifend und ein paar Rollschuhe schwingend.

Das Pfeifen endete.

»Nun?« sagte Hiller. »Was findest du so komisch an uns?«

Der Junge war mißtrauisch, fast feindselig. »Was wollt ihr hier?«

»Uns nur ein bißchen umsehen«, antwortete Hiller. »Hast du was dagegen?«

»Das ist *unser* Haus!« sagte der Junge.

»Laß ihn doch in Ruhe«, sagte Julia.

»Einen Moment«, warf Tieck ein. Er beugte sich zu dem Jungen hinunter und sagte: »Ich komme von weit her, um zu sehen, wie ihr lebt. Du wohnst doch hier, nicht?«

»Hm-m.«

»Wo?«

»Im fünften Stock.«

»Wie lange schon?«

»Zweieinhalb Wochen.«

»Und wo hast du vorher gewohnt?«

Der Junge nannte eine Straße. »Nahe beim Güterbahnhof«, erwähnte Julia. »Slums. Zur Hälfte zerbombt.«

»Was ist dein Vater?«

Der Junge wurde ungeduldig. »Zimmermann«, sagte er. »Auf dem Bau. Kann ich jetzt gehen?«

»Arbeitet er hier? Auf der Straße des Weltfriedens?«

»Mann – die warten auf mich!«

»Deine Mutter – ist die zu Hause? Oder ist sie auf Arbeit?«

Der Junge hatte sich ihnen entwunden. Das Haustor fiel ins Schloß. Tieck zuvörderst, betraten sie die Kabine des Lifts.

»Die wahre Größe dieser Straße«, sagte Julia, während sich die Tür der Kabine hinter ihnen schloß, »liegt in den Menschen, die hier wohnen werden.«

»Oberstes Geschoß?« fragte Hiller.

»Oberstes Geschoß«, nickte Tieck, und zu Julia: »Aber das vergrößert auch unsere Verantwortung.«

Die Stockwerke glitten vorbei, ein halber Meter unverputzter Beton, eine Stahltür, dann wieder Beton. Die drei in der Kabine standen stumm, jeder sich sehr bewußt der Gegenwart der beiden anderen.

Dann ein Ruck: Der Lift stoppte mitten zwischen zwei Etagen. Julia lachte verlegen, ein bißchen Sorge klang durch. Sie hatte kürzlich gelesen, daß eine Kabine eines Lifts, wenn auch nicht in der Straße des Weltfriedens, in ihrem Schacht abgestürzt war und ihren Insassen die Knochen gebrochen hatte.

»Steckengeblieben!« Hiller riß die schmalen Flügel der inneren Tür auf. »Die Dinger bleiben immer stecken, hat man mir gesagt. Und wir sitzen mitten zwischen zwei Etagen…« Er drückte auf den Knopf mit der Aufschrift Notruf. Aus der Tiefe des

Schachts läutete eine schrille Glocke und hörte sofort wieder auf mit ihrem Lärm, als er seinen Finger vom Knopf nahm. Er klingelte noch einmal. »Jemand muß uns doch hören. Oder vielleicht spürt jemand ein Bedürfnis, diese Menschenfalle zu benutzen.«

»Um die Tageszeit?« fragte Tieck.

»Möglich auch, daß die Rollschuhe des Knaben von vorhin kaputtgehen«, sagte Hiller hoffnungsvoll.

»Was ist mit der Falltür?« Tieck zeigte nach oben zum Dach der Kabine. »Ich könnte auf Ihre Schulter steigen, Genosse Hiller – oder Sie auf meine ...«

»... und herausklettern in die Schmiere da oben?« Hiller klingelte wieder. Der schrille Klang schien ihrer aller Spannung noch zu steigern.

»Irgend etwas muß man jedenfalls tun!« Julias Unruhe war einem echten Ärger gewichen. Sie war stolz gewesen auf den Jungen mit den Rollschuhen; er war genau zum richtigen Zeitpunkt vorbeigekommen, um etwas – was auch immer es sein mochte – zu illustrieren; dieses blöde Versagen der Technik nahm der Illustration Sinn und tiefere Bedeutung und hinterließ nichts als Unbehagen. »Wir können doch nicht einfach hier sitzen bleiben!«

»Warum können wir nicht?« Hiller schloß die innere Tür des Lifts wieder, lehnte sich dagegen und zog seine Zigaretten aus der Tasche. »Wer möchte?«

Eine Weile rauchten sie alle drei und schwiegen, die bläulichen Wölkchen schwebten zum Dach der Kabine und entschwanden durch die Schlitze, die sich, offensichtlich zu Zwecken der Ventilation, dort befanden.

»Warum können wir nicht einfach hier sitzen bleiben, Julia?« meldete sich Hiller von neuem. »Weißt du nicht, daß du die Frau bist, mit der zusammen ich am liebsten von allen Menschen in der Kabine eines Lifts festsitzen möchte ...« Er dachte nach. »Oder auf einer Insel. Oder irgendwo.«

Tieck öffnete seinen zu langen Mantel. »Sie vergessen, daß ich mit Ihnen zusammen hier festsitzen würde.«

»Oh, wir würden schon eine Nische für Sie finden«, erwiderte Hiller leichthin.

»Nische!« Tieck war dem Wort gegenüber empfindlich geworden. Und dachte auf einmal, daß Hiller es ganz ernst gemeint haben könnte mit seiner Nische und daß die Dreistigkeit des jungen Mannes nichts war als ein schlecht verhehlter Annäherungsversuch an Julia. Und wies Hiller zurück, nicht wegen der paar Hörner, die eines Tages die Stirn des Genossen Professor Sundstrom zieren mochten, sondern Julias wegen. »Hören Sie zu, Genosse Hiller, lassen Sie uns einen dummen Witz in einer dummen Situation nicht übertreiben.«

»Wer übertreibt hier?« fragte Hiller spöttisch.

»Sie, mit Ihrem Inselprojekt...« Tieck brach ab. Besser, er zügelte sein Temperament. »Es gibt Dinge, die Jahre zurückliegen – und die Julia zu der Frau gemacht haben, die sie heute ist –, und Sie, Genosse Hiller, sollten das bitte respektieren...«

»Oh, Daniel...!« Julia wurde sich bewußt, daß sie Tieck mit seinem Vornamen angeredet hatte. »Ich bitte dich...« Und zu Hiller: »Und du...«

Keiner der beiden Männer sprach.

»Vielleicht sollten wir die Falltür doch versuchen«, sagte sie ohne große Hoffnung. Dann, ohne auf die Steuerungsknöpfe zu schauen, drückte sie auf *Notruf*.

Diesmal klingelte nichts. Statt dessen aber glitt die Kabine, ganz sanft und ohne zu knarren oder zu knirschen, nach unten. Julia war starr, ihre Finger immer noch auf dem Knopf mit der Bezeichnung *Erdgeschoß*.

»Da ist der Bursche ja wieder!« Hiller deutete, während sie ausstiegen, auf den Jungen von vorhin, der unter dem Mosaik in der Eingangshalle stand, einen Rollschuh am Fuß, den anderen, der ein Paar Räder verloren zu haben schien, von seiner Hand hängend. Julia mußte lachen. Der Junge blickte sie vorwurfsvoll an. Hiller wandte sich an Tieck. »Möchten Sie immer noch die Perspektive des Treppenhauses begutachten?«

Die Aussicht über die Zinnen der Mauer hinweg, die sich von der Ebene der sechsten Etage erhob, war wirklich erstaunlich. Tief unten verlief die Straße, breit, großzügig angelegt, geplant bereits für den Verkehr künftiger Jahre – nach rechts hin die langen Reihen der Gebäude, der vollendeten wie der noch im Bau befindlichen.

Julia, die das oft genug schon gesehen hatte – wenn nicht von diesem Punkt aus, dann von anderen entlang dieses Projektes –, hatte das Bild nie ohne innere Emotion erlebt. Es hatte Poesie; nicht Mischnicks, des Hofdichters, Poesie; nicht Poesie, die sich in Worte fassen ließ: nein, eine Poesie, die sich aus Stein und Raum direkt in die eigene Brust übertrug.

Auch in Tiecks Augen erkannte Julia einen Abglanz dieser inneren Bewegung; sie wies auf die alten Slums zur Linken und jenseits der Straße, auf die halbzerstörten, verrußten Fabrikbauten, die ausgebombten Mietskasernen, die darauf warteten, niedergerissen zu werden. »Auch hier war derselbe Zustand wie dort drüben«, sagte sie. »Ich erinnere mich nur zu gut. Ich war in den ersten Monaten meiner Schwangerschaft, als wir anfingen, die Ruinen zu beseitigen, um Raum zu schaffen zum Bau dieser Straße – wir: Arnold, ich, wir alle; die Menschen eben. Mein Sohn ist heute noch keine fünf Jahre alt; und schau dir all dies an, Daniel Jakowlewitsch!... Hat es je Architekten gegeben, die mit solchem Material bauen konnten?«

Der Kran über ihren Köpfen schwenkte seinen Arm aus und senkte eine Ladung gestapelter Ziegel herab. Der Polier der Gruppe, die auf dieser Etage eingesetzt war, dirigierte die Ladung an ihr Ziel neben einem der Maurer, der, ohne sich weiter stören zu lassen, in seinem gleichmäßigen Rhythmus fortfuhr, Mörtel aufzutragen und einen Ziegelstein nach dem anderen an seinem vorbestimmten Ort zu verlegen. Nachdem der Polier die Ladung vom Haken des Krans gelöst hatte und das schwere stählerne Kabel nach oben entschwebt war, begab sich Tieck zu den zweien hinüber. »Ich darf doch wohl?« fragte er, und bevor Maurer oder Polier ablehnen konnten, nahm er die Wasserwaage zur Hand, die der Polier unter seinen Arm geklemmt bei sich trug, und hielt sie gegen den Türpfeiler, an welchem der Maurer arbeitete.

Der Mann zog den Rotz hoch in seiner Nase.

Tieck legte seinen Mantel ab, faltete ihn zusammen und plazierte ihn auf einen umgekehrten Eimer nahebei. »Ich darf doch wohl?« wiederholte er und verlangte mit einer Handbewegung die Kelle des Maurers.

»Noch einer, eh?« knurrte der Mann.

»Noch einer, was?«

»Ein Arbeitsnormer!« erwiderte der Mann böse und fügte, Tieck ins Gesicht, hinzu, »ein Schnüffler!« und, Tieck seine Kelle in die Hand drückend, bot er ihm sarkastisch an: »Bedien dich, Kollege!«

Tieck öffnete seine Krawatte, knöpfte den Hemdkragen auf und begann zu arbeiten. Der Polier, Julia und Hiller umstanden ihn; der Maurer, scheinbar gleichgültig, zündete sich den Rest einer Zigarette an; von weiter her blickten die anderen in der Kolonne herüber und beobachteten den Fremdling, der ruhig Ziegel an Ziegel reihte. Tieck hatte seinen regelmäßigen Takt gefunden, nicht ganz im Tempo des Maurers, doch wuchs der Pfeiler sichtbar unter seinen Händen – gerade und sauber, ohne überhängende Mörtelreste, jeder Stein in perfekter Linie und an perfektem Ort.

»Und?« sagte der Maurer und drückte seinen Stummel wieder aus. »Was willst du damit beweisen?« Er entriß Tieck seine Kelle. »Daß wir gottverdammte Schmarotzer sind, die auf Kosten des Volkes Pfusch bauen? Wo hast du denn bisher gemauert?... In Sibirien, sagst du? Ach so... Wieviel Zeit haben sie dir dort gegeben für den Quadratmeter? Und wieviel Geld?«

Tieck preßte die Lippen zusammen.

Der wütende Mann schenkte dem beredten Schweigen keine Beachtung. »Wir hier haben unser Handwerk auch gelernt!« rief er heiser. »Aber wir stehen im Akkord, jawohl, und zuerst muß ich meine Norm erfüllen und dann zusätzlich sehen, daß ich

wirklich was verdiene. Sibirien! Dort arbeiten sie zum Vergnügen, ja?«

Der Polier versuchte, den Mann zu beruhigen.

Doch der stieß ihn fort. »Schon gut, schon gut – ich weiß, daß
sie Frau Sundstrom ist und daß der Chef alles, was ich sag,
brühwarm erfahren wird…«

Julia zog ihren Kopf zwischen die Schultern.

»… aber wenn schon!« Und zu Tieck: »Du glaubst, ich ver-
schwende das Geld des Volkes, wenn noch einer kommen und
meine Arbeit nachbessern muß, damit die Fensterrahmen nach-
her auch passen? Was würdest du erst sagen, Freundchen, wenn
ich dir erzähle, daß ganze Mauern hier wieder aufgestemmt
werden mußten, weil jemand vergessen hat, die Rohre, die da
durchlaufen sollten, zur rechten Zeit zu projektieren, und daß
dicke Zementböden durchgehackt werden mußten, weil die
Elektriker zu spät erfahren haben, wo ihre Kabel verlegt werden
sollten? Ganze Etagen in diesem Haus sind hochgezogen
worden, ohne daß wir richtig ausgeführte Entwürfe dafür ge-
kriegt hätten, und wenn der Barrasch hier« – damit deutete er
mit seinem Daumen auf den Polier – »nicht so ein Talent hätte,
die richtigen Ausmaße für Querschnitt und Längsschnitt und
alles andere zu erraten, hätten wir unsere meiste Arbeit längst
wieder abreißen und noch einmal von vorn anfangen müssen!«

Tieck blickte zu Hiller. Hiller nickte unauffällig. Julia hörte,
wie er Tieck etwas zuflüsterte, eine Erklärung augenscheinlich.

Aber Julia wußte das alles längst. Sie kannte all die Beschwerden, die der erzürnte Maurer aufgezählt hatte; sie wußte noch
mehr sogar: daß ganze Abschnitte der schönen, teuren Klinker,
die die Mauern außen verkleideten, abfallen würden, wenn die
Fröste kämen nächstes Jahr oder im Jahr danach, weil diese
Keramikplatten sich nicht sicher verankern ließen, weil das
Mauerwerk atmete, die Keramik aber nicht; und daß dauernd
improvisiert werden mußte und Ersatz gefunden für Material,
das nicht vorhanden war, weshalb immer neue Änderungen und

Anpassungen notwendig wurden, und daß Kosten die Voranschläge weit übertrafen, ja, daß es öfter nicht einmal ernstzunehmende Voranschläge gab; und daß überhaupt alles nach dem Hauruck-Prinzip entstand, einschließlich der Pläne und Entwürfe, und daß die ganze Arbeit dazu noch aufgehalten und behindert wurde durch Dutzende von Instanzen in Dutzenden von Institutionen und Ämtern, die ihre Genehmigung und Unterschrift und Siegel für jeden Toilettensitz geben mußten, den man einbaute… Sie wußte das alles und war doch imstande gewesen, damit zu leben, weil – weil sie mit Arnold liiert war? –, weil sie innerlich eine so große Genugtuung empfand, wenn sie sah, wie die Straße dennoch wuchs? – und weil dies die Schwierigkeiten waren, die sich bei jedem Neuen und Erstmaligen einstellten?

Der Polier hatte seinen soliden Leib zwischen den Maurer und die drei Besucher der Baustelle manövriert. »Jedenfalls«, sagte er vermittelnd, »der Bau wächst, tut er doch, oder? Wir schaffen es schon, Frau Sundstrom, wir schaffen es.«

»Und wir sind stolz auf die Straße, Genosse Barrasch!« sagte Julia, nach dem Strohhalm greifend.

Etwas vor sich hin knurrend, war der Maurer zu seiner Arbeit zurückgekehrt. Barrasch wartete darauf, daß man ihm gestattete, sich zu entfernen. Auch Tieck wartete – er wußte selbst nicht, worauf –, und Hiller gleichfalls. Es war, als überließen die Männer es ihr, den nächsten Schritt zu tun. Der Schatten des Krans schwebte über sie hinweg. Der Himmel erschien in einer fast grausamen Helligkeit.

»Genosse Tieck!«

Er sah die honigfarbene Haarsträhne, die der Wind ihr auf die Stirn blies. Sie schritt eigentümlich langsam auf das Nichts hinter dem äußersten Ende der Etage zu, hinweg von ihnen allen. Tieck lief ihr nach.

Dann stand sie in beängstigender Nähe des Abgrunds und wies noch einmal auf die Straße zu ihren Füßen, auf die Bauten, zwei prunkvolle Reihen zu jeder Seite, auf die breiten Fahrbahnen mit dem gerade erst sprossenden Grün dazwischen, auf die

Autos, die da, wenn auch noch in geringer Zahl, dahinfuhren, auf die Menschen, nicht größer als Punkte.

»Dies ist schrecklich wichtig für mich«, sagte sie, der Aufruhr in ihrem Herzen spürbar. »Ich glaube, du wirst inzwischen zu einer Meinung gekommen sein, Daniel Jakowlewitsch. Also: Wirst du mit uns zusammenarbeiten – mit Arnold und mir?«

»Das dürfte schwierig sein.«

»Wieso? – Mißfällt dir unsre Straße des Weltfriedens?«

»Julia«, sagte er sanft, »muß ich dir das beantworten – und gerade jetzt und hier?«

Ihre Stimme klang erregt. »Es würde mir sehr viel bedeuten.«

Er erwiderte, ohne sich ihr direkt zuzuwenden. »Es ist nicht nur der Eklektizismus, den ich überall in diesen Bauwerken erkenne, die willkürliche Benutzung von Details aus einer Periode, die ihrerseits wieder von vorhergehenden Perioden lebte, architektonisch gesprochen. Entscheidend für meine Zurückhaltung sind auch nicht die offensichtlichen strukturellen Mängel und rückständigen Methoden. Es ist vielmehr die ganze Grundkonzeption, die ich kaum akzeptabel finde…«

»Aber das war doch alles akzeptiert und gebilligt! – nicht nur von den besten Architekten und den höchsten Funktionären der Republik – vom Volk selber! Von demselben Volk, das die Trümmer mit seinen eignen Händen beiseite räumte und danach unsere Entwürfe und Modelle besichtigte und studierte. Ich hab selber mit diesen Menschen gesprochen; und ich schwöre dir, sie haben nichts auszusetzen gefunden und waren froh und glücklich darüber wie Kinder…«

Tieck trat zu ihr, stellte sich hinter sie und ergriff ihre beiden Ellbogen, als ob er sie sichern wollte gegen den Wind und die Höhe. »Eine altmodische Korridorstraße ist das, nichts anderes, aber prätentiös. Entworfen für Siegesdemonstrationen, die inmitten einer großen Leere von nirgendwo nach nirgendwo ziehen.«

»Du hast doch unsere Baupläne für die Zukunft gesehen. Eine ganze Stadt wird hier entstehen.«

»In diesem Stil?«

»Genosse Tieck – du hast in der Sowjetunion gelebt; ich weiß nicht genau, wo überall und wie; aber jedenfalls hast du gesehen, wie sie dort bauen. Und wir bauen nach sowjetischem Vorbild ...«

»Daher also«, sagte er.

Sie wandte sich um, bot ihm die Stirn. »Das klingt fast – konterrevolutionär!«

»Und ich bin ein Konterrevolutionär, willst du sagen. Und ich bin gewesen, wo man aus guten Gründen und völlig zu Recht Konterrevolutionäre hinschickt.«

»Daniel!« Wieder hatte sie seinen Vornamen benutzt.

John Hiller blickte zu den beiden hinüber, als frage er sich, ob er nicht eingreifen müßte.

»Aber wenn das alles« – Julia wies auf die Straße unten, und ihre Stimme senkte sich –, »wenn das alles falsch wäre, dann hieße das doch wohl, daß auch anderes, was aus der Sowjetunion stammt, falsch sein könnte.«

»Könnte es,« sagte Tieck bedauernd.

Julia spürte, wie ihre Knie zitterten. Die Welt um sie herum begann zu schwanken. Jenseits der Begrenzung der Etage, markiert durch eine lange Reihe von Ziegeln, gab es nur schiere Mauer, sechs Geschosse senkrecht nach unten.

Ihre Hand streckte sich Tieck entgegen. »Du willst also andeuten... sie könnten dich... zu Unrecht nach Sibirien geschickt haben...«

»Könnten sie.«

Der Boden hatte sich wieder gefestigt. Der Himmel war wieder an seinem gewohnten Platz; John Hiller, der Polier, die Maurer, der Kran und seine Ladung, die langsam herabschwebte, waren wieder in Perspektive. »Aber dann könnten auch mein Vater und meine Mutter –«

Sie sah das Zucken seines Adamsapfels; aber er schwieg.

»Mein Vater und meine Mutter könnten... Sie waren verhaftet und abgeführt worden...« Ihre Stimme hatte sich verloren, dann kehrte sie zurück, ihre Worte überschlugen sich. »Ich hab das selber miterlebt, weißt du, als Kind … wie die Männer in den Mänteln gekommen sind … Ihre Stiefel, ihre Gesichter … das Bett auseinandergerissen … meine Mutter nahm mich in den Arm … dann hat einer von den Männern … ich hab gekratzt und geschrien … und mein Vater hat gesagt, ich muß brav sein, ein braves Mädchen …«

Ihre Augen schienen sich zu vergrößern, ihr Grau sich zu Schwarz zu wandeln.

»Und du …« Sie schüttelte den Kopf. Dieses Steinchen wollte sich nicht einpassen in das Puzzle. »Ich kann mich nur an Bruchstücke erinnern aus der Zeit. Es ist, als hätte ein Leben in properer Folge bei mir erst begonnen, nachdem Arnold mich aus dem Kinderheim herausgeholt hatte. Er war so gut zu mir. Immer.«

»Bestimmt«, sagte Tieck.

Sie starrte auf die Straße, die sich zu ihren Füßen erstreckte. »Falsch, hast du gesagt?«

»Heuchelei in Beton und Ziegeln.«

Ihr Lachen klang brüchig. »Irgendwann werde ich dir den Entwurf für eine andere Triumphstraße zeigen. Er wird dich erheitern, Daniel Jakowlewitsch.«

Hiller näherte sich.

Julia trat zurück vom Rand der Etage. »John!« rief sie und streckte die Arme aus, und sie begegneten einander auf halbem Weg. »John, wir haben sie hinter uns gebracht, unsere große Rund- und Inspektionsreise. Wo können wir einen Schluck von etwas Anständigem zu trinken kriegen?«

»Château Hiller!« verkündete er mit einer großen Armbewegung. »Gefällt's dir?«

Julia blickte sich um, während Hiller ihr aus dem Mantel half und Tieck zugleich mitteilte, wo er sich die Hände waschen könne. Julias erster Eindruck: Konnte man so überhaupt leben? War das überhaupt erlaubt? … Diese schreienden Farben, die

Nutzung einer nackten Ziegelwand; die Unsinnsbilder kontrastierend mit dem Barockengel; die breite schwarze Couch, wie für ein Begräbnis, außer daß da die bunten Kissen verstreut lagen; die Biedermeieranrichte, leicht abgestoßen an der einen Ecke und neben der anderen Johns Privatbar, roh zusammengezimmert aus alten Kisten und überklebt mit den pornographischen Einbänden westdeutscher und amerikanischer Magazine – die ganze schamlose Mischung, deren John sich bedient hatte bei dieser Ausstattung und die einen vermuten ließ, daß ihre Zufälligkeit in Wahrheit wohlberechnet war. Ihr zweiter Gedanke: Was für ein dreister Lügner der Kerl war, der auf solche Weise daheim lebte und nach ganz anderen Grundsätzen bei ihrem Arnold arbeitete!

»Gefällt's dir?« wiederholte er und bat sie mit einer Handbewegung ins Zimmer und auf einen faßförmigen, aber überraschend bequemen Stuhl. Durch das große Fenster ließen sich die zerbombten Mauern des Vorderhauses erkennen und ein paar junge Birken, die sich auf die Trümmer gepflanz hatten; ihr erstes knospendes Grün ließ sich bereits erahnen.

Tieck zündete sich eine Zigarette an und kauerte sich auf eine Ecke der Couch. »Das Dekor dieser Räumlichkeiten ist wirklich etwas außergewöhnlich.«

»Aber es gefällt mir«, protestierte Julia halbherzig. »Nur die Unordnung…«

»Der Raum könnte die Hand einer Frau schon ertragen«, gab Hiller zu und musterte die bauchigen alten Gläser auf der Bar, in die er seinen Kognak goß. »Da, also – das wird uns über die Straße-des-Weltfriedens-Blues hinweghelfen.«

Julia schluckte den Verstoß gegen das Sakrileg. Ihre Zweifel und Ahnungen drangen wieder auf sie ein; sie erwiderte in einem erzwungenen beiläufigen Ton: »Versorgt Waltraut Greve dich nicht mit derlei Tröstungen?«

John Hiller reichte ihnen die Drinks. »Sie kommt gelegentlich vorbei«, sagte er. »Sitzen Sie bequem, Kollege Tieck?«

Tieck hielt ihm sein Glas hin für eine Nachfüllung. »Ich mag

Ihnen ein Unrecht getan haben, John Hiller. Ich hatte angenommen, daß Sie auf Julia und mich angesetzt waren. Aber Sie sind nicht der Wachhundtyp.«

»Wachhund?« Julia fuhr auf. »Auf uns angesetzt? Von wem? Und wofür?«

Hiller lachte, zu laut.

»Tut mir leid.« Tieck schüttelte den Kopf. »Ich habe viel zu lange ständig auf meiner Hut sein müssen.«

Julia erhob sich. Der Alkohol war ihr nach den Aufregungen des Tages ins Gehirn gestiegen; sie hielt sich am Rücken ihres Stuhls fest. »Daniel Jakowlewitsch Tieck – das ist schändlich. Wir haben dir unsere Arme geöffnet, Arnold und ich, und unsre Herzen. Jawohl. Und du hast kein einziges gutes Wort für Arnold gefunden. Seine Arbeit bezeichnest du als Heuchelei. Du sprichst über ihn in Andeutungen, als hätte er... Als hätte er irgend etwas zu verbergen...«

John Hiller, der sich gerade noch einen Brandy einschenken wollte, hielt inne. Julia erschien ihm sehr schön, gerade in ihrem Zorn, gerade in diesem letzten Aufbäumen gegen eine Situation, die – so spürte er – auf bestem Weg war, die neue Realität ihres Lebens zu werden. Ein winziges Äderchen zeigte sich bläulich gegen das Weiß ihrer Schläfe; ihre Augen flackerten; sie warf ihren Kopf zurück, um ihr Haar zu ordnen. Sollte er, fragte sich Hiller, ihr sagen, daß Tieck völlig recht hatte – der ahnungsvolle Tieck – und daß Arnold Sundstrom anscheinend doch das und jenes, Gott wußte, was, verbarg... Nein. Sie hatte genug erlebt für heute; sie war schon nicht mehr ganz beisammen; sie brauchte etwas Stärkendes.

»Julia Baby« – er trat hinter seiner Bar hervor, um ihr Glas zu füllen, und füllte sein eigenes dazu, und zwang sie, das ihre zugleich wie er das seine auszutrinken –, »was hast du davon, auf Tieck wütend zu sein, wenn du dich in Wirklichkeit über dich selber ärgerst? Ist es Tiecks Schuld, daß du anfängst, die Dinge aus einem andern Blickwinkel zu betrachten?«

Er fuhr ihr durchs Haar, und sie gestattete es ihm; sie bemerkte auf einmal, daß seine Brauen über seiner Nasenwurzel zusammengewachsen waren und daß sein Blick seinen üblichen ironischen Ausdruck verloren hatte. »Und nenn mich nicht Julia Baby«, sagte sie und dachte: Vielleicht hat er das Verständnis, das ich jetzt nötig hab; er ist heute so anders als sonst; wahrscheinlich weil er sich in seinen eignen vier Wänden befindet; und was war mit Tieck? »Ich bin kein Baby«, wiederholte sie trotzig. »Ich bin beinahe so alt wie du –«

» – und die Mutter eines Kindes und die Ehefrau des Genossen Professor Arnold Sundstrom«, beendete er ihren Satz.

»Amen«, sagte Tieck. Er hatte sich wieder auf der Couch niedergelassen, seinen Rücken mit ein paar Kissen abgestützt, und wärmte sein Glas in seinen beiden Händen. Er konnte sich nicht entscheiden, ob er persönlich und auf eigene Verantwortung eifersüchtig sein oder das Eigentum seines Freundes Sundstrom behüten sollte oder sich einfach entspannen und dem Schicksal gestatten, seinen Lauf zu nehmen. »Eines Tages, Julia«, sagte er, »werde ich dir von der Taiga erzählen. Für einen Architekten ist sie nicht gerade ein Traumland, sie ist so gut wie unbebaut: eine ungeheure Ebene, auf der sich die Formen und Dimensionen der Zukunft errichten ließen. Arnold Sundstrom hat hier eine ähnliche Chance gehabt – einen ganzen zerbombten Stadtbezirk. Gott, was, und wie, er gebaut haben könnte, selbst mit den begrenzten Materialien zur Hand!«

»Warum sagst du ihm das nicht selber?« schlug sie vor.

»Glaubst du, es würde ihm irgendwie helfen?«

»Nein.« Sie schwieg, geängstigt durch die Entdeckung der Distanz, die sie plötzlich von ihrem eigenen Mann trennte. »Oder – wenn du meinst…« fügte sie unsicher hinzu.

»Julia Baby!« bot John Hiller seine obligate Dosis Ermunterung an. »Ich werde jetzt das Abendbrot richten. Ihr bleibt natürlich, ihr zwei. Das bisher war nur der Anfang eines denkwürdigen Abends… Du willst mir helfen, Julia Baby? Kollege Tieck, ich überlasse Ihnen die Aufsicht über die Flasche!«

Die Küche war sauber, hell, kompakt, eine Puppenhausküche

mit kaum genügend Raum darin für eine Person. In Wahrheit brauchte Hiller auch gar keine Hilfe; er gehörte zu jenen Männern, die gerne kochten, und diese Tätigkeit mit Geschick und großer Ökonomie angingen, ohne Nervosität, ohne unnötige Gebärden. Vielleicht berührte er sie häufiger, als in der engen Küche notwendig; und jedesmal durchlief sie ein angenehmes Gefühl, gegen welches, wie sie durchaus wußte, sie sich eigentlich abschirmen müßte; und jedesmal wenn sie hinausgehen wollte, legte er seine Hand auf ihren Arm, und sie blieb.

Zwischen Zerteilen und Braten und Mischen – seine Gewürze, dachte sie, stammten mit Sicherheit nicht aus den staatlichen Läden – redete er in einem fort: von Wukowitschs Wohnung, in die sie durch das Küchenfenster hindurchblicken konnten, nur daß es dort dunkel war, weil Wukowitsch, ganz offiziell und behördlich genehmigt, sich auf einer Dienstreise befand; und wie er und Wukowitsch dies Stück Ruine gefunden und die Möglichkeiten des Gemäuers erkannt hatten; und wie sie die Arbeiter aufgetrieben hatten, die ihnen halfen, nach ihrer täglichen Arbeitszeit den Bau soweit zu restaurieren – mit geklautem Material natürlich, dachte sie –, und wie sie beide die Zimmer malerten und die Schränke einpaßten und die hundertundeine Verrichtungen durchführten, um aus den lädierten Mauerresten eine lebbare Wohnung zu machen, und von den tausendundeinen Schwierigkeiten... Er hielt den Fluß seiner Worte in Gang. Er dachte: Frau Arnold Sundstrom, steif korsettierte Ansichten, steif korsettierte Moral, sozialistische Lieblingsschülerin; aber ein einziger kleiner Riß in der monolithischen kleinen Persönlichkeit würde genügen, daß alles auseinanderbrach; so etwas geschieht immer bei derart Menschen; und ich fange sie dann auf, mitten im Fall.

Er hielt ihr seinen Finger hin, an dem ein Stück Teig für den Braten klebte. »Mal vorschmecken?«

Sie lachte und leckte seinen Finger ab; dann lachte sie plötzlich nicht mehr. Er zog sie an sich; seine Lippen suchten ihre; sie wehrte sich. »Nein, nicht.«

»Julia Baby«, sagte er, »ich kann warten.«

Auf einmal fühlte sie sich benommen und mußte sich irgendwo anlehnen und fand Halt an einem der Türpfosten. Diese Schwäche war ihr nicht einmal unangenehm, und sie staunte über die verschiedenen Gefühle, die sich gleichzeitig in ihr bemerkbar machten, und ihre Fähigkeit, sich so rasch wieder zu fangen: Das Gerüst ihrer Grundsätze brach um sie herum zusammen, Zweifel spalteten den Boden, auf dem sie gestanden und den sie so lange für fest und zuverlässig gehalten hatte – und sie leckte Teig vom Finger dieses jungen Mannes.

Sie sah die glatte Haut seines Nackens; das Spiel der Muskeln an seinem nackten Unterarm. Und sagte: »Weshalb sollte ich überhaupt etwas mit dir anfangen?«

»Weil du reif dafür bist – physisch und psychisch.«

»Du bist verrückt. Ich werde mir mein Leben doch nicht zerstören.«

»Ist es denn nicht schon zerstört?« Er schob die Fleischpasteten in den Ofen, in einer jeden ihre Portion Ragout. »Was soll dich denn zurückhalten? Dieser Großprotz von Ehemann?«

»Unser Kind.«

»Ein Kind hat noch nie jemanden an einer Liebe gehindert«, sagte er. »Ein Kind gehört der Mutter.«

Plötzlich kam sie zu sich. »Was reden wir da!« protestierte sie und lachte ein bißchen. Und öffnete die Küchentür. »Du brauchst also gar keine Hilfe…«

»Deck den Tisch!« rief er ihr nach. »Teller und Besteck sind im Geschirrfach!«

Tieck blickte auf. Er hatte sich nicht von der Couch gerührt, aber der Kognak in der Flasche hatte sich erheblich vermindert. »Habt ihr Spaß gehabt?« fragte er, seine Zunge schwerer als sonst. »Er ist ein kluger Bursche; er wird seinen Weg finden.«

Julia legte das Tischtuch auf. »Du empfiehlst ihn also?«

»Nicht für dich.«

»Er kann kochen.«

»Julia –«, er verstummte.

»Woran denkst du?«

»An vielerlei. In meinem Kopf geht alles durcheinander. Gesichter, Gestalten, Gebäude. Wie sehr du doch deinem Vater ähnelst! – alles, natürlich, bei dir ins Weibliche übersetzt: die Augen, die Form deines Kinns. Julia, ich werde nie ein Wort sagen, das dir weh tun könnte. Ich mag angetrunken sein, verstehst du, aber dies ist die heilige Wahrheit: Ich habe nur einen Wunsch, dich zu beschützen.«

»Vor was?«

Er erhob sich, unsicher. »Vor innerem Zerfall.« Seine Lider verengten sich. »Im Grunde hat Arnold ja recht gehabt, wenn er diesen Kokon um dich herum spann. Man muß dich schützen. Aber Arnold hat es nicht gut gemacht. Konnte sich selber nicht helfen, nehme ich an. Ein Zug am richtigen Ende des Fadens, und das ganze Gewebe löst sich auf. Ich andererseits« – er breitete seine Arme aus, vergaß aber dabei, daß er die Flasche noch immer in der Hand hielt –, »ich würde…«

»Essen!« kündigte Hiller an. Er stand in der Tür, die zur Küche führte, ein großes Tablett in den Händen. Der Duft von Fleisch und Gewürzen verbreitete sich, herzhaft, auf angenehmste Weise. Sie sank auf einen Stuhl und wartete darauf, daß einer kam und sie bediente.

Julia wußte, sie müßte wenigstens zu Haus anrufen. Aber sie verschob es. Nach dem Abendessen, dachte sie; und dann, nach diesem Drink, ganz bestimmt; und dann, bald werden wir sowieso gehen – und dann war es zu spät. Tieck, in seinem Jammer, stöhnte und wiegte seinen Kopf wie eine alte russische Bäuerin und rezitierte die Namen von Genossen, von denen Julia nie gehört hatte. »Tot«, sagte er immer wieder, »alle tot«, und schlug mit der Faust auf den Tisch, daß die schmutzigen Messer und Gabeln auf den schmutzigen Tellern klirrten. Durch den Nebel in ihrem Kopf hindurch wartete sie auf die Namen Julian Goltz und Babette Goltz; aber entweder hatte er sie vergessen oder war auf seiner geistigen Liste noch nicht bis zu ihnen gelangt. Dann stand er mühsam auf, seine Augen schwammen, und brach in ein Gewirr von Flüchen aus – auf russisch und von einer Brutalität, die Julia entsetzte –, und dann hob er die Hände vor sein Gesicht, als müsse er einen Hagel von Schlägen abwehren.

»Daniel!« schrie sie auf. »Daniel Jakowlewitsch!«

Er schrak zusammen. Seine Arme sanken herab. Er schaute sie lange an. »Du bist so schön«, sagte er. »Du bist die Hoffnung.«

Dann fiel er, mit dem Gesicht nach vorn, zwischen die Teller.

Hiller versuchte, ihn bei seinem Rockkragen hochzuziehen; Tiecks Kopf aber geriet nur wieder ins Schwanken. Hiller schlug ihm auf die Wange.

»Nicht doch!« Julias Lippen zitterten. »Er hat soviel durchgemacht.«

»Wir können ihn nicht so liegen lassen!«

»Ich werd dir helfen.«

Obwohl Tieck überraschend leicht war, war es Schwerarbeit, da weder sie noch John auf ihren eigenen Füßen so sicher standen. Sie legten sich Tiecks schlaffe Arme über ihre Schultern und hoben ihn an; und Julia dachte plötzlich, wie lächerlich sie drei aussehen mußten in ihrem gemeinsamen Kampf gegen die Schwerkraft und wie empört Arnold gewesen wäre, hätte er die Szene sehen können, und sie unterdrückte ein Kichern. Schließlich brachten sie es fertig, Tieck in Wukowitschs Wohnung und auf Wukowitschs Bett zu bringen. John zog ihm die Schuhe aus, und sie – daran erinnerte sie sich genau – deckte ihn mit Wukowitschs Decke zu.

Das nächste, dessen sie sich entsann, war das unaufhörliche Läuten des Telefons. Das war schon wieder in Johns Wohnung, und Johns Hände unter ihren Achselhöhlen waren halb Liebkosung und halb Stütze und Führung.

»Das wird Arnold sein«, sagte sie, voller Besorgnis.

In Hillers Augen lag eine Frage; seine Finger griffen nach dem Hörer. Sie zögerte. Das Läuten hörte auf.

»Julia Baby«, sagte er, »wovor hast du Angst?«

Sie war zu betrunken oder zu aufgeregt, um ihre Gründe aufzuzählen. Sie wußte nur, daß alles unsicher geworden war, ihre Ehe, ihre Arbeit, ihre Glaubenssätze. Sie spürte Hillers Hände auf ihrem Leib und hörte ihn Dinge sagen, die sie erregten und die wahr sein mochten oder auch nicht...

... wie lange er auf diesen Augenblick gewartete hatte, dachte er, Monate, Jahre, seit sie zum ersten Mal das Studio betreten hatte, so jung und mit einer Grazie, die ihm das Blut zu Kopf hatte steigen lassen; und wie oft, in seinen Gedanken, er ihr die Kleider abgestreift und sie festgehalten hatte, nicht zu dicht, wenigstens nicht am Anfang, eher in Armeslänge, um seinem Auge die Chance zu geben, ihre Gestalt zu betrachten, und sie, Julia, danach erst zu nehmen, zart, sehr zart, wobei er sich zwingen würde zu warten, bis er spürte, daß sie seine Gefühle erwiderte –

»John – John...«

»Ja, Baby?«

»Glaubst du, daß da irgend etwas Anomales an mir ist?«

Er hielt sie, nicht mehr auf Armeslänge, sondern dicht an sich gepreßt, und nestelte an ihren Kleidern. »Wieso fragst du so etwas?«

Was sollte sie ihm sagen – da waren Arnolds Erklärungen, da war der ganze ideologische Teufelskreis, dazu Hirn, Nerven, Drüsen.

»Ich seh nichts Anomales an dir!« Er lachte. »Weder psychisch noch physisch.« Dann lehnte er sie gegen die Kissen der Couch, richtete die Beleuchtung aus und verkündete: »Eine sehr aufregende Kombination das – deine Fleischtöne gegen das Schwarz und das Rotbraun und das Chromfarbene. Einmal ein Architekt, immer ein Architekt, nicht?«

Der Raum begann langsam um sie zu kreisen. Sie schloß die Augen; die Ecken und Kanten, alles Konkrete in ihren Gedanken schien sich zu verlieren; ihre Spannung schwand.

Dann spürte sie ihn, zart, sehr zart, wie er versprochen hatte.

Seine Lippen spielten mit ihrem Ohr, ihren Wimpern, ihren Lippen; zwischen den Küssen flüsterte er von den Entdeckungen, die seine Fingerspitzen machten. Es war ein höchst genüßliches Spiel; keines der Finsternisse und blendenden Blitze, die sie gekannt hatte; es war, als wären sie lang schon vertraut miteinander; vielleicht, dachte sie, weil er alles bereits durchgeprobt hatte in seinem Kopf.

Das Telefon läutete.

Sie zuckte zusammen; ihr Herz schlug heftig. »Nur Ruhe«, sagte er. »Nur Ruhe, Baby.« Mit der Linken fuhr er fort, sie zu streicheln, während seine Rechte den Hörer abnahm. »Ach, du bist das, Waltraut!« sprach er in die Muschel. »So spät noch? … Du hast vorhin schon angerufen? … Wie bedauerlich« … Er hielt den Hörer an Julias Ohr. Waltrauts Stimme klang am Telefon noch nörgelnder als sonst. Julia war nicht imstande, dem Wortlaut zu folgen; gerade die Lächerlichkeit dieser Situation auf zwei Ebenen wandelte sich plötzlich in eine Begierde, die sie trieb, sich an Hiller zu klammern; sie bemerkte kaum, daß er ins Telefon hineinsagte: »Laß mich in Ruhe, zum Teufel«! und den Hörer auflegte; sie hielt sich fest an ihm, als ob er das Leben selber für sie wäre und Stärke und Liebe und die ganze Welt, und dann ließ sie sich zurücksinken, erschöpft und glücklich lächelnd.

So lag sie da, sie wußte nicht, wie lange, ihr Bewußtsein zu drei Vierteln abgeschaltet. John streichelte sie gedankenverloren, Licht und Schatten wechselten auf den Flächen seines Gesichts, seinen Schultern, seiner Brust. Sie blickte auf sein wirres dunkles Haar. So, jetzt bin ich eine Ehebrecherin, dachte sie, und begann mechanisch all die Regeln und politischen Normen sich aufzuzählen, gegen die sie verstieß; aber nichts davon drang wirklich unter die Oberfläche ihres Bewußtseins, und sie blieb weiter in innerem Frieden.

Bis sie das leise Knarren hörte und die tastenden Schritte, und in der Zimmertür, dunkel abgehoben außer dem beinahe leuchtenden Weiß seines Haars, die Silhouette Daniel Tiecks erkannte.

Er blieb stehen, schwankte ein wenig und murmelte eine Entschuldigung, bevor John Zeit gefunden hatte, eine Decke über Julia und sich zu breiten.

Dann verschwand er.

»Verdammt – ich muß vergessen haben, die Tür abzuschließen!« Hiller strich ihr zärtlich über die Haut, aber sie blieb reglos. »Tieck konnte gar nichts gesehen haben«, suchte er sie zu beruhigen. Sein Blick war glasig wie ein Kirchenfenster. »Aber sogar wenn – er wäre der letzte, der reden würde, versichere ich dir…«

Sie wandte sich von ihm ab.

»Was soll aus mir werden?« hörte er sie fragen, ihre Stimme dünn und fremdartig.

Er fühlte sich, als hätte er ihr Gewalt angetan.

KAPITEL 5

Als sie in Julians Zimmer saß und zusah, wie ihr Kind seinen Frühstücksbrei aß und seine Milch trank, schien es ihr unbegreiflich, daß ihre Welt aus den Fugen geraten sein sollte.

Dabei hatte es nicht einmal eine Szene gegeben. Arnold hatte bei ihrer Rückkehr nach Hause am Telefon gesessen. Er unterbrach, was immer er gesagt hatte, wandte sich ihr zu, in seiner Miene eine Mischung von Unruhe und der Erleichterung, die er nach ihrer Rückkehr zu verspüren schien, und wechselte, wie es sich anhörte, das Thema seines Gesprächs, mit wem auch immer er geredet haben mochte. »Das geht schon in Ordnung«, sagte er ins Telefon. »Ich komme zu der Zusammenkunft.«

Julia war auf eine Serie von Fragen vorbereitet gewesen, auf scharfen Tadel. Aber nichts derart folgte. Er sagte: »Wir haben auf dich gewartet, Julian und ich. Dann ist er auf meinem Schoß eingeschlafen.« Endlich, seine Augen rot vor Übermüdung, sagte er: »Die Parteibezirksleitung trifft sich heute morgen; Genosse Tolkening hat mich gebeten dabeizusein, wenigstens bei der Besprechung des einen Tagesordnungspunkts. Danach komme ich zurück nach Haus, sobald ich kann. Wirst du auf mich warten?«

Und hatte sich seinen Mantel gegriffen und war gegangen, aufrecht wie immer.

»Julia?«

»Ja, Liebling?«

»Wo ist Onkel Tieck?«

»In seinem Zimmer, nehme ich an – wahrscheinlich ruht er sich aus oder macht sich frisch. Vergiß nicht, dein Ei zu essen.«

Gehorsam rührte Julian mit seinem Löffel in seinem Eier-becher. »Onkel Tieck ist doch in Ordnung, nicht?«

»Aber ja.« Und nach einer Pause. »Wieso fragst du, Lieb-ling?«

Ein Schatten einer senkrechten Linie, nicht mehr, zeigte sich auf Julians Stirn; Nachdenklichkeit schien seinen Blick zu ver-dunkeln; auf einmal sah er unkindlich aus. »Papa hat gesagt, ich muß keine Angst haben. Onkel Tieck war mit dir zusammen in der Nacht.«

Sie nahm seine schmale Hand in die ihre. Sie wünschte, sie könnte alles, was geschehen war, vergessen, einfach indem sie ihre Augenlider schlösse.

»Julia?«

Sie spürte seine dünnen Arme, die sich um ihren Nacken leg-ten. Das Kind hatte zu weinen begonnen. In ihrem Kopf jagten die Gedanken einander: O Gott, was soll ich bloß machen?

»Aber ich bin doch bei dir, Liebling. Warum weinst du denn nur?«

»Ich dachte, du würdest fortgehen.«

»Aber wohin denn? Und ohne dich?«

»Ich weiß nicht. Ich hab eben gedacht, du hättest mich allein gelassen.«

»Dich allein lassen!« Sie fuhr ihm mit ihren Fingern durchs Haar, brachte es ihm durcheinander. »Liebe ich dich denn nicht am meisten von allen – mehr als alles andere in der Welt?«

»Mehr als Papa?« Ein letztes Schluchzen.

»Am meisten von allen Menschen.« Und dachte, ich ergebe mich. Ich ergebe mich Arnold. Ich ergebe mich ihm auf Gnade und Ungnade – wenn er mir nur das Kind läßt. Sie würde ihm alles gestehen – ihre Zweifel an seiner Arbeit, an der Großen Straße; ihre Befürchtungen, daß ihr Vater und ihre Mutter zu Unrecht hätten verhaftet und verschleppt worden sein können; ihr Gefühl, hilflos in einer Falle zu sitzen; und ihre Nacht mit John, die wie eine Reflexhandlung gewesen war, außerhalb jeder Kontrolle von Vernunft und Verstand.

»Papa hat mir Geschichten erzählt.«

»Was für Geschichten, Liebling?«

»Oh, von dem Bauern Nikolai und dem Pferd, das fliegen konnte, und von den drei Füchslein, und von der großen zerbrochenen Glocke im Kreml, und wie man ein Haus baut, und er würde mir beibringen, wie man Architekt wird, so daß ich auch Häuser bauen könnte, größere und schönere Häuser, als er je gebaut hat…«

Die Vorstellung, wie die beiden, Vater und Sohn, zusammengesessen und darauf gewartet hatten, daß sie nach Hause käme, bedrückte sie aufs neue. Sie wurde dadurch so schrecklich ins Unrecht gesetzt: die gewissenlose Ehefrau unterwegs mit ihrem Liebhaber, während Mann und Kind daheim saßen und sich um sie sorgten. Und doch war da etwas an dem Bild, das nicht stimmte – es war irgendwie konstruiert. Arnold war nicht ganz so arglos; das konnte er sich in Anbetracht seiner Stellung im öffentlichen Leben gar nicht leisten; auch hatte sie bis jetzt nie vermutet, daß er eigene heimliche Beweggründe haben könnte für seine Worte und sein Verhalten; sie hatte ihm und seiner Führung blind vertraut und bedingungslos an die Lauterkeit seiner Motive geglaubt…

Nein, sie versuchte keineswegs, Entschuldigungen zu finden für das, was sie getan hatte. Entschuldigungen gab es nicht, aber vielleicht Gründe.

»Das waren sehr schöne Geschichten, die dein Vater dir da erzählt hat«, sagte sie endlich. »Möchtest du wirklich auch Architekt werden?«

Julian lächelte, und seine Augen leuchteten. »Du bist doch selber Architektin, Julia!« sagte er.

Die Nacht mit ihren verwirrenden Ereignissen löste sich auf und verging; nur das Gesicht des Kindes blieb haften vor ihrem geistigen Auge, ihres Kindes, ihres einzig und allein.

Die Vorgänge während des Meetings berührten ihn kaum. In den kurzen Augenblicken, während er sich der anderen Teilnehmer bewußt war, meinte er, diese müßten seine geistige Abwesenheit spüren; dann bemühte er sich, den Reden und Gesten zu folgen, brachte es aber einfach nicht fertig; seine Gedanken kreisten immer um den gleichen Punkt, wie Krähen um ein Stück Aas.

»Sind Sie krank, Genosse Sundstrom?«

Er fuhr auf.

»Fühlen Sie sich unwohl?« Das war Tolkening, der ihn mit seinen zu eng stehenden Augen musterte. »Sie wissen, es ist mir lieber, wenn unsere führenden Kader sich nicht zu sehr überanstrengen. Ein kranker Revolutionär ist ein nutzloser Revolutionär.« Er unterbrach sich. Er war stolz auf seine Gescheitheiten und liebte es, seine Aussprüche auf den unteren Ebenen seines Apparats zitiert zu hören. »Vielleicht sollten Sie lieber nach Hause gehen, Genosse Sundstrom, und Ihre Grippe auskurieren.«

Sundstrom zog es vor, Tolkenings Diagnose nicht zu widersprechen. Sowieso kam er gut weg dabei. Er hatte genügend oft erlebt, wie andere Genossen von Genosse Tolkening zusammengestaucht wurden für weit weniger als eine momentane Unaufmerksamkeit; er murmelte etwas von fürchterlichen Kopfschmerzen, sein Schädel fühle sich, als sei er drauf und dran zu bersten, und schob seine Papiere zusammen und ging.

Er fuhr langsam; er fühlte sich unsicher am Steuer, wenn seine Gedanken immerzu wanderten. Unter der samtartigen Freundlichkeit, mit welcher Tolkening ihn entlassen hatte, ließ die Härte des Mannes sich spüren. Schlimmer noch, überlegte Sundstrom: daß er die Versammlung verlassen mußte, zwang ihn, die unerwünschten Antworten selber zu suchen auf die unerwünschten Fragen, die er überhaupt nicht hatte stellen wollen.

Warum dann aber überhaupt fragen? War der Horror der vergangenen Nacht nicht genug, die Minuten, die unter seinen Händen wegtickten, die halben Stunden, die Stunden? Mit jeder Stunde, die verging, hatte die Furcht in seinem Gehirn eine greifbarere Gestalt angenommen – und da war nichts, was er hätte unternehmen können, um abzuwehren, was er seit dem Besuch seines Freundes Krylenko und des unseligen Popow auf sich hatte zukommen sehen. Wirklich und wahrhaftig nicht? Er hätte Julia und den kleinen Julian warm anziehen und sie beide irgendwohin, ganz gleich, wo, schicken sollen, bevor Tieck eintraf; oder hätte die Straße aufgeben sollen, seine Arbeit, alles, und mit Frau und Kind flüchten sollen, wie ein vernünftiger Mensch vor einer Sturmflut flüchtet. Aber er war nicht vernünftig gewesen. Er hatte sich zu groß gefühlt für seine Hosen. Die letzte Nacht hatte ihm das beigebracht.

Und die letzte Nacht war nur ein Vorgeschmack gewesen der Hölle, die ihn erwartete. Seine Frau, die sich von ihm abwandte, war der Anfang; dann würden sie alle ihn verlassen, die Freunde, an deren Seite er zu Macht und Prominenz aufgestiegen war; sobald es hart auf hart ging, konnten sie sich gar nicht leisten, ihn zu stützen, obwohl, in dem oder jenem Sinn, sie selber ebenso schuldig waren wie er – oder vielleicht *gerade weil* es sich so verhielt.

Er bemühte sich gar nicht, den Wagen in die Garage zu stellen. Die Müdigkeit der ganzen Nacht holte ihn ein, während er sich über den Gartenweg zum Eingang seines Hauses schleppte. Sein Körper sehnte sich nach Schlaf; zugleich waren seine Nerven so gespannt, daß sie zu zittern schienen. Er brauchte einen Drink oder Kaffee oder eine von diesen Pillen.

Julia befand sich im Wohnzimmer, wo sie auf ihn wartete, ganz wie er sie gebeten hatte. Er murmelte seinen Gruß, schritt aber an ihr vorbei zu dem Wandschrank, in dem die Flaschen aufbewahrt wurden. Mit unsicherer Hand griff er nach dem Wodka und zitierte, mit einer Art Galgenhumor, einen deutschen Reim aus dem neunzehnten Jahrhundert:

> »Es ist ein Spruch von alters her,
> Wer Sorgen hat, hat auch Likör...«

Und fügte hinzu: »Drink?«
Julia schüttelte sich. »Nein, danke.«

Er trank einen Wodka, goß sich einen zweiten ein und ließ sich dann in seinen Lehnstuhl sinken.

Julia blickte auf das Muster des Teppichs. Es kann doch nicht so schwer sein, dachte sie; sprich einfach drauflos; in ein, zwei Sätzen, dreißig, höchstens sechzig Sekunden ist alles vorbei. »Ich muß mit dir reden«, begann sie, und brach ab, ihr Atem blieb ihr im Halse stecken.

Arnold blickte auf zu ihr, seine Lider schwer. Seine Mundwinkel verzogen sich. »Kannst du nicht auf den Gong warten?« fragte er. »Laß mich wenigstens herauskommen aus meiner Ecke…«

Sie beobachtete seine Hand, die mit dem Stiel seines Glases spielte; sein Gesicht sah abgeschlafft aus, fast schien es, als hinge seine Haut lose herab. Wenn er sie nur beschimpfen würde, wütend auf sie einschreien, drohen, sie zu schlagen – alles war besser als dieses schwere Schweigen.

»Ich kann nicht mit einer Lüge leben«, begann sie ein zweites Mal, gequält. »So hast du mich nicht erzogen.«

Er schüttelte den Kopf. »Einen Augenblick, bitte.«

Sie verstand. Er wollte die letzten Momente seiner Lebensillusion noch ein wenig verlängern, bevor er die brutalen Details einer Wahrheit zu hören bekam, die er bereits ahnte.

»Vielleicht habe ich dich zu streng erzogen«, sagte er und nickte. »Laß dein Wort sein: ja, ja; nein, nein… Aber so läuft es nicht im Leben. Julia – was immer auch zwischen uns gekommen sein mag, wir dürfen nicht vergessen, daß es im Leben Beweggründe geben kann, die jenseits der Kontrolle des einzelnen liegen, und daß wir mehr Getriebene sind als Treiber.«

»Wie lieb von dir«, sagte sie. »Du möchtest es mir leichter machen, sehe ich.«

»Und mir selber ebenso«, betonte er. »Und für mich.«

Hier ist meine Chance, dachte sie. Er hatte sie ihr gegeben; sie müßte nur zugreifen, ihm sagen, daß etwas außerhalb ihrer Kontrolle sie verführt habe – der Kognak, die Erschöpfung des Tages, ein emotionales Ungleichgewicht auf einmal, sein eigenes

Versagen; es gab Dutzende von Erklärungen für den plötzlichen Funken eines Kurzschlusses; sie brauchte nur einen davon auszuwählen, um eine Verteidigung für sich zu konstruieren. Aber wollte er das?

Sie erkannte die Müdigkeit in seinem Blick. Sie zögerte. Ein, zwei Sätze, dreißig Sekunden, höchstens sechzig – aber da war das Endgültige dabei. Wollte er *das*?

»Was hat Tieck dir erzählt?«

»Tieck?«

»Tieck!« sagte er. »Du warst doch den ganzen Nachmittag mit ihm zusammen. Und den Abend über auch. Und die Nacht. Du hättest ja auch anrufen können, nebenbei gesagt, wir haben ein Telefon. Ich hab dagesessen und auf das Telefon gestarrt, bis es vor meinen Augen verschwamm. Oder wo warst du denn?«

»Bei John… John Hiller«, korrigierte sie sich, da sie bemerkte, daß der Name ihm nichts zu sagen schien.

»Eine Party, was?«

»Eine Party, auf gewisse Art schon.« Sie spürte, daß ihre Knie ihr zu versagen drohten, und griff nach einem Stuhl. Das Geständnis, das sie ihm hatte machen wollen, schien zu einem Verhör zu werden – ihre eigene Schuld, alles war ihre Schuld.

»Aber was hat Tieck dir gesagt?«

»Worüber? Worüber denn? Das mußt du mir schon mitteilen.«

»Julia« – er beugte sich vor, der bittende Klang seiner Stimme war stärker als der Ton seiner Besorgnis –, »ich schätze es sehr, daß du meine Gefühle schonen möchtest. Aber du würdest sie besser schonen, wenn du aufhören würdest, die Frage zu umgehen. Warum sprichst du nicht offen darüber – um meinet-, um unser beider willen. Ich bin überzeugt, daß du und ich gemeinsam eine gültige Antwort finden werden. Wir haben einander doch geliebt und lieben uns noch, da bin ich sicher…«

Seine Fingerspitzen gruben sich in seine Kopfhaut; sein Gesicht wurde von einem inneren Schmerz verzerrt. Sie geben einem Menschen eine Narkose, bevor sie ihn operieren, dachte Julia; warum gab es keine Narkose für diese Art Operation?

»John Hiller«, sagte sie. »John und ich...«

»Hör bitte auf, mir auszuweichen!«

»Aber ich weiche dir doch nicht aus!«

Er stand auf. Sein Glas, leer jetzt, klirrte zu Boden. »Ich bin nicht interessiert an John Hiller und seinen schlauen Redensarten. Alles, was ich von ihm wissen möchte, werde ich mir von ihm selber verschaffen. Aber was hat Tieck gesagt? Du wirst doch nicht behaupten wollen, daß du Stunden mit dem Mann verbracht hast und daß er geschwiegen hat wie ein trappistischer Mönch! Wovon habt ihr also gesprochen?«

»Architektur.« Sie sagte das automatisch und lachte ebenso automatisch; sie hatte mit all ihrer Kraft versucht, die Tür, die ihr den Weg versperrte, aufzubrechen, und hatte feststellen müssen, daß diese Tür ins Leere führte.

»Architektur? Nur Architektur?«

»Es ist ein genügend weites Feld...« Julia spürte, wie ihre Gesichtszüge sich verhärteten. Ein Trotz, der neu für sie war, schien ihre Reue und sämtliche anderen Gefühle gefrieren zu lassen.

»Und wegen irgendwelcher Sprüche von Tieck über Architektur hast du vergessen, wohin du gehörst? Vergessen sogar zu telefonieren?«

»Nein.« Julia klang jetzt eher mürrisch. »Nicht ganz.«

»Ah, siehst du!«

Sundstrom lehnte sich zurück. Allmählich drang er vor zur Wahrheit, dachte er, auch wenn sie sein Schicksal bedeutete. Aber besser, die Wahrheit zu kennen und Maßnahmen ergreifen zu können, als weiter in Unsicherheit zu leben. Was er da vor sich hatte war eine Gleichung mit zwei Unbekannten: Wieviel wußte Tieck, und wieviel von dem, was er wußte, hatte er Julia berichtet? Von diesen beiden Unbekannten schien die zweite leichter zu berechnen. Obwohl Julia sich ihm zu verschließen suchte, konnte sie nicht immer und ewig Versteck spielen – da war er viel zu erfahren im Umgang mit Menschen, und er kannte jeden ihrer Gedanken.

»Aber Architektur war die Grundlage unsres Gesprächs«, fuhr sie endlich mit ihrer Verteidigung fort.

»Also dann erzähl mir«, schlug er vor und dachte, wenn das die Linie ist, der du folgen möchtest, gut, bitte sehr.

»Ich werd dir erzählen.« Sie zitterte ein wenig und bemerkte, daß sie in Schweiß gebadet war. »Alles erzählen.«

»Ich wünschte, genau das würdest du tun.«

»Aber du mußt versprechen«, ihre Unterlippe bebte; einen Augenblick lang war der trotzige Ausdruck, der sich auf ihrem Gesicht gezeigt hatte, verschwunden; sie erschien fast bußfertig.

Für ihn aber überwog die Tatsache, daß sie immer noch Bedingungen stellte, alles andere; sie hatte die Oberhand und nutzte sie. »Was muß ich dir versprechen?« fragte er müde.

»Daß ich Julian behalten darf.«

Er schien aufstehen zu wollen. Er müßte sie, dachte er, bei den Schultern packen und sie schütteln; schütteln, bis ihr letztes Stück Eigenwille aus ihr herausgeschüttelt war und sie schlaff war wie eine Stoffpuppe und keine Bedrohung mehr für ihn darstellte. Aber er hatte die Kraft nicht, sich zu erheben. Er saß da, Panik lähmte seine Glieder, und starrte vor sich hin. Sie wollte das Kind behalten. Sie wollte sich von ihm scheiden lassen. Also wußte sie.

»Tieck hat gelogen«, sagte er schließlich, ein schwächlicher Versuch, etwas aus den Trümmern zu retten.

Julia begriff nicht, weshalb er dauernd gegen Tieck sprach. Aber sie sah, wie er sich fühlte; etwas war da, was er nicht ertrug; und Erinnerungen stellten sich ein an die Momente seiner Zärtlichkeit – Zärtlichkeit gegenüber dem Kind Julia und später gegenüber der Frau Julia. Was hatte sie veranlaßt, sich in Johns Arme zu stürzen letzte Nacht? Enttäuschung? Unsicherheit? Ihre Sinne? Und würde sie es fertigbringen, ein nächstes Mal der Versuchung zu widerstehen, wenn sie jetzt, um des

Mannes willen, der zusammengekauert vor ihr hockte, sich für eine neue Lüge entschied?

»Also gut«, sagte er, »ich versprech's dir.« Sein Auge wachsam, bewegte er seinen Kopf von Seite zu Seite wie ein verwundeter Löwe, der die Geruchsspur seines Jägers aufzunehmen suchte. Die wenigen Sekunden Zögerns auf seiten Julias hatten genügt, ihm einen Teil seiner Spannkraft zurückzugeben; laß uns erst einmal näher hinschauen, dachte er, und dann entscheiden; du bist schon in schwierigeren Situationen gewesen, Arnold Sundstrom; Ethik, oder deren Mangel, hat noch keinen Mann umgebracht.

»Du versprichst also, daß du mir Julian lassen wirst, ganz gleich, was ich dir sage?«

»Jawohl«, nickte er.

Julia holte tief Atem. Dann schloß sie ihre Augen, als sei sie drauf und dran, von einem Tauchbrett ins Wasser zu springen, und sagte: »Es ist nämlich, daß ich zu zweifeln begonnen habe.«

»An was zu zweifeln?«

»Der Straße des Weltfriedens. An allem, was wir getan und gebaut haben...«

In gewisser Weise tat es Julia gut, Schritt um Schritt die Stationen des Wegs aufzuzählen, die sie zu den Erniedrigungen der vergangenen Nacht geführt hatten. Nur so konnte sie erkennen, daß ihre Zweifel viel weiter zurückgingen, als sie angenommen hatte – weiter als jener Empfangsabend für die sowjetische Delegation, bis hin zu den ersten Gelegenheiten, als sie den Unterschied zwischen den edlen Losungen und der wirklichen Leistung festgestellt hatte, zwischen Entwurf und Zweck, Kosten und Errungenschaft.

Diese Prozesse, fand sie jetzt, beginnen unmerklich, ein geringfügiges Glied, das sich dem nächsten anfügte, bis man eine kurze Kette in der Hand hielt, aber doch lang genug, um sich zu einem Fragezeichen zu krümmen. Doch selbst dann ließ sich die Frage in der eigenen Brust noch unterdrücken und genügend Lärm produzieren, um andere, die derart Fragen gleichfalls aufwarfen, zum Schweigen zu bringen. Am Ende jedoch kam die Antwort dennoch zum Vorschein, reduziert auf ein einziges Wort: Heuchler! Und dann saß man da, konfrontiert mit dem Scherbenhaufen seiner Welt – einer Zeichnung in einem alten Nazi-Buch, zum Beispiel, oder den vergoldeten Tannenzapfen an einem gußeisernen Gitter.

Nein, nein, nein, das ist doch nicht das Ende; man gibt nicht in Minuten die Glaubenssätze auf, die man über Jahre hinweg erworben hat durch gleiche Erfahrungen, gemeinsame Bindungen und Vertrauen, aus Liebe erwachsen. Das Problem liegt immer noch offen, alles hängt im Gleichgewicht; aber die Zweifel beginnen doch immer schwerer zu wiegen; und man begibt sich auf die Suche nach dem Orakel. Unter gewöhnlichen Umständen wäre ihr Orakel Arnold gewesen, breite Brust, an der man sich geborgen fühlen konnte, starke Hände, die einen führen konnten. Aber in diesem Fall war er selber Partei, und die Zweifel, die ihre Glaubenssätze zerfraßen, zerfraßen zugleich sein Bild. Daher hieß das Orakel jetzt Daniel Tieck – vorbestimmt durch parallele Erfahrungen und lange Freundschaft, seinen Orakelspruch zu fällen… »Vielleicht sind meine Gedankenbahnen kindisch«, schloß sie, »aber so laufen sie eben.«

»Orakel!« spottete er. »Da hast du dir den richtigen Mann ausgesucht.«

»Ist er das nicht?«

Eine ärgerliche Handbewegung. »Ein Architekt, der sechzehn Jahre lang nicht einmal ein Pissoir gebaut hat, ein Mann, der so lange vom Leben ausgeschlossen war, wird zwangsweise voller Ressentiments sein. Was also hat er gesagt? – Und faß dich kurz, die Schlußfolgerung bitte.«

»Er hat unsere Straße des Weltfriedens als Heuchelei in Stein bezeichnet. Und später hat er gesagt, du wärst imstande, Besseres als das zu bauen.«

»Und du glaubst ihm?«

»Ich muß ihm wohl geglaubt haben – gestern wenigstens.«

Gestern hatte sie das Makabre an den falschen Fronten erkannt, an den angepappten Kapitälchen und Simsen, an den Balkons, die keiner betreten, dem ganzen Pomp, den keiner benutzen konnte; gestern war sie in John Hillers Bett geflohen.

»Und heute?«

»Arnold« – ihre Zunge fühlte sich trocken an wie ein verwelktes Blatt –, »wie erklärst du die beängstigende Ähnlichkeit zwischen der Straße, die du und ich gebaut haben, zu dem Charlottenburger-Chaussee-Projekt der Nazis?«

Gott, dachte er, da hat sie wahrhaft einen langen Umweg genommen, um den Punkt zu erreichen, auf den er gewartet hatte. Oder war es in ihrem Kopf alles dasselbe – die Architektur und die Verhaftungen, Kunstformen und Regierungsformen –, und wollte sie, auf ihre Weise, das ganze große Bild aufrollen von der Hölle, durch welche Menschen sich hatten schleppen müssen, nur um zu überleben?

»Du warst es doch«, sagte sie, »der mir beigebracht hat, die Verbindungen zwischen Inhalt und Form zu erkennen. Was ist es denn eigentlich in unserer Lebensweise und der der Nazis, das beinahe gleichartige Ausdrucksformen in Stein und Mörtel erzeugt?«

Das war schändlich, Häresie der schlimmsten Art. Sie hatte sich innerhalb einer kurzen Zeit eine lange Strecke von ihm entfernt, und er hatte es nicht einmal bemerkt, so sehr waren seine Gedanken mit seinen eigenen Problemen beschäftigt gewesen. Und es hatte auch eine lächerliche Seite – sich in eine höchst akademische Diskussion über die sozialen Ursprünge architektonischer Formen verwickeln zu lassen, während all sein Denken und Empfinden um einen einzigen, für ihn lebenswichtigen Punkt kreisten: Wußte sie oder wußte sie nicht Bescheid über das wirkliche Wie und Warum des Endes ihrer Eltern?

»Wieso sollen die Parallelen, von denen du sprichst, so wichtig sein, Julia?« fragte er. »Was soll es uns nützen, selbst wenn wir eine gültige Antwort fänden? Und warum gestehst du mir nicht endlich, ohne immer wieder auszuweichen, was Tieck dir so Erschütterndes gesagt hat, daß du dich die ganze Nacht von mir ferngehalten hast?«

»Aber alles geht doch davon aus!« Sie tat einen Schritt auf ihn zu, zwei Schritte, und hielt dann inne, ihre Hände ihm bittend hingestreckt. »Warum willst du nicht verstehen?«

»Wovon geht alles aus?«

»Architektur«, sagte sie. »Die Ethik der Architektur.«

Er rieb sein Kinn. Ich hab vergessen, mich zu rasieren, dachte er; ich bin in schlechter Verfassung; und vielleicht weil ich Gespenster sehe, wo es gar keine gibt. Architektur, ihre Formen, ihr Inhalt, gut und schön; das war ihr Leben oder wenigstens ein Teil davon; aber würde sie ständig darauf zurückkommen, wenn sie auch nur ahnte, was ihn umtrieb und sein Herz belastete?

»Diese Ähnlichkeiten, die dich so zu stören scheinen, sind doch nur oberflächlich«, nahm er das Gespräch wieder auf. »Wo sie sich überhaupt feststellen lassen, sind sie das Resultat des Geschmacks der Bauherren.«

»Der Bauherren? Welcher Bauherren?«

Die Schwäche in seinen Gliedmaßen schien sich zu geben; fast fühlte er sich schon wieder wie sein früheres Selbst. Wenn das ganze Theater, das sie veranstaltete, nur ein Fall sozialistisch-realistischer Depression war, sah er keinen Grund, eine unhaltbare Fiktion aufrechtzuerhalten, nur um ihre Gefühle zu schonen. »Ist dir denn nie aufgefallen, daß der Architekt gar nicht der Chef ist? Ein Dichter braucht nur einen Bogen Papier, ein Maler ein Stück Leinwand, der Musiker ein Klavier, oder wenn's hoch kommt ein Orchester – der Architekt aber, wenn er seine Ideen verwirklichen will, muß eine Organisation haben: Arbeiter, Land, Materialien, Maschinerie. Diese Organisation kostet wiederum Geld, viel Geld – hast du das Geld? Oder ich?«

Sie hatte ihn nie auf diese Weise sprechen hören. Die Einheit zwischen Künstler und Volk, im Sozialismus, war seine ständige Rede gewesen.

»Sie wollen Türme, Genosse Tolkening?« fragte er, seine Stimme sich steigernd. »Ich stelle Ihnen Türme hin. Die Behörden möchten, daß die Straße des Weltfriedens wie eine Kreuzung zwischen der Kremlmauer und dem Parthenon aussieht, mit ein paar Barockelementen dazu? Ich baue es Ihnen nach Ihren Wünschen...«

Er wartete, daß sie etwas sagte; aber sie schien keine Worte zu finden, ihre Lippen zusammengepreßt, ihre Augen groß vor Kummer. »Und du machst mir Vorwürfe!« sagte er wütend. Die Frustration seiner Jahre brach durch. »Warum untersuchst du nicht, wie ein Marxist es tun sollte, die Ursachen des schlechten Geschmacks unserer Bauherren? Schau dir das Leben an, das diese Menschen geführt haben, die Begrenzungen ihres Denkens, die Macht, die ihnen plötzlich in die Hände gefallen ist; stelle bitte fest, was ihren Sinn für Schönheit geformt hat, wenn sie überhaupt einen besitzen, und ihre Träume von dem Denkmal, das sie sich selber errichten möchten – und dann wirst du hoffentlich erkennen, daß die Straße des Weltfriedens noch erheblich schlimmer hätte ausfallen können, als sie geworden ist!«

»Aber das ist doch – das ist...«

»Zynismus?« Er erhob sich und trat auf sie zu, fast drohend. »Vor langer Zeit habe auch ich angenommen, daß im Sozialismus die Ketten gebrochen wären, die den Architekten zwangen, Pyramiden zu bauen. Dann wurde mir klar, daß man nicht beides zugleich tun konnte, bauen, wie man bauen sollte, und essen, seinen architektonischen Überzeugungen folgen und leben... Oder hätte ich meine Städte aus Ton modellieren sollen, auf einem hölzernen Untersatz, in einem sibirischen Straflager?«

»Aber warum hast du *mir* diese Illusionen eingeredet? Warum nicht die Wahrheit gesagt?«

»Das hast du von deinem Orakel gehört, deinem Tieck, richtig? *Heuchelei in Stein*...! Und was hat er dir noch erzählt, über sich selber, über dich... Und über mich?«

Sie stand da inmitten der Trümmer ihrer Welt, mit hängenden Schultern, den Kopf gesenkt. Alles war Lüge gewesen; er hatte es bestätigt, nachdem er mit den Tatsachen konfrontiert worden war; er selber hatte ihr die Rechtfertigung für ihre Eskapade mit

John Hiller geliefert; die Heuchelei in Stein war nur eine Heuchelei gewesen unter vielen. Und was blieb dann noch, an das man glauben konnte?

»Nun?«

Sie blickte ihn an, verständnislos.

»Hör auf, mir vorzuspielen, Julia! Hat er dir nicht über seine ungerechte Verhaftung gesprochen, seine Unschuld beschworen, über seine Jahre im Lager gejammert ...?«

»Hätte er das tun sollen?«

»Hat er, oder hat er nicht?«

»Nein.«

»Jetzt hör mir bitte zu, Julia. Ich mag dir über Fragen der Architektur Unwahrheiten erzählt haben und über Dinge, die damit auf die eine oder andere Art zusammenhängen. Aber ich schwöre dir: Meine Unwahrheiten ergaben sich aus meiner Liebe zu dir, sollten dich beschützen und dir helfen, der wunderbare Mensch zu werden, der du bist, der Kern und das Innerste meines Lebens. Und jetzt, da ich dir von meiner Seite alles eingestanden habe, willst du mir nicht auch sagen, was wirklich gewesen ist – um unserer gemeinsamen Sache willen, um etwas jenseits aller Lügen und Falschheiten willen, etwas, das immer wahr gewesen ist und wahr bleiben wird ...«

Er brach ab. Er hatte gar nicht gewußt, daß er immer noch diese innere Kraft in sich hatte, diese Beredtsamkeit, die ihm aus dem Herzen kam; aber er spürte die Wirkung seiner Worte: Julias Gesichtsausdruck war weich geworden, und die Augen, die er so liebte, schienen zu ihm aus ihrer Tiefe zu sprechen.

»John Hiller ...« begann sie.

»Mein Gott!« Er packte ihr Handgelenk. »Halt dich doch an die Hauptsache, ich bitte dich!«

Es war, als hätte ein Vorhang sich zwischen sie beide gesenkt.

»Tieck!« forderte er sie auf. »Was hat Tieck dir gesagt?«

»Warum fragst du ihn nicht?«

»Weil du meine Frau bist und ich dich frage.«

»Tieck war betrunken.«

»Betrunken…« Sundstrom biß sich auf die Lippen. Betrunkene sagten vielerlei.

»Bitte, laß mein Handgelenk los, Arnold. Du tust mir weh.«

»Entschuldige.« Er lockerte seinen Griff. »Hat er irgendwelche Namen genannt?«

»Er hat alles mögliche vor sich hin geredet. Ich konnte ihm nicht folgen, und ich habe auch nicht gründlich zugehört. Arnold – was fürchtest du denn, was er sagen könnte?«

»Fürchten? Ich fürchte gar nichts. Merk dir das – ganz und gar nichts.«

»Ja, Arnold.«

Ihre Antwort war zu rasch gekommen. Er suchte nach einer Zigarette, zündete sie an. »Es gab eine Zeit, Julia, da Furcht einem im Nacken saß wie ein Gespenst.« Er zögerte, aber sein Bedürfnis, wenigstens einen Teil seines Innern zu erklären, war stärker als die Stimme, die ihn warnte, um Gottes willen seinen Mund zu halten. Und ein gewisser Grad von Offenheit mochte ihm sogar helfen, mochte den betrunkenen Reden Tiecks entgegenwirken. »Das war die Zeit, als unser Freund Tieck sich selber in Schwierigkeiten brachte, wie eine Anzahl anderer Leute es auch taten.« Seine Augen suchten Julias. »Ja, darunter auch dein Vater und deine Mutter.«

Sie müßte jetzt sprechen, dachte sie, etwas sagen, nachfragen. Aber sie schwieg. Sie wich ein oder zwei Schritte zurück, aber blickte ihn weiter an, als wäre er ein Insekt unter Glas. Er hatte das Gefühl, daß die Kontrolle der Situation ihm entglitt; in der Tat hatten ihrer beider Positionen sich bereits vertauscht, sie war der Fragesteller und er der Prüfling.

»Du kannst nicht behaupten, ich hätte das vor dir geheimgehalten« – sein Ton wurde schrill –, »das habe ich nicht. Furcht…!« Er sog an seiner Zigarette, hustete, zwang sich zu einer Ruhe, von der er wußte, daß sie ihn seine letzten Nerven kosten würde. »Aber man lernt. Es ist ein enger Pfad, Julia, der nach oben führt; du mußt wissen, wohin du trittst, und dein Fuß muß sicher sein. Verstehst du?«

Julia preßte ihre Handflächen gegen den Kopf, als ob die Adern unter ihren Schläfen platzen wollten. Sie sah sich auf dem noch offenen sechsten Geschoß stehen, die Straße des Weltfriedens schwankte unter ihr; und wieder war sie in der schrecklichen Logik der Dinge gefangen: Wenn ein Teil des großen, lebenspendenden, zukunftsträchtigen Gedankensystems Fehler enthielt, dann mochten andere Teile ebenso fehlerhaft sein; wenn sozialistische Architektur, wie sie gelehrt und praktiziert wurde, ein Betrug war, dann könnte auch die sozialistische Justiz falsch angewandt worden sein.

»Willst du tatsächlich behaupten, Arnold, daß mein Vater und meine Mutter« – ihre Hände sanken herab; ihr geschminkter Mund wirkte zu rot und zu groß in ihrem blaß gewordenen Gesicht –, »aber das wäre ja Mord!«

»Ich habe überhaupt nichts behauptet!« Die Zigarette war seinen Fingern entfallen; ein Kreis, dunkelbraun auf dem cremefarbenen Teppich, wuchs langsam um das noch brennende Ende herum. »Aber ich würde gern wissen, ob Tieck etwas der Art erwähnt hat.«

»Er hat nichts davon gesagt, das schwör ich dir. Es ist alles nur in meinem Kopf.«

»Wirklich?«

Er wollte ihr glauben, aus ganzem Herzen. Aber selbst wenn Tieck, dieses eine Mal, nichts gesagt hatte, was würde er ihr morgen erzählen oder übermorgen?

»Wenn es alles nur in deiner Einbildung ist, vergiß es«, sagte er rauh. »Die ganze Idee ist verrückt, krankhaft – und das ist noch die mildeste Art, sie zu beschreiben. Oder willst du, die doch im Sozialismus aufgewachsen ist, dich hinstellen und erklären, daß die Polizei eines sozialistischen Staates und seine Richter und wir alle, die diese Institutionen toleriert und unterstützt haben, uns einer Verschwörung schuldig gemacht haben, unschuldige Menschen umzubringen?«

So wie er es ausdrückte, war es in der Tat unvorstellbar. Julia schüttelte den Kopf.

»Verdammt, der Teppich!« rief er aus. Und stöhnte, als er sich niederbeugte, um die immer noch glimmende Zigarette aufzuheben. »Wir werden ihn zum Stopfen geben müssen.«

»Ja«, sagte sie, »ich kümmere mich darum«, und dachte, als hätte sich nichts in ihrem Leben verändert, ich darf das um Gottes willen nicht vergessen, und erwiderte geistesabwesend »Herein!« auf das Klopfen an der Tür.

Aber es war nicht Frau Sommer, die die Rückkehr zur Alltagsroutine bedeutet hätte, indem sie fragte, was sie zu Mittag servieren solle. Es war Tieck, in Hut und Mantel, und seine Schulter schief unter dem Gewicht seines tuchumhüllten alten Koffers.

»Herein!« sprach Sundstrom seiner Frau nach. Sein joviales »Wo glaubst du denn, daß du hingehen wirst?« konnte jedoch seinen erneuten Panikanfall nicht ganz verdecken.

Tieck stellte seinen Koffer ab, nahm seinen Hut vom Kopf, fuhr mit seinem Handrücken über seine Stirn und trat ein, ein wenig verschüchtert. »Ich habe ein Zimmer gemietet«, erklärte er dem Ehepaar Sundstrom. »Ich habe mich in den letzten Tagen nach einem umgesehen.«

»Warum diese Überraschungen?« Arnold Sundstrom blickte mißtrauisch von ihm zu Julia und wieder hin zu Tieck. »Wie kommst du auf den Gedanken, du könntest dein Willkommen bei uns überzogen haben? Vergiß das Zimmer. Bleib bei uns, ich bitte dich – solange du willst! Richtig, Julia?«

Julia hielt ihren Blick weiter auf das Loch gerichtet, das die Zigarette in den Teppich gebrannt hatte.

»Ich weiß, ich bin willkommen hier«, sagte Tieck, »aber es ist einfach Zeit, daß ich, nach sechzehn Jahren Wurzellosigkeit, mir einen eigenen Platz suche. Nebenbei, Arnold, wirst du mich sowieso nicht so leicht loswerden« – ein dünnes Lächeln untermalte seine halb scherzhafte Bemerkung –, »denn ich würde doch sehr gern mit dir arbeiten. Gestern hat Julia mich gefragt, ob ich das tun würde. Und du hast auch von der Nische für mich gesprochen…«

Arnold Sundstrom schluckte. Dann aber zwang er sich, beide Hände auszustrecken und die paar Schritte auf Tieck zuzugehen. »Daniel«, sagte er und brachte es fertig, seiner Stimme einen tiefen, herzlich klingenden Ton zu geben, »alter Freund und Genosse – ich hatte gehofft, daß du zu dem Entschluß kommen würdest, nachdem du die Straße des Weltfriedens in all ihren Aspekten gesehen hattest. Natürlich kenne ich die Mängel, die die Straße aufweist, so gut wie du…« Er wandte sich Julia zu. »Wir waren gerade dabei, als du hereinkamst, über diese Dinge zu sprechen, nicht?« Und wieder zu Tieck. »Aber das sind eben die Zeichen einer Übergangsperiode.«

»Klar«, sagte Tieck. »Kann ich ein Taxi rufen?«

»Du bestehst also darauf, in dieses Zimmer zu ziehen?«

»Bitte…«

»Dann gestatte mir, dich hinzufahren.« Sundstrom lachte und schlug Tieck auf die Schulter. »Siehst du, mich wirst du auch nicht so leicht los!«

KAPITEL 6

Edgar Wukowitsch geriet stets in üble Laune, wenn er einen Mitmenschen leiden sah. Und Waltraut Greve litt mit Hingebung; sie warf sich auf seine Couch und begrub ihr Gesicht in den Kissen.

»Ich kann dich nicht hören«, sagte er.

Sie wandte ihren Kopf zur Seite. Ihre Augen waren geschwollen und gerötet, ihr Lippenstift verschmiert. »Du willst mich nicht hören«, schluchzte sie. »Ich habe keine Freunde.«

»Wenn du nicht in meine Kissen hineinreden würdest…«, schlug er vor.

»Hiller ist ein Biest, ein ekelhaftes.«

»Du übertreibst«, sagte Wukowitsch in halbherziger Verteidigung seines Freundes. »Er ist nur schwach und vielleicht ein bißchen prinzipienlos.«

»Ich verstehe«, sagte sie mit einem schwachen Lächeln. »Die große Freundschaft. Pylades, der seinen Freund Orest deckt. Gut und schön, ich habe keinen Anspruch auf ihn, weder hat er mir etwas versprochen, noch hat er mich entjungfert, das kann ich dir versichern. Aber seine Karriere zu machen über die Ehefrau seines Chefs…«

Waltraut warf sich herum und kam auf ihrem Rücken zu liegen, ein Knie angehoben. »Es ekelt mich absolut an, den armen alten Hahnrei krähen zu hören: John Hiller dies und John Hiller das! Man sollte den ganzen Fall der Partei berichten. Die Partei ist interessiert an der Moral ihrer Mitglieder!«

Edgar Wukowitsch betrachtete den nackten Streifen Haut über dem oberen Rand ihres Strumpfes. Sie mochte, aus reiner

Eifersucht, durchaus über John und sein Verhältnis zu Julia plappern. Er stöhnte. Weiber!

»Edgar«, sagte sie, »komm bitte zu mir.«

Er erhob sich von seinem Stuhl, steckte seine Zigarette in den Schnabel einer Messingente, die über einem Messingaschenbecher brütete, und setzte sich auf den Rand der Couch. Sie zog ihn herab zu sich, streichelte seinen Nacken und küßte seinen Mund, und er spürte die rauhe, kalte Haut ihrer Fingerspitzen und die Gier ihrer dünnen Lippen, und allmählich wurde er wütend auf John Hiller, der diese neue Komplikation geschaffen hatte.

Schließlich ließ sie von ihm ab. Ihr Kopf bewegungslos auf dem Kissen, starrte sie auf einen Fleck an der Zimmerdecke und sagte: »Ihr seid alle gleich. Alle Männer.«

Wukowitsch zog sein Taschentuch heraus und tupfte die Spuren ihres Lippenstifts von seinem Mund. »Tiere«, sagte er.

»Tiere«, bestätigte Waltraut.

Wukowitsch wünschte, er würde sich auch nur ein wenig tierisch fühlen; sie war sehr sinnlich im Bett, soviel wußte er von John Hiller. Aber er bekam den ganzen Jammer der Situation nicht aus seinem Sinn: unbefriedigt, ewig nach Sicherheit suchend, wie sie war – warum konnte sie sich nicht einen anderen aussuchen für ihre Bedürfnisse!

»Du liebst ihn doch gar nicht wirklich, Waltraut.« Wukowitsch hoffte, daß seine nüchternen Worte die Dinge auf nüchterne Proportionen zurückführen würden.

»Ihn lieben?« Selbst Waltrauts betont lautes Gelächter hatte einen nörgelnden Ton. »Wie kann einer ihn lieben. Er hat doch nichts weiter als seinen Du-weißt-Schon. Alles übrige bei ihm ist Berechnung, Getue.«

»Nun, wenn das der Fall ist«, Wukowitschs kroatischer Akzent wurde stärker, »dann wirst du deine Enttäuschung wohl überwinden.«

Sie strich ihm übers Haar. Wukowitsch nahm seine Zigarette aus dem Entenschnabel. Die Zigarette war ausgegangen, und er zündete sich eine neue an. Aber Waltraut ließ nicht locker. Sie wollte ihren Kummer behalten und einen echten Schmerz daraus machen, und würde sich nur davon ablenken lassen, wenn er mit ihr ins Bett ging. Er war jedoch nicht in Stimmung dafür. Er dachte an John Hiller und Julia Sundstrom und die Verwicklungen, die diese Geschichte noch für ihn bringen mochte, und verfluchte Hiller im stillen und dessen Sie-wissen-schon-Was.

Waltraut richtete sich auf, öffnete ihre Handtasche und betrachtete ihr Gesicht in dem kleinen Spiegel darin. Angewidert verzog sie ihr Gesicht und fand nach längerer Suche in der Handtasche ein Papiertuch. Aber bevor sie ihren Lippenstift abwischen konnte, begann ihre Hand zu zittern, ihr ganzer Körper bebte, und ihre Handtasche fiel zu Boden.

»Waltraut!« Er packte ihre Schultern, um sie zu stützen. »Willst du etwas trinken? Ich werde uns einen Kaffee...«

»Laß mich bloß in Ruhe.« Der nörgelnde Ton war aus ihrer Stimme verschwunden; sie klang nun eher, als sei irgend etwas in ihr zerbrochen. »Ich möchte nach Hause.«

»In dieser Verfassung kann ich dich nicht nach Hause fahren lassen.« Er half ihr aufzustehen; er war froh, daß sie sich entschlossen hatte zu gehen; es ersparte ihm eine Menge Mühe. »Bleib wenigstens noch eine Weile, ja? Wenigstens bis du dich wieder unter Kontrolle hast.«

»Das meinst du doch nicht im Ernst. Im übrigen ziehe ich es vor, meine Nervenzusammenbrüche privat zu haben.«

Wukowitsch seufzte. Dann aber bedachte er, daß sie ihm ewig anhängen würde, wenn er sie bäte zu bleiben, und daß seine Mildtätigkeit den gegenteiligen Effekt haben und sie in erneute Hysterie stürzen mochte; und dann war es sowieso zu spät, irgend etwas zu unternehmen.

Sie hatte sich ihren Mantel über die Schultern geworfen und war gegangen.

»Würdest du etwas dagegen haben, mir zu sagen, warum du ausgerechnet Waltraut von der Sache erzählen mußtest?« fragte Wukowitsch.

John Hiller legte seinen Ellbogen über die Rücklehne des Stuhls, auf dem er saß, und blickte träumerisch auf Wukowitschs Kopf mit den dunklen kurzen Locken. »Und warum hast *du* dich nicht um ihre Bedürfnisse gekümmert?« erwiderte er boshaft. »Für sie war es entweder du oder ich; und ich bin nicht so sicher, ob sie nicht auch dich schon ein- oder zweimal vernascht hat so ganz nebenbei.«

»Hat sie nicht, das versichere ich dir – aber das ist gar nicht das Problem.« Wukowitschs Stimmung verdüsterte sich noch mehr. »Ich dachte, ich hätte dir schon mitgeteilt, daß Waltraut gedroht hat, die ganze Angelegenheit vor die Partei zu bringen. Ein Fall, bei dem es sich um die Moral des Nachwuchsarchitekten Genossen John Friedrich Hiller und die der hübschen jungen Frau des Genossen Professor Arnold Sundstrom handelt – wie herrlich! Um Julias willen wenigstens hatte ich gehofft, du würdest deinen Mund gehalten haben.«

»Es gab keinen anderen Weg, Waltraut loszuwerden.«

»Außer durch deine Großmäuligkeit?«

Hiller schob seinen Stuhl zurück, trat dicht vor seinen Freund hin und packte ihn bei den Rockaufschlägen. »Schau mich mal gut an, Kollege Wukowitsch!«

Wukowitsch reagierte nicht.

»Was siehst du?«

Wukowitsch zuckte die Schultern.

»Du siehst vor dir einen neuen Menschen. Ich liebe, wenn ein Kerl wie du überhaupt fähig ist, sich ein Gefühl der Art vorzustellen. Für Julia könnte ich betteln, stehlen, sogar töten – könnte ich jede Art von Opfer bringen! Ich könnte mir das Herz aus dem Leibe reißen und es ihr auf einem Tablett servieren: Bitte, nimm es! Ich könnte… Warum schüttelst du den Kopf? Weil Emotionen in dieser Zeit, in diesem Lande nicht gesellschaftsfähig sind? Weil all dies Romantik ist und überhaupt nicht zu mir paßt? Aber ich bin nur noch die Hülle meines alten Selbst. Wir sind so blasiert, so scheußlich nüchtern geworden. Wir gestatten uns Gefühle zu zeigen nur noch, wenn wir ein

Tonband abspielen, das wir vom Westrundfunk gestohlen haben und unsere Leiber sich in verzücktem Rock and Roll verdrehen. Ich sage dir, ich fühle mich stark genug, Sundstrom herauszufordern – und ich meine, nicht nur als Mann. Ich könnte…!«

»Wenn du soviel für deine Geliebte tun kannst, könntest du nicht versucht haben, ihr die Schwierigkeiten zu ersparen, in die du zusammen mit ihr hineinsteuerst?«

Hiller runzelte seine Brauen, was ihm das komische Aussehen eines kleinen Jungen gab, der seinen Lehrer nachahmt. »Ich gebe zu, Edgar«, sagte er, »daß ich das nicht mit Absicht getan habe. Eine kurze Stunde im Bett mit ihr ein- oder zweimal; was mich mit einer Art Stolz erfüllte wegen ihrer Position und weil sie sich immer so zurückhaltend gibt oder sogar arrogant, wenn du so willst. Aber jetzt, als meinem besten Freund, sage ich dir« – sein Gesicht hellte sich auf –, »ich wünschte dir wenigstens einen Tag in deinem Leben mit einem Zehntel dessen, was ich empfinde. Das würde dir eine Weile reichen. Soll Waltraut doch ihre großen Nachrichten von einer Turmspitze in unserer Straße des Weltfriedens verkünden!… Ich liebe, und es ist mir höchst gleichgültig, wer davon erfährt.«

»Es gibt Leute, die eine weniger freudige Haltung zu deinen Gefühlen einnehmen könnten.«

»Diese Leute – ich nehme an, du meinst die Parteileitung –, werden sich zufriedengeben, wenn ich mich an die akzeptierten Formen halte. Ich bin bereit, Julia zu heiraten, wenn sie mich nur haben will.«

»Ich weiß«, grinste Wukowitsch. »Du hast ja bereits von den großen Opfern gesprochen, die du bringen würdest.«

»Es ist meine feste Absicht, sie zu heiraten.« Hiller klang verärgert.

»Du hast ein einziges Mal mit ihr geschlafen«, erlaubte Wukowitsch sich zu erwähnen. »Oder…?«

»Aber was für ein Mal!«

»Also bitte schön«, sagte Wukowitsch unbehaglich.

»Es war – ungeheuer!« sagte Hiller. »Dieses Miteinander, dieses Aufgehen des einen in dem anderen... Die Frau bedeutet mir alles, vom Himmel über meiner Stirn bis zur Erde unter meinen Füßen...«

»...Und zurück auch wieder, hoffentlich.«

»Und wieder zurück, jawohl. Setz dich, Mann. Du glaubst, ich bin völlig gewissenlos, korrekt?«

Wukowitsch schlenderte hinüber zu Hillers Bar, kletterte auf einen Hocker und begann an ein paar altbackenen Salzstangen zu knabbern. »Ich gebe zu, meine Meinung über dich liegt in etwa dieser Richtung«, sagte er.

»Was alles kann die Berührung einer Hand einem Menschen bedeuten?« fragte Hiller. »Die Berührung *ihrer* Hand, als sie mich verließ an dem Morgen... Mir wenigstens wurde dadurch klar, in welch fürchterliche Situation sie sich zurückbegab – sie ist so sensibel und so vollständig in der Macht dieses Sundstrom. Ich wollte sie anflehen, bei mir zu bleiben; aber ich wußte, sie würde ablehnen.«

Die wenigen Meter Entfernung von der Bar bis zu der Stelle, wo Hiller stand, seine Umrisse dunkel gegen die rote, rohe Ziegelwand, boten Wukowitsch eine bessere Möglichkeit, das Wesen und die gegenwärtige Gemütslage seines Freundes zu erkennen. Die Veränderung von dem ewigen Spötter zum blauäugigen Romantiker erschien echt genug; andererseits mußte man überhaupt jede von Hillers Stimmungen als echt betrachten, weil er sich seinen Stimmungen, wann immer sie über ihn kamen, mit Haut und Haaren hingab.

»So kochte ich mir also meinen Kaffee«, fuhr Hiller fort, »und setzte mich hin, um nachzudenken. Und ich kam zu einem überraschenden Schluß.«

Mit einer energischen Handbewegung schloß Wukowitsch die Blechdose. »Das Zeug schmeckt wie alte Socken«, stellte er fest. »Zu welchem Schluß?«

»Daß Sundstrom alles andere eher tun wird, als seiner Julia Schwierigkeiten zu machen – oder mir«, verkündete Hiller.

»Du glaubst doch nicht, daß er die Hörner, die du ihm aufgesetzt hast, als dekorativ betrachten wird, oder?«

»Ich glaube nur, daß diese Hörner nicht seine größte Sorge sein werden.«

»Ach.« Wukowitsch glitt von seinem Barhocker, fuhr aber fort, mit der Blechdose zu spielen. »Wie kommst du zu der Annahme?«

»Durch die Tatsache, daß er mich zu seinem Hauptsprecher und Vertrauten gemacht hat!«

Wenigstens, dachte Wukowitsch, lag Hillers jetzt nüchterne Betrachtungsweise mehr in seinem Charakter.

»Warum, glaubst du, hat er mich ausgesucht, um für diesen Tieck den Touristenführer zu spielen?«

»Nun, warum?« erwiderte Wukowitsch.

»Warum«, fragte Hiller weiter, »war Tieck so lange in der Sowjetunion? Nur zu seinem Vergnügen? Oder hat man ihn dort festgehalten? Und warum ist er gerade jetzt zurückgekehrt und ausgerechnet hierher, zu Sundstrom und seiner Julia und uns?«

»Woher weißt du soviel über Tieck?« erkundigte sich Wukowitsch.

»Aus Andeutungen – meistens vom Genossen Professor Sundstrom selber. Aber ganz gleich, würdest du nicht annehmen, daß eine Person, nämlich Julia, völlig genügt hätte, um den mysteriösen Gast aus der Sowjetunion über unsere Baustellen zu führen?«

»Vielleicht meinte Sundstrom, zwei wären besser als einer«, wandte Wukowitsch ein.

»Und warum sollten zwei besser sein als einer?« fragte Hiller und grinste.

Der Mann, fand Wukowitsch, der eben noch so gefühlvoll von Liebe gesprochen hatte, war schon wieder ein anderer geworden, und er antwortete auf Hillers Frage: »Weil der eine berichten könnte, was der andere gesagt – und gehört hat? Aber so etwas würdest du doch nie tun!«

Hiller tat das Kompliment mit einer verächtlichen Geste ab.

Wukowitsch trat vor ihn hin. »Aber was hat Tieck nun wirklich erzählt, was Sundstrom veranlaßt haben könnte, sich die Mühe zu machen, dich in sein Vertrauen zu ziehen und seine eigene Frau von dir ausspionieren zu lassen?«

»Nicht viel, wenn man's real betrachtet.«

»Ich glaube, John, all das ist nur in deiner Einbildung.« Aber Wukowitsch schien seiner Sache doch nicht so sicher zu sein. »Du bist verliebt in eine Frau, und da erfindest du dir alle möglichen Situationen.«

Hiller packte Wukowitschs rechte Hand und hob sie an. »Schwöre! Schwöre beim Andenken deines toten Vaters, daß du geheimhalten wirst, was ich dir sage, solange ich dich nicht von deinem Eid entbinde.«

»Hör auf mit diesen Kindereien.«

»Schwöre!«

»Also, wenn du darauf bestehst …« Wukowitsch wurde heiser. »Ich schwöre!«

»Es stimmt etwas nicht bei dem großen Sundstrom«, begann Hiller. »Um konkret zu sein, es stimmt etwas nicht bei seiner früheren Beziehung zu Tieck – möglicherweise sogar auch zu Julia. Du glaubst, das wäre zu weit hergeholt? Aber worüber, wenn nicht ihre Vergangenheit, könnten die beiden reden, das für Sundstrom von Interesse wäre – das Wetter?«

Wukowitsch wußte von seinem Vater, der an einem gebrochenen Herzen gestorben war, daß es mehr Dinge zwischen Himmel und Erde gab, als in marxistischen Schulungskursen gelehrt wurde. Er begann zu glauben, daß der Verdacht seines Freundes wohlbegründet sein mochte. Und wenn, wie Sundstrom Hiller gegenüber angedeutet hatte, der lange Aufenthalt des Genossen Tieck in der Sowjetunion nicht ganz so freiwillig gewesen war, ergab sich eine ganze Anzahl von Fragen – komplexen und gefährlichen Fragen.

»Architektur!« Hiller winkte mit beiden Händen ab. »Sie haben sich strikt über Architektur unterhalten … der Genosse Tieck ist ein vorsichtiger Mann. Nur wenn er ein bißchen zuviel Wein getrunken hat, begannen Dinge in ihm hochzukommen, die er für gewöhnlich tief in sich verschlossen hielt; und sogar dann, vermute ich, blieben da noch Barrieren zwischen seinem Unterbewußtsein und seiner Zunge.«

»Da hast du also nicht viel Schlüssiges erfahren«, bemerkte Wukowitsch nachdenklich.

»Im Gegenteil…! Es war genug, um Sundstrom zutiefst zu erregen. Sundstrom war hin- und hergerissen zwischen Erleichterung und Zweifel. Schließlich bat er mich, weiterzumachen wie bisher… Als ob ich überzeugt werden müßte, eine Freibillett zu akzeptieren, mit dem ich in der Nähe Julias bleiben konnte.«

»Du wirst dein Freibillett rasch genug verlieren, sobald Waltraut ihren großen Mund aufmacht.«

Hillers Achselzucken zeigte, wie gleichgültig ihn die Möglichkeit ließ.

Wukowitsch setzte sich hin und schien sich in die Betrachtung seiner abgestoßenen Schuhspitzen zu vertiefen. »Meinst du wirklich, John, wenn es dazu käme, kannst du Sundstrom sagen: Laß mich und Julia in Ruhe, Freund, sonst werde ich über dich zu reden anfangen und über einiges, was ich über dich erfahren habe?«

»Vielleicht nicht so direkt. Wenn du Sundstrom beobachtet hast, wirst du wissen, daß er ein Ohr für Halbtöne hat.«

»Du machst mir Sorgen, Genosse Hiller.« Anscheinend hatten Wukowitschs Schuhspitzen ihre Faszination für ihn verloren. »Wenn tatsächlich zutrifft, was du vermutest, nämlich daß es in Sundstroms Vergangenheit ein paar dunkle Seiten gibt, und wenn du drohst, diese ins Licht zu rücken, wird er Wege finden, dich rascher abzuschaffen, als du ›Julia!‹ rufen kannst.«

Einen Augenblick lang wirkte Wukowitschs Warnung. Hiller trat ans Fenster und blickte hinaus, als könnte ihm von den jungen Birken Erleuchtung kommen, die auf den Trümmern draußen Wurzeln geschlagen hatten. Dann lachte er auf. »Ja, wenn Sundstrom noch seine frühere Macht hätte!… Aber hat er? Das Neueste weißt du wohl noch nicht!«

»Gerüchte! Gerüchte! Wenn du einen Mann in genügendem Maße haßt, wird dir jeder Wunschtraum zur Tatsache.«

»Das Neueste ist, daß in Berlin die Pläne zur Verlängerung unserer Straße des Weltfriedens auf Widerstand gestoßen sind.«

»Komm hierher und sag das noch mal«, verlangte Wukowitsch.

»*Unserer* Verlängerung«, bestätigte Hiller, wobei das Wort *unserer* die ganze Dosis seines Sarkasmus enthielt. »Es scheint, als entwickelten sich die Dinge im Fach Architektur etwas anders, seit der Genosse Popow mit seiner Delegation uns besucht hat. Ich behaupte nicht, daß all diese Zeichen und Hinweise notwendigerweise aus einer gemeinsamen Quelle fließen – die Delegation, Tiecks Ankunft, die neuen Überlegungen in Berlin und Sundstroms offenbare Unsicherheit. Aber nehmen wir einmal an, daß das Wetterleuchten auf ein fernes Gewitter irgendwo hindeutet: Was wird dann aus Sundstroms geborgter Autorität? Denn geborgt ist sie, und zwar vom Genossen Tolkening; und Tolkening ist einer, der jeden sofort fallenläßt, von dem er vermutet, daß er ihm schaden könnte. Das war seit je seine Art.«

Logisch, das Ganze, dachte Wukowitsch. Hiller war noch keine dreißig Jahre alt und kombinierte dennoch seine Fakten wie ein erfahrener Politiker. Aber wie paßte dieser Charakterzug zusammen mit dem Liebenden, der zu jedem Opfer bereit war und bereit auch, sich für seine Liebe mit jedem zu schlagen?

Wukowitsch war in diesen Teil Deutschlands geschleudert worden mit all den Nachteilen eines Flüchtlings, aber auch mit dem Vorteil, den ein solcher hatte: nämlich der Distanz zu den Einheimischen. Wukowitsch hatte alsbald erkannt, daß es in dem Land seiner Zuflucht eine ganze Generation gab, die bei ihren Bemühungen, sich irgendwie durchzuschlängeln und voranzukommen, sich selber um ihren Anteil an Herz und Begeisterung betrogen zu haben schien – Menschen mit eingebautem doppelten Boden, mit zwei Arten von Gefühlen, zwei Arten von Werten: einer für ihre öffentlichen Bekenntnisse, einen anderen in ihrem privaten Verhalten. Das Sonderbare war nur, daß, welche der beiden Arten diese Menschen auch in der betreffenden Minute praktizierten, sie sich der Existenz der anderen nicht bewußt zu sein schienen – ein schizoider Zustand, der, soweit Wukowitsch wußte, noch in keinem Textbuch der Psychologie beschrieben war.

Julia tat Wukowitsch leid. Auch haßte er Sundstrom keineswegs. Es war ihm klar, daß dem Genossen Sundstrom, in erster Linie und stets, nur der Genosse Sundstrom am Herzen lag; und dennoch hatte der Mann über alle gegenteiligen Meinungen hinweg einen jungen Jugoslawen in das städtische Architekturbüro kooptiert.

»Du siehst also, daß meine Position gar nicht so übel ist«, schloß Hiller.

»Nun, meinetwegen«, räumte Wukowitsch ein, »aber grundsätzlich kann ich einer Herzensaffäre nichts abgewinnen, die so eng mit Gott weiß was für üblen politischen Motiven verflochten und verwickelt ist.«

Hiller pfiff leise durch die Zähne. Dann erklärte er mit tiefer innerer Ruhe. »Dies sind die Zeiten, in denen wir leben, Genosse Wukowitsch, die Zeiten.«

Für Julia schien alles in der Schwebe zu hängen: ein Zustand von Weder-Noch; die leicht erhöhte Spannung ihrer Nerven war ihr einziger Hinweis, daß sie sich im Strahlungsfeld irgendeines Ereignisses befand, das sich außerhalb ihrer Person und jenseits ihres Einflusses entwickelte.

Sie leistete ihre acht Stunden Arbeit in ihrem Studio, wobei sie Begegnungen mit Hiller, soweit tunlich, aus dem Wege ging und sich gleichgültig gab, wo sich eine solche Begegnung nicht vermeiden ließ. Sie leitete ihren Haushalt; Frau Sommer hatte eine derartige Effizienz seitens ihrer Chefin nur selten erlebt, auch die kleinste Einzelheit vergaß Julia nicht, und selbst der lästigste Handgriff wurde verrichtet. Sie verbrachte mehr Zeit als je mit Julian, erfand immer neue Geschichten, um seine unersättliche Phantasie zu nähren, und umgab ihn mit ihrer Liebe. All das half ihr, Entscheidungen zu verschieben, denen sie sich nicht gewachsen fühlte; aber es verlieh ihrem Leben auch etwas Traumhaftes – ähnlich den Träumen, die man, kurz vor dem Erwachen noch, in den frühen Morgenstunden hatte; Träumen, die Momente der Wirklichkeit enthalten, welche allerdings auf ganz sonderbare Weise mit eigenen Ängsten und Wünschen verquickt sind.

Vor allem erwartete sie schon nicht mehr, daß Arnold selber es sein könnte, der eine Entscheidung erzwang. Äußerlich wenigstens schien die Rückkehr seiner Familie zu Ruhe und Routine ihn ebenso zufriedenzustellen wie sie: Das Gästezimmer im Obergeschoß war wieder frei, die letzte Spur von Tiecks Aufenthalt im Hause beseitigt. Arnold zeigte seinen gewohnten Gleichmut wieder, seine Stimme klang selbstsicher, sein Lachen sorglos.

Mitunter wunderte Julia sich über ihn. Daß er die ganze Angelegenheit vergessen haben könnte, schien unmöglich: Tiecks Anwesenheit bei der Arbeit schuf eine stetige Erinnerung an all die Zweifel und störenden Gedanken, die er aus Moskau mitgebracht hatte. Man konnte also schließen, daß Arnolds Zurückhaltung und die heitere Gleichgültigkeit, die er zur Schau stellte, berechnetes Spiel waren. Vielleicht glaubte er, daß man schlafende Hunde einfach liegenlassen sollte.

Julia war ja bereit, bei diesem Spiel mitzutun. Sie hatte nicht die Absicht, eine erneute Krise zu provozieren, obwohl sie das Gefühl hatte, daß die gegenwärtige Ruhe nicht dauern konnte und daß, während ein Tag nach dem anderen verging und die Spannung sich immer mehr aufbaute, schließlich ein Riß sich zeigen müßte in der scheinbar so glatten Oberfläche. Da war die Nacht gewesen, da er plötzlich die Tür zu Julians Zimmer schloß und sich hinüberwälzte auf ihre Seite des großen Doppelbetts und ihr mit zitternder Hand den Pyjama vom Leibe riß. Sie hatte gewußt, daß das irgendwann kommen würde; es war

Teil seiner Bemühung, die Fassade von früher wiederherzustellen, nur jetzt auf brüchigem Untergrund.

Auch hatte sie sich ihm nicht verweigert. Sie spürte seinen schweren Leib auf ihrem Körper, seine behaarten Schultern, den hastigen Schlag seines Herzens; sie beobachtete, wie er seine Lider zusammenkniff in Konzentration auf dieses eine, das er begehrte, und wie er vor Anstrengung seine Stirn verzog; und als er endlich, sein Gewicht abgestützt auf seinen Ellbogen, ein fragendes Lächeln zustande brachte, klopfte sie ihm zärtlich auf die Schulter, Zeichen der Bestätigung seiner Männlichkeit.

Danach verfiel er in einen tiefen Schlaf – wie ein Lastträger, den sie in der Mittagshitze einmal am Ufer der Wolga gesehen hatte, völlig durchgeschwitzt, gegen einen Ballen Baumwolle gelehnt. Sie konnte nicht einschlafen und lauschte dem erbarmungslosen Ticken der Weckeruhr, dem fernen Echo von Eisenbahnwaggons, die hin und her rangiert wurden, dem Rattern eines Lastkraftwagens über das Kopfsteinpflaster einer Nebenstraße, dem Heulen einer Feuersirene. Die Geräusche der Nacht, die ihr unter ihrer Bettdecke einst ein Gefühl von Sicherheit und Behaglichkeit gegeben hatten, zerrten jetzt an ihren Nerven. Sie zwang sich still zu liegen, um Arnold nicht zu stören; sie wußte, sie würde ihn hysterisch anschreien, falls er aufwachte und sie auch nur schüchtern fragte, weshalb sie wach lag. Sie versuchte, an die Wurzel des Übels zu gelangen, das sie beunruhigte, aber sie fand nur ein paar äußerliche Symptome, die sich nicht in ein zusammenhängendes Muster fügen wollten. Sie versuchte Bilder hervorzuholen aus ihrer Kindheit und diese in Verbindung zu bringen mit ihren Eindrücken von Tieck und von dem rothaarigen Genossen Krylenko mit seinen nichtssagenden, hervorquellenden Augen, der gekommen und gegangen war und nichts als Unruhe hinterlassen hatte, und sogar mit ihren so widersprüchlichen Gefühlen für Arnold. Sie sah ihren Vater vor sich, sehr schlank und sehr jung, wie er sie festhielt und hoch in die Luft schwang und dazu lachte und Worte sprach, die sie längst vergessen hatte, und wie auch sie hellauf gelacht hatte; und hinter ihrem Vater hatte sich die Sonne auf der Fläche eines Sees gespiegelt. Oder war es ein Fluß gewesen? Unfreiwillig verglich sie das Bild des jungen Mannes, der sein Kind hoch in die Luft schwang, mit dem des Mannes, der seinen schweren Schlaf an ihrer Seite schlief; ihr Vater hatte jung genug ausgesehen, um der Sohn dieses Mannes zu sein; aber mit dem hier war sie verheiratet – die Zeit, die vergangen war, erzeugte die sonderbarsten Gedanken. Sie konnte sich nicht an Arnold als jungen Mann erinnern, so sehr sie auch versuchte, ein Bild von ihm aus jenen Jahren heraufzubeschwören; er hatte sich wohl sehr verändert seit seiner Freundschaft mit ihrem Vater, seit jenem Hotel in der Gorki-Straße in Moskau, seit Prag; ihr Bild von Arnold war immer das gleiche gewesen, väterlicher als das ihres eigenen Vaters, so als wäre er erst in ihr Leben getreten, nachdem ihre Eltern verschwunden waren. Was einfach nicht stimmte. Sie erinnerte sich, daß sie sich in ihrem Hotelzimmer befand, als die dicke Deshurnaja, die immer hinter dem Schreibtisch im Flur draußen saß, das Telegramm hereinbrachte – Julia hielt inne: Wie hatte sie damals gewußt, daß der Zettel zwischen den Fingern der Frau ein Telegramm gewesen war? – Oder wann hatte sie gelernt, wie ein Telegramm aussah? – Jedenfalls erinnerte sie sich, daß ihr Vater das Papier entfaltet und gesagt hatte, *sein* Vater sei gestorben. Ihre Mutter war auch dabeigewesen; Julia konnte sie immer noch erkennen, wenn auch nur als eine Art Scherenschnitt; die Einzelheiten waren verblaßt, die Augen der Mutter, ihr Gesicht, ihre Frisur, ihr Kleid. Gestochen klar aber erschien in ihrem Gedächtnis ihr Vater, mit dem Telegramm in der Hand, wie er auf einem dunkelroten Stuhl saß, seine Miene so traurig; und sie selber, wie sie versuchte, ihm auf die Knie zu klettern und ihn zu trösten. Arnolds Gesicht aber blieb wesenlos, obwohl seine Figur deutlich vorhanden war, die breiten Schultern, die breiten Hände – eine Figur wie aus dem Spielkasten, der die Kinder papierene Kostüme umhingen. Aber Arnold war *nicht* dabeigewesen, als die Stiefel kamen. Das war jedoch später gewesen – um wieviel später – Wochen? …Monate? …Und das war auch der gleiche kurze Augenblick, da der unscharfe Umriß ihrer Mutter in ihrem Gedächtnis sich auf einmal wandelte – das wirre Haar, der verrutschte Schlafrock, die Augen weit aufgerissen und dunkel vor Angst wurden deutlich sichtbar und dreidimensional, und sie hörte ihren Aufschrei: »Warum…?«

Julia schrak auf; die Weckeruhr hatte geklingelt. Also mußte sie wohl eingeschlafen sein, trotz all ihrer Gedanken, und nun fühlte sie sich wie gerädert. Arnold war bereits im Badezimmer, sie hörte, wie er vor sich hin pfiff, einen russischen Marsch, voll des helltönenden, optimistischen Frohsinns, der vor kurzem noch auch ihr Wesen bestimmt hatte. »Stehst du nicht auf?« rief er unter der Dusche hervor.

Glücklicherweise verlangte Julian ihre Aufmerksamkeit; das gab ihr die Möglichkeit, beschäftigt zu erscheinen, bis Arnold das Badezimmer freigab. Später, bei der Arbeit in ihrem Studio – die Arbeit lief schlecht, Bleistiftspitzen zerbrachen ihr eine nach der anderen, ihre Hand war unsicher, in ihrem Kopf ein Nebel –, konnte sie sich nicht einmal mehr erinnern, worüber sie beim Frühstück mit Arnold und während der Fahrt mit ihm in die Stadt sich unterhalten hatte. Er jedenfalls hatte in bester Laune vor sich hin geredet; er schien über Nacht um ein paar Zentimeter gewachsen zu sein; die Welt war für ihn wieder in Ordnung.

Später am Tag dann konnte sie sich an überhaupt nichts mehr erinnern, was vor dem Moment lag, als sie, draußen dämmerte es schon, ihre Schreibtischlampe anknipste und John eintreten sah. Es war ein höchst undramatischer Auftritt; er trug einen Stoß Papiere unterm Arm, enthaltend einiges Referenzmaterial zu ihrer Kenntnisnahme – zugleich diente ihm das Zeug als Entschuldigung für die Störung. Sie aber spürte, wie das Blut in ihren Adern plötzlich schwer wurde und jeder Herzschlag ihr im Ohr klang wie ein Schlag auf einer Kesselpauke; und ein süßes und betörendes Gefühl lähmte ihre Glieder.

Seine Papiere glitten zu Boden. Dann wurde sie sich seines

Körpers bewußt, der sich gegen den ihren preßte, seiner Lippen, die sich festsaugten an den ihren, und sie dachte, mein Gott, wenn jetzt einer hereinkäme, und dann dachte sie an nichts mehr.

Selbst nachdem sie sich voneinander getrennt hatten, schien es beiden, als hafteten sie immer noch aneinander.

»Dies ist unerträglich, Julia«, sagte er mit rauher Stimme. »Es ist mir nicht länger möglich, ohne dich zu leben. Du mußt zu mir ziehen. Noch heute nacht...« Ihr Schweigen war ihm eine Antwort. »Bitte, dann also morgen nacht... Was wir miteinander gehabt haben, geschieht Menschen nur einmal im Leben. Bitte, bleib still und rühr dich nicht. Laß mich dich anschauen. Ich liebe alles an dir, bis hinab zu deinen Füßen, dem schmalen Rist, hat dir schon je einer gesagt, wie aufregend dein Fuß ist?«

Er sprach hastig, so als fürchtete er, seine Gefühle möchten ihm verlorengehen, wenn er sie nicht sämtlich in der einen, jetzt ablaufenden Minute zum Ausdruck brachte.

»Bitte, Julia, du mußt nicht denken, daß ich nur deine Anwesenheit in meinem Bett möchte, obwohl ich dir gestehe, daß ich mich mit aller Leidenschaft nach dir sehne. Es ist mehr, als nur das, es kommt von hier drinnen, aus meinem Herzen, oder wo immer die Psychiater meinen, daß die Liebe eines Mannes ihren Ursprung nimmt. Glaub mir, Julia, ich bitte dich.«

»Ich glaube dir.«

»Das mußt du auch.« Er schien erleichtert. Er wußte, er hatte zu hektisch geklungen, aber er brauchte das, dachte er, um sie mit sich zu reißen, und sich selber dazu. »Weil ich dich haben muß, Julia, und nicht nur für eine oder zwei Nächte, sondern für alle Zukunft.« Und fügte hinzu: »Für *immer*!« und bedachte das Wort noch einmal und fand, es war genau das richtige und passende. »Laß uns zusammenleben, du und ich...« Sein inneres Auge sah dieses *du und ich*, zwei Menschen, die eine Straße entlangschritten, zwischen hohen Bäumen; wo hatte er das bereits gesehen, im Traum, im Film?... »Du und ich, wenn nicht in dieser Stadt, dann anderswo. Die Welt ist groß, Julia, und sogar diese kleine Republik ist größer als eine Provinzstadt wie unsere, eine Straße des Weltfriedens. Und wenn du es so haben willst, werden wir auch heiraten.«

Sie lächelte. Sie ergriff seine Hand und streichelte sie. Er war glücklich, daß er all das ausgesprochen hatte; er wußte schon nicht mehr, was genau ihn dazu veranlaßt hatte; aber jetzt, da alles erklärt und gesagt war, wollte er ein *Ja* hören, ein jubelndes oder zumindest mit Gefühl geladenes; natürlich brauchte sie erst eine Scheidung, das mußte man auch bedenken.

»Heiraten werden wir!« wiederholte er, umarmte sie und küßte sie auf die Augen. »Und sobald wir verheiratet sind, wird das Geschwätz über uns aufhören… Wir beide sind jung, wir haben Talent, uns gehört die Welt; wir hängen von keinen Gönnern ab, von niemandem. Einfach, nicht? Und es wird wunderbar werden. Ach, Julia…« Seine Stimme, warm, werbend, verklang.

»Küß mich«, sagte Julia. »Nein, nicht so wild.«

Er lachte und gehorchte. »Ist das so besser?« fragte er.

»Und sie lebten froh und glücklich für alle Zeit«, sagte sie, und ihre Augen schienen dunkler zu werden, und um ihren Mund legte sich eine bittere Falte.

»Ich habe dir kein Märchen erzählt«, begehrte er auf. Dann bemerkte er die Papiere auf dem Fußboden, sammelte sie ein und legte sie auf Julias Zeichentisch. »Wir beide miteinander vereint, in Liebe«, fuhr er heiser fort, »das war Realität, das Realste, was uns je geschehen ist… Was hat deine Stimmung so plötzlich verändert?«

Sie konnte nicht sagen, was ihren Stimmungswechsel veranlaßt haben sollte; bis zu dieser Minute war sie sich einer solchen Veränderung nicht einmal bewußt gewesen. War es Furcht vor dem Unbekannten, das in der Zukunft lag, vor einem Bruch in ihren gewohnten Verhältnissen: Noch immer sah sie sich als jemand, der einer leitenden Hand bedurfte, Arnolds Hand eben. Oder lag es einfach an ihrer ungenügenden Phantasie; John als Liebhaber war durchaus denkbar, als Ehemann und Ersatzvater blieb er unwirklich.

»Man fällt nicht so leicht aus der Spur, in der man sich immer bewegt hat«, sagte sie vage und begann sofort, ein Schuldgefühl auch Hiller gegenüber zu entwickeln. »Vielleicht solltest du etwas mehr Geduld mit mir haben. Da ist immerhin Arnold, und da ist das Kind. Und da ist die Partei, die Arbeit, die Straße, die wir bauen…«

»…die ganze Tretmühle, jawohl. Wenn du *das* haben wolltest, warum hast du nicht vorher daran gedacht?«

»Vor unserer Nacht miteinander…? Ach, John, das war am Ende eines sonderbaren, eines schrecklichen Tages gewesen. Nie wieder möchte ich so einen Tag erleben müssen… Ich habe einmal ein Gerüst zusammenbrechen sehen, mit mehreren Arbeitern darauf. So ungefähr habe ich mich damals gefühlt… Versteh mich doch, John, ich möchte keine großen Entscheidungen zu treffen haben, wenigstens jetzt nicht und in der nächsten Zeit…«

»Möchtest du denn weiter so leben, deine wahren Gefühle abgestumpft und abgetötet?«

»Ich muß wieder zur Ruhe kommen, wieder schlafen können. Glaub nur nicht, daß du allein mich derart durcheinanderbringst; du bist ein Teil des Ganzen, aber es gibt auch noch eine Menge anderes…«

Hiller setzte sich vor ihren Arbeitstisch und senkte seinen Kopf in die Hände. »Und du meinst, du kannst ungeschehen machen, was nun einmal geschehen ist? Erlebtes auslöschen? Dich blind stellen gegenüber dem, was deine eigenen Augen gesehen haben?«

»Es hat mir sehr viel bedeutet, John. Die Vorstellung von dem gemeinsamen Leben, die du für uns beide entworfen hast. Aber als ich dir da zuhörte, habe ich mir gesagt: Einer von uns muß sein Gleichgewicht wahren.«

»Was ist denn so außer Gleichgewicht an dem, was ich dir vorgeschlagen habe?« Er hob seinen Kopf und blickte sie vorwurfsvoll an. »Und warum sollte es nicht Wirklichkeit werden?« Je mehr er sich darüber klarwurde, daß sie ihn aus den

Verpflichtungen entließ, die er sich selber aufgebürdet hatte, desto stärker glaubte er an die Aufrichtigkeit seiner Worte. »Gut«, sagte er schließlich, »ich sehe es ja ein. Sundstrom würde es dir höllisch schwermachen, und du liebst dein Kind. Aber es finden sich doch immer Wege, und man kann immer gewisse Arrangements treffen…«

Einen Augenblick lang sah es aus, als verstünde sie ihn nicht.

»Mein Gott!« sagte er, halb ungeduldig, halb amüsiert. »Sozialismus oder nicht, die Hälfte der verheirateten Frauen in diesem Lande, die ich kenne, haben Verhältnisse mit anderen Männern…!« Wieder beflügelte ihn seine Phantasie, und er spürte, wie sich etwas zusammenzog in seinem Hals. »In gewisser Hinsicht ist ein solches Arrangement sogar auch moralisch besser als das Zusammenleben nach Vorschrift, das früher oder später zu reiner Routine wird. Du wirst ein zweites Heim haben, ein geheimes; ein zweites, geheimes Leben, – ein Leben, unbelastet von den Alltagsdingen, ein Leben, in dem nur deine Gefühle gelten…«

Sie streichelte ihm über seine Lippen. »Laß mich noch ein bißchen mehr hören«, sagte sie lächelnd, »über mein zweites, geheimes Leben.«

Er küßte ihre Fingerspitzen. »Was möchtest du wirklich von mir, Julia? Ich habe dir alles angeboten, was ich dir geben kann. Ich habe mich zu deinen Füßen gelegt. Willst du, daß ich mich aus deinem Leben verabschiede?«

»Aber nein doch«, sagte sie rasch und zog ihn an sich. Sie hörte Schritte auf dem Flur draußen. Jemand rief »Frau Sundstrom!« Und nach kurzer Zeit konstatierte jemand anderes: »Wahrscheinlich ist sie nach Hause gegangen.«

Julia wartete gespannt; sie erlebte in diesen Sekunden eine Art Vorwegnahme ihres zweiten, geheimen Lebens. John redete auf sie ein, leise, eindringlich, aber nur seine letzten Worte erreichten ihr Bewußtsein. »…Ich habe versucht, dir zu erklären, wie du zweierlei zugleich tun kannst: den Bräuchen unsrer im Grunde immer noch bürgerlichen Gesellschaft folgen und deiner Leidenschaft. Also, wie willst du's halten, Julia?«

Einen flüchtigen Moment lang stieg in ihrem Gedächtnis das Bild von ihr selber auf, wie sie gefühllos neben ihrem Mann auf ihrem Bett gelegen hatte; doch auch dies, dachte sie dann, mochte sich irgendwann in alter gewohnter Weise wieder regeln, ich muß nur Arnold eine Chance geben, doch wie sollte sie sich dazu aufraffen; immerhin, dachte sie, es gab Frauen, die mit größter Leichtigkeit mit zwei oder drei oder sogar noch mehr Männern zur gleichen Zeit lebten und ihren Spaß mit ihnen allen hatten; sie aber war der Typ, der sich an einen Mann gebunden fühlte; und sie sagte zu Hiller: »Muß es denn das gelegentliche Bett sein, John, mit der Hast und all den Lügen, die sich damit verbinden? Können wir unsere Gefühle füreinander nicht auf einer anderen Ebene halten?«

»Und vor Sehnsucht vergehen?« höhnte er. »Und den lieben Tag lang seufzen und ächzen? Und nebenher ein bißchen masturbieren?«

Sie zuckte zusammen.

»Ich dachte, wir wären beide erwachsene Menschen. Nein, meine Süße, deine Backfischromanzen, das funktioniert nicht. Nicht heute und in dieser Zeit, und nicht mit mir … Komm her.«

Sie gehorchte und stand vor ihm in ihrem zerknitterten weißen Kittel, mit hängenden Armen und leicht geöffneten Lippen. Er nahm sie zwischen seine Knie und hielt sie fest und packte sie an ihren Ellbogen, so daß sie sich nicht rühren konnte. »Du kannst nicht tun, als wärst du immer noch ein junger Pionier, nicht wie du gebaut bist, und mit deiner Sinnlichkeit. Ich kenne dich doch; ich habe dich geschmeckt und gekostet. Ich verstehe schon, daß du deine Person sauber und über allen Tadel erhaben halten möchtest; aber du weißt auch, daß es sich nicht lohnt, Skrupel zu haben, und schon gar nicht wegen Sundstrom, der für ein bißchen Macht und Stellung und Einfluß seine Genossen verkaufen würde und seinen eigenen Bruder, und sogar die eigene Frau …«

Sie versuchte, sich aus Hillers Umklammerung zu befreien.

»Du wirst mich bis zu Ende anhören!« sagte er. Ihre Nähe erregte ihn, ihre Weigerung forderte ihn erst recht heraus, und daß sie ihn zurückgewiesen hatte, befreite ihn von seiner Verantwortung für sie. »Ich weigere mich, dein Nein zu akzeptieren«, fuhr er fort. »Ich werde dir und aller Welt beweisen, was dieser Sundstrom ist, an den du dich immer noch hängst. Ich werde« – er zögerte kurz –, »ich werde einen eigenen Entwurf für die Verlängerung der Straße des Weltfriedens vorlegen, dessen jede einzelne Linie den Betrug aufzeigen wird, der hier bisher unter dem Namen Architektur begangen wurde... Ach, Julia...« Seine Knie öffneten sich und gaben sie frei, und er lehnte seinen Kopf gegen ihren Leib. Er wußte, er war zu weit gegangen. Er hatte weder die Intuition noch die Erfahrung, die einer für eigene architektonische Entwürfe brauchte, noch die politische Macht, um seine Drohworte gegen Sundstrom zur Tat werden zu lassen. Dann sah er, wie ihre Augen aufleuchteten, und dachte, natürlich würde sie das reizen: ein Duell um ihre Zuneigung, ausgefochten statt mit Degen mit aufgerollten Blaupausen... Welche Frau würde sich nicht geschmeichelt fühlen durch derart Drama...?

»Wie würdest du an das Projekt herangehen?« fragte sie, zugleich interessiert an seinem Vorschlag und erleichtert, daß durch eine Diskussion über Berufliches das Sexuelle für den Moment wenigstens verdrängt werden möchte. »Was wäre deine Grundkonzeption?«

Er lehnte sich zurück, zündete zwei Zigaretten an und gab ihr eine davon. Stille hatte sich über die Baracke gebreitet; die anderen schienen nach des Tages Arbeit alle schon nach Haus gegangen zu sein. »Andrerseits«, nahm er das Thema wieder auf, »es könnte sich auch herausstellen, daß man nichts getan hat, als mit Kanonen auf Spatzen zu schießen, und ich sollte mir eine weniger drastische Beweisführung für meine These überlegen.«

Ob es die Stille war, die nun herrschte, oder ihre veränderte Stimmung, Julia spürte die Drohung, die durch seine Worte hindurchklang. Die Zigarette schmeckte schal; die scharfen Schatten auf seinem Gesicht ließen dieses einer Maske ähneln;

sie wünschte, sie könnte fliehen, doch ihre Füße waren wie auf den Brettern des Fußbodens festgewachsen.

»Es gibt sowieso nur eine Person«, sagte er, »der ich meinen Beweis erbringen müßte: dich.«

»Ich würde jetzt gern gehen«, bat sie. »Ich werde zu Hause erwartet.«

»Nur dich«, betonte er ein zweites Mal. »Du weißt doch, weshalb ich damals auf der großen Rund- und Inspektionstour mit dir und Tieck mitgekommen bin. Um euch beiden nachzuspionieren. Um zu belauschen, was er zu dir sagt, und zu beobachten, wie du darauf reagierst, und welche Fragen du ihm dann stellst – einschließlich der Schattierungen und Betonungen beiderseits und was sich daraus ergeben könnte. Ich sei intelligent und diskret, hat mir dein Gatte gesagt, und trüge einen gescheiten Kopf auf meinen Schultern…« Hiller nickte, als wollte er demonstrieren, daß er wahrhaftig einen Kopf auf seinen Schultern trug. »Ich wäre also der Mann für den Auftrag, erklärte er mir, und sollte ihm zuverlässig und prompt das Wichtigste berichten, was sich zwischen dir und Tieck abspielte.«

Sie hörte das Geräusch ihres eigenen Atems. Die Schatten auf Johns Gesicht wurden länger.

»Julia?«

Flüsternd: »Ja?«

»Willst du den Grund nicht wissen für Arnolds Auftrag?«

»Vielleicht war er eifersüchtig.« Ihr Lachen klang brüchig. »Und nicht ohne Grund, wie sich herausgestellt hat…«

»Eifersüchtig auf Tieck? Das glaubst du doch selber nicht, Julia.«

Sie erinnerte sich an die Tour, und wie vor ihr der Abgrund sich auftat, sechs Geschosse tief, die Straße unten, und wie alles um sie schwankte, und wie Tieck dicht neben sie trat und sie festhielt… Damals hatte sie gespürt, daß Tieck, bei all seiner Fragilität, eine innere Stärke besaß, auf die Verlaß war.

»O nein«, griff Hiller seinen Gedanken auf, »das war nicht Eifersucht. Dein Sundstrom, liebe Julia, ist viel zu überzeugt von seiner eigenen Bedeutung, um auf die Vermutung zu kommen, daß seine Frau einen anderen ihm vorziehen könnte. Das war politisch gedacht von ihm, ausschließlich politisch. Aber was hätte Tieck dir denn sagen können, daß Sundstrom sich solche Sorgen machte?«

Julia spürte, wie Panik sie erfaßte. »Die Straße«, brachte sie endlich fertig zu sagen. »Unsere Straße. Vielleicht fürchtete er Tiecks Urteil.«

»Arnold Sundstrom«, spottete Hiller, »hat keine Illusionen bezüglich unserer Straße. Da mußt du dir schon etwas Stichhaltigeres einfallen lassen, Julia.«

»Aber Arnold hat mir mehr über Tieck erzählt und was mit Tieck geschehen ist, als Tieck uns beide je hat wissen lassen. Tieck hat Jahre in Sibirien verbringen müssen, als Folge eines unglücklichen Zusammentreffens gewisser Umstände – oder womöglich sogar eines Justizirrtums…«

John Hillers Zigarette glühte ein letztes Mal auf, dann warf er sie auf den Fußboden und trat sie aus. »Wenn dein Gatte dir schon so viel mitgeteilt hat«, fragte er langsam, »was befürchtet er dann, das Tieck außerdem noch wissen und dir, unabsichtlich oder nicht, ausplaudern könnte? Gab es etwa auch noch andere Menschen, die einem ähnlichen unglücklichen Zusammentreffen von Umständen ausgesetzt waren wie Tieck? Menschen möglicherweise aus deinem Bekanntenkreis« – Hiller schien in den Raum hineinzuhören – »oder gar aus deiner Familie?«

»John…« Ihre angestrengte Stimme klang, als sei sie die einer Fremden. »Laß mich jetzt gehen, John, ich flehe dich an.«

»Und wenn es sich so verhielte, warum hat Arnold Sundstrom Angst, du könntest davon erfahren? Inwieweit betrifft es ihn?«

»John!« Eine plötzliche Beklommenheit verlieh ihrer Stimme einen schrillen Ton. »Das ist monströs!«

»Was soll da monströs sein?… Die Monstrosität liegt höchstens in deinen Gedanken und hat konkrete Gestalt angenommen aus einer Verkettung irgendwelcher Eindrücke von früher, aus deiner Kindheit vielleicht…«

Sie wandte sich zum Gehen. In der Tür blieb sie stehen, unfähig, ihren Weg fortzusetzen, und stützte sich gegen den Türpfosten.

Dort holte er sie ein und nahm sie in seine Arme. »Ich bin immer da für dich«, sagte er, und sein Mund suchte ihre Lippen, ihre Augen, ihr Haar. »Immer.«

Sie stieß ihn von sich und taumelte davon.

KAPITEL 7

Alles im Büro des Genossen Tolkening war darauf abgestimmt, eine feierliche, beinah düstere Atmosphäre zu schaffen: das Dunkel der holzgetäfelten Wände; die enormen Ölbilder des Interieurs eines Stahlwerks sowie einer Arbeiterdemonstration mit roten Transparenten, abgehoben gegen einen bewölkten, schicksalsschweren Himmel; die schweren Vorhänge; der tiefbraune Bodenbelag; die verglasten Bücherregale mit ihren langen Reihen in dunkles Kunstleder gebundenen Klassikern des Marxismus; und im Vorzimmer der Genosse Kloppermann mit dem ewig finsteren Blick, sein Sekretär, auf einem niedrigen Bänkchen kauernd wie ein Wachhund, gebunden an eine unsichtbare Kette. Genosse Kloppermann machte die Wartezeit, bis man zum Genossen Tolkening vorgelassen wurde, zu einer höchst unvergnüglichen Erfahrung.

Danach allerdings war der Genosse Tolkening selber ganz Frohsinn und Liebenswürdigkeit. Er eilte von seinem Schreibtisch herüber, um Sundstrom zu begrüßen, geleitete ihn höchstpersönlich zu einem langen Konferenztisch und ließ ihn dort über Eck von seinem eigenen erhöhten Stuhl am Kopf des Tisches Platz nehmen.

»Du hast doch wohl nichts dagegen, wenn ich eine Kleinigkeit esse?« erkundigte er sich und wickelte zwei dünn mit Butter bestrichene Scheiben Graubrot und zwei grüne Äpfelchen aus seinem Stullenpapier. »Meine Tage«, erläuterte er zugleich, »sind derart mit Arbeit überhäuft, daß ich mein Mittagessen zu mir nehme, wann immer sich eine Gelegenheit findet.«

Sundstrom war sich nicht sicher, ob er sich geschmeichelt fühlen sollte durch diesen Beweis von Vertrauen; so beschränkte er sich auf ein paar gemurmelte Worte, die sich als Zustimmung interpretieren ließen oder auch als Verneinung seiner Kompetenz, sich zum besten Zeitpunkt des bescheidenen Mahls des Genossen Tolkening zu äußern.

Tolkening bemerkte, wie Sundstrom die Äpfel anschaute, die zur Zeit nicht einmal in den HO-Läden zu haben waren, und er kommentierte, während er den einen sorgfältig schälte: »Aus meinem Garten. Äpfel bleiben frisch, wenn du sie in einem trockenen Keller zwischen Lagen von Holzwolle aufbewahrst. Du hast wohl nicht vermutet, daß ich über solche Dinge Bescheid weiß, und ebensowenig, daß ich draußen vor der Stadt ein Gärtchen gepachtet habe und ein bißchen eigenes Gemüse züchte? Ich stamme von kleinen Leuten ab, weißt du, und folge immer noch ihrer Lebensweise. Der Mensch soll seine Wurzeln nicht kappen.« Er kaute. »Außerdem verhütet diese Art, sich zu ernähren, daß die Arterien sich verengen; ich beabsichtige nämlich, ein schönes reifes Alter zu erreichen...«

Sundstrom beobachtete, wie der Genosse Tolkening seine Äpfel zerteilte und seine Brote zerkaute, und fragte sich, ob er ihn bitten sollte, eines der Telefone auf seinem Schreibtisch benutzen zu dürfen, um in der Kantine im Untergeschoß des Parteihauses Kaffee und Bockwurst zu bestellen – auf seine eigenen Kosten natürlich –, aber dann bedachte er, daß es doch besser sein möchte, auf diese kleine Bosheit zu verzichten.

Plötzlich warf Tolkening ihm einen seiner durchdringenden Blicke zu und sagte: »Du lebst falsch, Genosse Sundstrom!«

Sundstrom zuckte zusammen. In seiner gegenwärtigen Position konnte die Äußerung mehr als eine Bedeutung haben.

»Ich habe es schon neulich bemerkt«, fuhr Tolkening fort. »Wie oft machst du gymnastische Übungen? Gehst du spazieren? Betreibst du irgendeinen Sport, regelmäßig, meine ich?... Ach, ihr Intellektuellen! Den ganzen Tag sitzt ihr an euren Schreibtischen und raucht. Und dann wundert man sich in der

Partei über die vielen Infarkte!« Er wischte die Klinge seines Taschenmessers ab, ließ das Messer zuschnappen und steckte es in seine Hosentasche. »Oder hast du etwa Sorgen, Genosse Sundstrom? Ich mag die dunklen Ringe unter deinen Augen nicht, und noch weniger die roten Äderchen und die Falten in deinem Gesicht. Schwierigkeiten mit der Frau?«

»Nein!« Kurz, fast verächtlich.

»Oder mit der Arbeit?«

Sundstrom überdachte die Frage. Tolkening bat keine Leute zu sich nur für eine persönliche Plauderei oder um ihnen Ratschläge für ihre Gesundheit zu erteilen; und da war dieses Schweigen seitens der Berliner Genossen gewesen. Sundstrom war zu lange in der Bewegung, um die Gefahrensignale nicht erkennen zu können, die sich gerade in den bedeutungslosen Antworten der zentralen Stellen zeigten oder gar in deren völligem Verstummen.

»Ich glaube nicht, daß es etwas an meiner Arbeit auszusetzen gibt«, sagte er endlich und fügte ein bedeutungsvolles »subjektiv, meine ich« hinzu.

»Genau!« bestätigte Tolkening, offensichtlich erleichtert, daß er sich wieder in den vertrauten Wendungen der vertrauten Terminologie bewegen durfte. »Subjektiv. Das trifft es. Niemand in Berlin, der deine Arbeit kennt, beanstandet sie oder verurteilt dich irgendwie.«

Sundstrom nahm zur Kenntnis, daß keine subjektiven Grundlagen für seine momentane unbehagliche Situation existierten; wenn dem aber so war, dann mußte etwas geschehen sein, um jene Machtstrukturen, die im Fachjargon gemeinhin mit dem Namen *Objektive Umstände* bezeichnet wurden, aus ihrem delikaten Gleichgewicht zu bringen. Aber darin lag eben das Übel. Subjektive Fehler, oder was dafür galt, konnten durch eine entsprechende Dosis Selbstkritik, in der richtigen Sprache und bei richtiger Gelegenheit vorgebracht, ausgebügelt werden. Objektive Umstände jedoch lagen jenseits der Fähigkeit eines einzelnen Genossen, diese zu korrigieren; bevor man überhaupt begriff, was sich ereignet hatte, wurde man schon zu deren Opfer, verlor Rang und Stellung und die Anerkennung seiner Arbeit, und lange Jahre treuer Pflichterfüllung erwiesen sich als nichts als vergeudete Zeit.

»Wollen wir offen sprechen, Genosse Sundstrom?«

Sundstrom sah, wie das glatte Gesicht des Parteisekretärs ihn anstrahlte: Vertrauen gegen Vertrauen; schließlich sind wir Genossen, Freunde sogar. »Genau diese Offenheit bitte ich mir aus«, erwiderte Sundstrom und spürte den kalten Finger der Furcht in seinem Nacken. Irgendwo, irgendwie hatten Leute sich gegen ihn verschworen; und er tastete im dunkeln herum, außerstande, die Verschwörer zu identifizieren und sich gegen sie zu wehren. »Unter Genossen«, betonte er ein zweites Mal, »ist offene Sprache stets angebracht.«

»Ich möchte nicht, Genosse Sundstrom, daß du das Gefühl hast, die Lage wäre irgendwie prekär. Es gibt unter den Berliner Genossen keinen einzigen, der dir nicht freundlich gesinnt wäre und dir nicht das Beste wünschte. Außerdem haben sie ja selber alles gebilligt, was du auf der Straße des Weltfriedens geplant und gebaut hast…«

Sundstrom fiel auf, mit welcher Vorsicht Tolkening die eigene Person von allen Bezügen zur Straße des Weltfriedens, architektonischen und anderen, distanzierte. Wenn Tolkening ankündigte, er wolle offen reden, war es höchste Zeit, auf jede Nuance seiner Worte zu achten, um zu erspüren, was er zu verstehen gab und was er verbarg; aber diese psychologische Feinarbeit fiel schwer, wenn einem die Gedanken im Kopf nur so durcheinanderschwirrten – was wußten die Kerle? Was für Fäden wurden gesponnen: von Popow zu Tieck oder etwa gar auch zu Tolkening…?

»Deine Pläne für die Verlängerung der Straße des Weltfriedens hat man mir zurückgeschickt.« Tolkening schob die Apfelschalen zusammen und packte sie in sein Stullenpapier. »Der Genosse Kloppermann draußen wird sie dir aushändigen, wenn du dann weggehst.«

»Aber warum der Umschwung auf einmal?« Sundstrom war drauf und dran, den Rest seiner Selbstbeherrschung zu verlieren. »Warum?«

Tolkenings Verärgerung zeigte sich im Blick seiner eng beieinanderstehenden Augen. »Ich kann dir nicht sagen, warum«, antwortete Tolkening. »Ein paar Genossen haben einen neuen Wettbewerb vorgeschlagen, um zusätzliche Ideen zu erhalten, unter denen man sich dann entscheiden könnte. Das war, möchte ich unterstreichen, in keiner Weise gegen dich persönlich gerichtet; niemand hat auch nur im geringsten deine Leistungen beim Aufbau der bereits vollendeten Teile der Straße in Frage gestellt oder daß diese Leistungen den Nationalpreis verdienten…«

»Aber was stellen diese Genossen sich denn vor, um Gottes willen, wie ich bauen soll?«

Tolkening reagierte abweisend. »Ich bin kein Architekt.«

Sundstrom erkannte seinen Fehler sofort; in Kürze würde Tolkening bösartig werden und ihm vorwerfen, er wolle der Partei die Verantwortung für seine eigenen Mängel aufbürden. Sundstrom fühlte sich, als lägen seine Nerven offen, ihre Fasern ein einziges Gewirr; irgendwie mußte man das Durcheinander ordnen und die Stränge neu verknüpfen, damit wenigstens wieder eine Verbindung zustande käme zwischen dem betäubten Gehirn und dem flatternden Herzen. Er wünschte sehnlichst, Tolkening würde ihm gestatten, sich eine Zigarette anzuzünden; aber Tolkening würde derart nie erlauben: aus Sorge um seine Mitmenschen, wie er behauptete, und um diese vor einem frühzeitigen Infarkt zu bewahren.

»Genosse Tolkening« – Sundstrom brachte es fertig, seiner Stimme einen Ton von Vertrauen und Unterwürfigkeit zugleich zu verleihen –, »du und ich, wir wissen beide, daß ich strikt nach den Richtlinien baue, die uns durch unsere politischen Überzeugungen vorgegeben sind. Und du und ich« – er versuchte verzweifelt, die Gemeinsamkeit zwischen ihm und dem Parteisekretär zu unterstreichen –, »du und ich haben zuviel durchgemacht, um nicht zu wissen, daß diese Richtlinien nur als Bestandteil des Ganzen betrachtet werden können.«

Tolkening schüttelte kaum merklich den Kopf; seine Lippen verzogen sich zu einem dünnen Lächeln. »Man sprach, als ich dort war, mehr von neuer Technik, von vorgefertigten Teilen, komplexen Baumethoden…«

»Neue Technik…!« Wenn es sich um sein eigenes Arbeitsfeld handelte, hatte Sundstrom sämtliche Argumente fertig zur Hand. »Ich will nicht leugnen, daß man mit neuer Technik noch sparsamer arbeiten kann, allerdings erst nach einer Rieseninvestition in neue Betriebe und neue Maschinen – aber diese neue Technik führt schnurstracks zum Formalismus. Sind die Genossen in Berlin bereit, das in Kauf zu nehmen?«

Tolkening überlegte. Er konnte sich nicht erklären, warum die Benutzung vorgefertigter Bauteile zu Formalismus führen sollte, aber schon die Erwähnung des Tabus und die grundsätzliche Haltung, die Sundstrom dazu einnahm, ließen ihn zögern.

Sundstrom nutzte seinen Vorteil. »Haben sie in Berlin etwas Definitives gefordert? Eine neue Linie vorgegeben? Ein neues Prinzip?«

Tolkening begann seine Erklärungen. Aber was die Berliner Genossen ihm gesagt hatten, war schon unklar gewesen, und da er selber, bevor er sich von seinen Fachleuten hatte belehren lassen, nur die nebelhaftesten Vorstellungen von theoretischen Fragen auf dem Gebiet von Kunst und Architektur hatte, wirkte er nicht recht überzeugend. Mit dem ärgerlichen Ausruf: »Versteh doch, sie wollen es eben *anders* haben, und zwar jetzt!« brach er ab und fügte nach einer Minute hinzu: »Was und wie anders, das finde du heraus; das ist dein Problem.« Dann, genauso plötzlich wie er zornig geworden war, zeigte sich sein gewohntes, nichtssagendes Lächeln wieder, das Sundstrom und die ganze Länge des Konferenztisches umfing, ganz so, als zöge er neben seinem Gast auch die Gespenster aller Genossen in sein Vertrauen, die je an dem Tisch gesessen hatten.

»Anders haben…«, wiederholte Sundstrom, und wieder

kehrten seine Gedanken zu Tieck zurück und danach zu Julia. »Überlegen wir doch mal, was dieses andere ist, das die Genossen in Berlin sich plötzlich wünschen, Genosse Tolkening, das ursprünglich andere, von dem alles darauffolgende ausgeht? Denn wissen wir das einmal, werden wir die Linie haben, nach der wir uns umstellen können.« Das in Sundstroms Frage enthaltene *Du und ich* war unter den Umständen schlicht eine Unverschämtheit; die Wahrscheinlichkeit war, daß Tolkening sehr wohl wußte, woher die neuen Schwierigkeiten seines Chefarchitekten rührten; würde er sich dann noch gefallen lassen, wenn man für ihn und diesen seinen Chefarchitekten eine gemeinsame Interessenlage herstellte oder sie beide gar in einem Atemzug nannte?

»Das ursprünglich andere?« Tolkening zerknitterte sein Stullenpapier samt den darin liegenden Apfelschalen; sein normalerweise streng beherrschter Gesichtsausdruck war von Sorgenfalten entstellt; Sundstrom hatte ihn so noch nie erlebt. »Der große Mann ist tot, das ist das ursprünglich andere!«

»Aber er ist doch schon seit drei Jahren tot!« erlaubte Sundstrom sich einzuwenden.

»Die wahrhaft Mächtigen brauchen viel Zeit, bevor ihr Tod sich auswirkt.«

Sundstrom hörte sehr aufmerksam zu: Vielleicht würde das Vexierspiel sich nun zu entwirren beginnen, mit dem er sich so lange geplagt hatte.

»Er war auch nur ein Mensch, hat sich herausgestellt. Welch tiefe Degradierung!« Das heroische Lächeln, das Tolkening darzubieten beabsichtigte, gelang ihm nicht. »Und er muß noch weiter degradiert werden, damit die neuen Männer endlich an Statur gewinnen. Du bist doch Architekt, Genosse Sundstrom. Was geschieht, wenn du aus einem gemauerten Bogen den Schlußstein herausbrichst?«

Ein rascher, prüfender Blick auf den Ausdruck um Tolkenings Lippen ließ Sundstrom erkennen, daß der Mann dabei war, sich noch weiter zu entblößen; gleich ihm selber schien Tolkening echt beunruhigt zu sein – hatte er, Sundstrom, Krylenko nicht gewarnt, was es für Folgen haben könnte, wenn man Tieck und Hunderttausende wie Tieck wieder auftauchen und ungehemmt in der Welt herumlaufen ließ…? »Wenn du diesen Stein herausbrichst, wirst du den Bogen und die Strukturen, die auf ihm ruhen, und die Menschen, die in diesen Strukturen sich bewegen, auf andere Art abstützen müssen«, antwortete er endlich, »und zwar baldmöglichst.«

»Dieser Zwanzigste Parteitag«, sagte Tolkening nachdenklich und mehr zu sich selbst als zu Sundstrom, »wird uns noch lange in der Kehle stecken…«

Sundstrom beherrschte sich mit Mühe. Er lehnte sich gespannt vor, seine Finger ineinander verflochten – er war sich bewußt geworden, daß Tolkening ihn bis zu der Quelle geführt hatte, aus der all das Neue geflossen war, das andere, das sich auf sein Leben, seine öffentliche Stellung, ja sein eigenes Bett auswirkte; auf seiner Zunge häuften sich die Fragen, aber er fürchtete, eine jede von diesen würde den Laden zuschlagen lassen vor dem Fenster, durch welches er einen Blick auf die Tatsachen hatte werfen dürfen.

»Ich will nicht behaupten, die Sowjetgenossen hätten nicht korrekt gehandelt, als sie sich vornahmen, altes Unrecht in Ordnung zu bringen und alte Mißbräuche abzuschaffen, besonders wenn man die vertraulichen Informationen in Betracht zieht, die uns von den Verhandlungen auf dem Kongreß erreicht haben.« Tolkening schwieg einen Moment. »Davon hast du doch gehört, oder?«

Sundstrom brachte es fertig, das Zucken in seinen Kinnbacken zu unterdrücken. Die alte Furcht saß ihm wieder im Genick: Wenn sie das alles in Moskau offenlegten, wo würden sie haltmachen?

»Na schön, bitte…« Tolkening lächelte. »Du warst doch selber in Moskau, Genosse Sundstrom, während der ganzen Jahre. Du müßtest also einigermaßen Bescheid wissen.«

Aber auch Tolkening hatte damals in Moskau gelebt… Sundstrom richtete sich auf. Waren sie vielleicht beide, wie sie da an diesem Tisch saßen, getrennt durch nichts als ein paar Zentimeter dunkelgemaserter Eiche, geheime Verbündete? Oder wollte Tolkening jetzt, da die Dinge unhaltbar in Bewegung geraten waren, ihre gegenseitigen Positionen überprüfen? Wollte er ermitteln, wieviel sein Chefarchitekt über Einzelheiten persönlicher Natur wußte? Und wieviel Sundstrom glaubte, daß er, Tolkening, über ihn wisse?

Tolkening gestattete sich einen kurzen Seufzer. »Wir, die wir den Druck jener Moskauer Jahre erlebt haben, können ermessen, wie glücklich unsere deutsche Partei sich schätzen kann und wie aufrecht der Charakter unserer führenden Genossen gewesen sein muß, daß sie Gleiches wie in der Sowjetunion in unserer Republik verhütet haben. Wir hier haben keine erzwungenen Geständnisse gehabt, keine Schauprozesse, keine Hinrichtungen Unschuldiger…« Wieder lächelte er. »Wir haben ein gutes Gewissen.«

»Ein gutes Gewissen«, wiederholte Sundstrom und versuchte, seiner Stimme den Ton einer nüchternen Feststellung von Tatsachen zu geben. Das *Du und ich* hatte endlich zum *Wir* geführt – ein großes Wort, eigentlich das größte von allen; man mußte nur darauf achten, daß man Teil dieses *Wir* blieb, seine Tugenden nicht höher stilisierte und seine Verfehlungen nicht schlimmer darstellte als die seiner Mitmenschen: Dann würde man in der jeweiligen Gesellschaft stets einen ausreichenden Schutz genießen.

»Jedenfalls bin ich froh, daß du die Situation verstehst«, verkündete Tolkening, »und daß du bei den noch zweifelhaften Punkten mir etwas Klarheit verschaffen konntest. Der Rest ist Taktik.«

Taktik, dachte Sundstrom. Tieck. Julia. Taktik. Weder in Tolkenings Haus noch in seinem Büro erschienen Gespenster aus der Vergangenheit. Vielleicht existierten für Tolkening auch gar keine Gespenster, oder seine Haut war so dick, daß er einfach unfähig war, ihre Anwesenheit zu spüren.

»Ich interpretiere deine Denkweise wohl richtig« – Sundstrom kehrte zur Frage der Taktik zurück –, »wenn ich sage, daß eine Änderung in den Strukturen der Macht eine Änderung auch in architektonischen Strukturen erfordern würde.«

»So direkt würde ich das nicht behaupten.« Tolkening zeigte seine Zähne, er ließ nur die besten Zahnärzte an sein Gebiß. »Ich sehe in dieser neuen Entwicklung nur wieder einen Beweis für die Richtigkeit der marxistischen Anschauungen über die Kunst als Widerspiegelung des Lebens.« Er erhob sich und geleitete Sundstrom, einen Arm um dessen Schulter gelegt, zur Tür. »Ich vertraue darauf, Genosse Sundstrom, daß du den Gedanken, die wir besprochen haben, Beachtung schenken wirst, wenn du die verbesserten Entwürfe für dein Projekt der verlängerten Straße des Weltfriedens in Angriff nimmst.«

Sundstrom fiel der Gesichtsausdruck des Genossen Kloppermann auf, als der von seinem Bänkchen aus seinen Chef und dessen Besucher so engumschlungen aus der Tür treten sah. Kloppermanns düsterer Blick schien sich um ein weniges aufzuhellen – und Sundstrom dachte, auch wenn er keinen ausgesprochenen Vorteil errungen hatte, so hatte seine Position sich doch nicht wesentlich verschlechtert. In den nächsten Tagen, sobald er sein Projekt der Verlängerung der Straße des Weltfriedens umgearbeitet und eine eilige Erkundungsreise nach Berlin unternommen hatte, würde er Genaueres wissen über das Erdbeben im Kreml und die Wirkung und den Bereich von dessen seismischen Wellen und über das Endergebnis seines Gesprächs mit dem Genossen Tolkening.

Die Schnelligkeit, mit der die Nachricht sich im Architekturbüro verbreitete, verblüffte sogar Hiller. Wohin er auch kam, welches Studio er auch betrat, wußten die Leute bereits Bescheid – und sogar ziemlich genau –, auf welche Hindernisse das Zusatzprojekt in Berlin gestoßen war. Sie ahnten auch, daß der ganze Verdruß von der politischen Seite herkam; sie besaßen zwar keine spezifische Information, wußten aber durch jahrelange Schulung und tägliche Erfahrung, daß weder in der Ökonomie noch in der Architektur, in den Künsten oder sogar den persönlichen Beziehungen irgend etwas separat von den politischen Entwicklungen gesehen werden konnte. Nur Wukowitsch, der seinerzeit durch den Zusammenprall der Gruppe um Tito mit dem Rest des sozialistischen Lagers zur Genüge herumgestoßen worden war – und durch ihn beinflußt Waltraut Greve –, vermuteten einen ganz bestimmten Grund. Hiller überlegte: Konnte es sein, daß die Unruhe, die sich in den Studios der Architekten und auf ihren Baustellen verbreitete, mit zwei Zeilen in der Parteipresse in Zusammenhang stand – *Genosse Stalin kann nicht länger als einer der Klassiker betrachtet werden…*? Konnte dies die Ursache sein für die Schatten, die sich um Sundstroms Haupt sammelten?

Unsinn. Man muß seinen Sinn für Proportionen wahren.

Aber Waltraut stürzte sich auf ihn. »Warum glaubst du, daß die sicheren Erfolgsideen von gestern zu den Fiaskos von heute geworden sind?«

Doch Hiller wollte sich nicht festlegen lassen: Die Entwürfe, sagte er, waren wie seit je üblich in zu großer Eile angefertigt worden und ermangelten daher jener gerade Mode gewordenen Nichtigkeiten, mit denen man die Clique in Berlin sonst beeindruckte und ihr die moralische Berechtigung verschaffte, ihre gewöhnlichen Weisheiten über die gewöhnlichen Platitüden zu verkünden – nichts, was sich nicht mit ein bißchen Nachdenken und Phantasie reparieren ließe, und um die Anwendung von genau diesem Nachdenken und dieser Phantasie für das Projekt hatte Genosse Sundstrom sie ja alle gebeten.

Wukowitsch zuckte die Achseln. Waltraut trat dicht vor Hiller. »Du bist ein schlechter Schauspieler, John.« Hiller wünschte sie zum Teufel. »Und ein gleich schlechter Psychologe«, fügte sie hinzu. »Daß du den Ehemann in Schutz nimmst, kaschiert nicht, daß du mit seiner Frau schläfst.«

»Ich gestatte mir nur nicht, meine persönlichen Gefühle auf mein politisches Urteil abfärben zu lassen«, sagte Hiller gereizt.

Trotzdem wurde er nachdenklich. Sundstrom hatte die Sache recht beiläufig behandelt, als er ihn bat, die Revision der Pläne für die Verlängerung ihrer Straße zu veranlassen. Aber wenn die gegenwärtigen Probleme des Genossen Sundstrom tiefere Ursachen hatten als Quertreibereien gegen ihn seitens seiner Konkurrenten, dann war der Fall des Mannes, auch wenn er nicht unmittelbar bevorstand, doch bereits in den Karten, und man mußte ernsthaft überlegen, wie man sich jetzt selber salvierte.

»Was nützen all eure Hypothesen...« Wukowitsch wurde nun doch ein wenig entgegenkommender. »Wir werden sehen, was wir sehen werden. Jedenfalls macht es einen ganz krank, wenn man nie dazu kommt, die Arbeit zu tun, die man tun möchte; wieder werden wir die Narben der alten Geschwüre mit Schönheitspflästerchen zu kurieren suchen; vielleicht werden wir sogar ein oder zwei Nasen plastisch umbauen, wenn in Realität ein ganz neues Gesicht gebraucht wird, und ein neuer Geist, und ein neues Herz.«

Waltraut hatte ihm kaum zugehört. Die Gelegenheit, John Hiller etwas von ihrer eigenen Bitterkeit schmecken zu lassen, war zu selten, um sie auf die Diskussion ästhetischer Fragen zu verschwenden. »Statt hübsch brav zu sein und den glorifizierten Laufburschen des Chefs zu spielen«, fuhr sie Hiller an, »solltest du dem Schicksal dankbar sein, daß er ins Rutschen geraten ist, und das deinige tun, damit er auf die Nase fällt. Oder vielleicht spielst du lieber den Jago an der Seite dieses blinden, tauben und stummen Othello und hast nur vergessen, deine alten Freunde von deiner neuen Rolle in Kenntnis zu setzen.«

Hiller packte sie bei ihren Schultern und schüttelte sie mit aller Kraft. »Warum – hältst du nicht – deine elende Fresse?«

»Bravo! Nur weiter so!« Ihre Stimme wurde sonderbar schrill. »Warum verprügelst du mich nicht auch gleich noch!« Sie versuchte nicht einmal, sich aus seinem Griff zu befreien; sie schien seine zupackende Grobheit sogar zu genießen. »Damit ich dann überall herumlaufen und den Leuten sagen kann: Schaut euch meine blauen Flecken an, die hab ich von Hiller, dem großen Liebhaber! Ach, John, warum bist du nur so dumm…«

Er gab sie frei; nicht weil ihr Hohn auf ihn gewirkt hätte, sondern weil er einen Moment lang die alte Lust nach ihr verspürte. Dann verließ er den Raum, ohne ihr oder Wukowitsch die Arbeit anzuweisen, die zuzuteilen er gekommen war.

Draußen im Flur blieb er stehen, zündete sich eine Zigarette an und versuchte, sein Gleichgewicht wiederzufinden. Das plötzliche Lustgefühl, das Waltrauts Nähe in ihm erzeugt hatte, beunruhigte ihn dabei am wenigsten. Vielmehr störte ihn der Vergleich mit Jago, den sie so leichthin benutzt hatte. Er haßte Sundstrom; aber mit jedem Tag geriet er tiefer in das Vertrauen des Mannes und erhielt mehr und mehr Aufträge von ihm, die Takt, Diskretion und Finesse erforderten. Gott sei Dank endete die Parallele noch vor dem Auftritt der Desdemona… Zum Teufel mit Waltraut Greves Shakespeare. Jede Generation und jede Gesellschaftsform erzeugten ihre eigene Sorte Schurken, und wenn nur die Hälfte von dem, was Sundstrom zu belasten schien, den Tatsachen entsprach, so hätte ein heutiger Shakespeare seinen Stoff und seine Handlung fertig daliegen.

Hiller zupfte an seinem Ohrläppchen. Plötzlich fühlte er sich frustriert: Was sollte er wirklich seinen Kollegen raten? Sundstrom hatte sich höchst vage ausgedrückt; Sundstrom improvisierte einfach, bis Tolkening oder Berlin oder Moskau gar einen neuen Ukas erließen, der ihm als Krücke dienen konnte. Und Sundstroms Unsicherheit wirkte sich auf ihn, Hiller, auf ähnliche Weise aus; früher war alles besser gewesen, da wußte einer wenigstens, in welcher Richtung er heucheln sollte.

Er trat seinen Zigarettenstummel aus, warf einen mißmutigen Blick auf die vergilbten Leitartikel, die noch immer an der Wandtafel hingen, und entschloß sich, seine geplanten Arbeitsgespräche vorläufig abzubrechen. Hände tief in den Taschen seines Kittels, Schultern gebeugt, begab er sich zum Ende des Flurs, wo hinter einem breiten Aktenschrank das Türchen zu der Nische führte, in welcher man Tieck untergebracht hatte –

den einzigen Menschen, der zumindest einige der vielen Fragen beantworten konnte, vorausgesetzt – Hiller unterbrach seinen Gedanken –, vorausgesetzt, Tieck war geneigt, überhaupt auf Fragen einzugehen.

Aber Angesicht zu Angesicht mit Tieck war Hiller auf einmal nicht mehr imstande, seine Fragen in irgendeine logische Reihenfolge zu bringen. Der wissende Blick in Tiecks hellen Augen verwehrte ihm jedes Eindringen in dessen Sphäre; wenn es Fragen gab, schien dieser Blick zu bedeuten, würde er, Tieck, sie stellen.

»Ich freue mich, daß Sie mich besuchen«, sagte Tieck. »Ich freue mich schon, wenn irgendeiner mal vorbeischaut. Was kann ich für Sie tun?«

Hiller sah nur die Möglichkeit, mit seinem dienstlichen Auftrag zu beginnen, so widersprüchlich der auch war – die Verlängerung der Straße, Sie wissen, Kollege Tieck; haben Sie da Vorschläge, neue Gesichtspunkte, neue Ideen, aber natürlich basierend auf dem bereits Geleisteten und aufbauend auf unseren Errungenschaften, dabei diese jedoch übertreffend: einerseits also Fortsetzung einer ungebrochenen Linie, und dennoch ein neuer, ursprünglicher Beitrag zu dem Schatz sozialistischer Architektur…

Tieck ließ ihn ausreden. Er saß, sehr aufrecht, auf einem Stuhl mit gerader Lehne; auf dem Tisch, der ihm zugleich als Reißbrett diente, lagen nur ein paar Bleistifte. Dann, Hiller aus der Verlegenheit erlösend, in welcher dieser sich befand, erwähnte er beiläufig: »Ich habe auf etwas der Art gewartet, wissen Sie.«

Mit einem raschen Blick suchte Hiller zu erkennen, was hinter Tiecks abwartender Haltung stecken mochte: eine allgemeine Einschätzung der politischen und psychologischen Situation, architektonische Überzeugungen, Ungeduld wegen seines immer noch überzähligen Status, oder je zwei von diesen Punkten zusammen, oder sogar sämtliche drei.

Aber Tieck sprach nicht von seinen Gründen und ebensowenig von dem Ausmaß seiner Information. Statt dessen fuhr er fort: »Und in Erwartung eines solchen Gesprächs habe ich mich darauf vorbereitet – soweit sich das tun ließ in der Zeit, seit man mir diesen Tisch zugewiesen hat, und soweit es mir mit den mir zur Verfügung stehenden begrenzten Fakten möglich war.«

Die Entschiedenheit, mit der er das sagte, beeindruckte Hiller. Hier war eine ihm neue Art von Kommunist; er hatte Tieck bei der Besichtigung der Straße an dem Tag des großen Rundgangs mit Julia beobachtet, und später noch bei Gelegenheit, und jetzt wieder; die Persönlichkeit des Mannes schloß hintergründige Absichten aus; Tieck schien die Revolution nicht in erster Linie als eine Leiter zu verstehen, die man erklomm, um Positionen, Prestige und Privilegien zu erlangen.

Tieck erhob sich. Aus der Ecke nächst dem Fenster holte er drei große Bogen Papier, jeder von ihnen separat aufgerollt und durch mehrere Gummibänder zusammengehalten. Die Rollen sorgsam in seinen Händen, fragte er vom Fenster her: »Gehen wir jetzt hinüber zum Genossen Sundstrom?«

»Genosse Sundstrom ist nach Berlin gefahren.«

»Oh.«

Wieder spürte Hiller sein Unbehagen über die Aufgabe, die Sundstrom ihm zugewiesen hatte. »Morgen wird er zurück sein«, beeilte er sich, Tieck zu versichern, »spätestens übermorgen.«

»Macht nichts …« Tieck stellte seine Zeichnungen zurück an ihren Platz. »Ein Architekt arbeitet nicht für den nächsten Tag.«

Hiller sagte nichts zu diesem Leitsatz. Aber seine Neugier überwog die gebotene Zurückhaltung: War Tieck in der Tat so schöpferisch, wie er kritisch war, besaß er soviel Phantasie, wie er Prinzipienfestigkeit zu haben schien? Und was für eine Art Architektur würde er jetzt empfehlen, nach all den Jahren ohne Praxis, abgeschnitten von der ganzen Entwicklung im Bauwesen?

»Dürfte ich die Zeichnungen wenigstens mal ansehen?«

Das Gummiband knisterte gegen das Papier, als Tieck die größte der Zeichnungen aufrollte. Den nun ausgebreiteten Bogen quer über den Tisch legend, sagte er: »Südliche Ansicht vom obersten Geschoß des letzten noch im Bau befindlichen Gebäudes der Straße des Weltfriedens.« Und blieb so stehen, seine Finger auf die Ränder des entrollten Bogens gepreßt, auf seinem Gesicht kein Zeichen von innerer Spannung.

»Die Straße!« rief Hiller, und sein Atem stockte. Nachdem er wieder Luft geschöpft hatte, sagte er heiser: »Unsere Straße, und doch wieder nicht! Unsere Straße ist resorbiert worden von etwas Neuem in diesem Entwurf …«

»Ich habe Ihre Straße einfach auf das reduziert, was eine Straße sein sollte: ein Weg, um schnellstmöglich von einer Stelle zu einer anderen zu gelangen – keine Paradeallee, kein Triumphbogen in Form eines Bandwurms. Der Rest ist Einteilung: hell, luftig, den Leuten ein Gefühl verschaffen für Raum und Zeit – und für die eigene Bewegungsfreiheit.«

Er hielt inne. Hiller brauchte die Stille, um wenigstens provisorisch ein wenig Ordnung in die Gedanken zu bringen, die ihn bewegten. Dies war eine Welt für sich, eine neue – ein kompletter Bruch mit Sundstroms Straße und den Dutzenden von Straßen, die nach dem gleichen pompösen Muster gebaut worden waren. Dies war ein Spiel mit neuen, überraschenden Formen, mit Kurven und Kontrasten, und doch konnte man, wenn man genauer hinsah, die strukturelle Klarheit erkennen, das Gefühl von Einheit des Ganzen, von Harmonie der Proportionen, völlig anders als die Symmetrien, die Sundstroms permanenter Kunstgriff waren.

»Und was bedeuten diese?« Hiller wies auf die untere linke Ecke der Zeichnung, auf etwas, das wie eine Reihe kleiner geometrischer Figuren aussah.

»Diese?« Tieck lachte. »Das sind meine Baublöcke, vorgefertigt jeder einzelne, nach Plan, Maß und Standard. Wir stellen das dann alles zusammen, wie ein Kind seine Klötzchen, die hohen, die niedrigen, die langen, die kurzen. Ich hab das alles schon geübt. Eine Zeitlang habe ich in der Küche gearbeitet, dort …« Er ließ sich nicht näher darüber aus, wo sich dieses *dort* befunden haben mochte. »In der Küche hatte ich ein Messer zur Verfügung und konnte mir aus Holzscheiten meine Bauklötzchen schnitzen. Auf diese Weise läßt sich nur im Sozialismus bauen« – seine Rechte beschrieb einen Kreis über der Zeichnung, die immer noch vor ihm lag –, »wo wir den Raum planen können für diese wie für die kommenden Generationen. Und sparsam bauen! Ich habe meine Bauten kalkuliert, gründlich. Ich habe auf diesem Stück Papier beinahe zweimal so viele Wohnungen wie in Ihrem ursprünglichen Projekt, plus Ladenstraßen, Schulen, Kindergärten, Poliklinik, Gemeindezentrum, Garagen. Und errichtet für das gleiche Geld.«

»Das ist ein Traum«, sagte Hiller nach einer Pause; sein Bedauern war ihm gegen seinen Willen in die Stimme geraten. »Aber die werden das nie akzeptieren.«

»Und warum nicht?«

»Weil es vernünftig ist. Weil sie festsitzen auf ihrer Hochzeitstortenarchitektur, selbst wenn sie jetzt möchten, daß wir ein paar Stückchen von dem Zuckerguß abkratzen. Nachdem sie *das* Sozialismus genannt haben, und *dieses*« – eine Handbewegung in Richtung von Tiecks großem Entwurf – »seelenlos, dekadent, formalistisch, können sie sich nicht plötzlich umdrehen und das Gegenteil behaupten.«

»Mein lieber junger Genosse…« Auf Tiecks Gesicht zeigte sich plötzlich ein nachdenklicher Ausdruck. »Was ich Ihnen jetzt sagen werde, sage ich nicht, um Ihre Seelenruhe zu stören, sondern weil ich möchte, daß Sie Ihren Glauben an die Idee doch nicht verlieren: Ich habe sechzehn Jahre meines Lebens in den übelsten Lagern und Gefängnissen verbracht, weil ich, wie man behauptete, Verrat begangen hätte am Sozialismus. Und dann wurde ebenso unzeremoniell und ohne erneute Beweisfindung festgestellt, daß ich derlei niemals getan hätte und daß ich frei wäre zu gehen, wohin ich wollte.«

Er rollte den Entwurf zusammen und legte die zweite Zeichnung auf den Tisch, den Plan für die Grundeinteilung seines Projektes. »Auf dem Blatt«, sagte er dann, »können Sie das Verhältnis besser erkennen zwischen Grünflächen und Bauten, und die Zufahrtswege zu der Verlängerung der Straße des Weltfriedens, und die neue Lebenschance, die wir dem bisher so verachteten Tier, dem Fußgänger, doch geben möchten... Formalismus!« rief er plötzlich aus, als hätte er den Vorwurf, der in dem Begriff lag, erst jetzt verstanden. »Definieren Sie das einmal richtig, und Sie werden feststellen, es bezieht sich auf Form ohne Inhalt, auf die sinnlosen Schnörkel, auf die alte Routine, der man immer noch folgt, obwohl sie seit langem nirgendwohin mehr führt. Hier« – sein Finger zeigte zum Beweis auf seinen Plan –, »jede Form hat ihren Zweck... Genosse Hiller!«

Hiller fuhr auf. So stimuliert war er seit seiner Hochschulzeit nicht mehr gewesen, als in seinem lernbereiten Hirn die große Mutter aller Künste, die Architektur, noch nicht die Hure gewesen war, die sich jedem Kunden preisgab. »Ja, Genosse Tieck?«

»Sehen Sie, ich glaube an die Möglichkeit dieses Plans, weil ich an die Macht der Vernunft glaube. Was vernünftig ist, ist auch schön, und Schönheit ist ein Bestandteil des Sozialismus.«

Hiller nickte nur. Er war Praktiker und hatte gelernt, mit den Realitäten zu leben und das Phrasengewäsch um ihn herum entsprechend gering zu bewerten. Nicht daß er glaubte, Tieck drösche Phrasen; Tieck war grundehrlich, aber ein Träumer; das Wunder war ja eben, daß seine Träume überlebt hatten – oder hatte Tieck überlebt, weil er sich seine Träume erhalten hatte?

Hiller suchte auf Tiecks Entwurf nach Andeutungen und Kombinationen, die jenseits des Architektonischen lagen; und er fragte sich, welche Teile dieses Entwurfs man Männern wie Tolkening schmackhaft machen könnte; und er überlegte, welche Auswirkung Tiecks Pläne, oder Tiecks Ideen generell, auf die ständig wechselnden Beziehungen zwischen ihm selber und Sundstrom haben könnten, und zwischen ihm und Julia, und auf die unbekannten Kräfte, die plötzlich in Bewegung geraten waren.

»Und was wollten Sie mit diesen Entwürfen unternehmen?«
erkundigte er sich.

Tiecks Achselzucken sagte mehr aus als sein Kommentar.
»Dem Genossen Sundstrom zeigen, nehme ich an.«

»Aber Ihre Entwürfe sind doch ein Manifest – und zwar *gegen* Sundstrom!« Hiller brach ab. Tieck schien Schwierigkeiten zu haben mit den Gummibändern, die er auf seine Rolle zurückschieben wollte. Endlich fuhr Hiller fort: »Für das Wahrscheinlichste halte ich, daß Sundstrom ein paar von Ihren unwesentlicheren Details nimmt und sie dem neuen Gemisch beifügt, das er irgendwann vorlegen wird. Und dafür wird er Sie sein Leben lang hassen und Ihnen eines Tages die Gurgel durchschneiden.«

»Ich glaube sowieso nicht, daß er mich sehr liebt.«

»Trotzdem hat er Ihnen einen Unterschlupf gewährt. Das ist immerhin etwas, das Sie vielleicht festhalten möchten.«

»Sie können mir glauben, Genosse Hiller« – die Fältchen in Tiecks Augenwinkeln vertieften sich –, »ich habe schon größeren Versuchungen, auf meine Grundsätze zu verzichten, widerstanden… Was würden Sie mir denn vorschlagen?«

»Ihre Pläne Sundstrom *nicht* zu zeigen.«

»Sechzehn Jahre lang habe ich Spielzeugstädte gebaut.«

»Ja meinen Sie denn, Sundstrom wird Ihnen die Möglichkeit verschaffen, irgend etwas Reales zu bauen?« Auf einmal sah Hiller den taktischen Zug, nach dem er gesucht hatte, die Kombination, mit der er Julia gewinnen würde. »Wir werden diese Entwürfe in Berlin vorlegen.«

»*Wir*?«

»Sie müssen mir ja nicht vertrauen.« Hiller zwang sich zur Ruhe und setzte sich gemächlich. »Ich kenne das Bild, das Sie sich von mir gemacht haben: Sundstroms Zuträger und Liebhaber von Sundstroms Ehefrau.« Tieck schien peinlich berührt; trotz all seiner Erfahrungen hatte er sich wohl ein empfindsames Herz bewahrt; wie konnte man solche Menschen zu Aktionen veranlassen? »Aber ich sage Ihnen, Genosse Tieck, Ihre Pläne lassen sich durchsetzen.«

»Wie denn?«

Hiller dachte an Wukowitschs Ausspruch, an das von diesem scheinbar so beiläufig angeführte Pressezitat, daß der verstorbene Gott in Wirklichkeit doch keine echte Gottheit gewesen sei. »Vielleicht lassen diese Pläne sich nicht ganz in der von Ihnen vorgelegten Form durchsetzen: Wir wollen ja nicht, daß ein wichtiges Blutgefäß des Genossen Tolkening platzt oder der zuständige Berliner Ausschuß in gemeinsamer Sitzung erstickt. Wenn Sie mir gestatten, würde ich Ihnen helfen, die Korrekturen vorzunehmen, die man auf den Zeichnungen machen müßte. Die allgemeine Situation, das wissen Sie besser als ich, hat sich tatsächlich verändert. Aber ich kenne die örtlichen Empfindlichkeiten: Da geht es um Fragen des Materials, um mangelnde technische und politische Möglichkeiten, um Umgehungsstraßen und Abkürzungen und um persönlichen Ehrgeiz. Lassen Sie mich Ihr« – er dachte nach: Ihr Wegführer? Freund? Assistent? Nichts davon paßte zu seinen eigenen Zielen und Zwecken oder zu der Stimmung bei dieser Begegnung –, »lassen Sie mich Ihr Sancho Pansa sein.«

»War Sancho Pansa nicht eigentlich ein großer Egoist?«

»Das Ego seines Herrn war erheblich größer.«

»Bitte sehr ...« Tieck lachte. »Also auf zum Sturm gegen die Windmühlen!«

Tiecks Zimmerwirtin, Frau Schloth, klopfte und trat unmittelbar ein. »Telefon, Herr Tieck«, verkündete sie, und setzte mit einem bedeutungsvollen Blick hinzu, »sehr angenehme Stimme; eine Dame.«

Tieck widmete Hiller ein bedauerndes Achselzucken. »Sie entschuldigen?«

Die Zimmertür, in welcher Frau Schloth noch immer stand, blieb offen. Hiller konnte nur weniges von dem verstehen, was Tieck am Telefon sagte; der Apparat draußen im Flur war zu weit entfernt; und Frau Schloth schwatzte weiter: Wie bedauerlich es wäre, daß ein so netter Herr wie Herr Tieck so allein lebte und nur seine Arbeit kannte und abends nach Haus kam und kaum sah, was sie ihm vorsetzte, und dann zurück an seinen Schreibtisch und zu seinen Stiften und Zeichenbogen, und nicht einmal ein Kino irgendwann, na ja, was sie jetzt dort zeigten, war auch fast nicht wert, daß man sich's ansah, mit Ausnahme von ein paar alten Westimporten vielleicht; und niemals auch nur auf ein Bier in eine Gaststätte, der Mann machte einem richtig angst, so intensiv war er, besessen, könnte man sagen, nur daß er dabei so liebenswürdig war und so rücksichtsvolle Manieren hatte, er mußte viel in seinem Leben gelitten haben, oder?

Frau Schloth färbte ihr Haar tiefschwarz und trug ihren mütterlichen Busen streng hochgeschnürt. »Sie sind der erste Besuch, den er je gehabt hat«, informierte sie Hiller.

»Und das da ist der erste Telefonanruf, den er je bekommen hat?«

»Der erste von einer Dame«, schränkte sie ein. »Ich hoffe nur, sie ist eine anständige und ehrliche Person. Er ist wie ein Lamm, ein richtiges Lamm, das die Leute nur immerzu streicheln möchten. Sie sind ein Freund von ihm?«

»Ich glaube schon.«

»Dann behüten Sie ihn mal schön. Ich hab ja versucht, ihn ein bißchen zu beraten, und er sitzt da und hört mir zu, aber ich sage Ihnen, ich weiß nie, ob er auch nur die Hälfte versteht von dem, was ich rede… Das ist aber ein langes Telefongespräch…«

»Ja, nicht wahr?«

»Andererseits«, sagte Frau Schloth, »andererseits heißt es aber auch, stille Wasser sind tief. Ich hatte mal einen Mieter, der war ein ebenso ruhiger Herr wie Ihr Freund, und höflich, wie der Tag lang ist, guten Morgen, Frau Schloth, hat er immer gesagt, und danke schön Frau Schloth, und immer pünktlich mit der Miete. Mit einem Finger hätten Sie mich umwerfen können, wie der Kriminalkommissar kam und ihn mitnahm wegen Nichtzahlung von Alimenten an vier verschiedene Frauen, zwei davon im Westen noch dazu.«

»Ich glaube nicht, daß Herr Tieck dafür lange genug im Lande gewesen ist«, sagte Hiller.

»Lange genug wofür?« fragte Tieck. »Und würden Sie mich bitte vorbeilassen, Frau Schloth?«

»Um Alimente zahlen zu müssen«, antwortete Hiller.

Frau Schloth verzog sich. Tieck schloß die Tür. »Diese Frau meint, die Unterhaltung ihrer Untermieter ist im Preis für Bett und Frühstück inbegriffen...« Er trat zurück an seinen Schreibtisch und blickte Hiller an. »Julia kommt her.«

Hiller spürte den Extraschlag seines Herzens. »Haben Sie Julia gesagt, daß ich hier bin?«

»Nein.«

»Und warum nicht?«

Tieck dachte nach. Ist das so wichtig?«

Ein Lamm, dachte Hiller. Ein richtiges Lamm. Ausgerechnet.

»Julia sagte, sie müsse unbedingt mit mir reden«, erklärte Tieck. »Arnold käme morgen zurück, und sie wisse nicht, ob sie dann noch Zeit finden würde.«

Hiller erbot sich: »Ich kann ja jederzeit fortgehen, wenn ihr vertraulich miteinander reden wollt«, und dachte ärgerlich, wer ist denn nun hier der Liebhaber?

»Wir werden ja bald genug erfahren, was ihr Problem ist.« Tieck lächelte sonderbar. »Aber inzwischen kehren wir mal zurück zu unsrer Arbeit. Sie sagten, Kollege Hiller, dieses schalenförmige gewellte Dach über dem Einkaufszentrum würde den entscheidenden Genossen nur als Verrücktheit erscheinen. Aber ich meine, wenn wir es diesen Leuten dann im Modell zeigen, werden wenigstens ein paar von ihnen die Eleganz spüren, die innere Heiterkeit, die im Wesen unseres Vorschlags liegt. Ich möchte eine psychologische Wirkung erreichen – ich möchte, daß die Menschen *wünschen* werden, dies Einkaufszentrum zu besuchen, nicht nur, um ihr bißchen Geld auszugeben, nein, auch zu schauen, zu promenieren, einander zu begegnen; die alte Idee des Marktplatzes, aber zwanzigstes Jahrhundert, sozialistisches zwanzigstes Jahrhundert. Folgen Sie mir?«

Hiller runzelte die Stirn. Es war lächerlich, in Zusammenhang mit Tieck Eifersucht zu spüren. Julia würde nicht von einem alten Mann weglaufen, um sich einem anderen gleich alten in die Arme zu werfen. Sie kam zu Tieck heute genau aus dem Grund, den Sundstrom fürchtete: wegen der Ereignisse von damals, die ihr ebensowenig Ruhe ließen wie ihm. Hiller fühlte sich ausgeschlossen – von Tieck, von Julia; einzig Sundstrom schien ihn zu brauchen.

»John Hiller!« Tieck riß ihn aus seinen Gedanken.

»Pardon, ich war unaufmerksam.«

»Ich hatte nicht das Herz, Julia nein zu sagen«, setzte Tieck ihm auseinander. »Wenn man einen Menschen seit seiner Kindheit gekannt hat, und auch seine Eltern – und Julia war wirklich sehr aufgeregt…«

»Sie waren doch nicht total betrunken in der Nacht, als Sie bei Wukowitsch schliefen, Genosse Tieck?«

»Nein, war ich nicht.«

»Also?«

»Wenn ich mir nur sicher wäre, daß Sie der richtige Mann sind für Julia«, sagte Tieck nachdenklich.

»Und was veranlaßt Sie anzunehmen, daß ich nicht der richtige bin? Ihr eigenes Verlangen nach ihr?«

Der Bleistift, an den Tieck sich geklammert hatte, zerbrach zwischen seinen Fingern.

»Ich befürchte, Sie und ich…«, begann er schließlich, kam aber nicht dazu, seinen Satz zu beenden. Frau Schloth öffnete die Zimmertür.

»Die Herren waren so vertieft, daß sie die Glocke am Wohnungseingang anscheinend nicht gehört haben«, verkündete sie wichtigtuerisch. »Wenn ich nicht aufgemacht hätte, stünde die junge Dame noch jetzt in der Kälte draußen oder wäre umgekehrt und fortgegangen…«

Julia trat hinter Frau Schloth ins Zimmer und erblickte John.

»Hallo, Julia!« grüßte der.

Sie schluckte. »Hallo, John!«

Tieck trat vor und küßte ihre Hand.

»Tieck und ich haben an etwas gearbeitet«, begründete Hiller seine Anwesenheit. »Ich war gerade dabei zu gehen. Du bist sehr rasch hergekommen.«

»Ich habe ein Taxi gefunden.« Julia sah erhitzt aus. »Ihr habt gearbeitet? Es tut mir leid. Daniel – der Genosse Tieck hat vorhin nichts von dieser Arbeit erwähnt.«

Tieck half ihr aus dem Mantel. »Du störst ganz und gar nicht…« Er entledigte sich der Frau Schloth, indem er sie bat, Kaffee zu machen, für eine Extrazahlung. Dann bot er Julia den einzig gepolsterten Stuhl im Zimmer an, seinen Schreibtischstuhl.

Aber Julia zog es vor stehenzubleiben und blickte unsicher von den Messingknöpfen an der Spitze der Bettpfosten bis hinunter zu dem Teppich vor dem Bett, der ein Großteil seiner Noppen verloren hatte. Schließlich kamen ihre Augen auf der verschossenen Tapete zur Ruhe, wo unscharfe Linien die Spuren eines geplatzten Wasserrohrs begrenzten.

»Wenigstens haben wir uns wieder getroffen!« sagte Hiller.

»Wir sind uns doch oft genug in den Studios begegnet«, entgegnete Julia mit tonloser Stimme. »Fast jeden Tag, möchte ich meinen.«

»Das war etwas anderes«, gab Hiller ihr zu bedenken, und Julia war sich bewußt, daß er recht hatte.

Sie schienen beide gefangen zu sein in einer Art magnetischem Feld, das ebensosehr von ihr ausging wie von ihm. Wäre Tieck nicht im Zimmer gewesen, sie wären einander in die Arme gefallen und gleich darauf aufs Bett. So jedoch standen sie ohne sich zu rühren, und die erzwungene Zurückhaltung machte sie beide nervös.

»Das war etwas anderes«, wiederholte Hiller heiser, »etwas Unpersönliches.« Dann lachte er kurz, und das brach den Bann. Julia fühlte sich ermattet, als wäre sie aus einer großen Höhe auf die Erde gefallen. Wie von weit her hörte sie Tiecks »Ich bin überzeugt, du wirst dich für das Projekt interessieren, mit dem wir uns beschäftigt haben.« Sie nickte und setzte sich so weit wie möglich entfernt von den beiden Männern auf den Bettrand, die gefalteten Hände im Schoß.

Johns Anwesenheit komplizierte alles. Sie hatte Daniel Tieck eine Frage stellen wollen; nur eine einzige Frage; aber obwohl diese Frage auf Ereignisse weit in der Vergangenheit zurückging, ahnte Julia jetzt, daß das Ganze irgendwie mit John in Zusammenhang stand und mit der Nacht, die sie in seinen Armen verbracht hatte.

»Wir waren dabei, eine neue Version der Verlängerung der Straße des Weltfriedens auszuarbeiten«, erläuterte Tieck auf seine sanfte Art. »Das dürfte dir doch einiges bedeuten.«

Er schaute sie forschend an. Sie schien jedoch nur erstaunt zu sein, daß um sie herum Veränderungen stattgefunden hatten – Veränderungen, die ohne ihre Mithilfe vorgenommen worden waren. Sie hatte es sich lange überlegt, bevor sie sich entschloß, zu Tieck zu gehen; sie fürchtete die Antwort auf ihre Frage und brauchte diese Antwort doch; nur ihr Vertrauen in Tiecks absolute Lauterkeit und leidenschaftslose Objektivität, in das *Orakel*, wie Arnold ihn spöttisch bezeichnete, hatte sie bewegt, ihn aufzusuchen. Jetzt aber fand sie ihn alles andere als objektiv, fand ihn verwickelt in ein gemeinsames Unternehmen mit Hiller, das sich mit Sicherheit auf Arnolds Leben auswirken würde – und auf ihr eigenes.

»In Wahrheit ist es alles Tiecks Idee«, sagte Hiller. »Ich helfe ihm nur, ein paar Kanten und Ecken zu glätten. Es ist sehr neu und überraschend, und ich glaube, wir haben da etwas…« Er verstummte. Dann bat er: »Komm her, Julia.« Er deutete auf den Entwurf. »Erinnere dich – ich habe dir versprochen, daß ich kämpfen würde!«

Tieck stand neben seiner Zeichnung, scheinbar unbeteiligt. »Nett von dir«, sagte er zu Hiller, »daß du mir auch einen gewissen Verdienst an der Sache zuschreibst.«

»Ich scheue mich nicht, sogar mit geborgten Waffen zu kämpfen«, konterte Hiller und war sich auf einmal des Risikos bewußt, das er in einem architektonischen Wettkampf um das Herz einer Frau auf sich nahm, und empfand sein plötzliches Ressentiment gegen Tieck als unberechtigt. Und dann wurde ihm jäh bewußt, daß Julia, obwohl an seiner Seite, möglicherweise nicht auf seiner Seite stand.

Julia betrachtete die projektierte Aussicht nach Süden von dem letzten, noch im Bau befindlichen Gebäude der Straße, und es war ihr, als stünde sie wieder genau auf dem Punkt, wo sie, so lange war das noch gar nicht her, tatsächlich neben Tieck gestanden und zum ersten Mal die schreckliche Verwandtschaft erahnt hatte zwischen verlogener Kunst und verlogenem Leben. Aber jetzt, auf dem vor ihr liegenden Plan, befand sich statt des Geröllfelds nach Süden hin mit den Resten zerbombter Mietskasernen und Lagerhäuser, statt des ganzen Gewirrs von Hoffnungslosigkeit und Staub, eine Perspektive auf die Zukunft, eine Harmonie sauberer Formen, denen ihr geübtes Auge Farben und Dimensionen zuteilte. Ja, wenn sich so etwas wirklich bauen ließe…

Sie hielt inne.

Wenn sich so etwas bauen ließe, würde sich auch alles andere lösen lassen, was ihr Herz bedrückte. Sie hätte nicht sagen können, warum das so sein sollte, sie war sich einfach dessen sicher, und sie war dafür – für diesen neuen Schönheitssinn, der aus den neuen Haltungen zum Leben erwuchs.

»Gefällt's dir?« erkundigte sich Tieck.

»Sehr«, sagte Julia.

»Willst du mithelfen?« fragte Hiller.

Natürlich wollte sie. Sie wollte mithelfen, dieses hier zu erbauen. Aber es ließ sich nicht *gegen* Arnold erbauen, wie John sich einzubilden schien und vielleicht auch Tieck; nur *mit* ihm.

»Wir könnten eine Art Dreigespann werden, Julia«, bedrängte Hiller sie. »Stell dir vor, in Berlin müßten sie sich entscheiden zwischen einem Kollektiv, bestehend aus Julia Sundstrom, Daniel Tieck und John Hiller, und auf der anderen Seite

Sundstrom – Sundstrom allein, der nie eine eigene kreative Idee hervorgebracht hat und der seine Architektur nach Gehör spielt, sein Ohr am Munde der politischen Chefs...«

Hiller brach ab. Dies war nun schon zur Routine geworden zwischen ihm und Julia, wie ein Fluch: Beide begannen sie in schönstem Einklang, in größter Vorfreude aufeinander, und dann kam etwas dazwischen – was nur, und weswegen? Vielleicht lag es an seinem Übereifer. In Julias Gegenwart fiel all seine sorgfältig kultivierte Reserve von ihm ab, und selbst einer wie Tieck zeigte sich ihm überlegen.

»Ob zu zweit, zu dritt«, sagte Tieck. »Ich denke, das kann warten. Soviel ich sehe, hat Julia etwas ganz anderes auf dem Herzen.«

Julia schwieg. Aber die Sicht nach Süden auf die Verlängerung der Straße des Weltfriedens verblaßte vor ihren Augen; die zerkratzte Oberfläche des Schreibtischs schob sich wieder vor ihren Blick, zusammen mit dem gepolsterten Stuhl, den Tieck ihr angeboten hatte, und seinem gütigen, müden Gesicht; und es wurde ihr klar, daß sie in den nächsten Minuten in Hysterie verfallen würde, wenn sie nicht alsbald Klarheit gewann; und daß es nur einen Menschen gab, der ihr diese Klarheit verschaffen konnte.

»Bin ich vielleicht«, fragte Hiller, »auf irgendeine Weise Teil des Problems?«

»Das auch«, sagte Julia.

»Dann sollte ich mich also lieber entfernen.«

Der schmollende Ausdruck um Hillers Mund erinnerte Julia an ihr Kind und gab ihr ein mütterliches Gefühl, und mit einem Mal konnte sie wieder über ihn lachen und sein Gesicht zwischen ihre Hände nehmen und ihn küssen, ganz leicht, auf beide Augen und seine Lippen.

Hiller wandte sich ab, ein wenig indigniert, und sagte: »Gut, dann bis morgen«, und ging.

Tieck rief durch die offene Tür: »Frau Schloth – wir werden doch nur zwei Tassen brauchen, bitte!«

Tieck war sich sehr bewußt, daß er, und zwar zum ersten Mal, mit Julia allein war.

Selbstverständlich hatte er sich des öfteren schon mit ihr allein befunden, nachdem er in Sundstroms Wohnung Unterkunft gefunden hatte; aber Arnold Sundstrom war immer irgendwie präsent gewesen – in der Atmosphäre des Hauses, dem Arrangement der Möbel, den Farben der Wände und Decken.

Tieck beobachtete, wie Julia den Zucker umrührte, ihre schlanken Finger, die den Löffel hielten, die sanfte Bewegung ihres Handrückens und ihres Handgelenks. Er überlegte, ob Hiller unten vor der Haustür auf sie wartete; er stellte sich vor, wie die beiden einander umarmten, und versuchte, das Bild zu verdrängen.

Er hatte durchaus normale Reaktionen. Er hatte sich das zur Genüge noch in Moskau bewiesen. Im Lager dann war es eine seiner minderen Sorgen gewesen; seine Bemühungen zu überleben waren unterteilt in mehrere Kategorien, die wichtigste davon befaßte sich mit der Beschaffung ausreichender Kalorien, um den Organismus funktionsfähig zu halten. Doch dann, als seine Lebensbedingungen sich allmählich besserten und die Hoffnung auf eine schließliche Rückkehr zur Zivilisation wuchs, gewannen auch die anderen Kategorien an Bedeutung; er hatte so viele zerbrochene Persönlichkeiten erlebt, von rohen Burschen, deren einzige Ähnlichkeit mit menschlichen Wesen darin bestand, daß sie sich auf ihren Hinterbeinen fortbewegten, bis zu schniefenden Kreaturen, deren letzte Lebensfunken bereits erloschen; und er hätte nicht sagen können, was schlimmer war: der verkrüppelte Leib oder die verkrüppelte Seele.

Seine Reaktionen waren also normal. Da war Tatjana gewesen, Wiedererwachen der Gefühle nach sechzehn Jahren, hastige Nacht in einer überfüllten Wohnung, ihr draller Leib schlaff geworden, die ihm flüsternd von ihrer Langeweile berichtete, während der Gatte sich auf Dienstreise nach Swerdlowsk befand, und ihn umfing mit ihrer feuchten, gierigen Wärme; und er, spürend, wie seine nervösen Ängste von ihm abfielen und er sich als ebenso unerschöpflich und unersättlich erwies, bis er endlich zu sich kam, ein Fremder in einem fremden Bett. Und dann Ljubow, Ärztin in der Poliklinik, ohne Illusionen, sachlich, die sich auszog, als entkleidete sie sich für eine Operation, um sich dann auf eine wissende, fachlich geübte Art mit seinen empfindlicheren Teilen zu beschäftigen und darauf, in einem Feuerwerk unkontrollierbar leidenschaftlicher Zärtlichkeit, mit ihren rauhen Lippen und Fingern ihn für die verlorenen Liebkosungen seiner Lagerjahre zu entschädigen suchte – eine Fremde auch sie.

Er erhob seine Tasse in Julias Richtung, als enthielte sie Wein statt Kaffee. Sie war keine Fremde. Von dem Augenblick an, als er aus dem Moskauer Kurswagen stieg, war sie ihm keine Fremde gewesen. Und nicht etwa, weil er sie als Kind gekannt hatte oder weil ihre Gesichtszüge denen seines Freundes Julian Goltz so sehr ähnelten. Ja, es schien ihm, als sei *diese* Julia, diese junge Frau mit dem traurigen Blick und dem halben Lächeln, seit je Teil seiner selbst gewesen, ebenso wie seine Hände oder seine Gedanken.

»Also Prosit«, sagte er. »Auf uns. Auf unsere Freundschaft.«

Aus dem halben wurde ein ganzes Lächeln. »Ich frage mich, wie du es fertiggebracht hast, trotz all deiner – deiner Erfahrungen, dir das zu erhalten.«

»Was zu erhalten?«

»Deine Art, einem seine Last vom Herzen zu nehmen. Mir wenigstens, meine Last …« Sie streckte ihre Hand quer über das Kaffeetischchen, das Frau Schloth hereingebracht hatte, und ergriff spontan die seine. »Deine Pläne, deine schönen, perfekt erdachten Pläne – hast du denn keine Angst?«

Er hob seine Brauen.

»Angst vor Arnold. Arnold hat eine Menge Macht. Schon durch seine vielen Verbindungen …«

»Verbindungen hat er immer gehabt.«

»Und auch benutzt?«

»Und sie benutzt.«

Er fühlte das leichte Zittern der Hand, die immer noch auf der seinen lag. Sie schien den Punkt erreicht zu haben, den zu besprechen sie zu ihm gekommen war. Er wartete.

Aber ihre Hand löste sich von seiner. »Du wirst deine Verlängerung der Straße des Weltfriedens nie bauen, wenn du versuchst, es gegen Arnold zu tun.«

Er nippte an seinem Kaffee. Er würde Frau Schloth beibringen müssen, wie sie Kaffee für ihn zu kochen hätte. »Daß ich hier sitze, Julia, zusammen mit dir, ist ein Wunder. Wenn das geschehen konnte, ist auch die Durchsetzung einer anständigen Architektur in diesem Lande möglich.«

»Daniel...«

»Ja, meine Liebe?«

»Wohin immer ich mich wende, treffe ich auf neue Rätsel.«

»Und findest keine Antworten.«

Julia lehnte sich nach vorn, ihren Kopf zwischen ihren Händen. »Die Antworten, die ich sehe, sind so fürchterlich und abschreckend, daß mein Gehirn sich weigert, sie bis zum Ende zu durchdenken. Aber ich kann auch nicht weiterleben, wenn ich an den einfachen, klaren Aussagen klebe, in denen ich bisher Erklärungen für alles fand. Da ist John, da ist Arnold, da ist die Straße, die wir gebaut haben. Da sind die Menschen, da ist diese ganze Republik mit ihrer doppelten Wahrheit. Und da bist du – jawohl, auch du...«

Er sah das weiche Licht, das auf ihrem Haar lag, Widerschein der Lampe; er hätte ihren Kopf nur zu gern gestreichelt, brachte es aber nicht fertig, sich zu rühren.

»Daniel Jakowlewitsch, was wirklich ist mit meinen Eltern geschehen?«

Er blickte auf, seine Augen suchten die ihren. Aber immer noch blieb er bewegungslos.

»Siehst du, ich *muß* es wissen«, fuhr sie, mit großer Anstrengung, in fast normalem Ton fort. »Wenn sie umgebracht wurden, weshalb? Und von wem? Und auf wessen Entscheidung?«

Tieck trat ans Fenster. Er dachte, er hätte alles Recht der Welt, ihr die Wahrheit zu sagen; zur Hälfte wußte sie ohnehin Bescheid. Aber dann zögerte er doch wieder. Es war nicht *seine* Aufgabe, sie aufzuklären; und er würde nicht bei ihr sein, um sie zu stützen, wenn die Erkenntnis des Geschehens und die ganze Einsicht in das Ausmaß der Verbrechen, die da begangen worden waren, sie mit voller Wucht trafen; oder scheute er in Wirklichkeit davor zurück, sie für immer in die Arme des jugendlichen Liebhabers zu treiben, der unten auf sie wartete…?

»Was hat Arnold dir denn gesagt?« verlangte er schließlich zu wissen.

Ja, was hatte Arnold ihr gesagt…? Sie versuchte, sich der Andeutungen und Anspielungen zu erinnern, die Arnold zu verschiedenen Malen gemacht hatte. Aber diese vermengten sich mit den Hinweisen, die John Hiller hatte hören lassen, und alles wurde wirr und unreal, außer der einen, harten Frage: *Ja, glaubst du denn, daß die Sowjetregierung, die Partei, derart Unrecht begehen könnte?*

»In deiner Person«, sagte sie langsam, »und durch deine Person widersprichst du allem, was Arnold je zu dem Thema gesagt hat.«

Er wandte sich ihr zu. »Aber warum läßt du's *ihn* dir dann nicht erklären?«

Der Ausdruck ihrer Augen ähnelte dem eines gefangenen Tiers. Besser jetzt hart sein, dachte Tieck, als später erleben müssen, wie sie sich gegen ihn kehrte.

»Ich kenne die Geschichte sowieso nicht vollständig«, beschwichtigte er. »Sie haben mich verhaftet, kurz nachdem sie den Genossen Goltz und seine Frau abgeholt hatten…« Warum nur sprach er von ihren Eltern auf diese formelle Weise? Er hatte keine Erklärung dafür, es sei denn, er wollte das Ehepaar Goltz irgendwie abstrakt erscheinen lassen und wußte um das Vergebliche dieses Versuchs. Mit ungeschickter Hand streichelte er Julias Nacken und ihre Schultern. »Eine Halbwahrheit«, sagte er hilflos, »wäre schlimmer als gar keine Wahrheit.«

Nach einer Weile hob sie ihr Gesicht und blickte ihn an. Sie erschien abgespannt, und zwei bittere Linien zogen sich von ihren Nasenflügeln zu den Mundwinkeln. »Mein Vater und meine Mutter wurden ermordet«, sagte sie, »und du kannst es bezeugen.« Sie unterbrach sich. »Oder hast auch du Angst zu sprechen?«

»Du mußt Arnold fragen«, antwortete er. Dann, mit plötzlicher Schärfe: »Also, frag Arnold! ... Frag ihn!«

KAPITEL 8

Mit Ausnahme eines schweren Lasters hier und da war die Autobahn wenig befahren um diese Zeit in der Nacht. Sundstrom ließ das Radio mit voller Lautstärke laufen, irgendeinen Westsender mit einem müden Ansager, während die Bäume neben der Fahrbahn im weißen Lichtkegel seiner Scheinwerfer auf ihn zugeflogen kamen wie hagere Gespenster, die sich hinter seinem Wagen im Nichts verloren.

Gegen vier Uhr morgens erreichte er eine noch geöffnete Raststätte und hielt an, um aufzutanken. Ein paar Lastwagen mit Anhängern standen auf dem Parkplatz; im Speiseraum brannte Licht. Eine Tasse Kaffee, anständigen Kaffee, könnte ich schon brauchen, dachte Sundstrom

Nachdem er sich an einen Tisch gesetzt hatte, holte seine Müdigkeit ihn ein. Die roten Karrees auf dem Tischtuch begannen um ihn zu kreisen, wie auch die Flaschen hinter der Theke und auf den Regalen; die Stimmen der Lastwagenfahrer wurden laut, nur um wieder aus seinem Gehör zu schwinden. Sundstrom fühlte die Hand der Kellnerin auf seiner Schulter. Sie mußte ihre Frage wiederholen: »Ist Ihnen nicht gut, Herr?«

»Doch«, sagte er. »O doch. Danke Ihnen.«

Er hob seinen Kopf. Er konnte die Frau jetzt sehen – eine grobknochige Person; ihr strohfarbenes Haar wirkte ungepflegt. Die Lastwagenfahrer, sah er, blickten zu ihm herüber und schienen über ihn zu reden.

Ich sehe wohl schlimm aus, dachte er, und sagte der Kellnerin: »Kognak, bitte, und einen doppelten Mokka. Haben Sie auch was zu essen?«

»Suppe«, sagte sie gleichgültig. »Erbsensuppe. Mit Wurst, wenn Sie wollen.«

»Also gut«, sagte er. »Suppe. Und Wurst.«

Die Kellnerin zog sich zurück. Sundstrom verspürte Schmerzen in der Brust und schob die Hand unter sein Hemd, um sein Herz zu massieren. Wenn ich sterben würde, dachte er, das wäre die Lösung für alle und alles. Ein Blutklümpchen, das sich in einem Herzkranzgefäß festsetzt, und Tolkening könnte einen weiteren Namen zu seiner Liste von Infarkten hinzufügen. Oder ein Reifen platzt auf der Autobahn, bei hundertzwanzig Kilometern die Stunde; ein Kreischen, ein Krachen, Flammen. Ich hätte die Nacht über noch in Berlin bleiben sollen, mir etwas Schlaf gönnen, oder mich amüsieren zumindest. Die Sekretärin in der Akademie, die mit den Schlafzimmeraugen und der eigenen Wohnung, hatte ihm mehrmals schon bedeutet, sie stünde ihm zur Verfügung; eine neue Frau würde ihm vielleicht helfen, seine Probleme mit Julia zu vergessen, wenigstens für kurze Zeit.

Aus der Gruppe der Lastwagenfahrer erhob sich einer und kam mit dem schweren Schritt eines Mannes in mittleren Jahren auf ihn zu. Dann zog er den Stuhl Sundstrom gegenüber zurück, setzte sich zu ihm an den Tisch, stützte die Ellbogen auf und musterte ihn aus trüben Augen. »Mein Freund Konrad da drüben sagt, er kennt dich.«

Sundstrom versuchte den Fahrer, der ihn zu kennen behauptete, aus der Gruppe herauszufinden; aber der Winkel, in dem das Licht auf die Leute fiel, störte, und sowieso handelte es sich wahrscheinlich um eine Verwechslung. Sundstrom hoffte, die Kellnerin brächte ihm schon seinen Kognak und Kaffee; der allzu solide Mensch so dicht gegenüber ging ihm auf die Nerven.

»Wenn er glaubt, daß er mich kennt«, sagte Sundstrom, »warum kommt dein Konrad dann nicht selber zu mir?«

»Er ist ein bißchen menschenscheu.« Sundstrom fiel auf, daß der Mann, der zu ihm an den Tisch gekommen war, an seiner rechten Hand einen Extradaumen besaß; die Spitze dieses Daumens, samt zugehörigem verdreckten Nagel, zweigte von dem Hauptdaumen ab wie ein Hämmerchen, und wirklich hämmerte der Mann damit auf die Tischplatte, als wolle er unsichtbare Reißzwecken durch das Tischtuch schlagen. »Konrad meint, er kennt dich aus Rußland.«

»Rußland…« Sundstrom fühlte den Schlag seines Herzens, sehr hart, sehr rasch, rascher, als der Extradaumen seines Gegenübers auf den Tisch schlug. Sie waren fünf Mann in der Gruppe da drüben; sie steckten ihre Köpfe zusammen und zischelten miteinander und gestikulierten; man konnte keine Gesichtszüge erkennen, keine Eigenheiten; und überhaupt war all das Unsinn; nie in seinem Leben hatte er jemanden mit dem Namen Konrad gekannt. »Wann war dein Konrad denn in Rußland?«

»Der war eine lange Zeit dort!« Jetzt benutzte der Mann an seinem Tisch den Extradaumen, um das Haar auf seiner Brust damit zu kratzen, das durch sein halbgeöffnetes Hemd schwärzlich hervordrang. »Sag mal, was ist los mit dir? Bist du krank, oder was?«

»Ich bin nicht krank«, erwiderte Sundstrom und bewegte sich unruhig auf seinem Stuhl. Oder vielleicht war er auch krank; das verdammte Hin und Her zwischen Pontius und Pilatus in Berlin konnte einen schon krank machen, und in der Hauptsache hatte er auch nicht mehr erfahren, als er bereits von Tolkening gehört hatte oder selber schlußfolgern konnte. »Und wie heißt *du*?

»Wilhelm.«

»Wenn du mich jetzt allein lassen würdest, Wilhelm«, schlug Sundstrom vor und ärgerte sich über den Mangel an Autorität in seiner Stimme. »Ich bin überzeugt, dein Konrad hat mich mit einem anderen verwechselt.«

Wilhelm schien sich noch weiter auszubreiten. »Aber du warst doch in Rußland, oder?«

Der Schädel des Mannes Wilhelm erschien zu klein im Verhältnis zu seinen enormen Schultern. »Was geht dich das an, ob

ich dort war oder nicht?« fragte Sundstrom und brachte es endlich fertig, seiner Stimme den nötigen Nachdruck zu verleihen.

»He!« rief der Mann in Richtung des anderen Tisches. »Der
Kerl will uns nicht sagen, ob er in Rußland gewesen ist!«

Dies verursachte unter den Fahrern ein Murmeln, das immer
bedrohlicher zu werden schien.

»Kellnerin!« Das war schon ein Hilferuf. »Kellnerin!«

Die Kellnerin kam mit dem Kognak. »Der Mokka ist schon
in Arbeit; die Wurst muß noch aufgewärmt werden. Warum die
große Eile?«

Sundstrom schüttete den Kognak hinunter. »Sagen *Sie* dem
Mann hier, er soll mich gefälligst allein lassen.«

Die Kellnerin taxierte die Körperkräfte Sundstroms und verglich sie mit denen des Mannes Wilhelm. »Ich mische mich nicht
ein in die Streitigkeiten von Gästen«, entschied sie dann. »Dieser Herr hat Ihnen doch nichts getan, Herr.«

Dann schlurfte sie zur Küche zurück. Auch das wird vorübergehen, dachte Sundstrom: Wilhelm, Konrad, die Kellnerin,
alles. Alles geht vorüber. Die älteste Weisheit der Welt – er hätte
nicht sagen können, wie oft die Leute ihn damit schon vertrö-
stet hatten, in Berlin: Krummholz von der Akademie, Pietzsch
vom Zentralkomitee, Wilczinsky von der Plankommission,
oder wer noch; ihre Gesichter verschwammen ineinander, ihre
Worte, ihr Achselzucken. Alles fügte sich zusammen zu der
Wahrscheinlichkeit, daß die Moskauer Ereignisse eine vorüber-
gehende Phase waren; sicher, gewisse allmähliche Anpassungen
würde man vornehmen müssen; aber kein loyaler Genosse
würde um sich selber oder um seine Stellung fürchten müssen,
es sei denn, man konnte ihn mit den Mißbräuchen des Perso-
nenkults in Verbindung bringen; so nannte man das seit jenem
Moskauer Parteitag: Personenkult.

Es sei denn...

»Wenn du in Rußland gewesen bist«, sagte der Mann Wilhelm
langsam, jedes Wort mit eigenem Gewicht, »warum willst du es
dann nicht zugeben?«

Sundstrom blickte auf sein leeres Kognakglas. Es hatte einen soliden, klumpenförmigen Fuß. Er stellte sich vor, wie er das Glas in den Schädel des Mannes trieb.

»Eine Menge Menschen sind in Rußland gewesen«, sagte Wilhelm. »Es ist ein großes Land.«

Die Schwierigkeit, dachte Sundstrom, liegt in mir selber. Ein Mann glaubt, er ist mir irgendwo begegnet; ein anderer stellt eine völlig indifferente Frage – und ich springe aus meiner Haut. »Also schön«, gab er zu, »nehmen wir an, ich war in der Sowjetunion. Was bedeutet das?«

»He!« rief Wilhelm. »Jetzt sagt er, er ist dort gewesen!«

Ein zweiter Mann kam angeschlendert, kleiner als Wilhelm, mit wäßrigen Augen und einem halbpermanenten Lächeln, das den Blick auf seine schiefen Zähne freigab.

»Das ist Konrad«, sagte Wilhelm mit einer fast unmerklichen Bewegung seines Kopfes.

Sundstrom suchte in seinem Gedächtnis nach dem Gesicht dieses Konrad. Er konnte nur feststellen, daß er den Menschen nie zuvor gesehen hatte. Konrad stand da, die Arme angewinkelt, den Kopf schräg, und musterte Sundstrom. So mußte man sich gefühlt haben, dachte Sundstrom, wenn man verhört wurde: Da war der unpersönliche Befrager, die immanente Drohung, da waren die versteckten Anspielungen, die Fragen, gestellt nach einem nur den Befragern bekannten System.

»Was wollt ihr von mir?« sagte er mit gepreßter Stimme.

»Vorsicht, Vorsicht!« warnte Wilhelm, und zu seinem Freund Konrad: »Also, ist er das?«

»Könnte er sein.« Konrad dachte angestrengt nach. »Natürlich ist es ganz schön ein paar Jahre her ... Und wir werden alle nicht hübscher, stimmt's?«

»Ja, das ist kaum anzunehmen«, konzedierte Sundstrom. Dann sammelte er alle Kraft, die er noch hatte, klammerte sich an den Rand seines Tisches und hievte sich hoch.

Er spürte die Hand der Kellnerin auf seiner Schulter. »Ihr Essen kommt noch!«

»Aber ich muß jetzt gehen.« Ohne hinzusehen nahm Sundstrom einen Geldschein aus seiner Tasche und legte ihn neben dem Kognakglas auf das Tablett. »Ich habe keine Zeit mehr.« Das stimmte sogar. Er war in solcher Eile gewesen, nach Hause zu kommen, daß er ohne ein paar Stunden Schlaf aus Berlin abgefahren war, ohne eine Ruhepause einzulegen; zu Hause lag die Drohung; oder lag sie überall, in Moskau, in Berlin, selbst in dieser gottverlassenen Autobahnraststätte?

»He!« Wilhelm hob seinen doppelten Daumen, Signal für der Teufel mochte wissen, was. »Er will nicht mal seine Suppe essen. Er will nach Hause!«

Die anderen Fahrer zogen sich ihre Hosen hoch und schlurften gleichfalls herbei. Sundstrom versuchte um den Tisch herumzugelangen, aber der Mann Wilhelm, enorm selbst noch im Sitzen, war ihm im Weg. Sundstrom sah sich umzingelt. Der Dunst von Leder und Schmieröl und Schweiß und Bier überwältigte ihn.

»Ich hab doch nichts getan!« keuchte er. »Ich kenne doch gar keinen von euch…« Und in hilflosem Protest, »…ich bin unschuldig!«

»Vielleicht bist du's sogar« – Konrad grinste –, »und vielleicht auch wieder nicht. Weiß denn einer, warum ein Mensch in den Jahren damals etwas getan hat?«

Die Kellnerin kam mit Sundstroms Suppe.

Konrad nahm den Teller von ihrem Tablett und hielt ihn Sundstrom vors Gesicht. »Du hast doch noch nie eine gute Suppe abgelehnt. Ich hab erlebt, wie du einen Menschen für weniger als das denunziert hast – für einen Kanten Brot, und das Brot war auch schon angeschimmelt. Oder hast du's vergessen?«

Sundstrom ließ sich auf seinen Stuhl zurückfallen. Dann fing er an zu lachen – ein künstliches Lachen zuerst, das sich parallel zu seiner inneren Erleichterung in ein echtes verwandelte, bis es zum Schluß hysterisch wurde. Durch die Tränen, die in seinen Augen brannten, erblickte er die dummen Gesichter von Wilhelm und Konrad und den anderen. »Für einen Kanten Brot!«

Sundstrom rang nach Luft. »Ich doch nicht! Nie! Ich war nie in einem Lager, und nie ein Gefangener, auch kein Kriegsgefangener oder ein Gefangener irgendeiner Art. Ich bin Professor und Architekt – ich war Architekt schon in der Sowjetunion und verantwortlich für mehr als eine von den Großbauten dort!« – sein Lachen normalisierte sich, seine Stimme klang nun metallisch – »Und ich wäre euch Männern dankbar, wenn ihr mich jetzt durchlassen würdet.«

Sie traten zurück, gehorsam. Sundstrom verließ den Speiseraum, sehr aufrecht, und strich sich im Hinausgehen seine Mähne zurück. Erst als er sich wieder auf den Sitz hinter dem Steuer seines Wagens gezwängt hatte, spürte er, wie sehr er immer noch zitterte und wie verschwitzt seine Handflächen waren. Meine verdammten Nerven, dachte er. Ein paar Lastwagenfahrer. Lächerlich!

Glück.

Glück lag, großenteils, in der Vorstellungskraft des Menschen. Dank ihrer Vorstellungskraft war Julia ein glückliches Kind gewesen, das sich unschwer beruhigen ließ und ebenso unschwer zufriedenzustellen war, trotz des großen Verlustes, den sie erlitten hatte. Alle bestätigten das, die Lehrer, die Nachbarn. Arnold erzählte gerne, wie sie eines Tages bei ihrem Spiel ein Häufchen Kieselsteine als eine Herde Zicklein benutzte oder als eine ganze Dorfbevölkerung oder, am nächsten Tag, als Schüler in einem Klassenzimmer; oder wie in ihrer Phantasie ein paar zusammengeknotete Stoffreste zu Puppen wurden, die sie innig liebte und denen sie Namen und Leben und eine Lebensgeschichte gab. Wenn ich nicht eine Architektin aus ihr gemacht hätte, pflegte er zu sagen, wäre sie vielleicht Schriftstellerin geworden; auch die Schriftsteller benutzen ihre Phantasie.

Was er zu erzählen vergaß, war, daß sie ohne ihre Phantasie innerlich zerbrochen wäre, wie es Kindern geschieht, die ihr Liebesobjekt verloren haben; oder daß sie sich verhärtet hätte zu einem gemeinen Luder. Als sie hinabblickte auf die von Baggern zerrissene Verlängerung der Straße des Weltfriedens und auf den Verkehr, der sich durch die einzige noch offene Fahrbahn fädelte, fragte sie sich, wieviel von ihrem Glück mit Arnold aus Kieseln bestanden hatte, in denen sie lebendige Tiere gesehen, oder aus Stoffresten, die ihr anstelle realer Menschen dienten. Und doch weigerte sie sich, ihre Einbildungskraft zu zügeln. Ohne diese wäre die vergangene Nacht unerträglich gewesen, in der ein monströser Gedanke auf den anderen gefolgt war.

Um solchen Gedanken zu entgehen, hatte sie sich in den Plan geflüchtet. Tiecks Verlängerung der Straße des Weltfriedens, realistisch betrachtet kaum mehr wert als ein Kieselstein, wurde in ihrem Innern lebendig und dreidimensional und überwand siegreich alle Hindernisse – oh, nicht durch ihre Hilfe allein; sie glaubte an Arbeit im Kollektiv, Sozialismus, Diskussion unter Genossen, an die dem Neuen innewohnende Kraft, sich über das Alte zu erheben, und an das Verständnis und den guten Willen all derer, die durch lange loyale Arbeit sich als würdig erwiesen hatten, in leitende Positionen zu gelangen. In Julias Phantasie wurde der Plan entwickelt und zur Realität durch die gemeinsamen Bemühungen all ihrer liebsten Menschen – Arnold, John, Daniel Tieck. Selbst Wukowitsch würde daran teilhaben und die anderen; und da sie generös war, gestattete sie sogar Waltraut Greve mitzuarbeiten. Im Dunkel des Schlafzimmers, jeder Nerv gespannt durch allerlei Vorahnungen, rief sie sich die Baustelle vor Augen und bevölkerte sie mit Menschen und Maschinen, Bagger bewegten Massen von Erde, Kräne schwangen ganze fertige Wände an die dafür vorgesehenen Stellen, die Gebäude wuchsen in die Höhe; alles war festlich, voller Farbe und Klang; sie sah sich selber Hand in Hand mit Arnold, mit John, mit Daniel Tieck; der kleine Julian lief jauchzend vor ihnen her und trug auf einem Holzstab einen jener Zelluloidpropeller, die sich rot, blau, grün, gelb drehten; es war, als zöge der primitive Mechanismus das Kind vorwärts, zöge sie alle vorwärts, immer weiter, schneller und höher.

Sie hatte den Plan jetzt zur Hand. Tieck hatte ihr eine rasch skizzierte Kopie mitgegeben, vielleicht weil er spürte, daß sie etwas brauchte, woran sie sich halten könnte gestern nacht, als sie in dem Taxi nach Hause fuhr, welches er ihr gerufen hatte und zu welchem er sie geleitete.

Julia glättete den aufgerollten Bogen, den der Wind zu verwehen drohte. Nein, dachte sie, dies hier war kein Traum. *Sicht nach Süden vom letzten noch unfertigen Gebäude der Straße –* und genau hier stand sie, genau an dieser Stelle auf dem obersten Geschoß dieses Gebäudes, vor ihrem Auge, im frühen Licht des Aprilmorgens, die Sicht nach Süden, hinter sich die Mauer, von welcher das vertraute Wechselgeräusch herüberdrang, Mörtel auf Stein, Mörtel auf Stein.

Dann Schritte. Sie wandte sich um.

»Guten Morgen, Frau Sundstrom«, sagte Barrasch und zupfte an dem purpurfarbenen Schal, der seiner staubigen grauen Arbeitskleidung einen Tupfen Farbe verlieh. »Schon auf so früh? Ich hab immer gedacht, Büromenschen fangen vor acht gar nicht an.«

»Ich konnte nicht schlafen«, sagte sie, »und ich wollte etwas überprüfen.«

Der Polier sah sie nachdenklich an; dann blickte er auf den Plan, den sie vor sich hielt. »Gewöhnlich kommt der Professor selber, wenn es etwas zu überprüfen gibt«, sagte er dann. »Aber er ist seit längerer Zeit nicht mehr dagewesen.«

»Er ist nach Berlin gefahren«, antwortete Julia und dachte, eigentlich hat er ein gutes Gesicht, dieser Barrasch.

Barrasch wischte sich die Hände an seiner Hose ab. »Wenn Sie nichts dagegen hätten«, sagte er und hüstelte, »aber ich glaube, Sie werden unser Interesse verstehen nach all dem, was wir gehört haben…«

»Was haben Sie denn gehört?«

Schließlich brachte der Polier es fertig, seinen Schal in einen soliden Knoten zu binden. Seine Mühe ließ ihn, wie es schien, Julias Frage vergessen. »Was ist das für ein Entwurf, den Sie da haben?« Er reckte den Hals. »Die Verlängerung?«

Julia zögerte. Sobald eine Idee den Schreibtisch ihres Autors verläßt und in andere Hände gerät, gewinnt sie ein eigenes Leben und wird unkontrollierbar.

»Natürlich«, fügte Barrasch bescheiden hinzu, »wenn es nicht zuviel verlangt ist. Aber ich habe Ihr Gesicht beobachtet, Frau Sundstrom, als Sie auf diese Strecke Land herabblickten, und habe mir gesagt, was sie da sieht, muß unwahrscheinlich schön sein.«

Julia schloß ihre Augen. Der hochgewachsene Mann mit den großen, verarbeiteten Händen wartete; sie hatte ein Gefühl, als könnte sie ihm ihre ganze Geschichte erzählen, von ihrem ersten Zweifel an bis zu diesem Moment, da sie sich an diesen Bogen Zeichenpapier klammerte – aber soviel mochte sie ihm doch nicht anvertrauen; selbst wenn Barrasch ihr kein absolut Fremder war. Wie sollte er ihre privaten Sorgen verstehen können? »Es ist einer der Pläne, über die wir nachdenken«, erklärte sie ausweichend.

»Aber halten *Sie* ihn für gut?«

»Ob er mir gefällt oder nicht, ist doch gleichgültig.«

»Bitte schön…« Der Polier zuckte die Achseln und war schon dabei, sich abzuwenden. »Ich wollte mich nicht aufdrängen.«

»Aber nein doch!« Julia packte ihn am Ärmel. »Ich möchte ja, daß Sie sich den Plan anschauen. Ich befürchtete nur, daß« – sie unterbrach sich und suchte nach einer glaubhaften Entschuldigung –, »daß dieser Entwurf Ihnen sonderbar erscheinen würde, irgendwie ungewöhnlich. Es werden da ja auch noch Veränderungen kommen. Der Entwurf stammt von jemandem, der längere Zeit nicht praktisch gebaut hat…«

»Kann ich ihn nun sehen?«

Sie hielt ihm den Plan hin. Kritischen Auges begann Barrasch den Entwurf aufzuschlüsseln und das Verhältnis der projektierten Sektionen zu der Landschaft tief unter seinen Füßen zu überschlagen. Julia beobachtete sein Gesicht. Wann immer es sich bewegte und sein Blick sich veränderte, um einen neuen

Winkel, eine neue Fläche in Betracht zu ziehen, spürte sie einen Stich im Herzen. Es kommt doch gar nicht auf ihn an, dachte sie, und wahrscheinlich hat er sowieso keinen Geschmack, und was er auch sagen wird, hat höchstens anekdotischen Wert.

Aber die Unregelmäßigkeiten in ihrem Herzen dauerten an, und ein nervöses Zittern vergrößerte noch ihr Unbehagen. Sie schlug den Kragen ihres Mantels hoch und vergrub ihre Hände in den Taschen.

»Kalt?« sagte Barrasch, sein Blick immer noch auf der Zeichnung.

»Nur ein bißchen müde.«

Mit beinahe pedantischer Sorgfalt breitete er den Bogen auf dem Mauerabsatz vor ihm aus und beschwerte ihn mit zwei Ziegeln; dann verließ er Julia für einen Moment und kehrte mit einer abgegriffenen Aktentasche zurück. Ein halbes Dutzend seiner Leute folgte ihm. Er öffnete die Aktentasche, nahm seine Thermosflasche heraus, schraubte den becherförmigen Verschluß ab, goß Kaffee hinein und bot ihr diesen mit überraschendem Charme an. Seine Leute stellten sich rings um die Zeichnung und suchten sich so gut wie möglich zu orientieren.

Julia schlürfte die dünne, heiße Brühe und bemühte sich, in den leisen Halbsätzen der Männer, ihrem Räuspern und Murmeln und sparsamen Gesten einen Sinn zu erkennen. Es waren zumeist ältere Leute; zwei aber fast noch Knaben, deren dünne Handgelenke aus den Ärmeln ihrer Drillichjäckchen heraustaken; die Altersgruppe dazwischen war infolge des Krieges und der Verlockungen des Westens fast gänzlich verlorengegangen. Durch das aus dem Kaffeebecher aufsteigende Dampfwölkchen hindurch sah sie Barraschs Lächeln. »Ich dachte, Sie würden meinen Männern einen Blick darauf gestatten«, erklärte er. »Der Entwurf ist eben doch etwas ungewöhnlich…«

Und dann entdeckte sie hinter dem Rücken des Poliers – den offenen Mantel durch einen Windstoß gebläht – Arnold.

Julias erste Regung war, den Plan zu verstecken. Aber dafür war es zu spät; Arnold kam bereits auf sie zu; der Entwurf lag immer noch auf dem Mauerabsatz unter den beiden Ziegelsteinen; das Papier ringelte sich an den Rändern und raschelte im Wind.

»Ah!« seufzte er, teils erleichtert, teils, als suche er Sympathie und Willkommen; und dann: »Julia!«

Die Gruppe der Maurer löste sich auf; die Leute standen still, nicht ganz soldatisch, aber doch als erwarteten sie Befehle. Nur Barrasch schien seiner selbst sicher.

Sundstrom, obwohl sich der Anwesenheit der Arbeiter auf unangenehme Weise bewußt, schloß seine Frau in die Arme. Julia fühlte die Stoppeln seines Bartwuchses auf ihren Lippen; er hatte sich mit irgendeinem Eau de Cologne besprüht, aber der herbe Duft konnte den Geruch von Schweiß und Müdigkeit, der an ihm haftete, nicht vertreiben.

»Ich bin fast die ganze Nacht gefahren.« Immer noch hielt er sich an ihr fest. »Ich dachte, ich würde dich zu Hause finden. Aber nur Julian war da, mich zu begrüßen – und Frau Sommer. Du wärst gerade weggegangen, erzählte sie mir.«

Dann ließ er sie los.

»Tut mir leid.« Sie ergriff seine Hand. »Ich habe dich nicht so früh erwartet. Ich hatte auch fast nicht geschlafen in der Nacht. So bin ich früher als sonst aufgestanden und hierhergekommen…«

»Und wieso gerade hierher?« fragte er.

»Es war zu früh fürs Studio.« Sie lachte kurz, um den Verdacht zu zerstreuen, den sie aus seiner Frage herausgehört zu haben glaubte. Und, um ihn von weiteren Nachforschungen der Art abzuhalten. »Wie ist es gegangen in Berlin? Ist alles in Ordnung? Wen hast du gesehen?«

Unter seinen schweren Lidern hervor blickte er von einem der Männer zum anderen und schließlich auf das weiße Viereck auf dem Mauerabsatz.

»Und wieso bist *du* hierhergekommen?« In Julias Ton lag eine kleine Schärfe. »Wie hast du gewußt, wo ich sein würde? Hat dir jemand etwas davon gesagt?«

»Ich wollte mir das Gelände noch einmal anschauen«, sagte er. »Wenn irgendwo, müßte die Verlängerung der Straße an genau diesem Punkt hier beginnen. Die Sache hat mir auf der Seele gelegen…«

Er trat hinüber zu dem Mauerabsatz. Leicht ächzend beugte er sich, schob die zwei Ziegel zur Seite, hob die Zeichnung auf und hielt sie eine Zeitlang, die endlos erschien, sich vor die Augen. Das Grau der Müdigkeit auf seinem Gesicht wich einer Farbe; aber es war nicht der rötliche Ton seiner gesunden Tage; gelbliche Flecken zeigten sich auf Stirn und Wangen; sein Haar, vom Wind zerzaust, wirkte zottig und ungepflegt; wiederholt preßte er seine Lider zusammen, als wollte er sich versichern, daß das, was er da vor sich sah, nicht die Fortsetzung eines Alptraums war.«

»Julia…«

Sie trat zu ihm. Der Wind, der den Staub aufwirbelte von den Trümmerhaufen, bewegte das Papier in seinen Händen.

»Und von wem stammt das?« wollte er wissen.

»Tieck«, antwortete sie nach einem Augenblick und spürte die Unsicherheit in ihrer Stimme, »es ist nur ein unfertiger Entwurf, weißt du… ein Vorschlag… den er selber dir nächstens zeigen wollte…«

»Und wie ist das Zeug – in deine Hände – gekommen?«

»Bitte…« Ihre Lippen zitterten. »Bitte, Arnold, keine Szene! Die Männer…«

»Die Männer…«, wiederholte er, als hätte er ihre Anwesenheit eben erst entdeckt. Ein Wink seiner Hand zitierte die Männer heran. »Ihr habt die Sache da gesehen?« fragte er.

Einer murmelte: »Jawoll.«

»Dann also, was haltet ihr davon?« Und da sie schwiegen, schob er ihnen den Bogen unter die Nase. »Ihr könnt doch Bauskizzen lesen, oder? Dann sagt doch, und sagt es vor allem Frau Sundstrom, was ihr davon haltet! Ihr seid doch die Arbeiter; ihr habt diese große Straße erbaut, mit euren eignen Händen und eurem eignen Schweiß; ihr baut dieses ganze Land auf, baut den

Sozialismus… Glaubt ihr, daß dieses Zeug auch nur ein einziges Kilo Zement wert ist…?«

Sie schienen sich zu ducken unter seinem Angriff. Nur Barrasch, der zur Linken Julias stand, blieb unbeeindruckt. Er bot ihr seine Thermosflasche, die er immer noch in der Hand hatte, und fragte: »Noch einen Kaffee?«

Sundstrom, wütend, wandte sich gegen ihn. Aber der Polier hielt ihm stand, und es war Sundstrom, der sich einen Schritt zurückzog und mit der freien Hand über seine Stirn wischte, bis es ihm am Ende gelang, das Bild des Mannes mit dem doppelten Daumen aus seinem Hirn zu löschen.

»Sehen Sie, Herr Professor«, sagte Barrasch bedächtig, »es ist doch so: Wir bauen, was wir aus den Blaupausen, die man uns gibt, herauslesen können. Alles andere ist nicht für unsereins zu entscheiden.«

Sundstrom erregte sich: »Dann werde *ich* es Ihnen sagen!« Fast hätte er den Bogen zerrissen bei dem Versuch, ihn so weit auszubreiten, daß alle alles darauf erkennen konnten. »Die reine Absurdität! Das ist nicht einmal Funktionalismus! Ein Mischmasch von Vierecken, Kurven, Kegeln, Kreisen – zusammengewürfelte geometrische Figuren, aber keine Architektur. Nein, nein, nein…« Er geriet außer Atem. »Ja, es gibt Leute, die meinen, ihr Tag wäre jetzt gekommen!« Er rang immer weiter nach Luft. »Leute, die glauben, ihren Mist von früher wiederbeleben zu müssen. Leute, die nicht wissen wollen, daß sie längst tot und gestorben sind…«

»Arnold!«

Einen Moment lang schien es, als brächte der Schrecken in Julias Stimme ihn zur Vernunft. Jedenfalls erinnerte er sich der Frage, die sie ihm bis jetzt noch nicht zur Genüge beantwortet hatte. Mit gestrecktem Finger auf den Entwurf deutend wiederholte er: »Wie – ist das – dir in die Hände gekommen?«

»Tieck hat es mir gegeben.«

»Wann?«

»Gestern nacht.«

»Er kam zu uns?«

»Nein. Ich ging zu ihm.«

»*Du* – gingst zu *ihm*? Warum, um Gottes willen?« Sundstrom vergaß, daß die Arbeiter immer noch um ihn herumstanden. Er sah nur Julia. Das bleiche Gesicht, die Augen, die er einst so geliebt hatte und nun fürchtete. Er zerknüllte die Zeichnung. »Da hat er dir ja was ganz Hervorragendes eingeredet! Und was hat er dir außerdem erzählt? *Was* – bitte!«

»Nichts«, sagte sie.

»Du lügst.«

»Arnold«, ihre Stimme brach, »wir sind nicht allein hier.«

»Was – hat er – dir gesagt?«

»Er hat mir gesagt, ich solle *dich* fragen«, antwortete sie.

Sekundenlang stand Sundstrom wie erstarrt. Der Entwurf entglitt seinen Händen. Er tastete nach seinem Herzen. Sie sah das Weiße in seinen Augen, nichts als das Weiße; er begann zu schwanken, wankte auf die Brüstung zu.

Sie schrie auf.

Sundstrom lag, den Kopf auf seinem Kissen. Der kleine Julian stand neben dem Bett. Sundstrom hob seine Hand und strich dem Kind über das weiche Haar.

»Nein, Julian«, sagte er, »darum mußt du dir keine Sorgen machen. Ich habe mir nichts gebrochen.«

»Diana hat sich ihren Arm gebrochen«, sagte Julian. »Und sie ist nur von der Schaukel heruntergefallen.«

»Das ist etwas anderes«, sagte Sundstrom. »Und ich bin nirgendwo gefallen. Ein Mann hat mich aufgefangen und festgehalten.«

Der Junge dachte nach. »Aber du könntest dir irgendwas gebrochen haben«, sagte er schließlich. »Du warst ganz oben auf dem hohen Gebäude.«

Sundstrom unterdrückte ein Frösteln. Der Junge war beharrlich wie seine Mutter. Dann sagte er: »Nur wenn ich irgendwo heruntergefallen wäre, könnte ich mir etwas gebrochen haben.«

Julian, der Knochenbrüche anscheinend als eine Errungenschaft betrachtete, sagte versonnen: »Diana hat ihren Arm in einem Verband getragen – zweihundert Tage lang. Und der Arm ist immer noch schwächer als ihr anderer, und sie kann nicht richtig damit werfen, höchstens ein paar Meter weit. Warum haben diese Männer dich dann in einem weißen Auto nach Hause gebracht, wenn du nicht irgendwo heruntergefallen bist und dir nichts gebrochen hast?«

Sundstrom lächelte, halb belästigt, halb in Geduld gefaßt. »Ich habe mich nicht wohl gefühlt.«

»Warum?«

»Warum! ...« Julian war in dem Alter, in dem Warum die Kardinalfrage seines Lebens war. Sundstrom seufzte. »Mein Sohn, ich wünschte, ich wüßte das ...« Aber er wußte. Und die Augen seines Kindes zeigten ihm, daß Julian seine Ausrede nicht akzeptierte. Nun, wenn schon! Sundstrom genoß die Wärme unter seinen Wolldecken. Er war tatsächlich krank. Morgen würden sie kommen und ein Elektrokardiogramm schreiben, hatte Professor Bauer gesagt. Professor Bauer war ein alter Nazi, aber ein hervorragender Diagnostiker. Krankheit war, neben anderem, auch eine Schutzmaßnahme, obwohl dürftig genug.

Julian stürzte plötzlich zur Tür.

Julia, dachte Sundstrom, mit einem Funken Neid: Der Junge hatte ein Ohr für Julias Schritte.

Julia trat an sein Bett, Julian im Schlepptau. Sundstrom bemerkte mit Genugtuung, daß die Furcht vor dem Tod, dem er so nahe gewesen, ihr noch ins Gesicht geschrieben stand; vielleicht kam noch eine Prise schlechtes Gewissen hinzu. *Ihn* sollte sie fragen, hatte Tieck ihr gesagt. Ihre Frage hing über ihm wie eine Lawine kurz vor dem Sturz.

Er spürte ihre Finger auf seiner Stirn, als wollte sie seine Temperatur fühlen – eine Temperatur, welche, wie sie beide wußten, er unmöglich haben konnte. »Bauer hat mir noch einmal versichert, bevor er abfuhr«, sagte sie, »es ist nichts Organisches. Puls und Herzgeräusche waren völlig in Ordnung.«

Sundstrom lag still; nur seine Pupillen huschten hin und her bei dem Versuch, sich vorsichtig auf das Gesicht seiner Frau einzustellen.

»Nervöse Erschöpfung, hat Bauer gesagt«, schloß sie.

»Nervöse Erschöpfung«, wiederholte Sundstrom heiser. »Das kann einen stärker mitnehmen als eine offen und ehrliche Herzattacke.«

Ihre Finger lösten sich von seiner Stirn. »Ich weiß. Du brauchst Ruhe, hat Bauer gesagt. Viel Ruhe. Ein Sanatorium, hat er gesagt, wäre das beste.«

»Sanatorium…«, spottete Sundstrom. Ihn abschieben in ein Sanatorium. Dabei durfte er nicht einmal zwei Tage wegbleiben in Berlin. »Wie kann ich mich in ein Sanatorium legen! Wir müssen die Pläne für die Verlängerung endlich fertigstellen…«

»Julia!« Julian hängte sich wieder an ihren Rock. »Der Papa hat sich gar nicht den Arm gebrochen.«

Sie drückte die Schulter des Jungen. »Er hat sich überhaupt nichts gebrochen. Und wir alle müssen mithelfen, daß es ihm rasch bessergeht.«

Sundstrom musterte seine junge Frau, sein Geschöpf, seine Galatea, nur daß sein Material, das verwahrloste Waisenkind, viel zerbrechlicher und schwieriger gewesen war als das Elfenbein des antiken Bildhauers. Seine Hand konnte ihre Fähigkeiten doch nicht verloren haben oder sein Auge den ihm eigenen Blick. Vielleicht hatte Bauer recht: nervöse Erschöpfung. Aber derlei kam doch nicht über Nacht; derlei baute sich über Wochen und Monate auf bis zu einer Krise und verzerrte im Verlauf dieses Prozesses sämtliche Proportionen und Perspektiven, bis eine Skizze, hingeworfen auf ein Stück Zeichenpapier, zu einem Dolch wurde, der einem aufs Herz zielte, und die eigene Frau, die Schöpfung seiner Liebe und Mutter seines Kindes, zu seiner schlimmsten Feindin.

»Julian«, sagte er und berührte die Hand des Jungen. »Ich möchte mit Julia sprechen. Laß uns allein, bitte, für kurze Zeit nur.«

Der Kleine zögerte.

»Tu, was man dir sagt, Liebling«, mahnte Julia. »Bald komm ich dann zu dir, und wir spielen miteinander.«

Widerwillig ging der Junge zur Tür, wandte sich, im Türrahmen angelangt, noch einmal um und verließ, da weder Mutter noch Vater ihn zurückriefen, erst danach den Raum.

»Er hat Angst«, sagte Sundstrom, nachdem Julian gegangen war. »Er sprach von nichts als von gebrochenen Armen und von Leuten, die aus großer Höhe herunterstürzen… Julia!…«

Julia überlegte. Als nächstes würde er die Fragen hören wollen, die Tieck ihr empfohlen hatte, ihm zu stellen; und sie würde sie ihm verschweigen; zumindest jetzt, in dem Zustand, in dem er sich befand; als er, von der Kante der Mauer her, zu ihr zurückgewankt kam, aschgrau im Gesicht, hatte sie ihn in ihrer Vorstellung schon abstürzen sehen und den dumpfen Knall des schweren Körpers beim Aufprall auf den Boden zu hören erwartet; und es hatte ihrer ganzen Willenskraft bedurft, ihre Augen zu öffnen und zu erkennen, daß er in Wirklichkeit, gestützt von Barrasch und einem der Maurer, unsicheren Schritts auf sie zukam.

»Ich schäme mich so, Julia. Einen Streit mit dir anzufangen – und vor den Leuten –, schrecklich.«

Er blickte sie an. Diese Art von Annäherung hatte sie nicht erwartet, und ihre Überraschung schien ihrem Gesicht einen besonders reizvollen Ausdruck zu verleihen.

»Hast du den Entwurf wenigstens mitgenommen, Julia?«

»Der Polier hat ihn eingesteckt.«

»Dann laß ihn dir sofort zurückgeben. Denn siehst du – Julia, dies fällt mir nicht leicht zu sagen –, bei all dem Lärm, den ich geschlagen habe, hab ich doch gewußt, daß etwas Brauchbares sein könnte an diesem Vorschlag – etwas, das sich benutzen ließe, nach neuerlichen Veränderungen und Entwicklungen zwar –, aber doch ein Weg zu einer Lösung…«

Sie wollte Einwände erheben. Aber er wehrte ab.

»Du fragst, warum dann die grauenhafte Szene. Ich war außer

mir. Die Fahrt nach Berlin – die auch keine Antwort gebracht hat, noch irgendwelche Verpflichtungen seitens der Genossen dort; nur umhertasten durfte ich in dem Nebel, in dem sie selber herumstocherten. Und dann komme ich nach Hause, und du bist nicht da. Die Befürchtungen dann und der Argwohn, das Ganze war wie ein Alptraum...«

Schweiß stand ihm im Gesicht. »Reg dich um Gottes willen nicht wieder auf«, bat Julia. »Warum hast du von allen Menschen, die du Anlaß hättest zu fürchten, ausgerechnet vor mir Angst...?«

»Meine Haut ist sehr dünn geworden, Julia, und ich weiß, irgend etwas Dunkles, Erschreckendes hat sich zwischen uns beide geschoben. Und wie ich dich dann endlich fand, hattest du den Entwurf in der Hand – einen Entwurf, der nicht eine Idee von mir enthält. Und wie sollte er auch? Was für neue Ideen habe ich denn gehabt in den letzten Jahren? Ich habe nichts getan, als nach Macht gestrebt, nach Macht und Stellung; so kann man nicht leben und zugleich schöpferisch bleiben. Was für ein Künstler bin ich noch, was für ein Architekt?... Nein, laß mich ausreden...« – er wies ihre protestierende Geste zurück –, »...du kannst einfach nicht wissen, wie viele Gedanken einem durch den Kopf gehen, bevor das Gehirn endlich abschaltet, und mit welcher Klarheit du alles siehst, bevor du aufhörst zu sehen.«

Er fiel in sein Kissen zurück, sein Atem kam in Stößen. Sein Haar auf dem Kissen hatte allen Glanz verloren; Julia konnte sich nicht erinnern, es je so grau und wirr gesehen zu haben, oder seinen Mund so eingefallen und dünn. Sie versuchte, sich alle Gründe ins Bewußtsein zu rufen, die sie zu ihrer Nacht mit Hiller veranlaßt haben könnten; alle Fragen aufzuzählen, die sie Daniel Tieck hatte vorlegen wollen; alle Logik zu rekonstruieren, die ihre Gefühle für den Mann blockierte, der jetzt vor ihr lag und ihrer bedurfte, krank und zutiefst verstört, wie er war. Aber ihre Gründe wollten sich nicht einordnen; ihre Fragen blieben amorph; und angesichts seiner plötzlichen Demut verwandelten sich ihre Versuche, ihre Logik von gestern neu zu durchdenken, in ein einziges großes Schuldbewußtsein.

»Hätte ich nur die Geduld gehabt, zu Hause auf dich zu warten«, sagte sie. »Nichts von all dem wäre über uns gekommen.«

Er nahm Julias Hand in seine beiden Hände und zwang sie zärtlich, sich zu ihm auf den Bettrand zu setzen. »Vielleicht war es doch gut so«, sagte er. »Sonst hätten wir uns wohl nie ausgesprochen... Und jetzt, wenn ich dich um eine Zigarette bitten dürfte?«

»Aber Professor Bauer hat doch gesagt... Dein Herz...«

»Hat er dir nicht auch gesagt, es liegt *nicht* an meinem Herzen? Also bitte, eine Zigarette. Und zünde sie für mich an, wie früher.«

Sie holte das Päckchen Zigaretten und Streichhölzer aus seiner Jackentasche. Dann zündete sie eine Zigarette an, inhalierte den ersten Rauch, und reichte sie ihm dann, mit einer Spur ihres Lippenstifts darauf. Er nahm die Zigarette, und es war, als küßte er das Mundstück, wo ihre Lippen es umschlossen hatten. Eine innere Freude durchzuckte Julia, wie damals beim Glanz der Pailletten auf dem Kleid, das er ihr aus Riga mitgebracht hatte; als sie sich das Kleid überzog und sich von ihm begutachten ließ, wurde sie sich zum ersten Mal ihrer Weiblichkeit bewußt und konnte ihre Schuluniform mit dem gestärkten Kragen und der braunen Schürze nicht mehr tragen, ohne sich geniert zu fühlen.

»Julia?«

Sie wußte, welche Absicht hinter seinem Blick lag und welche Wirkung dieser Blick stets auf sie gehabt hatte, und sie fragte sich, warum er gerade jetzt, da sie seit langem wieder ein Gefühl der Zugehörigkeit zu ihm empfand, sie derart quälte.

»Würdest du noch etwas für mich tun, Julia?«

»Ja. Selbstverständlich. Was immer du willst.«

»Würdest du Tieck für morgen abend einladen?«

»Aber...« Frag *ihn*, hatte Tieck gesagt. Und sie hatte Arnold doch nicht gefragt.

»Es hat keinen Sinn, die Angelegenheit aufzuschieben.«

»Du bist krank, Arnold. Du bist wirklich krank. Professor Bauer kann so oft wie er will behaupten, es wäre nichts als nervöse Erschöpfung, aber ich habe deinen Anfall da oben doch miterlebt…« Julia schwieg. Alles hatte wieder diesen falschen Klang. Sie hatte mit eigenen Augen gesehen, wie er fast vom Dach gestürzt wäre, und alles in ihr war erstarrt; aber sie benutzte selbst diesen Schreckensmoment als Vorwand, um dem Unausweichlichen noch einmal aus dem Weg zu gehen.

»Versteh doch, Julia – ich muß den neuen Entwurf fertig haben und ihn vorlegen können, bevor sie in der Zentrale sich einen anderen Mann dafür holen. Wenn mir etwas in Berlin klargeworden ist, dann, daß sie dort völlig kopflos sind – sie haben keine Linie mehr, keine Grundsätze, alte oder neue, nichts. Also werden sie froh sein, wenn sie etwas vorgesetzt kriegen, das ihnen wenigstens teilweise brauchbar erscheint…«

Ihre Hand, die er wieder ergriffen hatte, lag leblos und kalt in seiner. »John Hiller hat auch zu Tiecks Projekt beigetragen…«

»Hat er? Wirklich?«

»Ja.«

Sundstroms Gesicht heiterte sich auf: Sein gelehriger Hiller trieb also ein doppeltes Spiel… Am Ende jedoch würde auch dadurch alles einfacher werden. Eine lange politische Erfahrung sagte ihm, daß einer, der zugleich auf zwei Hochzeiten tanzt, Gefahr lief, sich auch zweimal das Bein zu brechen. »Dann bitte Hiller doch, er möchte auch zu uns kommen«, sagte er. »Wir nehmen jeden, der willig ist. Ein Team. Ein Kollektiv.«

Julia nickte. Das war ja ihr Traum gewesen und ihr sehnlicher Wunsch, und genau das hatte sie Tieck empfohlen als die einzige Möglichkeit, wie die große neue Schönheit, die sie wollten, zu verwirklichen wäre.

Und doch war es das nicht. Weshalb nicht, konnte sie selber nicht begründen.

KAPITEL 9

Tieck schloß die Wohnungstür, nachdem Hiller sich von ihm verabschiedet hatte; dann kehrte er müde zurück in sein Zimmer, vorbei an seiner Wirtin Frau Schloth, die ihr Vogelgesicht aus der Küche herausstreckte. »Ist Ihr Gast endlich gegangen? Sie werden sich noch zu Tode rackern, Herr Tieck.«

Er warf sich auf sein Bett und starrte zur Decke. Seit Julias Anruf gestern hatten er und Hiller fast ohne Unterbrechung gearbeitet; hatten gezeichnet, getextet, kopiert und einen übel schmeckenden Brandy getrunken, den Hiller besorgt hatte mitsamt Kaffee und belegten Brötchen. Ein rascher Blick auf die Flasche – etwa ein Drittel ihres Inhalts war geblieben, für einen Notfall. Frau Schloths Kuckucksuhr im Flur fing an zu schlagen, Tieck zählte mit: vier Uhr; er hatte noch knappe zweieinhalb Stunden bis zu dem Essen im Hause Sundstrom; legen Sie sich jetzt hin, und schlafen Sie noch ein bißchen, hatte Hiller ihm geraten, Sie sollten hellwach und auf dem Quivive sein für die Party heute abend.

Tieck richtete sich auf, seine Füße fischten nach den Pantoffeln. Schlaf! Die schöpferische Erregung, die ihn vierundzwanzig Stunden hintereinander wachgehalten hatte, wollte nicht nachlassen; dazu kamen seine Befürchtungen: wegen des Wiedersehens mit Julia und der Begegnung mit Sundstrom und wegen der langen Jahre, die sich nicht vergessen ließen.

Er griff nach der Flasche, goß sich langsam ein Gläschen ein und stellte zufrieden fest, daß seine Hand vollkommen ruhig war. Dann hob er sein Glas in stummem Toast auf seine Entwürfe, die sauber zusammengerollt auf dem Tischende lagen, einer neben dem anderen, wie Kirchenkerzen. Welch ein Witz, dachte er, wenn sie das da tatsächlich bauen würden – eine ungeheure Demonstration in Stein gegen die Lügen und Heucheleien der Vergangenheit, eine kilometerlange Grabinschrift für die Hunderttausende, oder waren es Millionen, die die erhoffte Zukunft nicht mehr erleben würden.

Tieck spürte das Brennen in seinen Augen. Immer wenn er diesen Grad nervöser Spannung erreichte, wurde er zum Opfer seiner Sentimentalität. Er hob sein Glas noch einmal, und jetzt auf die Toten, die vor seinem geistigen Auge vorbeizogen, Schatten ohne Ende, Schatten einer Jugend – wieviel Hingabe an die Sache, wieviel Kraft, wieviel Talent war da vernichtet worden! Und wenn man die Reihen der Opfer verglich mit denen der Überlebenden, begann man zu befürchten, daß da sehr wohl eine Selektion stattgefunden hatte, aber eine negative: Die Mittelmäßigen waren geblieben, während die Köpfe derer, die besser oder klüger gewesen als der Durchschnitt, abgesäbelt worden waren von den beamteten Nachfolgern des Prokrustes.

Ihn schauderte. Er trank.

Er sah Julian Goltz vor sich, als stünde der leibhaftig in seinem Zimmer – die wohlgerundete Stirn, die leuchtenden Augen. Ein Arbeiterführer par excellence: Goltz besaß die Fähigkeit, Menschen zu Taten zu bewegen, nicht indem er an ihre Instinkte appellierte, sondern an ihren Verstand.

Vielleicht sah er das Bild des Julian Goltz so klar, weil es – in transformierter Gestalt – der lebenden Julia so stark ähnelte. Makaber. Er schlürfte die letzten Tropfen in seinem Glas. Ohne Toast.

Wenn er es recht bedachte, hatte er Julian Goltz nie in Aktion erlebt. Er kannte ihn aus dem Hotel, in dem sie alle wohnten damals in Moskau, und vorher aus ihrer gemeinsamen Zeit in Prag, als Goltz der Leiter der deutschen Exilgruppe dort war – keine leichte Funktion: Du bist außer Landes, damit bist du außer Berührung mit der Wirklichkeit und mußt höllisch darauf achten, daß deine Wünsche und Gefühle nicht zur Richtlinie deines Verhaltens werden. Goltz hatte versucht, so viele Verbindungen zu Deutschland wie möglich intakt zu halten; er hatte sogar Familie dort: Vater, Brüder; Tieck fiel ein, die Nachricht vom Tod des Vaters war gekommen, während er und Sundstrom zu Besuch bei Goltz und dessen Frau waren; ein Telegramm; aber er wußte schon nicht mehr genau, ob das bereits in Moskau gewesen war oder eher, noch in Prag. Um so genauer jedoch erinnerte er sich des Ausdrucks auf dem Gesicht Goltzens, der tiefen Trauer, die daraus sprach; des gleichen Ausdrucks, den er jetzt wieder bei Julia gefunden hatte.

Julia. Sicher hatte sie Sundstrom die bewußte Frage noch nicht gestellt; denn hätte sie's getan, Sundstrom hätte, wie es seine Art war, längst eine unwiderlegbare Geschichte erfunden.

Julia.

Die Flasche. War die Hand noch ruhig?

Er war zu spät gekommen damals. Die Dicke, die Tag und Nacht hinter dem Schreibtisch am Ende des Hotelkorridors saß, hatte ihn so merkwürdig angeblickt, als er, voll plötzlicher Angst, an der Zimmertür der Goltzens gerüttelt hatte. Die Dicke ließ ihn wissen, sie habe den Schlüssel zu dem Zimmer in ihrem Schreibtisch; das Zimmer sei ab heute frei, und sie erwarte den nächsten Mieter; die Genossen, die in dem Zimmer gewohnt hätten – nun ja, da könne sie ihm nicht helfen.

Und das Kind …?

Das Achselzucken der Frau sagte alles. Und ein paar Wochen später war er selber verhaftet worden.

Wieder spürte Tieck das Brennen in den Augen. Das leere Glas fiel ihm aus der Hand; er verbarg sein Gesicht. Nicht einmal der Fusel half ihm.

Nach einer Weile stand er auf, schob die Flasche beiseite, breitete die ihm am nächsten liegende Rolle aus und begann, die Skizze noch einmal zu überprüfen.

Tieck machte sich seine Gedanken über die Quantitäten von Wodka, die sein Freund Sundstrom herunterkippte. Für jemanden, der kürzlich erst eine Art Kollaps erlitt, hatte der Mann sich glänzend erholt; das Gesicht zeigte wieder Farbe, seine Augen glänzten, von den Lippen war der bläuliche Ton verschwunden, der auf ein krankes Herz hinwies. Julia, ganz die Hausfrau, machte sich an der Kredenz zu schaffen. Ob es nun ihr Kleid war oder die Sinnlichkeit ihrer Bewegungen oder der Alkohol in seinem Blut, Tieck fühlte, wie ihre Anwesenheit ihn erregte; zugleich jedoch war er sich auch der Reaktionen der anderen beiden Männer nur allzu bewußt, der Unruhe auf Hillers Gesicht, der Rastlosigkeit in Sundstroms Blick. Nein, weder hatte Julia ihrem Mann von ihrer Nacht mit Hiller berichtet, noch hatte sie ihm die Frage gestellt, die ihr seit Tagen nun schon auf der Seele lag.

Julia reichte die Schüsseln mit den verschiedenen Sakusky von einem zum anderen. Man feiere heute doppelt, sagte sie – einmal den Beginn ihrer gemeinsamen Arbeit an dem Projekt der Verlängerung der Straße des Weltfriedens und zum zweiten das Resultat von Arnolds ärztlicher Untersuchung; das Elektrokardiogramm hatte Professor Bauers Diagnose bestätigt, das Herz, samt Koronarien und allem Zubehör, war in perfekter Verfassung, nur dürfe Arnold sich nicht überanstrengen und müsse seine Verantwortungsbereiche aufteilen.

Tieck bediente sich reichlich. Er brauchte Fett im Magen, um den Alkohol aufzusaugen; und er wollte Klarheit in seinem Gehirn, falls es zu irgendwelchen Auseinandersetzungen kam; er würde, da war er fest entschlossen, Sundstrom nicht gestatten, seine Entwürfe zu verwässern; er hatte Hillers Kompromissen schon zu weit nachgegeben: Für dieses, hatte Hiller gesagt, gab es nirgends einen Präzedenzfall, und jenes würde nie durchgehen bei den Hohen und Mächtigen.

»Julia, Liebste« – Sundstrom erhob sich, das Glas in der Hand –, »ich möchte dir danken. Ohne dich wäre ich verloren gewesen. Unsere beiden Freunde heute abend in unserem Haus zu haben, war deine Idee gewesen, Resultat deines Glaubens an das Gute im Menschen. Gestatte mir, auf dich zu trinken, auf Freundschaft, auf Solidarität und auf Liebe…«

Tieck musterte ihn spöttisch, dann warf er einen Blick auf Hiller. Hiller erschien absolut gleichgültig. Julias Hand zitterte, als sie ihr Glas erhob. Es lag etwas Provokatives in Sundstroms Zurschaustellung seines ehelichen Segens. »Trink, Julia«, forderte er sie auf. »Trink dein Glas aus, Liebste.«

Aber sie setzte ihr Glas ab. »Ich muß nüchtern bleiben, Arnold.«

»Trink, Julia. Für mich hängt sehr viel ab von deiner Stimmung.«

»Trink!« flüsterte Hiller ihr zu.

Julia versuchte zu lächeln, brachte jedoch kein Lächeln zustande. »Ich kann nicht.«

»Und warum nicht?« fragte Sundstrom.

»Laß sie doch in Ruhe!« sagte Tieck zu ihrer Verteidigung. »Ein jeder hat ein Recht auf seine Stimmungen.«

»Recht…«, murrte Sundstrom. »Und was für Rechte hab ich? Nicht mal auf die eigene Frau!« Er kehrte zurück zu seinem Stuhl. Er war zutiefst alarmiert; im Innern seines Herzens hatte er gehofft, die Gespenster seiner Vergangenheit endlich bannen zu können; seine Bereitschaft, Teile der Entwürfe Tiecks in seine eigenen zu integrieren, war mehr als die Suche nach Antworten auf irgendwelche nebulösen Forderungen aus Berlin oder sonstwoher, es war ein Opfer an die Götter, welche ihm die Gespenster ursprünglich geschickt hatten, von denen er sich verfolgt fühlte. »Und wieso glaubst du«, wandte er sich Tieck zu, »daß du Julias Stimmungen besser kennst als ich?«

Frau Sommer, die den Fleischgang hereintrug, enthob Tieck der Notwendigkeit, auf die Frage einzugehen. Tieck kaute. Das Weiße in Sundstroms Augen, bemerkte er, schien sich jetzt verfärbt, seine Pupillen getrübt zu haben. Hiller hielt das Tischgespräch in Gang; er vollführte einen perfekten Seiltanz vom Thema der Architektur zu Fragen der Politik, zum Problem der Liebe im Sozialismus; und jedesmal wenn er seine Balance auf dem Seil zu verlieren drohte, rettete er sich im letzten Moment durch eine neue kühne Wendung. Tieck sah die Blicke, die Hiller dabei auf Julia warf; es war, als wolle Hiller sich versichern, daß sie auch zu schätzen wußte, mit welcher Eleganz er die Gefahren des Abends neutralisierte.

Sundstrom trank weiter; er wollte die Zweifel betäuben, die ihn belasteten: Was, wenn sein Opfer vergeblich wäre, wenn die Götter seine List durchschauten und seine Gabe zurückwiesen; und was, wenn durch irgendeine Laune des Schicksals seine Akzeptanz der Tieckschen Entwürfe zur Ursache seines endgültigen Sturzes würden?

»Was hast du da gesagt?« fragte er, wieder zurück in der Gegenwart.

Hiller erklärte freundlich: »Ich habe soeben versucht zu beweisen, Genosse Sundstrom, daß meiner Meinung nach in gewissen Gesellschaftsformen gewisse Formen von Architektur entstehen, und umgekehrt, daß gewisse Arten von Baustil sich auf gewisse Arten staatlicher Herrschaft zurückführen lassen.«

Sundstrom rieb sich die Nasenwurzel. »Willst du etwa behaupten, Hiller«, fragte er langsam, »daß es genaugenommen eine sozialistische Architektur gar nicht gibt?«

»Wegen dieser Frage hat sich deine Frau bereits Sorgen gemacht, Genosse Sundstrom. Vergleich doch mal die Bauten der Nazis mit dem, was wir jetzt hinstellen…«

»John!« Julia war bleich geworden.

Tieck hätte die Diskussion gerne noch gerettet; wenn der Abend schon mißlingen sollte, dann doch wenigstens im Streit um seine Entwürfe.

Aber Hiller war schneller als er. »Das ist just, weshalb ich diese ganze Theorie in Zweifel ziehe«, belehrte er die Tischrunde. »So etwa findet man das gleiche Empire in Paris und in Petersburg – dabei herrschte in dem einen die Bourgeoisie, in dem anderen der Feudalismus; einmal also ist das Empire Ausdruck einer fortschrittlichen Gesellschaft, das andere Mal der finstersten Reaktion. Nehmen wir aber an, daß architektonische Formen unabhängig sind von der jeweils in einem Land herrschenden Klasse, dann können wir von vornherein eine ganze

Reihe von Widerständen eliminieren, die sonst mit Sicherheit entstehen würden gegen – gegen das Tieck-Hiller-Projekt.«

»Tieck-Hiller...«, wiederholte Sundstrom. Da war er, eigentlich gegen seinen Willen, doch schon recht empfindlich geworden. Oder sein Denken war, nach den Anstrengungen der letzten Tage, nicht mehr genügend elastisch. »Du meinst wohl, du bist sehr schlau, Hiller«, sagte er. »Ich habe aber in meiner Zeit schon ganz andere Leute erlebt als dich, die zu schlau waren für die Kräfte und Mittel, über die sie real verfügten, und die dann entsprechend endeten...«

Er unterbrach sich.

»In Sibirien?« fragte Hiller.

»Endeten«, sagte Sundstrom. »Punkt. Glaubst du nicht, ich weiß, daß du ein doppeltes Spiel treibst?«

»Ich spiele nicht«, antwortete Hiller.

Julia saß, ohne sich zu rühren, unfähig, dem Duell, das da vor ihren Augen stattfand, Einhalt zu gebieten.

»Außerdem finden auch in Sibirien Änderungen statt«, warf Tieck ein.

»Ich verstehe«, sagte Sundstrom heiser. »Zwei gegen einen...« und mit einem unsicheren Blick auf Julia, »...oder gar drei?«

Stille. Julia wartete. Du mußt *ihn* fragen, hatte Tieck ihr gesagt. Aus der Küche, wo Frau Sommer das Tablett für den Kaffee richtete, klang das leise Klirren von Porzellan. Vater und Mutter waren ermordet worden, und nur Arnold konnte ihr sagen, wie und weshalb und durch wen. Aber er schwieg sich aus, obwohl auch alles andere klarer werden würde und leichter, wenn er nur redete.

»Arnold?«

»Ja, Liebste?«

Ihr Blick suchte den seinen. Er schüttelte den Kopf, als hätte er einen Schlag erhalten von einer unsichtbaren Hand. Nein, sie konnte ihn nicht fragen; nicht jetzt, nicht solange John dabei war oder auch Tieck. »Wir sind nicht zwei oder gar drei gegen einen«, sagte sie endlich, »in dieser Sache haben wir alle das gleiche Interesse.«

»Das möchte ich auch hoffen«, sagte Sundstrom und fügte hinzu: »Es wird noch genug Gelegenheit sein zu streiten, wenn wir uns mit den Entwürfen beschäftigen.« Er schwieg, lächelte über irgendeinen Gedanken und füllte sein Glas nach. Dann trat er um den Tisch herum zu Julia, ergriff ihr Glas, schob es ihr in die Hand, stieß an mit ihr und sagte schwer atmend: »In dieser Sache haben wir alle das gleiche Interesse, Julia – vergiß das nie, bitte.«

Diesmal trank auch sie.

Panik durchfuhr Sundstrom dann, als die Zeichnungen aufgerollt wurden und er sie durchsah. Was verlangte man da von ihm! Das war mehr als ein Opfer... Das war Selbstmord!

Der Teufel mußte ihn geritten haben, als er Julia gestattet hatte, ihn in dieses Spiel zu verwickeln; wenn je eine Intrige von langer Hand vorbereitet war, dann diese! Angefangen hatte es, das sah er nun, als er oben auf das Dach des letzten noch unfertigen Gebäudes der Straße des Weltfriedens kam und sie den Rohentwurf der Verlängerung der Straße ausgebreitet auf den Mauerabsatz hingelegt hatte, so daß er das Blatt einfach nicht übersehen konnte – wobei Barrasch und die Maurer zugleich als Publikum dienten und als Zeugen.

Der Teufel hatte ihn schon geritten, als er Julia, unter dem Schock seiner plötzlichen Erkrankung, seine Schwäche bekannt hatte. Und dies hier war der Hauptschlag – und er hatte nichts in der Hand, um sich zu verteidigen: kein eigenes entwickeltes Projekt, kein ideologisches Muster, an das er sich halten könnte, und nirgendwo eine politische Unterstützung. Und das Schlimmste daran: Er war immer noch zu sehr Künstler, um die Elemente von Grazie und Harmonie nicht zu erkennen, die Tiecks Vorlage inhärent waren. Ah, er konnte sich nur zu gut vorstellen, wie das Ganze in fertigem Zustand aussehen würde; es war so ansprechend wie das Beste, was je von den Männern gekommen war, die sich aus dem Bauhaus über den Rest der Welt verstreut hatten nach der Machtübernahme der Nazis – und es war die Verdammung all dessen, was er je gebaut hatte. Danach blieb ihm nur noch, still abzutreten. Aber da konnten sie lange warten: Er würde sich nicht selber schuldig sprechen. Er hatte erfüllt, was man von ihm gefordert hatte: seine Pflicht, so mochte man es nennen. In einer Revolution konnte man nicht wählen – weder seine Mittel noch seine Verbündeten, noch seinen Baustil.

»Nun?« fragte Julia gespannt.

Sundstrom blickte auf von den Zeichnungen vor ihm. »Ich habe darüber nachgedacht«, sagte er zögernd. Er hatte sich wieder unter Kontrolle, stellte er fest. Von nun an würde er in aller Ruhe tun, was zu tun war, Schnitt um Schnitt, Schlag um Schlag; wenn etwas zu zerstören war, dann müßte man den Meißel genau dort ansetzen, wo er seine stärkste Wirkung haben würde.

»Dann gefällt es dir also?«

»Interessant ist es schon«, sagte er. »Und provokativ. Und ich meine *provokativ.*«

Julia brauchte einen Augenblick, um ihn zu verstehen. Dann sah sie den Ausdruck um seinen Mund, und seine Hände: wie die Krallen eines Raubvogels, der drauf und dran war zuzustoßen.

»Aber du hast doch nur einen Rohentwurf gesehen!« rief sie aus und wußte zugleich um die Vergeblichkeit aller Einwände, die sie hätte anführen können. »*Du* hast doch gesagt, es wäre brauchbar, mit einigen Veränderungen. *Du* hast diese Zusammenkunft doch gewünscht.«

»Ich?« Sundstrom hämmerte mit seinem Daumen auf die vor ihm liegende Zeichnung, als wäre ihm ein zweiter Daumen besonders zum Hämmern gewachsen wie dem Mann Wilhelm. Aber er konnte nicht mit Hämmern aufhören. »Ja, ich habe unsre Zusammenkunft gewünscht. Und ich bin froh, daß sie nun stattfindet. Auf die Weise werde ich mich selber überzeugen können, wie weit diese Sache sich schon entwickelt hat und wie weit sie möglicherweise noch gehen wird.«

Tieck hob sein Täßchen Mokka an und stellte es wieder ab. Etwas in Sundstroms Ton erinnerte ihn an die Verhöre, die man ihm hatte angedeihen lassen. Der Ton schloß jede höfliche Erwiderung aus.

»Genosse Hiller« – Sundstrom beherrschte sich wieder –, »vor einer Weile hast du gesagt, es bestünde kein Zusammenhang zwischen einer Gesellschaftsform und der jeweiligen Form der Architektur. Aber du wirst doch wohl nicht den Einfluß der Gedanken eines Mannes und seines Charakters auf seine Arbeit ableugnen, oder?«

»Nein.«

»Vielleicht kannst du mir dann erläutern, was diese blutlosen Kritzeleien in deinen Augen bedeuten sollen.«

Da Sundstrom ihn nur benutzte, um Tieck anzugreifen, sah Hiller keinen Grund, sich festzulegen. Und da sich die Attacke nicht gegen seine Person richtete, fand er sogar Spaß an Sundstroms Bösartigkeit – gab sie ihm doch zu gewissen Hoffnungen Anlaß.

»Oder siehst du darin eine Form von Irrsinn?« fragte Sundstrom weiter und verbarrikadierte sich, sozusagen, in der Rundung seines Pianos. »Einen Hohn auf alles, was sozialistische Architektur über die Jahre vorgeschlagen und vertreten hat? Oder gar einen Versuch, den Westen einzuholen, ohne ihn zu überholen?«

Julia sah, wie Tieck erblaßte. »Arnold«, sagte sie, »was immer du auch von diesen Skizzen hältst, du mußt Daniel Jakowlewitsch Kredit geben für seine ehrlichen Bemühungen um das Projekt der Verlängerung unserer Straße.«

»Stammt diese Absichtserklärung auch von ihm?« Sundstrom setzte sich in Positur wie ein Richter vor der Verkündung seines Urteils. »Als Marxisten haben wir schließlich gelernt, die gesamte Persönlichkeit eines Menschen zu sehen: sein Verhalten in der Vergangenheit und heute, seine Gedanken, seine politischen

Einstellungen, seine Art der Selbstverwirklichung – aus all dem resultiert dann das Ganze…« Er holte Atem. Er war richtig in Fahrt gekommen, stieß allen Widerstand zur Seite. Tiecks Gesicht verzog sich angewidert; Julias Blick wurde starr; sie hatte nie zuvor erlebt, wie ein Mensch auf diese Art demontiert wurde; es würde, dachte Sundstrom, ihr eine Lehre sein. »Dies ist ein politisches Dokument«, Sundstroms Hand beschrieb einen großen Kreis über den Skizzen, »und muß als solches beurteilt werden.«

»Da stimme ich zu.« Das war das erste grundsätzliche Wort Tiecks an diesem Abend.

Julia wandte sich zu ihm. Sie überlegte, ob sie nicht seine Zeichnungen rasch einsammeln sollte, um sie vor Mißhandlungen zu bewahren; aber Tieck stand selber auf und legte seine Blätter zusammen; er sah etwas verloren aus – fast wie an dem Tag seiner Ankunft aus Moskau, als er aus dem Kurswagen gestiegen war und ihr sagte, sie habe ganz die Augen und den Mund ihres Vaters.

»Ich wünschte nur, es verhielte sich anders«, erklärte Sundstrom, Bedauern in seiner Stimme. »Ich wünschte, ich könnte mich hinstellen und proklamieren, siehe, dies sind die Entwürfe unserer Zeit, unserer Welt, unserer Zukunft.« Seine Worte hörten sich beinahe an, als glaubte er, was er da verkündete; er hätte ja auch nur zu gerne etwas gehabt, etwas Solides, um sich darein zu verbeißen. »Ich hatte Hoffnungen auf dich gesetzt, Daniel, ich kannte ja aus unserer Studentenzeit dein großes Talent und nahm an, daß deine Jahre im Lager dieses Talent nicht gänzlich vernichten konnten. Ich wollte dir eine Chance geben und habe es auch getan. Ich habe dich wieder untergebracht im Leben; ich habe dir deinen Weg geebnet; dir eine Arbeitsstelle verschafft in unserm Fach. Und dir mein Haus geöffnet.«

»Und ich…«, sagte Tieck, »habe es dir schlecht gedankt.«

»Jawohl…!« Sundstroms Stimme steigerte sich. »Was sind diese Entwürfe denn anderes als eine graphische Darstellung von politischen Intrigen, von Fraktionsbildung, Dekadenz,

Kosmopolitismus und – jawohl! – persönlicher Undankbarkeit.«

Die alten Schlagworte, dachte Tieck bitter, die alten Phrasen, und nicht einmal frisch aufgebrüht.

Sundstrom setzte seine Tirade fort; irgendeine innere Macht schien ihn mit sich fortzureißen; es war, als verteidige er einen heiligen Gral. Tieck konnte nur staunen: In Sundstroms verdammenden Worten fand sich auch nicht die Spur von Zynismus; im Gegenteil, er schien von seiner abgedroschenen Terminologie absolut überzeugt zu sein; und je länger er sprach, desto mehr ähnelten sein Text, sein Ton denen eines sektiererischen Eiferers, der sich rüstete, jeden niederzumachen, der nicht bereit war, seinen Geboten Folge zu leisten; und sie erinnerten Tieck an jenen sowjetischen Tschekisten, in dessen grollender Stimme sich nichts äußerte als seine geheime Machtgier. Gewiß, es war beängstigend, und sicher mußte man sich dagegen stellen; aber in erster Linie war es bereits ein Anachronismus.

Sundstrom, der des Glaubens war, Tieck sei nun genügend geknickt, widmete sich jetzt Hiller. In der korrekten Annahme, daß Hiller den Vorwurf leichthin abtun würde, er habe das Vertrauen seines Chefs mißbraucht, teilte Sundstrom ihm mit: »Du bist einfach zu durchschauen, junger Mann. Du meinst, es stünden größere Veränderungen an, und möchtest durch einen rechtzeitigen Übergang von Sundstroms Straße des Weltfriedens zu der Mode von morgen, was die nach deinen Erkenntnissen auch immer sein mag, rasche Karriere machen.« Seine Stimme wurde schneidend. »Falsch! Du vergißt nämlich, daß die Partei, die die kollektive Weisheit der Vorhut der Arbeiterklasse repräsentiert, keine Fehler machen kann. Daher ist selbst der nebensächlichste Kringel an dem nebensächlichsten Ornament des nebensächlichsten Hinterhauses der Straße des Weltfriedens einhundert Prozent notwendig und korrekt…« Seine Hand, mit dem gereckten Zeigefinger, wies drohend auf Hiller. »Denn wenn du das bezweifelst, bezweifelst du alles, und dann hast du kein Recht mehr, Mitglied der Partei zu sein, mit all dem, was dazugehört. Habe ich mich klar ausgedrückt?«

Hiller zerrte an seinem Ohrläppchen. »Klar genug.«

Sundstroms Miene verdüsterte sich momentan. Er dachte an seine kürzlichen Berliner Erfahrungen, seine vergeblichen Unterredungen. Aber seine eigene Logik half ihm über den unsicheren Boden hinweg. »Und darum, Genosse Hiller, wird die Partei am Ende *mich* unterstützen. Die Zentrale hat uns unsere ersten Entwürfe zurückgeschickt? Man will dort Veränderungen haben, Anpassungen, Sparsamkeitsmaßnahmen? Das beweist doch nur, was ich soeben von ihrer kollektiven Weisheit gesagt habe, und wir werden neue Entwürfe vorlegen – aber nicht *diese*…« Er wies auf die Bogen in Tiecks Hand. »Diese Vorschläge würden, wenn man sie annähme und baute, zu einer Anklage in Stein und Beton werden, daß die Partei sich eines katastrophalen Fehlers schuldig gemacht hätte – also sind sie feindlich, und du, Genosse Hiller, handelst gegen die Partei, indem du dich damit assoziierst. Oder war das deine Absicht?«

Hiller spürte Julias Blick. Er durfte sich von Sundstrom nicht überfahren lassen. Er zeigte ein freudloses Lächeln. »Meine Absicht war, der Partei zu einem Durchbruch zu einer anständigen, dem zwanzigsten Jahrhundert angemessenen Architektur zu verhelfen.«

»Anständig!« rief Sundstrom. »Dem zwanzigsten Jahrhundert angemessen! Was für Kategorien, bitte, sollen das sein?«

»Das bringt uns nicht weiter«, sagte Julia abrupt. »Du hast diese Entwürfe abgelehnt, Arnold. Damit erledigt sich das. Deshalb ist die Arbeit aber nicht verloren. Keine Arbeit ist je verloren.«

Trotz ihrer versöhnenden Worte erkannte sie die Sackgasse, in der alle drei Männer sich befanden. Nichts war entschieden, nichts war gelöst, ihr eigenes persönliches Dilemma am allerwenigsten. Sie blickte von Hiller zu Tieck: Keiner der beiden schien einen Vorschlag zu haben.

»Julia!« sagte Sundstrom.

Sie antwortete nicht.

»Julia …« In seiner Stimme klang Angst mit, die Angst, daß er die Front gegen sich nicht hatte brechen können; daß sogar Tieck, durch sein Schweigen, sich als der Stärkere erwiesen haben könnte. »Stehst du auf ihrer Seite, Julia?«

Sie fühlte ihm gegenüber weder Mitleid noch Haß – nicht einmal Schuld, obwohl sie ihn betrogen hatte und der Mann, mit dem sie ihn betrogen hatte, neben ihnen an diesem Tisch saß. Sie wollte nur vermeiden, daß Sundstrom einen erneuten Kollaps erlitt; sie wollte keinen psychischen oder physischen Zusammenbruch. »Das bringt uns nicht weiter«, wiederholte sie, »und ich bin sehr abgespannt.«

Sundstrom trat aus dem Schutz seines Pianos hervor und goß sich einen Wodka ein. Er konnte, dachte er, den Abend jetzt ohne weiteres abbrechen; man hatte ein Remis erreicht; und ob Julia die Entwürfe Tiecks billigte oder nicht, blieb unwichtig.

Aber für ihn war es wichtig festzustellen, ob er von seiner eigenen Ehefrau, die ihm alles verdankte, noch Unterstützung erwarten konnte.

Er trank den Wodka. Er hatte den ganzen Abend getrunken, vor, während und nach dem Essen, ohne Folgen irgendwelcher Art. Aber dieser letzte Drink wirkte. Der Alkohol schoß ihm direkt ins Blut. Das Zimmer, die Gläser, die Entwürfe, Tieck, Hiller und die eigene Frau verschwammen zu einer einzigen Bedrohung, und was es auch war, das ihn bisher vor offener Panik geschützt hatte, stürzte zusammen.

»Du bist abgespannt« – er griff ihre Feststellung auf –, »was soll ich dann erst sein? … Siehst du denn nicht, daß ich versuche, eine ganze Konzeption von Architektur aufrechtzuerhalten – eine ganze Welt?« Sein Kopf nickte in Richtung von Tieck und Hiller. »Nieder mit den Verleumdern und Revisionisten und den ewigen Läusesuchern! Ich dachte, ich hätte ein Recht darauf, Julia, von dir Solidarität zu erwarten.«

Sie erschrak. »Ich habe mir nur erlaubt zu empfinden«, sagte sie, »daß in dem Entwurf der Genossen Tieck und Hiller eine gewisse Klarheit und Schlichtheit liegt – und sogar Schönheit, und eine Frische der Auffassungen, eine Generosität ...«

»Das geht weit über das Thema Architektur hinaus, Julia. Das ist, im Grunde, Illoyalität.«

Sie zuckte zusammen; lauschte auf die Zwischentöne. Nein, er wußte nicht. Er war so auf sich selber konzentriert und auf seine Stellung, daß sie sich ein Dutzend Liebhaber zugelegt haben könnte, ohne daß ihm ein Verdacht der Art in den Kopf gekommen wäre.

»Ohne mich würdest du längst nicht mehr am Leben sein«, setzte Sundstrom seine Anwürfe fort. »Ich habe mich einer kleinen Waise angenommen; ich habe sie aufgezogen und einen Menschen aus ihr gemacht.«

»Ich bin dir ja dankbar«, unterbrach sie ihn mit verkrampfter Stimme, »äußerst dankbar. Und werde es immer sein.«

»Dankbar?« Er schien das Wort abzuschmecken. »Ich dachte immer, du liebtest mich. Ich habe deine Gefühle doch beobachtet seit ihrer ersten Regung! Oder hattest du schon damals eine doppelte Moral?«

Julia ließ Sundstrom reden. Wie durch eine beschichtete Brille sah sie John Hiller auf ihren Mann zumarschieren, und bemerkte den warnenden Ton, mit dem er auf ihn einsprach, und staunte über diese unerwartete Schau von Ritterlichkeit: John Hiller, der Verteidiger unterdrückter Ehefrauen, das war in der Tat eine ihr bisher unbekannte Seite seines Charakters.

Sundstrom schob Hiller einfach beiseite. »Und da ist Julian«, wandte er sich wieder an Julia. »Denkst du je an das *Kind*?«

Hiller war jetzt mit Tieck in Streit geraten, seine halbunterdrückte Stimme war dennoch deutlich zu hören, und Julia verstand, daß er vorgeschlagen hatte, er und Tieck sollten ohne weiteres Hin und Her Sundstrom sitzenlassen und gehen, sie aber mitnehmen. Tiecks Antwort wurde übertönt von dem plötzlichen »Julia, meine Liebe!«, das von Sundstrom fordernd, zugleich aber auch bittend kam.

»Julia ... Erinnere dich an dein erstes Kleid, das ich dir mitgebracht habe – gebraucht gekauft, es gab ja nichts anderes in dem verarmten Land. Erinnere dich an unsere *Datsche*, im Jahr danach, an unseren Garten, an das Licht in den Zweigen der Bäume, den Duft von Jasmin, die Beeren...«

»Arnold, ich bitte dich!« Es war nicht zu ertragen. Das Kleid hatte es wirklich gegeben, mit den aufgenähten Pailletten; den Duft von Jasmin, die Beeren; und die Heuchelei, mit der er gerade jetzt ihr all das in Erinnerung rief, hatte Wurzeln, die tief hinabreichten in ihr gemeinsames Leben. »Arnold!« – ihre Stimme war so brüchig, daß sie ihr selber fremd klang –, »John und ich...«

»Erinnere dich an die Nächte, die weißen Nächte in unserm Sommer in Leningrad, das Ufer der Newa, das Schiff, das den Fluß hinabglitt wie durch flüssiges Silber...«

»John und ich...«

»Julia!« Auf einmal war seine Sentimentalität weggewischt. »Ich will es dir jetzt sagen, und vor Zeugen, so daß du dich entsprechend verhalten kannst: Sollte einer beabsichtigen, mich zu ruinieren, und sogar Erfolg haben damit, werde ich eine ganze Menge Leute mit mir in den Abgrund ziehen; und dich auch; dich in erster Linie. Aber ich glaube nicht, daß die oben mir etwas antun werden. Ich habe gute dreißig Jahre Erfahrung in diesen Dingen; ich kenne jeden Trick in der Kiste, und ein paar dazu, von denen sonst keiner weiß. Und du kannst dir das auch hinter die Ohren schreiben, John Hiller, und du gleichfalls, Genosse Tieck...«

Speichelbläschen formten sich in seinen Mundwinkeln, sein Gesicht färbte sich tiefrot. Das ist das Ende, dachte Julia; der letzte Faden aus dem Gewebe von Illusionen war gerissen, Sundstrom, der Geliebte, der Gatte, der Vater, der Künstler, der Kommunist; der Mann vor ihr stand enthüllt in der ganzen Jämmerlichkeit seiner Ängste. Angst vor ihr, vor seinen Genossen, vor sich selber: ein Phrasendrescher, machtbesessen, feige, ein kleiner Tyrann, der die Welt anhielte, weil sie nicht länger vor ihm und seinem Diktat das Knie beugte.

»…du hast gesagt, du liebst mich…«

Seine Bitterkeit war nicht gekünstelt; und sie dachte, ja, Arnold Sundstrom, ich habe gesagt, daß ich dich liebe, und ich bin stolz auf dich gewesen und habe an dich geglaubt. Und sie versuchte abzuwägen, inwieweit sein moralischer Zusammenbruch von ihr verursacht war, kam aber zu keinem gültigen Ergebnis; sie wußte nur, die Anfänge der Krise ihres Mannes hatten sich nach dem Empfang für den Genossen Krylenko gezeigt; aber in seinem Innersten mußte das Problem ihn vor Jahren schon gequält haben, wahrscheinlich seit je, ein Krebs, der in der Stille wuchs, bis er den Körper seines Wirts verzehrte.

»…eine einzige Lüge«, verkündete Sundstrom, »und ich frage mich, war es das nicht von vornherein, Bestandteil unsres Lebens und unser Unglück? Bei den einen ergibt sich derlei mit der Zeit, andere sind von Geburt an verflucht…«

Julia erkannte mit Mühe, daß er von ihr sprach; sie sah, wie Tieck seinen Kopf hob, anscheinend hatte er seine Teilnahmslosigkeit überwunden, und sie hörte seine Frage: »Es liegt bei ihnen im Blut, willst du doch sagen, Arnold, eh? Ist sie nicht die Tochter eines faschistischen Agenten?«

Sie sah, wie Sundstrom krampfhaft Luft holte; aber er konnte nicht mehr zurück; er war schon zu weit ins Abseits geraten.

»Unglücklicherweise *hat* Goltz für die Faschisten gearbeitet«, sagte er.

»Wie ich auch?« wollte Tieck wissen.

»Es gab Beweise dafür.«

Julia fühlte den dumpfen Schlag ihres Pulses in ihrem Innenohr. Ihr Mann erschien auf merkwürdige Art gefaßt. John Hiller beugte sich vor, gespannt.

»Beweise?« fragte Tieck, als sei er nicht selber beteiligt.

»Selbstverständlich. Die Telegramme.«

Tieck verzog seine Brauen.

»Die zwei Telegramme an Goltz, beide fast gleichlautend, aber zu verschiedenen Zeiten geschickt, beide mit der Mitteilung, sein Vater sei gestorben.«

»Zwei?«

»Zwei. Du willst doch nicht behaupten, du hättest das alles vergessen!« Sundstrom kniff seine Augen zusammen. »Nun gut, du hattest genug andere Sorgen seither, und du könntest die Geschichte wirklich vergessen haben, oder die Übereinstimmung der beiden Texte ist dir damals nicht so aufgefallen wie mir. Zwei Telegramme – das eine im November 1935 in Prag, das andere im Sommer 1939 in Moskau.« Sundstrom klang ungeduldig. »Und du warst beide Male dabei, ebenso wie ich: in der Prager Wohnung der Goltzens besprachen wir Pläne, wie wir Geld aufbringen könnten für eine Zeitschrift; und in dem Hotel in der Gorki-Straße setzte uns Babette gerade ihren Kaffee vor. Ich habe ein Gedächtnis für Einzelheiten, schon immer. *Vater verstorben Herzliches Beileid*; zwei Telegramme, fast mit dem gleichen Wortlaut; wie viele Väter kann ein Mensch haben, frage ich; es war ein Code.«

Julia spürte die eisige Kälte in ihrem Herzen. Ihr Puls hatte aufgehört, im Innern ihres Ohrs zu schlagen; alles in ihr schien erstorben zu sein, außer ihrem Gehirn, in dem es hämmerte: *Mord, Mord, Mord…* Tieck hatte die Frage gestellt, die sie ihrem Mann vor Tagen schon hätte stellen sollen.

»Jedenfalls«, proklamierte Sundstrom, »ist alles dokumentiert und nachlesbar in den Akten, und ich weiß, daß Goltz ein entsprechendes Geständnis abgelegt hat.«

»Seine Frau auch?« erkundigte sich Tieck.

»Ich nehme das doch an.«

Hiller stand auf, zerrte an dem Knoten seiner Krawatte und riß seinen Hemdkragen auf. Die Luft im Raum war von einer Minute zur anderen stickig geworden.

»Jetzt erinnere ich mich«, sagte Tieck, und sein Blick suchte Julias, »es *waren* zwei Telegramme. Die Jahre… Wie du uns selber gesagt hast, Arnold: Ich hatte genug andere Sorgen seither, und die Übereinstimmung der beiden Texte fiel mir damals nicht so auf.«

Sundstrom begann, die Entwürfe für die Verlängerung der

Straße einzusammeln und sie zusammenzulegen, wie ein Vortragsredner, der geendet hat, die Seiten seines Manuskripts.

»Auch erinnere ich mich«, fuhr Tieck fort, »daß du und ich bei beiden Gelegenheiten die einzigen waren, die nicht zur Familie gehörten.«

Sundstrom blickte auf. Seine Augen wurden glasig; seine Hände fuhren mechanisch fort, die Papiere einzurollen.

»Dann warst du es also, der den Genossen Goltz angezeigt hat«, schloß Tieck.

»Julia!« Sundstroms Aufschrei war Bitte und Ausdruck panischer Furcht zugleich.

Julia sah, wie er auf sie zukam. »Rühr mich nicht an«, sagte sie.

»Rühr sie nicht an«, sagte Hiller. »Oder ich bringe dich um.«

»Mach jetzt auf, Julia!«

Wieder das erregte Klopfen an der Tür.

»Warum läßt du Papa nicht herein, Julia?« fragte Julian von der Zimmerecke her, wo er, gehüllt in seinen Bademantel, in dem Armsessel kauerte.

»Ich muß mit dir reden, Julia.« Sundstroms Worte blieben dumpf und undeutlich; die Tür war aus dickem, solidem Holz. »Ich muß dir erklären.«

Sie fuhr fort, ihre Koffer zu packen. »Du hast genug erklärt.«

»Warum packen wir?« sagte Julian mit großen, fragenden Augen.

»Ich will es dir aber noch einmal erklären«, bat Sundstrom von draußen. »Du hast immer noch nicht begriffen; es ist ja auch nicht einfach, ich weiß. Versuch doch zu verstehen.«

»Ich habe verstanden.« Sie schloß den Koffer, den sie fertig gepackt hatte: ein paar von ihren Sachen, die notwendigsten, und was der Kleine in den nächsten Tagen brauchen würde. »Genau verstanden. Alles.«

Sie lauschte. Draußen blieb es jedoch still. Hatte Sundstrom aufgegeben und sich davongemacht? Wahrscheinlicher war, daß er dort stand, hinter dieser Tür, und darauf wartete, daß sie und Julian herauskämen – was sie ja irgendwann tun mußten.

»Warum müssen wir fort?« fragte der Kleine.

Julia nahm sich zusammen. Sie mußte Julian noch anziehen, warm anziehen; die Nacht war kühl. »Weil dein Vater und ich nicht länger zusammenleben können«, sagte sie und wunderte sich über ihren unpersönlichen Ton; es war, als hielte ein stählernes Band ihr Herz zusammen; später würde ihr Herz den Stahl sprengen, später, wenn alles erledigt war, was noch zu tun blieb, und sie in irgendeinem Hotel saß, die Hände im Schoß; sie kannte sich und ihre Art.

»Warum könnt ihr nicht mehr zusammenleben, du und Papa?« fragte Julian und hielt ihr sein nacktes Bein hin.

»Weil...«

Weil Arnold Sundstrom seine revolutionäre Pflicht getan hatte, schweren Herzens und zerrissenen Gewissens, wie er es ausgedrückt hatte, aber welch anderem Kurs hätte er folgen sollen? Er hatte ihr alles erklärt, in Gegenwart von Daniel Tieck und John Hiller; die zwei beinahe identischen Telegramme waren eben doch ein gewichtiges Verdachtsmoment gewesen; möglich auch, daß jemand, er wußte nicht, wer, eine Provokation organisiert hatte; jedenfalls mußte die Angelegenheit untersucht werden, um Julian und Babette Goltz' willen ebenso wie aus Gründen der Sicherheit des Staates; und sollten Julian und Babette die Opfer irgendeines Komplotts sein, wer war besser qualifiziert als die zuständigen Behörden, den Fall aufzuklären und die beiden zu schützen, und wenn nicht...

»Mir ist kalt, Julia«, sagte der Kleine.

Hastig zog sie ihm seine Strümpfe an.

»Julia?«

»Ja, mein Liebling?«

»Du hast mir immer noch nicht gesagt...«

»Gleich.« Sie spürte, wie sein magerer kleiner Leib sich in ihren Händen wand, während sie ihm seine Unterwäsche anzog; sie suchte nach seinen Hosen und dem rot-blauen Sweater, die sie bereits aus seinem Zimmer geholt hatte. »Laß mich nur einen Moment nachdenken...«

Und wenn nicht, hatte Arnold zu ihr und zu Tieck und zu John gesagt, nun, dann... Er habe ihr ja nichts Neues erzählt, hatte er gesagt, sie hätten sehr wohl darüber geredet, und mehr als einmal: die fürchterliche Lage, in der sich die Sowjetunion befand in der Zeit, isoliert, umgeben von Feinden der Revolution, die vor keinem Mittel, selbst dem hinterhältigsten nicht, zurückschreckten; wenn Menschen in unmittelbarer Nähe der Parteispitze zu Agenten und Verrätern wurden, so zeigte das ja wohl, welch großem Druck Volk und Partei ausgesetzt waren und welchen Versuchungen; es war eine komplizierte Zeit gewesen, Gott sei Dank, daß sie vergangen und vorbei war, und wem nützte es, wenn man ihre Schrecken wieder aufleben ließ und die Gegenwart damit belastete, wo wir doch, alle zusammen und Hand in Hand, unternommen hatten zu beweisen, daß all das Leid und das Blut und die Tränen nicht vergebens gewesen waren.

»Warum antwortest du mir nicht?« fragte der Kleine, selber den Tränen nahe.

»Ach, Julian«, seufzte sie und band ihm seinen Schal um den Hals und knöpfte sein Mäntelchen zu, »das alles kommt daher, daß dein Vater – und mein Vater...«

Sie brach ab. Etwas drückte ihr die Kehle zu. Ich darf nicht krank werden, dachte sie, ich darf nicht, nicht jetzt; sie fühlte sich beschmutzt, körperlich und geistig; die beiden Vaterbilder in ihrem Unterbewußtsein wollten sich nicht voneinander trennen lassen und verschwammen in eines mit dem Bild des Geliebten, der sie umarmte, und des Mörders, der sie erwürgte; sie hätte gerne aufgeheult und geschrien, um den Druck auf ihrem Herzen zu lösen, aber das hätte das Kind nur erschreckt. Mit halberstickter Stimme sagte sie: »Es ist, weil ich ihn nicht länger lieben kann, Julian. Kein Mensch kann mit jemandem leben, den er nicht liebt. Und täte er es trotzdem, er würde sehr unglücklich werden.«

Julian nickte weise. In dem Augenblick klopfte es wieder; der Kleine rannte zur Tür und rief in einem Ton, schrill vor Aufregung: »Kein Mensch kann mit jemandem leben, den er nicht liebt!«

Tränen stiegen Julia in die Augen.

»Julia! Zum letzten Mal, mach auf!«

Sie trocknete ihre Tränen. Nein, sie fürchtete ihn nicht – wäre es anders, sie hätte John Hiller leicht genug bitten können, noch zu bleiben, oder Daniel Tieck, oder alle zwei; aber sie hatte ihnen Adieu gesagt und gute Nacht, trotz beider Zögern, sie sich selber zu überlassen; sie hatte neben ihrem Mann gestanden in der Haustür, wie die gute Gattin und Gastgeberin, die sie bis dahin gewesen; und erst nachdem ihre Gäste verschwunden waren in der Nacht, war sie rasch umgekehrt und die Treppe hinaufgeflohen und hatte ihr Kind ergriffen und sich zusammen mit dem Kleinen eingeschlossen.

»Julia!« brüllte Sundstrom. »Verflucht noch mal!«

Sie hob ihren Koffer auf, nahm Julian bei der Hand und öffnete.

Er stieß die Tür auf. »Wohin willst du?«

»Ruf mir ein Taxi, Arnold, bitte.«

»Aber ich habe dir doch erklärt… Ich dachte, du hättest verstanden…«

»Ich habe verstanden. Nicht daß ich dir Vorwürfe mache. Ich möchte nur fort, fort von hier, mit meinem Kind.«

»Mitten in der Nacht?… Julia, das kannst du nicht – schon um des Jungen willen. Bleib, wenigstens bis morgen. Morgen lasse ich dich gehen, wenn du es dann noch willst.«

Ihr Entschluß geriet ins Wanken. Dann sah sie, wie er nach dem Kind griff.

»Nein«, sagte sie. »Ich will jetzt weg. Ruf das Taxi.«

»Und wohin soll das Taxi dich bringen?« fragte Sundstrom. Was er noch besessen hatte an Willenskraft, schien ihn in diesem Moment zu verlassen.

Julia, ihren Koffer in der einen, ihr Kind an der anderen

Hand, schritt an ihm vorbei. Sie hatte keine Ahnung, welche Adresse sie dem Taxifahrer geben würde. Die Zukunft war ein leeres Blatt.

KAPITEL 10

Der Pendelbus, der die Post und die Sommergäste brachte, schlingerte entlang des Damms, welcher das Ostseebad Kleinmallenhagen mit dem Festland verband; der Asphalt war voller Löcher, und der Bus sackte in ein jedes von ihnen, so als wollte die Leitung des örtlichen Verkehrsbetriebs ihren Passagieren einen Vorgeschmack von den Annehmlichkeiten des Landlebens geben.

John Hiller hielt den Rucksack mit seinen Einkäufen darin auf seinem Schoß und überließ sich den Schwankungen des Busses. Er unternahm diese Fahrt zwei- oder dreimal in der Woche; der Laden in Kleinmallenhagen verkaufte Ostseemuscheln, bemalt mit Dünenansichten, und Farbfotos der Strandpromenade, gerahmt in hölzernen Mini-Rettungsringen, beides unter dem Titel *Souvenirs*; dazu Bücher und Badehosen, Bonbons und Bockwurst, und, wenn vorhanden, bulgarische Tomaten; aber wenn man Nägel kaufen wollte oder elektrische Birnen oder Konserven oder sonst etwas, was man in einer Fischerhütte brauchte, um bestehen zu können, bedeutete es eine Reise mit dem Bus.

Er hatte dieses Leben nun schon seit einiger Zeit geführt, zusammen mit Julia und ihrem Kind. Mit der Hütte – schwarzes Fachwerk, rote Ziegel, Strohdach – hatten sie Glück gehabt. Er hatte sich dieser Hütte von einem Wochenende her erinnert, das er vergangenes Jahr mit Waltraut Greve zusammen verbracht hatte; sie gehörte einem Großonkel von Waltraut, der aufs Festland gezogen war, um seine letzten Jahre mit der Familie seines Sohnes zu verbringen; und da die Hütte in ziemlicher Entfernung von der eigentlichen Ortschaft Kleinmallenhagen lag, war der alte Mann froh gewesen, Dauermieter dafür gefunden zu haben.

Die Buspassagiere, die zum Strand und ihrem Sommerglück wollten, sahen überhitzt aus und verdrossen; die Kinder quäkten; die Frauen fächelten sich Luft zu mit ihren Taschentüchern; die Männer trugen ihre Hüte in den Nacken geschoben und ihre Hemden aufgeknöpft. Sie würden in den verschiedenen Pensionen von West-Kleinmallenhagen wohnen, die jetzt von den Gewerkschaften als Ferienheime übernommen worden waren; Ost-Kleinmallenhagen mit seinem Kurhaus und den für die Gegend typischen Bauernhäusern, war für die Intelligenz reserviert, die in ihren eigenen Autos kam und sich auf dem Nacktbadestrand jenseits des alten Leuchtturms tummelte.

John Hiller verschob seinen Rucksack. Zuerst war das Refugium, das er für Julia und sich selber gefunden hatte, ihnen als ideal erschienen; ein Liebesnest wie direkt aus dem Paradies; der Wind flüsterte in den Kiefern, und die flache Brandung plätscherte auf den Strand, sonst herrschte eine so tiefe Ruhe, daß die Wunden der Seele zu heilen begannen; eine herrliche Einsamkeit nur für sie beide, mit der bestirnten Himmelsglocke über ihnen in der Nacht. Absolut perfekt – nur daß Waltraut Greve glaubte, sie hätte ein Anrecht auf die Hütte; schon zweimal war sie zu Besuch gekommen und hatte die Unruhe der Straße des Weltfriedens mit sich gebracht. Und da war der kleine Julian.

John Hiller schlug nach der Fliege, die ihm um den Kopf surrte. Wie hätte er nein zu Julia sagen können, als sie zu ihm kam in jener Nacht, oder ja, dich will ich gerne nehmen, aber nein, nicht dein Kind; obwohl er den Haken in der Sache sofort erkannt hatte: Man liebte eine Frau, das hieß aber nicht, daß man auch ihren Bengel lieben mußte, der den ganzen Tag herumquengelte, und wenn er gerade mal nicht quengelte, auf seinem Hintern hockte und einen anstarrte mit großen anklagenden Augen, als hätte man ihm sein letztes Stück Schokolade geraubt.

Aber, ah, was für eine Liebe! – die Liebe, die Julia ihm gab, entschädigte für allen Verdruß. Nicht in der Nacht, als sie zu ihm kam mit dem Kind an der Hand und er sie beide aufnahm; sonderbar, daß sie überhaupt zu ihm gekommen war, nachdem sie scheinbar so gefaßt und ruhig neben Sundstrom in der Haustür gestanden und ihr Dankeschön und Nett-daß-ihr-uns-besucht-Habt und derlei mehr deklamiert hatte; sie befand sich sichtlich in einer Art Schock nach ihrer Taxifahrt von Hotel zu Hotel; Sundstrom mußte rasch und energisch mit sämtlichen erreichbaren Hoteldirektoren telefoniert haben, um zu verhindern, daß sie irgendwo ein Zimmer fand; also hatte sie am Ende bei ihm an der Tür geläutet, mit dem Koffer in der Hand und dem Jungen neben sich. Er hatte seine Arme weit aufgetan und gesagt, Julia, Julia, Julia. Die Liebe, die sie ihm dann gab – nicht mehr in dieser Nacht, doch später –, war verzehrend gewesen. Diese Liebe hatte ihren Ursprung in Tiefen des Gefühls, die, wie er fürchtete, ihm selber völlig fremd waren; Julia stillte sein Bedürfnis nach ihr und erzeugte zugleich immer neues Verlangen. Sie wiederum schien von einer verzweifelten Sucht nach Leben erfaßt zu sein; und wenn sie dann beide dicht aneinander in ihrem Bett in der Fischerhütte lagen, existierten weder Vergangenheit noch Zukunft, nur dieser Moment zählte, und das Rauschen der See durch das offene Fenster und auf ihrer Haut der kühle Wind des Morgens.

So war es am Anfang gewesen. Und es hätte so bleiben können. Er hatte Waltraut Greve fortgeschickt und die Welt ausgeschlossen. Und er würde die Welt auch weiterhin fernhalten, solange seine Ersparnisse vorhielten; und danach würde er das Nötige borgen. Er hatte geleimt und gezimmert und Drähte verlegt und gemalert und die ganze Hütte in ein Wunderwerk von Komfort und Behaglichkeit verwandelt; der Ofen brauchte ein paar kleinere Reparaturen; sobald diese durchgeführt waren, würde man hier sogar überwintern können. Aber auch heute wieder hatte er vergessen, bei dem Ofensetzer vorzusprechen.

Der Bus schnellte in die Höhe, als wollte er in der nächsten

Sekunde in seine Teile zerbrechen. Die Passagiere schrien auf und klammerten sich an ihre Sitze. In dem Hitzeflimmern über der Straße zeichneten sich die ersten Dächer von Kleinmallenhagen ab mit ihren Giebeln im Stil der Jahrhundertwende und ihren steil abfallenden Mansarden.

Hiller wurde unruhig. Nein – Julias Gefühle waren immer noch die gleichen; immer noch gab es die Stunden, da er und sie einander genügten und weder polizeiliche Neugier noch Post, Arzt, Radio, Architektur, Gesellschaftsordnung, ethische Bedenken oder der Knabe Julian für sie existierten. Aber öfter kam dann ein Nachspiel. Julia würde bei dem Gedanken an einen möglichen Bruch in ihrer beider Verhältnis in schlimme Seelenängste geraten und sich erst beruhigen, wenn er ihr schwor, daß sie sich umsonst Sorgen machte und daß sie bitte die Stunde zu ihrem vollen Wert, sechzig Minuten, akzeptieren möge. Aber das machte seine Lage nicht angenehmer. Er war ohne Rückhalt in diese Art zu leben eingestiegen; sämtliche Brücken hinter ihm waren abgebrochen, seine Arbeit war ihm verlorengegangen, seine berufliche Zukunft in dieser Republik gleich null: Sundstrom würde Sorge tragen, daß jeder in Frage kommende Chef oder Betriebsleiter der Kaderakte John Hiller die ihr gebührende Beachtung schenkte. Was noch konnte Julia von ihm verlangen? Er sah sich als einen im Grunde simplen Menschen; lässig eher als ehrgeizig; einer, der sich anpassen konnte an jeden, der ihm auch nur eine halbe Chance bot; ein Genießer in bescheidenen Maßen, der gerne lachte und es vorzog, Hindernissen, die sich nur schwer überwinden ließen, aus dem Weg zu gehen. Julia aber stieß sich lieber den Kopf an der Wand.

Mit einem Ruck, der die Passagiere von ihren Sitzen rutschen ließ und die, die bereits standen, zum Taumeln brachte, hielt der Bus vor dem Kleinmallenhagener Laden. Mit viel Lärm und Geschrei stiegen die Leute aus. Hiller lauschte den Schritten auf dem Dach, dem Aufprall der Gepäckstücke, die von dort auf die Straße geworfen wurden. Als der Bus wieder anfuhr, war er der einzige Fahrgast neben einem schnurrbärtigen Mann mit buschigen Brauen. Der Mann umklammerte einen Geigenkasten. Er sei der neue Kurhausviolinist, teilte er fröhlich lispelnd mit; sein Vorgänger liege mit Gelbsucht im Hospital auf dem Festland; und knauserten die Gäste im Kurhaus mit ihren Trinkgeldern, oder waren sie, wie die Proleten, eher gebefreudig?

»Wenn man in Betracht zieht, was die Intelligenz verdient«, antwortete Hiller sachlich, »möchte man sagen, sie tippen weniger als die sogenannten Werktätigen.«

Der Mann schien Zeit zu benötigen, um Hillers Auskunft zu verdauen. Er starrte mißmutig aus dem Fenster. Hiller setzte seinen Rucksack auf den leeren Sitz neben sich und überließ sich seinen Gedanken. Im Grunde war der kleine Julian schuld an seinen Problemen mit Julia; ein netter Junge eigentlich, der versuchte, mit der Umkehrung von allem, an das er gewöhnt war, fertig zu werden; er versuchte es wirklich, armes Kerlchen, und seine Unsicherheit trieb ihn, sich an Julia zu krallen wie ein Eskimobaby. Hiller überlegte, wie die Eskimos ihre Weiber penetrierten, wenn ständig ein Babygesicht über die Schulter der Frau hinweg zusah; und er kam zu dem Schluß, daß die Eskimos dem Geschlechtsverkehr weniger Gewicht zumaßen als nervöse Mitteleuropäer wie er; was für Intimität konnte es überhaupt geben in einem Iglu, in dem die halbe Sippe aufeinanderhockte und gezwungenerweise Zeuge sein mußte bei der Begattung ihrer Cousins und Cousinen. Oder sie zogen dem Baby die Pelzmütze über die Augen und verstopften ihm den Mund mit einem Stück Walfischfett. Aber ich bin kein Eskimo, dachte er, und Waltraut Greves Großonkel hatte versäumt, die Wände seiner Hütte schalldicht zu machen.

Der Bus schwankte heftig. Rechts und links schwankten die ehemaligen Privatpensionen im Gleichtakt dazu vorüber, den meisten von ihnen hätte ein Anstrich notgetan, die über den Balkons hängenden Markisen waren von der Sonne gebleicht. Feriengäste, in verschiedenen Stadien von Entkleidung, schlichen den Gehsteig entlang; schreiende Kinder jagten einander;

man spürte die See hinter den Dünen. Der Violinist hatte wieder zu erzählen angefangen. Trinkgelder seien relativ, sagte er; ein kleines Trinkgeld von einem Prominenten galt mehr als ein großes von einem Durchschnittsbürger; er hatte sich seinen Schnurrbart wachsen lassen, damit er mehr wie ein Zigeuner aussehe – er ging immer von Tisch zu Tisch und spielte den Damen, deren Begleiter nach Trinkgeld aussahen, ins Ohr; kaum eine von diesen konnte dem Schmelz seiner Musik widerstehen. Er beugte sich Hiller zu und lispelte: »Kunst muß privat sein, Herr, wenn man will, daß die Leute sie schätzen. All dieses Massenzeug, mit dem uns die Lautsprecher berieseln, da hört doch keiner hin; und wer sieht sich die Plastiken im Park an oder irgendwelche Wandmalereien? Sind Sie auch Künstler?«

»Auf eine Art, schon.«

»Malen Sie einen hübschen Strauß Blumen oder eine Nackte mit dem nötigen Fleisch vorn und hinten, und die Leute werden das kaufen und es sich in ihr Schlafzimmer hängen, und die Verleger werden es drucken und die Drucke für gutes Geld verkaufen, und Sie werden ein eigenes Auto haben und Ihren Rucksack wegwerfen können. Das nenne ich Realismus!« Er klatschte auf seinen Geigenkasten, als ob der ein Frauenhintern wäre. »Und ich habe mein Leben lang eine Neigung zum Realismus gehabt.«

Der Bus hielt an. »Ost-Kleinmallenhagen«, sagte der Fahrer. »Kurhaus. Endstation.«

Der Violinist klopfte Hiller aufs Knie. »Machen Sie's gut, Verehrter.« Und mit einem Kopfnicken in Richtung der Alptraumgotik des Kurhauses mit seinen spitzen Türmchen und vorspringenden Giebeln: »Kommen Sie mal vorbei, ja? Von Ihnen nehm ich kein Trinkgeld. Ich lade Sie ein!«

Hiller lachte. Die Begegnung hatte seine Stimmung aufgeheitert; er ging nun zu Fuß weiter, den Rucksack über seine Schulter gestreift, der warme Sand tat seinen Füßen wohl, die nackt in seinen Sandalen steckten. Möglicherweise resultierte ein Teil seiner Schwierigkeiten daraus, daß sein Charakter zum Kollektiven tendierte; als Einsiedler zu leben war in Ordnung, solange diese Erfahrung noch neu war; aber jetzt hatte er seit Wochen schon nur mit Julia und dem Kleinen gesprochen; und zweimal mit Waltraut; und ein paar Worte gewechselt mit dem Polizisten, dem Arzt, dem Briefträger, dem Busfahrer und den Verkäufern in dem HO-Laden auf dem Festland. Das veränderte den Menschen irgendwie; gab einem die Klaustrophobie, so hieß das wohl; man wurde empfindlich, entwickelte Ressentiments gegen fast alle. Er würde Julia sagen, sie müßten öfter ausgehen, mit Leuten zusammen sein – im Kurhaus, am Strand, sogar auf dem Postamt. Warum sich verstecken; es gab kein Gesetz gegen die Liebe und das Zusammenleben von zwei Menschen, selbst wenn das Kurhaus voll war von Typen, die wußten, wer man war, und sofort eine Welle von Klatsch in Bewegung setzen würden. Aber Julia würde seinen Rat nicht befolgen. Der Kleine würde es ihr nicht gestatten. Julian war wie eine Fessel an ihrem Knöchel.

Das Kurhaus war das letzte größere Gebäude des Ortes. Die umgebauten Bauernhäuser begannen weiter landeinwärts. Gerade wie eine preußische Heerstraße und ebenso hart für die Füße erstreckte sich die Strandpromenade in Richtung des verlassenen Leuchtturms; nach links hin senkten sich die Dünen zum Meer, der Badestrand war wie von Mondkratern durchzogen, in deren Mitte je ein aus Rohr geflochtener Strandkorb stand, geschützt gegen Eindringlinge durch hoch aufgeschaufelte Sanddämme. Diese Dämme wiederum waren mit Steinen oder Muscheln verziert: In ihren Mustern, vermutete Hiller, lagen die Ursprünge von mehreren der Friese, die sich jetzt quer über die Fassaden des bereits fertigen Teils der Straße des Weltfriedens zogen. Dazu kamen Inschriften und Namen, mit Sorgfalt zusammengesetzt aus Kieseln – letztes Jahr, bevor das Schicksal ihn in ernstere Angelegenheiten verwickelte, hatte Hiller ganze Nachmittage mit der Sammlung solcher Dekors verbracht: *Villa Bismarck; Glück ist in der kleinsten Hütte*; und, als Zeugnis für den Eindruck, den Brecht in den Köpfen der anspruchsvolleren unter den Freikörperkulturbetreibenden hinterlassen hatte, *Mahagonny*. Was dem Briten sein Heim, war dem Deutschen sein rundum befestigter Strandkorb.

Normalerweise brauchte einer nicht mehr als zehn Minuten vom Kurhaus bis zu dem ockerfarbenen Felsen, auf dem der ausgediente Leuchtturm stand; Hiller aber trödelte; er hielt an, um seine Sandalen auszuschütteln, dann starrte er hinaus auf die See, die ihn mit ihrer unendlich funkelnden Gleichgültigkeit ermüdete. Die Krater am Strand wurden seltener, der Strand wurde felsig; nur ein paar Kleinmallenhagener Dorffrauen in Arbeitskleidung und Gummistiefeln hockten am Rande des Wassers und sammelten in ihre Eimer eine besondere Art von Steinen, die, so hatte Hiller gehört, bei der Herstellung von Porzellan benutzt wurden. Dann wuchs, wie ein riesiger dunkler Finger, erhoben, um den Wellen Disziplin zu predigen, der Leuchtturm in die Höhe, die Eingangstür aus den Angeln gekippt, der Sockel beschmiert mit den Weisheiten der Sommergäste.

Hiller zerrte nachdenklich an seinem Ohrläppchen: Am Leuchtturm gabelte sich der Weg; ein Abzweig führte entlang des Nacktbadestrands, der andere in gerader Linie durch die Kiefern, hin zu der Hütte, wo man ihn sicher schon erwartete. Dann zog er die Riemen seines Rucksacks straffer und marschierte, laut vor sich hin pfeifend, am Ufer entlang.

Sein Schritt war jetzt jugendlich federnd. Er spürte weder den Sand in seinen Sandalen noch die Sandfliegen an seinen Knöcheln; er schwänzte den Dienst; Revolte innerhalb der Revolte: der reinste Anarchismus. Der Strand wechselte wieder von Fels zu Sand. In der Entfernung zeigten sich rosa Pünktchen, einige in starrer Ruhe, die anderen anhüpfend gegen die schieferfarbene See, ohne Sinn und Zweck, ähnelnd etwa atomaren Partikeln in einer Blasenkammer. Hiller blinzelte – er konnte ehrlich sagen, daß die Nackedeis nicht der Grund gewesen waren für seinen Umweg; er war nicht der neugierige Typ, und Gott wußte, er hatte alles, was ein Mann in guter physischer Kondition bewältigen konnte, reichlich zur Verfügung.

»Ju-hu!«

Eine Frauenstimme. Hiller bemühte sich gar nicht, in Richtung der Stimme zu blicken. Sie ju-huten einander am Strand zu, den ganzen lieben langen Tag.

»Ju-hu! John Hiller!«

Jenseits der Schräge der Düne hatte sich aus einem Haufen rosafarbener Gestalten eine erhoben und winkte ihm zu. Sie war nackt bis auf eine Sonnenbrille, die zwischen ihren Brüsten schaukelte.

Die Dünen waren mit einer besonders zähen Art von Schilf bepflanzt, dessen Halme gegen Hillers Waden schlugen und in die Haut seiner Füße schnitten, während er zum Strand hinunterging. Die Nackte hatte aufgehört zu winken; sie hockte auf ihren Schenkeln und beobachtete, wie er auf sie zukam; zwei von den Männern standen langsam auf; der eine nahm die Brille vom Hals der Frau und blickte durch ihre Gläser auf Hiller. Die Köpfe, die sich hinter einem länglichen Wall erhoben hatten, senkten sich wieder, als wäre deren Eignern die geringe Bewegung schon zu anstrengend gewesen. Ein Mensch, schwer zu sagen, ob Mann oder Frau, kroch auf einen Sandhaufen hinauf und blieb dort sitzen wie ein Buddha.

Hiller konnte einzelne Gesichter bereits unterscheiden.

»Ja, *wirklich*«, rief Axel von Heerbrecht, »das ist er, und in Person. Der von höherer Stelle Gesuchte.«

»Und wo ist die Sundstrom?« wollte der Genosse Warlimont wissen und kratzte sich seinen fleischigen Busen.

»Wird nicht so weit weg sein«, sagte Heerbrecht, und zu Hiller: »Grüß dich, junger Mann. Wir haben von deinem ländlichen Idyll mit Julia gehört. Aber du bist das erste, was wir davon sehen.«

»Wer hat euch denn von meinem Idyll erzählt?« Hiller versuchte seinen Blick von Käthchen Kranz abzuwenden und der Tatsache keine weitere Aufmerksamkeit zu schenken, daß ihre tizianrote Färbung nicht auf den Haarwuchs auf ihrem Kopf begrenzt war.

»Waltraut Greve«, sagte Warlimont. »Sie war heute früh im Kurhaus.«

Hillers Gedächtnis registrierte die Information. Professor Kerr tauchte auf, Sand an seinen Hinterbacken und seinem Hodensack. Vom Gipfel des Sandhaufens aus beäugte der Dichter Karl-August Mischnick in buddhistischer Gleichmut die Szene.

»Zieh dich aus«, sagte Käthchen Kranz.

Hiller zuckte zusammen.

»Ja, du«, sagte sie. »Zieh deine Sachen aus. Sonst muß ich noch anfangen, mich zu genieren.«

Genosse Warlimont lachte. »Genieren!« Schon der Gedanke, im Kontext mit Käthchen, erschien absurd.

»Ich werde mal lieber weitergehen«, sagte Hiller mit einem Schatten von Unbehagen, »man erwartet mich.«

»Du hast doch kaum guten Tag gesagt«, protestierte Käthchen und hielt ihm ihre Hand hin. »Hilf mir aufstehen!«

Hiller schluckte. Er ergriff ihre Hand. Mit einer einzigen geschmeidigen Bewegung stand sie vor ihm, ihr straffer Körper dicht vor dem seinen, ihre Brüste, ihr Gesicht, ihre Lippen. »Zieh deine Sachen aus!« wiederholte sie. »Seit wann bist du so prüde? Seitdem du – mit ihr zusammen bist?«

Wieder lachte Warlimont, Heerbrecht grinste höhnisch. Mischnick in seinem Falsett rief: »Du solltest *sie* mal mitbringen, Genosse Hiller!«

Allgemeines Schweigen. Hiller zog seine Sachen aus und legte sie zusammengefaltet auf seinen Rucksack.

Käthchen Kranz inspizierte ihn wohlgefällig. Dann klopfte sie ihm auf seinen Hintern. »Ja, so ist's besser«, und ließ sich mit einem zufriedenen Seufzer zurück auf den Sand fallen.

Warlimont und Heerbrecht setzten sich zu ihren Füßen und bewachten einander wie zwei Hunde, die denselben Knochen begehrten. Käthchen räkelte sich in der Sonne. Die Hure, dachte Hiller; und dann, versuch, Schäfchen zu zählen oder Kardinalzahlen aufzusagen, das hilft.

»John«, sagte Käthchen, »ich möchte dich etwas fragen. Komm her« – eine lässige Handbewegung –, »hierher.«

Er legte sich neben sie. Eigentlich fühlte er sich erleichtert; dadurch, daß er sich auf den Bauch gewälzt hatte, vermied er, seine Erregung öffentlich demonstrieren zu müssen. Käthchen verschränkte ihre Hände über ihrem Kopf; er sah die Schweißtröpfchen auf der weißen Haut ihrer ausrasierten Achselhöhlen.

»Wie lange bist du schon in Kleinmallenhagen?« fragte sie und ließ ihre halbgeschlossenen Augen über ihn wandern.

»Fast einen Monat«, antwortete er.

»In der alten Fischerhütte, habe ich gehört! Wie romantisch!«

»Ja. Zehn Minuten von hier. Geradeaus durch den Wald.« Und dachte, Julia hat doch den schöneren Körper. Aber diese hier benutzt ihren, als ob ihre Gliedmaßen, ihre Rundungen, ihre Haut nur zu einem einzigen Zweck existierten. Jede ihrer Bewegungen beweist es.

»Wenn es aber eine Geheimrede war, Genosse Warlimont« – Frau Kerr richtete sich auf und wurde bis herab zum Ende ihrer Hängebrüste sichtbar –, »wie kommt es dann, daß Sie davon wissen?«

Geheimrede, dachte Hiller müde, was für eine Geheimrede? Warlimont knetete Käthchens Zehen. »Man hört so manches«, erwiderte er bedeutungsvoll. »Schließlich waren mehrere tausend Delegierte und Gäste anwesend auf der geheimen Sitzung des Parteitags. Mehrere tausend!«

»Ich werde kommen und euch in eurer Fischerhütte besuchen«, sagte Käthchen. »Wir werden alle kommen.«

Sie streichelte sich ihren Bauch. Also hatte es eine Geheimrede auf dem sowjetischen Parteitag gegeben, dachte Hiller; das war wenigstens etwas, womit man sein Gehirn beschäftigen konnte; besser auf alle Fälle, als Schäfchen zu zählen oder Kardinalzahlen aufzusagen.

»Polen«, sagte Heerbrecht mit erneutem Grinsen, griff sich Käthchens anderen Fuß und massierte diesen mit Hingabe. »Ich habe gehört, die Rede ist über die Polen bekanntgeworden. Die haben Kopien davon verkauft, schwarz natürlich, an Westkorrespondenten. Polen! Was kannst du von Polen erwarten.«

»Ich halte es nicht aus!« Käthchen zog ihre Beine zurück und verweigerte ihre Zehen allen beiden ihrer Bewunderer. »Die Kerle haben den ganzen Vormittag schon über nichts anderes als diese Rede gesprochen. Also, Chruschtschow hat seinen Delegierten alles über Stalin erzählt, und keiner weiß wirklich, was er im einzelnen gesagt hat, ich meine, *wirklich*!« Sie nahm Hillers Hand. »John, willst du mit mir um die Wette rennen?«

»Nein«, sagte Hiller, »nicht jetzt. Jetzt möchte ich noch etwas über diesen Parteitag erfahren.« Wollte er auch, soviel war Tatsache; aber zugleich war es eine Entschuldigung, um weiter auf dem Bauch liegen zu dürfen.

Der Dichter Mischnick hatte endlich seine buddhaähnliche Gelassenheit aufgegeben. »Personenkult!« Er hob seine Arme und ließ sie wieder sinken. »Soll ich vielleicht meine Gedichte umschreiben? Ist Stalin durch die Bismarckstraße, die jetzt Straße des Weltfriedens heißt, in unsere Stadt gefahren oder nicht? Also!«

»Er sorgt sich um seinen Nationalpreis«, sagte Käthchen zu Hiller. »Mir hat Stalin imponiert, er hat immer so selbstsicher ausgesehen, wenn er sich seine Pfeife angezündet hat. Man muß doch *jemanden* haben, an den man glauben kann, meinst du nicht?«

Professor Kerr verglich mit trauriger Miene Käthchens festes Fleisch mit den mageren Rippen seiner Frau. »Aber wenn es nun wahr wäre«, fragte er, »daß man unschuldige Menschen mit falschen Behauptungen Prozesse gemacht und sie gefoltert und hingerichtet hat?«

Hiller stützte sich auf seine Ellbogen und hob seinen Oberkörper. Der Professor war ein vorsichtiger Mann geworden nach der öffentlichen Schelte, die man ihm erteilt hatte wegen seines Vortrags, dem zufolge die Politiker ihre Theorien doch bitte den Tatsachen der Natur anpassen und nicht von den Wissenschaftlern verlangen sollten, diese Tatsachen umzudeuten.

»Haben Sie da Beweise, Professor?« fragte Hiller. »Entschuldigen Sie meine Impertinenz – aber Ihre Antwort wäre mir doch recht wichtig.«

»Ist es jemandem passiert, den Sie kennen?« sagte der Professor.

Mischnick rutschte von seinem Sandhaufen herunter. »Stellt euch mal vor, wie viele Bücher eingestampft werden müßten!« sagte er, sein Knabensopran gefärbt durch seine Besorgnis. »Die Filme, die man zurückziehen, die Städte, die man wieder umbenennen müßte! … Nie wird man das zulassen!«

»Aber wenn es nun wahr wäre?« sagte der Professor.

Käthchen drehte sich auf die Seite und blickte Hiller ins Gesicht. »John«, schnurrte sie, »die langweilen mich. Laß uns wettlaufen, ja? Dem Wasser entlang, weit, weit.«

»Es gibt keine absolute Wahrheit!« Mischnick atmete tief und hielt seinen Atem an. »Das wäre der reine Objektivismus und völlig undialektisch.«

Heerbrecht und Warlimont hatten beide ihre Position geändert, um einen besseren Blick auf Käthchen zu bekommen. Heerbrecht rückte seine dicke Brille zurecht und sagte: »Es würde eine Vertrauenskrise schaffen. Ich hoffe, sie rufen mich nicht zurück zum Sender. Ich möchte keinen Kommentar zu dem Thema schreiben müssen.«

»Du würdest es schaffen«, sagte Warlimont. »Ich habe schon erlebt, wie du dich aus schlimmeren Bredouillen herausgewunden hast.«

»Ich nehme an« – Heerbrecht teilte seine Schläge aus so hart, wie er sie empfing –, »*dir* würde es Vergnügen machen, deiner Freien Deutschen Jugend mit diesen Vorgängen auf deiner Seele entgegenzutreten.«

»Ich glaube nicht, daß es dazu kommen wird.«

»Was macht dich so optimistisch?«

»Einfach, daß wir uns Derartiges nicht leisten können.« Warlimont lachte. »Und ich weiß nicht, ob es bei den Russen anders ist. Für eine Partei an der Macht ist öffentliche Selbstkritik ein gefährlicher Luxus; das ist *eine* Lehre, die wir aus dem Juni 1953 gezogen haben.«

Hiller ließ eine Handvoll Sand durch seine Finger rinnen. Wenn eine solche Rede auf dem sowjetischen Parteitag gehalten wurde, wie man als sicher annehmen konnte, und wenn ihr Inhalt über die Welt verbreitet wurde, wie es wahrscheinlich war, und wenn dieser Inhalt unter anderem von Justizverbrechen, Folterungen und der Ermordung unschuldiger Menschen handelte, dann mochte auch der Fall Goltz von dieser Seite her wieder aufgenommen werden. Und wie würde sich das auf Sundstrom und Julia auswirken und, gleicherweise, auf ihn selber?

Käthchen gähnte. »John! Du träumst!«

»Selbstkritik…« Selbstvergessen rieb sich Heerbrecht sein verfettetes Kinn. »Ich sehe nicht, wie wir diesen – diesen Komplex umgehen wollen.«

Frau Kerr war zur Gänze hinter ihrem Sandhaufen hervorgekrochen und lag nun da, ihr welker Leib zu seiner vollen Länge ausgestreckt, ihre Zehenspitzen auf Mischnick weisend, ihr überraschend sensibles Gesicht eingerahmt von Warlimonts und Heerbrechts Köpfen. »Warum nur kommen wir nie zur Ruhe?« fragte sie. »Seit ich denken kann, wurden Götter für uns aufgerichtet, nur um sie öffentlich zu zertrümmern, und Ideen propagiert, nur um sie danach als Lügen zu verdammen!«

»Ruhe«, sagte der Professor, »Ruhe ist Tod!« Aber er sagte es voller Verständnis für seine Frau oder sogar für die Menschheit. »Als Physiker habe ich die Pflicht, alles anzuzweifeln. Ich habe dir das öfter schon erklärt, meine Liebe. Und wenn dieser Parteitag – vorausgesetzt wir erfahren je, was dort gesagt wurde – uns hilft, den Zweifel zu legalisieren…«

»Was habe ich euch gesagt!« fiel Warlimont dem Professor ins Wort. »Wie, schlagen Sie vor, sollen wir Zweifel und Disziplin miteinander vereinen? Hat man mich in meine Funktion gesetzt, um eine Generation von Zweiflern großzuziehen…?« Er wandte sich Heerbrecht zu. »Komplex!… Es wird keinen solchen Komplex geben, solange wir ihn nicht zulassen. Nur so läßt er sich vermeiden. Einfach nicht eingehen auf die Fragen der Leute! Und wenn wir das lange genug durchhalten, werden sie aufhören, Fragen zu stellen... Also rennen wir nun um die Wette, Käthchen?«

Er sprang auf, überraschend beweglich trotz seines schweren Körpers, und forderte Heerbrecht mit einer Handbewegung auf mitzutun.

»John?« Käthchen richtete sich auf; ihre Brüste streiften Hillers Schulter.

Hiller drehte sich zur Seite. Das dauernde Hin und Her zwischen den zwei Ebenen, auf denen sein Bewußtsein zu arbeiten gezwungen war, brachte seine Gefühle durcheinander; schon eine dieser Ebenen, entweder die Frage der Auswirkungen der Geheimrede oder Käthchens nackte Nähe, war für sich allein schwindelerregend genug; oder vielleicht lag es an der grellen Sonne oder daran, daß er seit früh am Morgen nichts mehr gegessen hatte.

»Also rennen wir!« sagte Käthchen. »Los!«

Dann lief sie, zügellos. Hiller war in keiner Eile; er ließ den beiden Männern in mittleren Jahren, die ihr hinterherrannten, ihren Vorsprung und winkte zurück zu dem Dichter Mischnick und Professor Kerr und dessen Frau. Der feuchte, kühle Sand am Rande des Wassers tat seinen Füßen gut. Er rannte mit langen, gleichmäßigen Schritten, atmete ruhig, dachte an nichts Besonderes, ließ aber den Ideen, die ihm gelegentlich in den Kopf kamen, freien Lauf – Gedankensplittern eher als systematisch entwickelten Gedanken: Käthchen, die vornweg hastete mit fliegendem Haar und gebreiteten Armen; Julia, die ihn, noch halb im Schlaf, küßte, Nachspiel ihrer Umarmungen der vergangenen Nacht; und, ach ja, der Arzt würde heute vorbeikommen, immerzu hatte der Kleine eine leichte Temperatur; und tritt nicht auf die Qualle da, die Ostsee ist voller Quallen; Heerbrecht und Warlimont, klang wie eine Juwelierfirma, die Genossen wurden bereits kurzatmig; die Menschen am Ufer feuerten sie an; eine große Bruderschaft, dieser Nacktbadestrand; Freikörperkultur war der absolute Gleichmacher, die reinste Form von Demokratie; es erinnerte ihn an ein Gemälde – von wem nur? Hieronymus Bosch? –, nackte Figürchen auf Felsbrocken und in Höhlen, und Teufel, die sie aufspießten, auspeitschten, zerschnitten, verbrannten, während hoch oben über den Bäumen und Bergen aus einem babyblauen Himmel Gott und seine Engel und die heiligen Seelen mit frommem Augenaufschlag hinabschauten auf das Theater; mehrere tausend Parteitagsdelegierte mit Hemd und Krawatte; irgendwie erschien die Schreckensherrschaft noch schrecklicher, wenn du von ihr erfuhrst mit nichts zwischen dir und den Fakten als deine nackte Haut und eine nackte Frau, die sich an dich heranschob; die Straße des Weltfriedens führte quer durch die große Hure Babylon; o dialektischer Materialismus, wo ist dein Stachel, o Weltrevolution, wo ist dein Sieg?

Er hörte das Gekeuch der zwei Männer. Heerbrecht strengte sich noch mehr an, sein Kopf sonderbar schräg angewinkelt, seine Arme schwingend wie Kolben; Warlimont hechelte, er war schweißbedeckt wie ein Pferd, seine Knie wollten zusammenknicken unter ihm. Vor ihnen, kurze grelle Schreie ausstoßend, tanzte Käthchen dahin und setzte ihre erbarmungslose Jugend gegen die müden Herzen der Sesselfurzer.

Hiller, der die Erregung der Jagd zu spüren begann, bereitete sich vor, Heerbrecht und Warlimont zu überholen. Er kam ihnen ständig näher; noch zehn Sekunden, höchstens fünfzehn, und er würde an ihnen vorbeiziehen. Er sah die See, eine glatte Fläche, zu seiner Linken; rechts das gewellte Grau-Grün-Gelb der Dünen.

»He, Jungs!...«

Sein Ruf erstickte in einem Mundvoll Sand. Er war gestolpert, und sie preßten seinen Kopf in den Sand, ihre schweißfeuchten Arme und Beine drückten ihm die Kehle ab, ein Oktopus aus Haß und Eifersucht.

»He, laßt das...«

Sie konnten oder wollten ihn nicht hören. Von irgendwo

her, weit weg, tönte Käthchens Gelächter. Hure, dachte er. Und dann: Die bringen mich noch um, die Schweine. Bringen mich um. Bei Gott.

Mit dem letzten Rest seiner Kraft bäumte er sich auf. Sein Ellbogen stieß in irgend etwas Weiches hinein, das nachgab. Warlimont stöhnte und stürzte. Heerbrecht hatte seine Brille verloren und tastete mehr, als daß er zugriff. Hiller fluchte, schob ihn von sich weg, sprang auf und überblickte das Kampffeld. Heerbrecht, auf allen vieren, suchte im Sand herum; Warlimont, wankend wie eine alte Frau, umklammerte seine Hoden. Vom Meer her kam wieder Käthchens Gelächter. Sie lag auf dem Rücken und überließ ihre Beine dem anströmenden Wasser; ihr Haar schwamm wie Seetang, der letzte Schaum auf den Ausläufern der Wellen umspielte ihre Brüste.

Hiller stürzte sich ins Wasser.

Käthchen entzog sich ihm. Sie war eine gute Schwimmerin; ihre muskulösen Beine peitschten das Wasser; und sie war ausgeruht; wann immer Hiller glaubte, er könne sie festhalten, entwand sie sich ihm. Jetzt waren sie schon weit draußen, hinter der Sandbank; er fing an, sich zu sorgen; hier verlief, so hatte man ihn gewarnt, eine starke Strömung.

»Komm zurück!« Dringlich.

Die See schillerte. Irgendwo unter den Glanzlichtern mußte, wie ein hüpfender weißer Ball, Käthchens Gesicht endlich auftauchen.

»Die Strömung!« rief er. »Wir geraten in die Strömung!«

Diesmal hatte sie ihn gehört. Sie versuchte landwärts zu schwimmen; aber ob sie bereits von der Strömung erfaßt war oder die eigene Kraft überschätzt hatte, sie kam nicht von der Stelle; Hiller sah, wie sie ihren Arm hob, ein stummer Schrei um Hilfe.

Er streckte seinen Kopf weit aus dem Wasser: kein Boot in Sicht, kein anderer Schwimmer; nur weit weg am Strand zwei Figürchen, schwarz gegen das Sonnenlicht. Das verdammte Weibsstück, dachte er, wäre es nicht ein Witz, wenn ich hier draußen absaufen müßte, nur weil sie plötzlich die keusche Jungfer spielt; Sundstrom würde sich zu Tode lachen; Sundstrom würde sowieso als letzter lachen; oder vielleicht würde die Geheimrede ihm den Spaß verderben; zu schade, daß die zwei ihm nichts von den Einzelheiten der Rede verraten hatten, die Schufte, bestimmt wußten sie mehr, als sie gesagt hatten, besonders Warlimont. Hiller pumpte seine Lungen voll Luft und suchte das törichte Mädchen mit raschen Schwimmstößen zu erreichen. Aber er war müde; seine Beine bewegten sich nicht energisch genug. Die haben ganz schön auf mich eingeprügelt, dachte er, während er die nur allzu langsam schrumpfende Entfernung zwischen sich und Käthchen Kranz abschätzte. Das Ganze war eine Dummheit; seine Verpflichtung lag gegenüber sich selber, und gegenüber Julia, jawohl, auch gegenüber Julia; was er hier, gegen die Brandung ankämpfend, tat, mochte ehrenhaft sein; ganz andere Männer als er schon hatten das eine Leben, das sie besaßen, ihrer Ehre geopfert, obwohl, was konnte sich einer für seine Ehre kaufen, Null Komma nichts…

Als er Käthchen erreichte, war sie grau im Gesicht, und ihre Augen starrten ihm entgegen wie große blaue Glasmurmeln. »Ruhig bleiben!« keuchte er. »Bleib ganz ruhig!« und fürchtete vor allem, daß sie in ihrer Panik sich an ihm festklammern und ihn mit sich in die Tiefe ziehen würde. Aber sobald sie seine Hand auf sich spürte, wurde sie gefügig wie ein Kätzchen; ihr Körper krümmte sich, während sie das Meerwasser erbrach, das sie geschluckt hatte; aber sie leistete keinen Widerstand, als er sie hinterm Kopf und an den Schultern packte; sie war einfach dankbar, daß sie nicht mehr allein war auf der endlosen See.

Hiller wußte nicht mehr, wie lange er schon so geschwommen war, auf seinem Rücken; mit einem Arm Käthchen stützend, fühlte er ihren Körper, ihre Schulter, ihre Brust und empfand doch nichts außer der Anstrengung, die es ihn kostete, seine Beine und seinen freien Arm immer wieder gegen das anrollende Wasser zu stoßen. Dann spürte er den Unterschied im Schlag der Wellen: die Sandbank. Er versuchte, Grund zu ertasten, stellte fest, daß er stehen konnte; noch ein paar Schritte, dann würde er sie loslassen können.

Sie stand da, Kopf und Schultern über der Wasseroberfläche, mit blauen Lippen und klappernden Zähnen. Was sagte man in solcher Situation? – *Oh, es war nichts,* oder *Werde mich freuen, es bei nächster Gelegenheit wieder zu tun?* Ihr Haar hing ihr naß über die Stirn, ihr Gesicht war von ihrer Anspannung verzerrt.

Auf einmal schlang sie ihm ihre Arme um den Hals, ihr kalter Leib preßte sich an ihn. »O John, John, John«, wimmerte sie und zitterte hysterisch, während ihre Phantasie ihre Ängste ins Unermeßliche steigerte.

Er schlug ihr ins Gesicht.

Hiller schob die Tür auf. In der Hütte war es einigermaßen kühl, Licht und Schatten warfen ein Streifenmuster auf die große Couch, den gescheuerten Holztisch, die Bank. Er ließ den Rucksack zu Boden fallen, öffnete seine Arme. »Julia!«

»Ps – s – st! Julian schläft.«

Sie küßte ihn. Sie roch nach Fenchel oder irgendeinem anderen Kraut, sehr frisch, sehr sauber; sie trug ein kariertes Hemd und Arbeitshosen und eine rosa Blüte hinter dem Ohr, und sie bewegte sich mit der Anmut, die er so an ihr liebte.

»Du bist schwimmen gewesen?«

»Es war so heiß draußen. Und nach der Busfahrt…« Er streichelte ihr den Hals. Ihr Hemd war offen bis zu dem Einschnitt zwischen ihren Brüsten. »Und ich habe am Strand ein paar Leute getroffen.«

»Wen?«

Er berichtete ihr. Sie hörte nur halb hin, während er die Namen gewissenhaft aufzählte, einschließlich Käthchen Kranz, und sie schien auf seine Umarmung nicht zu reagieren. Ihre Antwort am Ende: »Und hast du Spaß gehabt?« klang eher geistesabwesend.

»Nun ja…«, sagte er, »sie sind nicht die amüsantesten Zeitgenossen. Aber zumindest – sie reden und bewegen sich.«

»Oh«, sagte sie und entwand sich seinen Armen. »Jedenfalls bin ich froh, daß du jemanden getroffen hast.«

Er wandte sich ab und packte seinen Rucksack aus. »Und wie geht es Julian?« fragte er, und seine Betonung deutete an, daß er die Frage eigentlich seit seiner Ankunft schon hatte stellen wollen und daß Julia ein Recht hatte, die Frage zu erwarten.

»Der Arzt war hier.« Sie nickte in Richtung der blau-weiß bemalten schmalen Tür, die in den anderen Raum der Hütte führte. »Jetzt schläft er, Gott sei Dank.«

Hiller stellte die Konserven, die er gekauft hatte, auf den Tisch; dann legte er einen Spezialbohrer, in Zeitungspapier gewickelt, Nägel und Schrauben, Papierhandtücher und, eine Seltenheit, zwei Rollen Toilettenpapier dazu. »Er hatte eine böse Nacht, der arme Junge«, sagte Hiller, »und du auch. Was hat der Doktor gesagt?«

»Er glaubt, es ist – es ist psychosomatisch.«

Hiller blickte sie an. Ihre Augen sahen besorgt aus, besorgt vielleicht eher seinetwegen als wegen des Kindes. »Psychosomatisch?« wiederholte er.

»Du weißt schon: die Aufregung, das neuartige Leben, ein anderer Mann mit seiner Mutter.«

»Und davon bekommt man Fieber?«

»Anscheinend ja.«

Hiller nahm ihre Hand und streichelte sie bis hinab zu den Fingerspitzen. »Einfache Bakterien könnten es nicht sein? Oder ein Virus? Viren sind schwer festzustellen. Warum verschreibt der Arzt kein Sulfa oder Penizillin?«

»Der Mann praktiziert Medizin seit fünfunddreißig Jahren. Er ist einer von diesen Kleinstadtärzten, die noch ein echtes Interesse nehmen an ihren Patienten. Und er ist extra hergekommen, obwohl ich unter gewöhnlichen Umständen Julian zu ihm in die Praxis hätte bringen müssen. Er scheint den Jungen zu mögen.«

»Ich mag ihn auch.«

»Ich weiß.«

Er ließ ihre Hand los. Er dachte an Käthchen und wie sie sich an ihn gepreßt hatte. Käthchen hatte keinen Julian und überhaupt niemanden, der sie belastete. Sie war ein dummes Weibsstück, das dumme Lieder trällerte, und der Traum einer halben Million pubertierender Jünglinge. »Hast du noch etwas zu essen?« fragte er.

»O mein Gott!« Julia sprang auf. »Du hast noch nichts zu Mittag gehabt.« Sie lief zu dem Propangasbrenner in der Ecke und nahm den Topf herunter, dessen Inhalt vor sich hin geköchelt hatte. »Es tut mir leid. Es liegt an den Sorgen, die ich mir dauernd mache. Und dann, nach dem Arzt, noch Waltraut…«

»Die war auch hier?«

»Hast du sie nicht getroffen? Sie hat gesagt, sie würde in Richtung Leuchtturm gehen.«

»Ich muß sie verpaßt haben«, sagte er und dachte, die auch noch.

»Sie hat etwas von einer Geheimrede auf dem sowjetischen Parteitag gesagt.« Julia stellte einen Suppenteller, gefüllt mit einer Art Gulasch, Kartoffeln und Möhren und grünen Bohnen, vor ihn hin. Dann sah sie die Schachtel, die er aus dem Rucksack genommen und ausgepackt und auf den Tisch gestellt hatte; sie sah den bunten Druck, der auf dem Deckel prangte. »John…«, sagte sie, und es war, als konzentrierte alles Licht im Raum sich auf einmal auf sie, »du hast das gekauft – für Julian?«

»Du spielst doch nicht mehr mit Bauklötzen, oder?« Er kaute und dachte, so leicht ist das also! Und mit Selbstironie: Ich werde schon noch in die Vaterrolle schlüpfen.

Sie hatte die Schachtel geöffnet.

»Es ist recht geschickt gemacht«, erklärte er. »Siehst du diese Hartgummiverbindungen? Die steckt man in die Löcher in den Bauklötzchen, und dann kannst du einen Traktor oder einen Lastwagen oder alle möglichen anderen Dinge daraus bauen…«

»Julian wird sich schrecklich darüber freuen!« Julia schloß die Schachtel behutsam und stellte sie zur Seite. »Es ist das erste Geschenk, das du ihm je gegeben hast.«

Er spürte die unausgesprochene Frage. »Es ist mir so eingefallen«, sagte er. »Momentane Idee, nehme ich an.« Ein schwaches Donnergrollen klang aus der Ferne. »Warum sollte ich auch nicht!« sagte er großsprecherisch. »Ich würde es genauso für irgendeinen anderen kleinen Jungen tun.«

»Weißt du« – Julia zündete Zigaretten an, eine für sich, eine für ihn –, »der Arzt hat gesagt, was Julian braucht, ist ein Vater.«

»Um das zu lernen, hat er fünfunddreißig Jahre lang praktizieren müssen?«

»John!« Ihre Stimme klang bittend. »Ich muß dich fragen, ob wir nicht besser nach Hause fahren sollten…«

Er schob den geleerten Teller zur Seite. »Du – willst zurück – zu Arnold?«

Der Widerschein ferner Blitze warf ein sporadisches Licht auf Julias schmerzlich verzogenes Gesicht. »Nein – o nein. Ich will nur, daß Julian ihn besuchen kann. Hier und da. Damit er weiß, daß er einen Vater hat. Arnold war immer so gütig zu ihm.«

»Zu dir war er auch gütig, nehme ich an.«

Ein Donnerschlag, aus größerer Nähe, ließ sie zusammenzucken. Dann sagte sie: »Aber jetzt – dies hier…« Das brennende Ende der Zigarette wies auf die Spielzeugschachtel. »John, ich habe dich sehr lieb.«

»Ich weiß, daß du mich lieb hast.«

»Obwohl ich manchmal auch Angst verspüre.«

»Angst – wovor?« Er lauschte. Eine Windböe erhob sich draußen; ein offenes Fenster knarrte in seinem Rahmen. Dann war alles wieder still. »Du brauchst keine Angst zu haben.«

Sie barg ihr Gesicht in seinen Händen. »Glaubst du, dieser Sturm wird an uns vorbeiziehen?«

»Schon möglich.« Er spürte ihre Nähe, ihren Atem, der seine Lippen berührte. »Aber ich werde lieber die Fenster schließen.«

Als er zu ihr zurückkam, stand sie mit herabhängenden Armen da und wartete. »Auf jeden Fall«, sagte er und zog sie an sich, »können wir unter unsere Bettdecke kriechen und uns einbilden, daß es überhaupt keine Unwetter gibt und keine Blitze und keine Welt außerhalb dieses Dachs.«

Sie widerstand seiner Annäherung. »Der Donner wird Julian aufwecken.«

»Julian …«, wiederholte er heiser, hielt sie jedoch fest. »Immerzu nur Julian. Das wird uns noch alles ruinieren.«

Die rosa Blüte hinter ihrem Ohr fiel zu Boden. »Nicht jetzt, John. Heute abend. Ich versprech's dir.«

Ein Blitz. Dann ein Donnerschlag. Ihr Körper, der sich gegen den seinen sträubte, machte ihn taub für jedes Vernunftwort, seines, ihres. Dies hier war etwas ganz anderes als mit den anderen; dies hier spürte er bis ins Mark seiner Knochen.

»Jetzt«, sagte er. »Jetzt.« Halb trug er sie.

»Das ist doch Wahnsinn«, widersprach sie leise. »Mein Gott – er hat einen so leichten Schlaf. Und er hat Angst vor Gewittern.«

Er sah, wie ihre Augen sich schlossen, spürte den Druck ihrer Schenkel. Er zerrte den Überzug von der Couch, stieß die Decke herunter. Das weiße, straffgezogene Bettuch leuchtete im Halbdunkel; ihre gebräunte Haut setzte sich ab von dem intensiven Weiß, und ihr honigfarbenes Haar fiel auf die Kissen, während ihr Kopf sich ihm entgegenhob, ihre vollen Lippen ihn suchten und ihn an sich zogen; die grellen Blitze erhellten das Zimmer.

Dann der Donnerschlag.

Die Hütte erbebte. Die blau-weiß bemalte Tür flog auf. Verdammt, warum habe ich die Tür nicht abgeschlossen, dachte Hiller, nur wie, ohne Schlüssel, ohne Schloß, vielleicht einen Stuhl gegen die Klinke kippen, soll der Junge doch jammern, da haben wir sein Gejammer schon, o zum Teufel.

In dem schmalen Türrahmen, das bleiche kleine Gesicht starr vor Angst, der Junge.

Hiller spürte, wie Julia sich ihm entriß. Hastig zog sie das leinene Decktuch über sich und ihn; aber ihrer beider Kleidungsstücke lagen in größtmöglicher Unordnung verstreut über dem Fußboden.

»Julia!« Die zögerlichen Füße des Kleinen schoben sich in Richtung der Couch. »Ich möchte – möchte zu dir...«

»Ja, Liebling, ja, sofort.« Julia richtete sich auf. Sie konnte ihren Schlafrock nicht finden; wahrscheinlich hing er irgendwo hinter dem Vorhang in der Ecke, die ihnen als Kleiderschrank diente.

Der Kleine wurde still. Verwirrt blickte er auf die Umrisse der zwei Körper unter dem Leintuch und dann auf das Gesicht seiner Mutter.

»Sag ihm, er soll in sein Zimmer zurückgehen«, flüsterte Hiller. »Sag's ihm schon, um Gottes willen!«

Der Teil des Tuchs, mit dem sie ihre Brüste bedeckt hatte, glitt zur Seite. Sie setzte ihre Füße auf den Boden und hob, splitternackt, Julian auf ihren Arm und trug ihn durch die blau-weiße Tür hinaus. Der Regen erzeugte ein sonderbar gedämpftes Trommeln auf dem Schilfdach, unterbrochen nur von dem Stakkato größerer Tropfen, die auf die Pfützen draußen vor der Hütte klatschten. Jetzt wird er sie ausfragen, dachte Hiller, und wand sich vor Ärger, während er versuchte, durch das Geräusch von Wind und Regen hindurch wenigstens etwas von Julias Antworten zu verstehen. Doch nur Gewisper drang durch die offene Tür, zärtliche, beruhigende Töne.

Schließlich kam Julia zurück, um die Schachtel mit den Bauklötzchen zu holen. Hiller beobachtete sie. In ihrer Konzentration auf ihre Rolle als Mutter wirkte sie so asexuell wie eine gotische Madonna. »Warum ziehst du dir nicht etwas über«, spöttelte er, auf seine Ellbogen gestützt. »Sonst krieg ich noch unsittliche Ideen, weißt du!«

»John, Liebster...« Sie klang gehetzt. Sie floh zurück in das Zimmer des Kleinen. Durch die Tür hindurch, die offengeblieben war, hörte er ihre Stimme. »John hat das für dich mitgebracht, Julian. War das nicht nett von ihm? Du kannst einen Traktor aus den Blöcken bauen oder auch ein Lastauto – schau dir die Musterbilder an – oder einen Gepäckwagen oder ein einmotoriges Flugzeug...«

Der leiser werdende Donner lieferte die Interpunktion für ihre Aufzählung. Hiller warf das Decktuch ab und lief barfuß zum Fenster, stieß es auf und streckte seinen Kopf hinaus in die frischgewaschene Luft. Bedächtig rieb er sich die Feuchtigkeit der letzten Regentropfen über sein ganzes Gesicht und dachte, Leben, wie lange werde ich noch zu leben haben, dreißig Jahre ungefähr – und auf *diese* Art?

Er trat zurück und schlüpfte in Hemd und Hosen. Dann holte er Julias Schlafrock aus der Ecke hinter dem Vorhang, ging nach nebenan und legte ihr den Schlafrock über ihre Schultern.

»Danke schön«, sagte sie mit zittriger Stimme, und dann in festerem Ton, zu Julian: »Bedank dich auch bei John, Liebling – für das schöne Spiel.«

Der Kleine blickte auf John aus dunkel umringten Augen und schüttelte seinen Kopf.

»Weshalb sollte er«, sagte Hiller. »Ich bin gar nicht für all diese Dankeschöns von Kindern. Aber mit *dir* möchte ich reden.«

»Ich will nicht, daß sie mit dir redet«, sagte der Kleine mit plötzlich sehr hoher, entschiedener Stimme. »Du hast ihr weh getan.«

»Aber Julian«, protestierte Julia. »John tut mir doch nicht weh.«

Julians Gesicht verdüsterte sich. Er hatte jetzt etwas von seines Vaters Starrsinn an sich. »Wenn ich aber gesehen habe, wie er dir weh getan hat.«

Julias Stirn rötete sich langsam. »Du mußt mir schon glauben, Julian, John ist immer lieb und gut zu mir.«

Hiller zwang sich zu einem kurzen Lachen. Dann lehnte er sich zu dem Kleinen hinab in der Absicht, ihm übers Haar zu streicheln.

»Ich will zu meinem Papa«, sagte Julian. Sein Kinn bebte.

»Julia«, sagte Hiller, »bitte komm ins andere Zimmer mit mir.«

Der Kleine klammerte sich an ihre Hände. Julia blickte Hiller bittend an. »Später, John«, sagte sie, »später.«

»Nein, jetzt«, verlangte er, und zu Julian gewandt: »Ich bin nicht dein Papa. Deine Mutter ist weggegangen von deinem Papa und lebt jetzt mit mir; und daher mußt du jetzt mir gehorchen. Du bleibst jetzt in deinem Bett wie ein guter Junge, während deine Mutter und ich etwas Wichtiges besprechen. Du kannst ja mit deinen Bauklötzchen spielen…«

Eine ausholende Bewegung des dünnen Arms, und die Schachtel flog vom Bett, die Bausteine rollten über den Fußboden.

»Und jetzt wirst du das alles aufheben, Julian«, sagte Hiller, »jeden einzelnen Stein. Los, fang an…«

»Nein«, sagte der Kleine, »tu ich nicht.« Es klang, als würde er gleich in Tränen ausbrechen, aber seine Augen waren völlig trocken.

»Du wirst sie aufheben.«

Julia packte Hillers Arm, mit dem er gerade nach dem Jungen greifen wollte. »Er ist *mein* Kind!…« Und versöhnlicher: »Siehst du denn nicht, daß er sich nicht wohl fühlt, John! Der Schock…«

»Also gut.« Hiller ließ seine Schultern hängen. »Also bin ich ein Schuft; ich haue kleine Kinder. Soweit haben wir es gebracht.« Er unterbrach sich, blinzelte. »Dann werde ich's dir eben hier in diesem Zimmer sagen. Du mußt dich entscheiden, Julia. Ich kann nicht gestatten, daß ein Kind mein Leben dominiert.« Nach einem Augenblick fügte er hinzu: »*Unser* Leben.«

Julia zog sich ihren Schlafrock über und kniete sich hin, um die Bauklötzchen aufzuheben und, eins ums andere, in die Schachtel zurückzulegen. »Unser Leben«, wiederholte sie endlich, ein wenig zuviel Gefühl in der Stimme. Und dann, ohne aufzublicken: »Er ist noch keine fünf Jahre alt, John. Kannst du nicht über die Sache lachen?« Sie stand auf und hielt John die Schachtel hin. »Versuch zu lachen, John – für mich.«

»Ha-ha«, sagte er.

»Jetzt verhältst *du* dich kindisch. Anscheinend habe ich zwei Kinder, die beide einer besonderen Behandlung bedürfen.«

»Sei nicht komisch. Und erwarte bitte nicht, daß ich über meinen eigenen Schatten springe.«

»Läßt du dich nicht zu sehr von deiner Dickköpfigkeit leiten?« Julia setzte sich auf das Bett; sie mußte sich hinsetzen; ihre Knie wurden schwach, da die Fragen, die ihr Unterbewußtsein gequält hatten, plötzlich die Schwelle zu ihrem Bewußtsein durchbrachen: Wie fragil war diese Hütte, dieses Idyll, wie wenig Sicherheit bot ihr dieser junge Mann, in dessen Begleitung sie geflüchtet war? Julian schaute sie an, als versuche er ihre innere Zerrissenheit zu verstehen, und sie sagte zu ihm: »Willst *du* mir nicht helfen? Willst du nicht mein tapferer kleiner Junge sein und rasch gesund werden, damit wir alle drei an den Strand gehen und zusammen spielen und lachen und uns freuen können…?«

»Und danach fahren wir zurück zu Papa?« sagte Julian.

»Ich glaube nicht, daß deine Mutter das tun möchte«, sagte Hiller und zog eine Zigarette aus seiner Tasche.

»Was soll ich denn machen?« fragte Julia und streichelte ihr Kind mit nervösen Fingern. »Du zwingst mich zu Entscheidungen, die ich nie zu treffen haben sollte.«

»Entscheidungen erzwingt das Leben«, erwiderte er, lehnte sich gegen die Wand und blies Rauch durch die Nase. »Das Leben, meine Liebe, nicht ich.«

»Du willst doch nicht im Ernst, daß ich mein Kind aufgebe? Daß ich ihn zurückbringe zu – zu seinem Vater?«

»Er ist offensichtlich nicht zu beherrschen, weder von dir noch von mir. Wie willst du sein Fieber behandeln? Es ist psychosomatisch, hat der Arzt dir gesagt.«

»Dann müßte eben auch ich zu seinem Vater zurückkehren.«

Hiller trat seine Zigarette aus. Sein Blick fiel auf Julian. Die Lippen des Kleinen waren zwei dünne Striche. »Das würde mich doch sehr treffen«, sagte Hiller.

Der Junge wandte sich Julia zu. Sie nahm sein Gesicht zwischen ihre Hände. »Er fühlt sich sehr heiß an«, sagte sie.

Hiller stöhnte vor Ärger. »Wo ist seine Medizin?«

»Dort drüben…« Julia wies auf das Wandschränkchen.

Hiller holte die kleine Flasche und zählte zehn Tropfen auf einen Löffel. Julian schluckte gehorsam.

»Es ist doch nicht *sein* Fehler«, sagte Julia mit gepreßter Stimme. »Und meiner ebensowenig. Oder deiner. Hilf mir doch, John.«

»Dich zu entscheiden?«

»Ich weiß nur, ich brauche Hilfe.«

Er sah ihr zu, während sie das Kissen des Kleinen aufschüttelte und ihm die Stirn glattstrich. »Morgen, Liebling«, sagte sie, »wenn du dich besser fühlst und deine Temperatur gesunken ist, werden John und ich dich an den Strand bringen, und du wirst im Sand spielen – nicht zu lange, denn in der Sonne ist es vielleicht doch sehr heiß –, eine halbe Stunde etwa. Das wird dir Freude machen, nicht?«

Hiller fühlte sich elend, wie ein Arzt, der seinen Patienten aufgeschnitten hat und auf einmal nicht finden kann, wonach er sucht, und immer tiefer schneidet, denn irgendwo muß die Wurzel des Übels ja liegen. »Was hat dir Waltraut über diese Geheimrede berichtet?« fragte er.

Julia strich das feuchte Haar des Kleinen zurück. Sie mußte einen Moment nachdenken, um Hillers Sprunghaftigkeit folgen zu können; oder mühte er sich um Versöhnung, indem er seine Drohung, sie müsse sich entscheiden, zurückzog? »Viel hat sie nicht erzählt, wirklich«, sagte Julia, die sich immer noch unsicher fühlte. »Du kennst doch Waltraut, sie redet, ob einer ihr zuhört oder nicht. Und ich konnte ihr nicht richtig zuhören. Ich habe die ganze Zeit nur auf deine Rückkehr gewartet… Aber da war nicht viel, glaube ich, außer der Tatsache, daß es eben eine Geheimrede auf dem Parteitag gegeben hat. Und was hat es auf sich damit? Weshalb fragst du?«

»Weil sie am Strand erzählt haben, Chruschtschow habe von

Terror und Folter gesprochen, von falschen Verhaftungen und gefälschten Beweisen und von der Hinrichtung unschuldiger Menschen.«

»Am Strand...«, sagte sie, ohne der Ortsangabe weitere Bedeutung zu schenken. Sie zog die Bettdecke des Kleinen hoch und zurrte sie fest, während in ihrem Gehirn, wie Glieder einer Kette, Hillers Auskünfte über die Moskauer Ereignisse sich mit dem Gedanken an ihren Vater und ihre Mutter verbanden und mit Arnold Sundstrom und mit ihrem eigenen Leben und mit Julian, der da vor ihr lag, seine geschlossenen Lider bläulich über seinen Augen, seine kleine Hand fest auf der ihren.

»Natürlich«, sagte Hiller, »da waren auch die Telegramme. Zugegeben, daß auch Unschuldige zwischen die Mühlsteine gerieten, bin ich doch ziemlich sicher, daß das Land des Sozialismus auch mit echten feindlichen Agenten durchsetzt war.«

»John!« bat sie. »Bitte, nicht weiter.«

»Du hast mich gebeten, dir zu helfen. Ich kann dir nur helfen, indem ich dir alles mitteile, was ich zu wissen glaube.«

Sie verbarg ihr Gesicht in der Bettdecke neben dem schmalen Körper ihres Kindes. Julian hatte seine Augen geöffnet. »Ich will zu meinem Papa«, sagte er.

Hiller drehte sich um und verließ das Zimmer.

Trotz des Wolkenbruchs kurz vorher war der sandige Boden des Wegs durch den Wald schon beinahe trocken. Die Vögel tirilierten mit einer Begeisterung, die Hillers Ärger über sein eigenes kleinliches Verhalten noch vergrößerte. Er riß sich einen Birkenzweig ab und peitschte damit die Luft. Wo seine Rute auf den Zweig eines anderen Baums traf, fielen die Regentropfen, die sich dort gesammelt hatten, ein funkelnder Schauer, zur Erde.

Die Entscheidung, zu der er Julia zwang, war zugleich auch seine eigene, und er mochte es nicht, Entscheidungen treffen zu müssen. Als sie zu ihm gekommen war mit dem Kind, hatte er keine andere Wahl gehabt, wie es auch keine andere Wahl für ihn gegeben hatte, als er Käthchen Kranz aus dem Wasser zog – das war also in Ordnung. Aber wie lange konnte man die Gabelungen in einem Lebensweg vermeiden, an denen man sich entscheiden mußte: dahin oder dorthin? Julia, dachte er; das hatte alles so leicht ausgesehen, und es war ein solcher Genuß gewesen, ihren Körper zu erkunden und ihre Gefühle. Man konnte die Schuld an den Schwierigkeiten dem Kind geben, natürlich; aber es war doch nicht der Fehler des Kleinen, daß er existierte und seine Rechte forderte. Auch nicht Julias Fehler, daß sie alles von einem Mann verlangte – oder nichts. Wie sich herausstellte, lag es eher an ihm selber: Er war nicht der Hundertprozenttyp – obwohl es auch Augenblicke gab, in denen er sein Alles opfern konnte und es auch geopfert *hatte*: seine Arbeitsstelle, seine Bequemlichkeiten. Nun, Wukowitsch hatte ihn gewarnt. Wenn es zu dem Punkt kam, wo einer Ausdauer und Hartnäckigkeit beweisen mußte, war er, so schien es, nicht bereit gewesen, jedenfalls noch nicht, sich mit Weib und Kind irgendwo festzusetzen, bis daß der Tod uns scheide. Er trug soviel Schuld wie irgendeiner, daß so etwas Süßes und Saftiges angefault war wie eine überreife Melone. Und so schob er das Ganze auf Julia.

Die Luft mit der Rute in seiner Hand zu peitschen brachte ihm jedoch keine Erleichterung. Er befürchtete, daß Julia ihn am Ende durchschauen würde: ein kleiner Schurke, der in ihrem Leben auf einen großen gefolgt war. Ein kleiner Schurke mit einem gnadenlosen Denkapparat, der vor allem sich selber und seine Finten analysierte und ihn vor den schlimmsten Bedrohungen schützte …

Er entdeckte Waltraut, bevor sie ihn bemerkte: Sie hatte ihre Brille nicht auf der Nase. Sie schritt rasch, fast genußvoll dahin, ihr Rock schlug ihr um die Waden; wenn sie sich allein und unbeobachtet glaubte, schien sie ihren peinlichen Mangel an Selbstsicherheit zu verlieren, der alles Unangenehme und Häßliche an ihr betonte.

Dann, trotz des geschärften Ohrs, welches die Blinden und

Halbblinden entwickeln, spürte sie eher, als daß sie sie hörte, die Gegenwart eines Mannes und blieb stehen.

»Hallo, Waltraut«, grüßte er und trat näher, »möchtest uns wohl wieder besuchen?«

Ihre Miene, die völlig entspannt gewesen war, zeigte sofort wieder ihren üblichen Ausdruck von Mißachtung und Mißtrauen zugleich. Ihre Brille, die sie hastig aus der Tasche in ihrem Rock hervorgekramt hatte, maskierte ihren Blick und vervollkommnete die Veränderung in ihrem Gesicht. »*Dich* besuchen«, korrigierte sie.

»Ach, wirklich?« sagte er und klang viel weniger gleichgültig, als er beabsichtigt hatte. Sie gingen jetzt Seite an Seite, langsam, aber im Gleichschritt, in Richtung des Leuchtturms. »Hast du mich denn noch nicht satt?«

Ihr Lachen klang etwas krächzend. »Hör zu«, sagte sie, »ich habe in eurem Liebesnest so lange auf dich gewartet, bis ich Julias Getue mit dem Kind nicht mehr aushalten konnte. Dann habe ich gedacht, daß ich dich auf dem Weg von der Bushaltestelle treffen würde, aber ich hatte kein Glück. Ich entging dem Platzregen, indem ich mich durch die kaputte Tür im Erdgeschoß des Leuchtturms zwängte – es war dunkel drin und alles verstaubt, aber es war wenigstens trocken. Und so, hier bin ich.«

»Hier bist du«, wiederholte er, als wäre das eine Neuentdeckung. Er fühlte sich geschmeichelt; niemand kann so tief sinken, daß nicht ein anderer ihm noch hinterherliefe.

»Du steckst in einer Klemme, John, stimmt's?« fragte sie schließlich.

»Stimmt«, bestätigte er.

Sie hielt an und stellte sich ihm gegenüber, so nah, daß sie ihn fast berührte. »Warum kommst du nicht zu Mama?« sagte sie, ihre Stimme dunkel und irgendwie samtartig. »Mama hat genau, was du brauchst.«

Ihre Stirn unter den kurzgeschnittenen schwarzen Haaren war verschwitzt; ihre Brillengläser waren beschlagen, und ihre

Stimme klang verheißungsvoll. Und sie kannte ihren Körper und dessen Möglichkeiten.

Er trat zurück von ihr. »Wir sind alle in der Klemme, scheint mir«, sagte er und fühlte seinen Herzschlag im Hals.

Sie nahm seine Hand und legte sie um ihren Arm, und sie schritten nebeneinander zum Leuchtturm. Komm zu Mama, dachte er und blickte grinsend auf ihren flachen, ganz unmütterlichen Busen. Zumindest war sie keine, die ihre Kerle nur aufregte und dann nichts weiter; und sie erhob keine dauernden Ansprüche: Das war der zweite Vorteil bei ihr.

»Ich habe ein Gespräch mit Sundstrom gehabt«, sagte sie in ihrem gewohnten, gleichmütigen Ton.

Die Information, so aus dem blauen Nichts, warf seine Gedanken aus ihrem Gleis. Er wurde sich ihrer Finger bewußt, die seinen Arm immer noch umfaßten.

»In Wirklichkeit hat *er* mich geschickt«, teilte sie mit.

»Zu mir?«

»Zu dir.«

Er runzelte die Stirn. »Warum dann nicht Wukowitsch?«

»Wukowitsch hat die Postbotenrolle abgelehnt.«

»Aber du nicht.«

»Warum sollte ich auch?«

»Stimmt«, sagte Hiller. »Warum solltest du auch.« Diesmal war er es, der anhielt und ihr gegenübertrat. Dann legte er eine Hand auf ihr Kreuz, griff ihr mit der anderen ins Haar und zog ihren Kopf nach hinten. »Ich traue dir nicht, weißt du«, sagte er, sein Mund den ihren fast berührend. »Und was war Sundstroms Botschaft?«

»Er hat gesagt, du kannst deine Stelle zurückhaben«, antwortete sie.

»Aha. Und Julia?«

Waltraut versuchte ein Achselzucken, aber es mißlang ihr: Er hielt sie zu fest. »Er hat nur gesagt, ich soll mich kümmern, wie es dem Kleinen geht, und ihm berichten.«

Hiller ließ sie los. Das war Sundstroms Art, seine Angelegenheiten zu verfolgen: kein Knüppel, kein Druck; nicht einmal, was man Korruption nennen könnte; und doch würde er seine zwei Fliegen mit einer Klappe erlegen. Aber Sundstrom schlug niemandem ein Geschäft vor, es sei denn, er war dazu gezwungen; wahrscheinlich spürte er, daß es höchste Zeit für ihn war, seine Erniedrigung zu schlucken und seine Verhältnisse in Ordnung zu bringen, soweit sie sich in Ordnung bringen ließen; vielleicht auch hatte die Geheimrede, nachdem sie die dicken Kremlmauern durchdrungen hatte, ihren Anteil an den Motiven, die ihn bewegten.

Waltraut war ein paar Schritte vorausgegangen und wartete auf ihn. Die Bäume standen nicht mehr so dicht beieinander, und über ihren Wipfeln, gegen eine weiße Wolke, zeichnete sich die Kuppel des Leuchtturms ab, ihr dickes Glas schmutzfarben und an mehreren Stellen gesplittert.

Hiller breitete seine Arme aus. »Mama!« rief er und lachte aus Ekel vor sich selber. »Wohin von hier aus?«

Sie führte ihn durch die aus ihren Angeln gehobene Tür ins Innere des Leuchtturms. Wie sie gesagt hatte, es war alles verstaubt im Innern, aber auch angenehm dunkel und trocken.

KAPITEL 11

Der Polizeileutnant war ein ältlicher Mann, grobknochig, mit Händen, die ihre arbeitsrauhe Haut behalten hatten. Er betrachtete die junge Frau, die vor ihm stand, und das Kind, das ihr weiches Haar und ihre feinen, fast zu feinen Züge geerbt zu haben schien, und sagte bedauernd: »Das ist nun schon das dritte Mal, daß Sie zu uns gekommen sind, Frau Sundstrom.«

»Sie hatten gesagt, Sie würden mich wissen lassen, wenn Sie etwas erführen«, verteidigte sich Julia. Irgendwie hatte sie Vertrauen gefaßt zu diesem Polizisten, der seine Uniform ganz uneitel trug, und in die Wachtmeisterin, die, ein bißchen dicklich und gutmütig, hinter dem Schreibtisch neben dem seinen saß und tippte. »Sie hatten gesagt, ein Mann verschwindet nicht spurlos.«

Der Leutnant faltete geduldig die Hände. »Wie ich Ihnen schon zu erklären versucht habe, Frau Sundstrom, wir sind nur das Einwohnermeldeamt. Wir haben nachgeforscht, soweit wir konnten. Ein Daniel Tieck, wohnhaft Schillerstraße 13, per Adresse Frau Schloth, wurde bei seiner zuständigen Polizeiwache als aus der Stadt verzogen gemeldet.«

»Ich weiß das«, sagte Julia, »ich wohne jetzt bei Frau Schloth.«

Der Leutnant zeigte keinerlei Überraschung. »Das ist uns bekannt«, sagte er.

»Aber wenn einer seine Abreise meldet, muß er nicht irgendwo angeben, wohin er sich begibt?«

»Auf dem Formular gibt es eine besondere Zeile für diese Information«, bestätigte der Leutnant. »Tieck hat da hingeschrieben: Werde reisen.«

»Oh.« Julia merkte, daß Julian sich von ihrer Seite entfernt hatte. »Julian!«

Er stand vor dem Schreibtisch der Wachtmeisterin, Hände hinterm Rücken, musterte sie und fragte: »Warum trägst du keine Pistole?«

»Weil sie mich drückt, wenn ich an der Schreibmaschine sitze«, sagte die Wachtmeisterin. »Möchtest du einen Bonbon haben?«

»Danke sehr.« Er hielt ihr seine Hand hin und nahm einen Zitronenbonbon in Empfang, den sie aus einem Tütchen neben der Pistole in ihrem Schreibtischfach herausfischte. »Ich kriege so viele Bonbons, wie ich essen kann. Julia möchte, daß ich dick werde. Aber wenn deine Pistole dich drückt, wirst du sie mir geben?«

Julia wollte sich in das Gespräch einmischen, aber der Leutnant lächelte und schüttelte den Kopf.

»Warum möchtest du meine Pistole haben?« fragte die Wachtmeisterin.

Julian lutschte mit gespitzten Lippen an seinem Zitronenbonbon und schwieg.

»Ist es ein Geheimnis?« sagte die Wachtmeisterin und hob ihre Augenbrauen. »Hast du viele Geheimnisse?«

»Zweihundert.«

»Also gut – du behältst deine zweihundert Geheimnisse, und ich behalte meine Pistole.« Sie machte sich wieder an ihre Arbeit. Julian legte seine Hände auf die obere Ecke des Schreibtischs und sah ihr zu, wie sie Namen auf einer Liste abhakte.

»Ist er mit Ihnen verwandt«, nahm der Leutnant seine Fragen wieder auf, »dieser Daniel Tieck?«

»Nein«, sagte Julia. »Er ist ein Kollege, ein Architekt.«

»Warum ruft Ihr Mann uns dann nicht an, Frau Sundstrom? Er ist doch persönlich mit unserm Genossen Oberst bekannt – das würde die ganze Sache aus diesem Bereich herausnehmen und sie allgemein erleichtern.«

»Mein Mann« – Julia zögerte –, »nein, ich möchte nicht, daß er da hineingezogen wird. Lieber würde ich…«

»Würdest du mir deine Pistole geben, wenn ich dir ein paar von meinen Geheimnissen verrate?« sagte Julian hoffnungsvoll.

»Das hängt davon ab«, sagte die Wachtmeisterin über ihre Listen hinweg. »Aber versprechen kann ich es dir nicht. Ich wette, du möchtest meine Pistole haben, weil du damit schießen willst.«

»Natürlich.«

»Aber nur Polizisten dürfen mit Pistolen schießen, und das auch nur in besonderen Fällen.«

Der Kleine hüpfte aufgeregt auf seinen Fußspitzen. »Wenn es aber ein ganz besonderer Fall ist? Und mein Papa wird mir eine Polizeiuniform kaufen…« Er sah Julia an. »Wird er doch, nicht?«

»Vielleicht«, sagte Julia unsicher. Und zu dem Leutnant: »Aber wo immer Herr Tieck auch hinfährt, muß er sich doch ebenfalls anmelden. Können Sie nicht einfach an alle Meldestellen in der Republik eine Anfrage schicken: Erbitten Bericht über Soundso – Sie wissen schon, was ich meine.«

»Die Abteilung für vermißte Personen kann das tun oder die Kriminalpolizei. Aber wird der Herr Tieck wirklich vermißt, vermuten Sie ein Verbrechen gegen ihn? Oder möchten Sie behaupten, daß er selber Diebstahl, Raub oder gar Mord begangen hat?« Der Leutnant schwieg einen Augenblick. »Oder handelt es sich um einen politischen Vorgang?… Weshalb möchten Sie ihn denn so dringend finden, Frau Sundstrom – oder ist auch das ein Geheimnis wie die zweihundert, die Ihr junger Mann hier hat?«

Julia suchte sich zu entspannen, trotz des harten Stuhls mit der hohen Lehne, auf dem sie saß. Ganz gleich, welche Haltung sie einnahm, sie fühlte sich wie auf einer Folterbank. Wie konnte sie diesem Polizeioffizier, auch wenn er sich noch so verständnisvoll gab, ihr Problem auseinandersetzen? Sie wußte nur, daß sie Tieck brauchte, als eine Art Leitstern; alle anderen Sterne, nach denen sie ihren Kurs hätte bestimmen können, hatten sich hinter Wolken versteckt oder strahlten kein eigenes Licht aus und keine Wärme; sie waren nichts als Zusammenballungen kalter, toter Materie.

Julian bat die Wachtmeisterin: »Wenn mein Papa mir aber eine Uniform kauft wie deine, wirst du mir dann deine Pistole geben?« Er schluckte den Rest seines Bonbons. »Du kannst sie auch zurückhaben, hinterher.«

Die Wachtmeisterin zog Julian näher an sich heran. »Du bist so ein lieber Junge«, sagte sie und streichelte ihm übers Haar, »du willst doch nicht wirklich jemanden erschießen.«

»Doch, will ich!«

»Wen?«

»Onkel John Hiller.«

»Julian!« warnte Julia.

»Wachtmeisterin«, sagte der Leutnant und grinste, »vielleicht sollten Sie Ihre Pistole außer Reichweite dieses Knaben halten.« Und wandte sich, plötzlich ernst geworden, an Julia: »Wer ist John Hiller?«

»Auch ein Architekt, ein Kollege.«

»Noch einer!« Der Leutnant klang überrascht. Dann stand er auf. »Tut mir leid, Frau Sundstrom, daß ich nicht helfen kann. Aber überdenken Sie bitte noch einmal, was ich Ihnen gesagt habe. Sie können mich immer hier erreichen.«

Julia überlegte, wieviel der Mann wirklich wissen mochte; und ob auch er bereits in den Strudel der Krise geraten war, welche die Rede auf dem Parteitag ausgelöst hatte; und ob es überhaupt möglich war, daß jemand davon nicht in Mitleidenschaft gezogen wurde. Und wieder spürte sie, wie einsam sie selber war; wie einsam sie alle waren; und auf einmal wurde ihr klar, daß diese Einsamkeit durchaus nichts Neues war. Sie war immer vorhanden gewesen, im verborgenen, und erforderte, wollte man sich retten, einen neuen Zusammenhalt; immer hatte man sich einsam und verloren gefühlt gegenüber den riesigen namenlosen Kräften und war in eine Verzweiflung verfallen, die viel weiter ging als die Trauer um den Einzelfall eines einzelnen Opfers.

»Noch einen Bonbon, Julian?« fragte die Wachtmeisterin. »Zum Abschied?«

»Danke sehr«, sagte Julian und akzeptierte den Bonbon, aber sein Ton machte deutlich, daß er nur höflich sein wollte.

Die Stadt erschien ihr anders und ungewohnt: obwohl um sie herum dieselben Häuser standen wie immer und im Park dieselben Bänke, und die Schilder an den Ecken dieselben Straßennamen trugen; aber alles nahm eine andere Perspektive an, wenn man mit der Straßenbahn fuhr statt im Auto seines Ehegatten und in einem heruntergekommenen Mietshaus wohnte, das auf seiner verrußten Fassade noch immer die Schrapnellnarben aus dem Krieg zeigte. Auch die Menschen waren anders, einem irgendwie näher; man empfand sie anders, wenn man von ihnen gestoßen und gedrängt wurde, ihren Schweiß roch, ihren Dialekt hörte; und sie einem halfen: irgendein älterer Mann, der Julian die steilen Stufen zur Plattform des Wagens hinaufhob.

Julia seufzte. Es hatte keinen ausdrücklichen Bruch mit Hiller gegeben; nur nach der Kleinmallenhagener Erfahrung ein stilles Einverständnis, daß Hillers frischgestrichene Einzimmerwohnung nicht der richtige Ort war, sie beide *und* das Kind zu beherbergen; er sollte sich nach einer geräumigeren Wohnung umtun; und er tat sich um, versicherte er ihr bei seinen Besuchen, man brauchte eben Geduld, wenn man die richtigen Beziehungen nicht hatte; und so blieb sie vorläufig in der Wohnung von Frau Schloth und wartete ab, und er unternahm halbherzige Versuche, zärtlich mit ihr zu werden, während man über dieses oder jenes sprach: über die Arbeit, über ihre Beziehung zueinander, über Sundstrom und über die Toten von einst und warum sie hatten sterben müssen. Hiller hoffte, sie werde ihm endlich sagen, daß und wann sie zu ihm ziehen würde; an manchen Tagen sprachen sie auch nur per Telefon miteinander, dann klang er reuig oder übertrieben heiter; und jedesmal teilte sie ihm mit, wie schwer es ihr fiele, Julian in dieser möblierten Zimmeratmosphäre allein zu lassen; wer würde sich um den Kleinen kümmern, während sie den Abend in irgendeinem Lokal mit ihm, Hiller, verbrachte oder im Kino – Frau Schloth?

Die Straßenbahn hielt an, ratterte dann weiter und überquerte die Straße des Weltfriedens. Julia erinnerte sich, daß Sundstrom die Gleise durch eine Untergrundpassage hatte führen wollen; aber die städtischen Verkehrsbetriebe, unterstützt von Bürgermeister Riedel, hatten sich gegen die Übernahme der Kosten gewehrt, und dieses Mal, ausnahmsweise, schien Genosse Tolkening die Schwierigkeiten der Finanzierung zu fürchten und hatte gegen seinen Chefarchitekten entschieden.

Julia starrte durch das verschmutzte Fenster des Wagens. Arnold Sundstrom war überall – auf der Straße, die durch die Ruinen hindurch gebaut wurde: nach *seinem* Plan; vor den jungen Bäumen, die in einem Park angepflanzt wurden: nach *seinem* Vorschlag; inmitten einer Brücke, die erweitert, neben einem Grundstein für einen Kindergarten, der gelegt wurde: Für beides hatte *er* sich eingesetzt. Sie hatte es vermieden, ihm zu begegnen, sie war dem eigenen Haus ferngeblieben, dem städtischen Architekturamt, den verschiedenen Baustellen, wo sie ihm hätte über den Weg laufen können; aber seine Hand war spürbar, wohin auch immer sie kam – in der Verwaltung für Industriebau, wo sie sich um eine Außenstelle als Zeichnerin bemühte, hatte man sie begrüßt, als hätte man sie längst erwartet, und ihr einen großzügigen Vorschuß gezahlt; und die Dutzende von Hemmnissen, denen der gewöhnliche Bürger begegnete, der sich irgendwo eine Existenz schaffen wollte, und die verstaubten Barrieren der Bürokratie waren für sie wie weggezaubert. Vor allem aber war er, eine dunkel drohende Figur, präsent in ihren Ängsten: Wenn die unbeantwortete Frage auftauchte aus ihren Träumen.

Sie legte ihren Arm schützend um Julian.

»Gehen wir jetzt Papa besuchen?« erkundigte er sich, als ob

er eine eigene Antenne hätte für den zentralen Punkt in den Empfindungen seiner Mutter.

»Nein, Liebling.«

»Warum nicht?« Seine Stimme nahm den quengeligen Ton an, mit dem Kinder die Nerven der Erwachsenen so fürchterlich reizen.

Julia blickte sich hilflos um. Dann erklärte sie: »Diese Straßenbahn fährt nicht in die Gegend, wo dein Vater sich aufhält. Sie bringt uns in die Wohnung von Frau Schloth.«

»Warum nehmen wir nicht eine Straßenbahn, die uns zu Papa bringt?«

»Das tun wir ein andermal«, sagte sie ohne Überzeugung.

»Aber wir sind doch schon zweihundert Tage wieder in der Stadt!« stellte er fest.

»Zweihundert…«, wiederholte sie. Zweihundert war sein Begriff für Unendlichkeit. »Komm, Julian«, sagte sie, »hier steigen wir aus.«

Den Rest des Weges gingen sie zu Fuß. Julian redete zu ihr über alles mögliche, und sie antwortete ihm, so gut sie konnte; offensichtlich mühte er sich, ein braver kleiner Junge zu sein trotz seiner Konfusion über diesen neuen Abschnitt in seinem Leben; seine Fieberanfälle hatten sich fast gänzlich gegeben; er bestand darauf, sich selber zu waschen und seine Sachen selber in Ordnung zu halten und ihr beim Aufräumen des Zimmers zu helfen; einmal, als sie ihn deswegen lobte, hatte er geantwortet: Ich bin doch jetzt der Mann im Haus.

Tieck, dachte sie. Sie sehnte sich nach Tieck, weil sie sich nach Klarheit sehnte.

Frau Schloth empfing sie schon an der Tür. Ein Herr warte auf sie.

Tieck, dachte sie, und ihr Herz schlug ihr bis zum Hals; dann: Arnold; dann: John Hiller. Doch bei allen dreien hätte Frau Schloth den Namen genannt.

»Ich habe ihn in mein Wohnzimmer geführt«, teilte Frau

Schloth mit, und zu Julian: »Ehrlich, junger Mann, du kriegst ein paar richtige Apfelbäckchen im Gesicht«, und zurück zu Julia: »Sie können ja, wenn Sie wünschen, mit dem Herrn auch in meinem Wohnzimmer sprechen, vielleicht ist es dort ein bißchen bequemer mit dem großen Sofa, und wenn Sie etwas serviert haben möchten…«

»Danke, nein«, sagte Julia. Frau Schloths vollgestopftes Wohnzimmer bedeutete Frau Schloths neugierige Ohren überall und ihre stechenden schwarzen Augen auf der Suche nach allem, was ungesagt geblieben war. »Vielleicht sind Sie so liebenswürdig und schicken mir den Herrn in einer Minute oder so in mein Zimmer.«

Sie hatte ihre und Julians Sachen kaum aufgehängt, als der Besucher klopfte. Nach ihrem »Herein!« öffnete er die Tür, blieb aber dort stehen, ein hochgewachsener Mann in dunklem Anzug, dessen Jackett ihm über der Brust spannte und der ein großes, flaches Paket unterm Arm hielt.

»Worum handelt sich's, bitte?«

»Erkennen Sie mich denn nicht?« sagte er verlegen und trat vor ins Helle. »Aber wenn ich's bedenke, Frau Sundstrom, Sie haben mich bisher immer nur in Arbeitskleidung gesehen, mit Zementstaub auf dem Gesicht.«

»Genosse Barrasch!« Das Bild des Mannes vor ihr vereinte sich mit dem in ihrem Gedächtnis. Es war, als hätte er etwas von dem Lärm und den Gerüchen der Baustelle mit sich gebracht. Julia streckte ihm ihre Hände entgegen: »Sie sind der erste von der Straße des Weltfriedens, den ich wiedersehe…« Und zu dem Kleinen: »Der Genosse Barrasch hilft, die großen Häuser zu bauen, deren Entwurf von…« Sie brach ab; wieder die Präsenz von Arnold Sundstrom. »Er ist der Polier«, schloß sie.

Barrasch lehnte sein Paket gegen den Kleiderschrank, schüttelte Julians Hand und fragte ihn, was er werden wolle, wenn er erwachsen war – Maurer oder Zimmermann oder Kranführer oder gar Architekt.

Julian betrachtete ihn. »Polier möchte ich werden.«

Barrasch lachte dröhnend. Er setzte sich hin und hob Julian auf sein Knie und proklamierte: »Da hast du dir was Richtiges ausgesucht, mein Sohn; zwischen allen Stühlen, zwischen den Bürokraten über dir und den Männern unter dir; kein Leistungslohn für dich, keine Zulagen; und jeden Tag neue Beschwerden...« Er wandte sich Julia zu, »...besser, ich sage ihm rechtzeitig Bescheid...« Er lächelte. »Es war gar nicht leicht, Sie zu finden, Frau Sundstrom. Am Ende haben sie mir bei der Verwaltung für Industriebau Ihre Adresse gegeben... Und ich bin gekommen, um Ihnen das Paket von dem Genossen Tieck abzuliefern.«

Er stellte Julian auf den Fußboden, stand auf, holte das Paket und legte es feierlich auf den Tisch.

»Von Tieck...«, wiederholte Julia. Tieck existierte also; er war nicht spurlos verschwunden; das Paket, das die Oberfläche des Tisches fast vollständig verdeckte, bezeugte es. »Wo ist Tieck?«

Die gebräunte, fast lederartige Haut der Stirn des Poliers zog sich in die Höhe.

»Also, wann hat er Ihnen das da übergeben?«

Er beobachtete ihre langen, schön geformten Finger, wie sie die Knoten der Verschnürung geschickt lösten. »An dem Tag, an dem er seine Arbeit aufgab«, sagte er.

»Hat ihn einer gezwungen, sie aufzugeben?«

»Er kam zu mir und sagte, er habe seine Stellung im Architekturamt hingeschmissen und daß er Geld brauche, tausend Mark ungefähr, und bald. Ich habe ihn also als Maurer eingestellt, und er war ein guter Maurer, legte seine Steine sauber und genau und ohne Zeitverlust, sobald er sich einmal eingearbeitet hatte; erreichte ungefähr hundertundvierzig Prozent der Norm, plus Prämie; und nachdem er seine tausend Mark zusammenhatte, legte er sie in ein Taschentuch und steckte sie mit einer Sicherheitsnadel in der Innentasche seiner Jacke fest – das habe er in Rußland gelernt, sagte er –, und dann, Adieu Genosse Barrasch, es war mir ein Vergnügen, mit Ihnen zu arbeiten, und geben Sie das bitte der Frau Sundstrom, sobald Sie sie finden können, mit meinen besten Grüßen ...«

Das Paket lag jetzt offen vor ihnen. Drinnen befand sich ein Stoß großformatiger Zeichnungen, eine jede säuberlich auf dünne Pappe aufgezogen. Barrasch blickte Julia an, sah den Ausdruck in ihren Augen; wunderschöne Augen, dachte er, ein Mann konnte sich darin verlieren.

»Tiecks Entwürfe für das Verlängerungsprojekt«, sagte sie mit belegter Stimme. Sie schob die oberste Zeichnung dem Polier zu. »Erinnern Sie sich?«

Barraschs Lider schloßen sich halb, wie stets, wenn er Blaupausen zu lesen hatte. Er erinnerte sich sehr wohl dieser Zeichnung; und er dachte, er verstünde schon, was Männer dazu bewegte, einander bis aufs Blut zu bekämpfen wegen Form und Farbe eines Bauwerks, das letzten Endes nichts war als ein Gebilde aus Wasser und Sand. Ein Haus bedeutete mehr als ein Mensch; es überlebte ihn; es zeugte von dem Menschen, wenn man nur imstande war hinzuhören, zeugte von ihm, lange nachdem ein Klumpen Erde ihm den Mund gestopft hatte.

»Hat Tieck Ihnen gesagt, wohin er fahren wollte?«

Barrasch hob seine schweren Hände.

»Oder wann er zurückkommen würde?«

Noch einmal die Geste. Wahrscheinlich hatte sie auch gar keine Antwort erwartet. Sie legte die Zeichnungen zusammen, verpackte sie wieder und erklärte, man würde noch daran zu arbeiten haben.

»Ich dachte, sie wären fertig«, bemerkte Barrasch.

»Und die Details?« fragte sie. »Wo sind die Flurpläne, Stockwerk um Stockwerk? Der Plan für die technischen Installationen – Heizung, Wasserleitungen und was sonst dazugehört ...«

»Das wird doch von einem ganzen Büro ausgeführt. Und Sie wollen das in Angriff nehmen – ganz allein?«

»Gefällt Ihnen der Entwurf?«

Barrasch rieb sich das Kinn. Wieder schlossen sich seine Augen zum Teil, obwohl es nichts für sie zu lesen gab, außer den

Flecken auf der Tapete der Frau Schloth. »Es wäre wie ein Stück Zukunft.«

»Dann sollten Sie alles für den Bau Notwendige vorbereiten«, sagte sie.

An der Wohnungstür läutete es. Julia hörte Frau Schloths Schritte im Flur, hörte, wie die Tür geöffnet wurde, hörte die Stimme der Frau Schloth, und dann eine zweite –

»Mein Mann.« Julia klang unnatürlich ruhig.

Barrasch stand auf. »Ich glaube, ich werde jetzt gehen.«

Julian war zusammengezuckt. Auf dem Gesicht des Kleinen arbeitete es, zwei rote Flecken zeigten sich auf seiner Stirn.

Julia trat zum Kleiderschrank. Sie schob ein paar Sachen zur Seite und verstaute das Paket.

»Ich sollte lieber gehen ...«, sagte der Polier und knöpfte sein Jackett auf und wieder zu.

Die Schritte draußen, vertraut und doch mit einem neuen Zögern, näherten sich. Da war Frau Schloths unterwürfiges »Jawohl, Herr Professor« und »Selbstverständlich, Herr Professor« und dann das Klopfen an der Zimmertür.

»Papa!« rief Julian.

Arnold Sundstrom, im Türrahmen. Dahinter, sichtbar über seine Schulter hinweg, der Kopf der Frau Schloth, wie auf einem alten holländischen Genrebild: die Augen halb voller Neugier, halb wissend. Dann verschwand der Kopf, die Tür fiel zu.

»Papa – Papa – Papa ...« Julian war dem Schluchzen nahe.

Sundstrom hob ihn auf und schloß ihn in seine Arme. »Nun, nun« – die Stimme zärtlich –, »alles kommt jetzt in Ordnung, mein Sohn.« Er setzte den Kleinen auf einen Stuhl, ließ ihn aber nicht los. Und zu Julia: »Du siehst gut aus – gebräunt, klare Augen, ein bißchen müde vielleicht ...«

»Julian und ich waren den ganzen Morgen unterwegs.«

»Ich verstehe – dann ist es deshalb.«

»Ich sollte lieber gehen«, sagte der Polier noch einmal.

»Ach, der Genosse Barrasch!« – der übliche Gruß, herzlich, volltönend –, »nein, Sie dürfen sich nicht als Eindringling fühlen! Ich freue mich, daß Sie Frau Sundstrom besucht haben, nichts ist schlimmer als Alleinsein, wissen Sie.« Er lachte. »Aber wenn Sie keine Zeit mehr haben, ich will Sie nicht aufhalten; ich nehme an, ich werde Sie bald sehen; und noch einmal vielen Dank...«

Die Tür schloß sich hinter Barraschs breitem Rücken. Julia blickte auf ihren Mann. Er ist gealtert, dachte sie, das Grau an den Schläfen war auffälliger geworden; oder er braucht einfach einen Haarschnitt; er läßt sich gehen; seine Schultern sind gekrümmt, sein Gesicht schlaff, der Anzug hängt ihm am Leib.

»Warum hast du mich nie besucht?« fragte Julian. »Hast du mich vergessen?«

Die Hand auf der Schulter des Kleinen bebte. »Ich hab dich nicht vergessen. Ich habe gewartet. Gewartet darauf, daß du und deine Mutter zu mir zurückkämen.«

Die Augen des Kleinen, viel zu ernst für seine Jahre, suchten zu begreifen, warum sein Papa so lange gewartet hatte, ihn zu besuchen, und warum seine Mutter nicht nach Hause zurückgekehrt war.

»Versuch doch, wenigstens einmal fair zu sein, Arnold«, sagte Julia.

»Fair?« fragte er.

»Hältst du es für fair, die Gefühle eines Kindes als Druckmittel gegen eine Mutter zu benutzen?«

Sundstrom verzog sein Gesicht. »Du bist sehr deutlich geworden. Das ist der Effekt deines unabhängigen Lebens.« Und nach einer Pause: »Darf ich mich vielleicht setzen?«

»Setz dich, bitte.«

Er zog einen Stuhl heran, ohne das Kind deshalb loszulassen. Julia beobachtete ihn, während er das Zimmer musterte, seine Lippen vor Widerwillen geschürzt. Am Ende fragte er: »Und schlägst du vor, Julian in diesen Räumen großzuziehen?«

Sie war erstaunt über die Ruhe, die sich in ihr ausgebreitet hatte. »Ich hoffe, eine eigene Wohnung zu finden.«

»Mit John Hiller?«

Etwas im Ton seiner Stimme traf sie. Sie wußte auf einmal, daß sie niemals eine anständige Wohnung bekommen würde in dieser Stadt, wenn er es nicht zuließ, noch Essen und Kleidung für sich und den Kleinen, wenn er es nicht billigte. »Mit oder ohne John Hiller«, sagte sie vorsichtig. »Inwiefern betrifft es dich?«

Er fuhr fort, Julian zu streicheln. Ihre innere Ruhe, die ihr so nützlich gewesen war, begann zu zerbröckeln.

»Ich wäre schon früher gekommen, mein Sohn«, sagte Sundstrom mit seinem sechsten Sinn für die Stimmungen von Menschen, und von Julia besonders, »viel früher.« Und wandte sich wieder zu ihr: »Aber ich befürchtete, ich hätte mich selber disqualifiziert. Die Szene, die ich da gemacht habe, war schändlich. Und dann« – er zuckte die Achseln, teils bitter, teils resignierend – »hat sich das Leben eingemischt. Es hat neue Bedingungen geschaffen, neue Beziehungen …«

Und nicht ein Wort über die Szene, die er selber als schändlich bezeichnet hatte, oder über die Vergangenheit, die ihre Schatten auf sie alle warf! Julia griff instinktiv nach Julian, zog ihre Hand aber sofort wieder zurück, da sie Widerstand seitens des Kleinen fürchtete. Überhaupt wußte sie nicht mehr, wie sie sich verhalten sollte, und Arnold spürte das.

»Warum kommt ihr nicht nach Hause zurück, ihr beiden?« sagte er. Er liebkoste Julian und erzählte ihm: »Du hast neue Spielsachen, die in deinem Zimmer auf dich warten: einen Cowboy-Anzug und einen wirklichen Cowboy-Hut und zwei Pistolen in wirklichen Lederholstern; neue Schienen und neue Waggons und eine Güterzuglokomotive für deine elektrische Eisenbahn; und ein Dreirad, das sich in ein richtiges zweirädriges Fahrrad umbauen läßt, sobald du ein bißchen größer geworden bist; und …«

»Arnold!«

»Immer noch unfair? Mein Gott, Julia, ich habe den Jungen doch lieb. Er ist mein Fleisch und Blut so sehr wie deines, und du hast ihn mir weggenommen. Oder laß *ihn* wenigstens gelegentlich zu mir kommen – jedes Gericht würde mir das zubilligen.«

»Julia…«, sagte der Kleine. In diesem einen Wort lag alles: seine Sehnsucht nach den Cowboy-Sachen und der elektrischen Güterzuglokomotive und dem Dreirad, das sich umbauen ließ, und nach seinem Zimmer und nach Zuhause und Sicherheit.

Julia schlug die Hände vor ihr Gesicht. Nach einer Weile fühlte sie Julians Hände, die versuchten, die ihren von ihrem Gesicht wegzuziehen. Sie gab dem Kleinen nach und lächelte ihm zu, so wie er ihr zulächelte, und schaute dann über seinen Kopf hinweg auf den Mann, der da saß und dessen starrer Ausdruck zu sagen schien: wie hübsch; was für eine hübsche kleine Familie wir da haben; und ist es nicht schrecklich, daß wir all diese Unvergnüglichkeiten zwischen uns haben kommen lassen; aber ich verzeihe dir, ich bin nicht nachtragend.

Julia erhob sich. Sie trat zur Tür und rief hinaus: »Frau Schloth!«

Die Vermieterin kam, ganz lächelnder Diensteifer. »Kann ich etwas für Sie tun, Frau Sundstrom? Eine Tasse Tee vielleicht, für Sie und den Herrn Professor? Oder lieber etwas Kaltes, Limonade? Es gab Zitronen in der HO, was selten genug ist, und ich habe ein paar gekauft…«

»Ich meine, Frau Schloth…« Julia klang befangen. »Mein Mann und ich…« Sie schluckte. Sie sah, wie der Mund der Vermieterin sich zu einem Grinsen intimen Verständnisses verzog.

»Ah, der junge Mann? Jemand sollte sich eine Weile um den jungen Mann kümmern? Aber gewiß doch…« Frau Schloth klatschte in die Hände. »Ich freue mich so für Sie, Frau Sundstrom. Selbst wenn es bedeutet, daß ich eine meiner besten Mieterinnen verliere. Was Gott zusammengefügt hat, soll kein Sterblicher trennen, so ähnlich heißt es doch, und wo kriegen Sie heutzutage und in diesem Lande noch einen vornehmen Herrn her wie den Herrn Professor; wie oft habe ich nachts wach gelegen und gedacht, hier ist diese reizende Frau mit ihrem reizenden Kind, und wenn ich ihnen helfen könnte, in ihr richtiges

Heim zurückzukehren, es wäre meine schönste Tat im Leben und etwas, worauf einer stolz sein könnte für den Rest seiner Jahre...«

Sundstrom unterbrach den Redestrom. Eine Banknote wechselte von einer in eine andere Hand. »Sagen Sie meinem Fahrer unten vor dem Haus, Frau Schloth, er soll Sie und Julian in den Tierpark bringen. Julian mag den Affenkäfig am liebsten. Und kaufen Sie ihm die größte Portion Eis, die es gibt, und sich selber Kaffee und Kuchen oder was Sie haben möchten. In einer Stunde sehe ich Sie wieder?«

»Aber Papa...«

»Ja, mein Sohn?«

»Ich möchte mit dir und Julia zusammen in den Tierpark gehen. Ich habe dich nicht gesehen seit« – der Kleine unterbrach sich –, »seit zweihundert Tagen.«

»Willst du es ihm nicht sagen, Julia?« fragte Sundstrom.

Julia zögerte. Ihr Kind, eine Hand bereits im Griff von Frau Schloth, erschien ihr kleiner als je, und seine Augen waren bittend auf sie gerichtet. »Dein Vater und ich, wir müssen miteinander reden«, sagte sie endlich, »und das wird ein Gespräch nur für Erwachsene sein...«

»Und wenn ich verspreche, daß ich ganz still sein und euch nicht dazwischenreden werde? Julia...« Er riß sich von Frau Schloth los und hing sich an seine Mutter, griff zugleich aber mit seiner anderen Hand nach Sundstrom.

»Vielleicht brauchen wir ein solches Gespräch auch gar nicht«, schlug Sundstrom vor. »Du kannst ja selber sehen, Julia...«

Julia sah. In einer plötzlichen inneren Metamorphose, gespenstisch, wurde die Gestalt ihres Kindes zu ihrer eigenen, wie sie sich an Vater und Mutter klammerte in Furcht vor dem Echo der schweren Stiefel und heiseren Befehle draußen auf dem Hotelkorridor. »Tut mir leid«, sagte sie, und ihre Vision verschwand aus ihrem Hirn so abrupt, wie sie gekommen war, »tut mir leid, aber da du dich wieder eingemischt hast in mein Leben und das meines Kindes, bleibt uns nichts, als gemeinsam irgendwo eine Linie zu ziehen.«

»Wie du wünschst, Julia.« Mit einem erzwungenen Lächeln zuckte er seine Achseln in Richtung der Zimmerwirtin und wandte sich dem Kleinen zu. »Willst du uns nicht helfen, Julian? Was deine Mutter und ich besprechen müssen, wird handeln von – ja, von deiner Rückkehr nach Hause, und wann, und wie...« Er achtete nicht auf Julias abwehrende Geste. »Du möchtest doch wieder nach Hause?«

»Ja.«

»Gut, dann mußt du jetzt mit Frau Schloth mitgehen.«

»Ja.« Doch wieder blieb der Kleine stehen und sträubte sich. »Aber nur dieses eine Mal. Das nächste Mal müßt ihr beide mit mir mitkommen – ja, Papa? – und du, Julia?«

»Also los, junger Mann«, kommandierte Frau Schloth und hob ihren Zeigefinger, »und erinnern Sie sich, Frau Sundstrom, was Gott zusammengefügt hat...« Dann rauschte sie ab und zog den Kleinen hinter sich her.

Julia setzte sich auf das Bett; eine Welle von Müdigkeit, körperlicher wie seelischer, schlug über ihr zusammen. »Rückkehr nach Hause, und wann, und wie...«, nahm sie Sundstroms Rede wieder auf, Bitternis in jedem ihrer Worte. »Und wie soll ich dem Kleinen erklären, daß er nicht nach Hause zurückkehren wird?«

Sundstrom lehnte sich an den Kleiderschrank, als ob auch er eine Stütze brauchte. »Aber er wird«, sagte er, »Julian und du, ihr werdet beide zurückkehren.«

Sie sah seine Augen, das Weiße darin war wieder einmal gelblich verfärbt, und seine Lider waren geschwollen. Er war keiner, der zu Tränen neigte; also zeigten sich da seine schlaflosen Nächte, die zahllosen Zigaretten, der Wodka. »Das kann doch nicht dein Ernst sein, Arnold«, sagte sie.

»Warum nicht?« Seine Hände hoben sich. »Obwohl der Skandal nicht wiedergutzumachen sein wird, ich bin ein reifer Mann: Ich kann verstehen, wenn die Emotionen eines Menschen bisweilen stärker sind als seine Vernunft.«

Julia lehnte sich zurück auf ihrem Bett und schob sich die Kopfkissen hinter ihren Rücken. In dem Kleiderschrank, gegen den Arnold lehnte, stand das Paket mit Tiecks Entwürfen für die Verlängerung der Straße des Weltfriedens; sie überlegte, welche Miene Sundstrom wohl machen würde, wenn sie töricht genug wäre, ihm davon zu erzählen. Statt dessen sagte sie: »Du meinst, *du* wärst bereit, *mir* zu verzeihen?«

»Wenn dir daran liegt, es so auszudrücken – ja, selbstverständlich.«

»Mein Gott!« Jeder Ausdruck wich aus ihrem Gesicht. Das Gehirn, wußte Julia, war ein bemerkenswertes Organ, fähig zu den sonderbarsten Wendungen und Windungen; aber daß Arnold imstande sein sollte, das wirkliche Problem zwischen ihm und ihr so vollständig auszuklammern, erschien ihr doch kaum glaubhaft.

Er merkte, daß er unklug gesprochen hatte; er schob einen Stuhl neben ihr Bett, setzte sich, zog ein Magazin aus seiner Tasche und sagte: »Hast du diese Nummer von *Krokodil* schon gesehen?«

»*Krokodil*! …« Sie runzelte die Stirn. »Wie kommst du darauf?« Schon in ihrer Moskauer Zeit hatte sie den schwerfälligen Humor in den Texten der Zeitschrift nicht gemocht, und ebensowenig die Karikaturen darin; während ihrer Jahre in Deutschland und vor allem in diesen letzten Monaten war sie nie auf den Gedanken gekommen, sich ein Exemplar von *Krokodil* zu besorgen.

»Sie haben eine Zeichnung von einer Straßenbahn hier.« Das Papier knisterte, als er die betreffende Seite aufschlug und ihr das Blatt hinhielt. »Möchtest du nicht wenigstens hinschauen?«

»Ich bin so müde, Arnold. Und dies alles ist so sinnlos.«

»Sieh es dir an!« sagte er brüsk.

Widerwillig öffnete sie ihre Augen und betrachtete die Zeichnung. Darauf war in der Tat eine Straßenbahn zu sehen – aber eine verrückt gewordene, der Alptraum eines Illustrators von einem öffentlichen Verkehrsmittel, mit angepappten Türmchen und Zinnen, die Ornamente und architektonischen Nippes ließen kaum Platz übrig für den Schaffner und einen nicht allzu sauberen Haufen von Passagieren.

»Also lach schon!« sagte er schließlich. »Warum willst du nicht mal auch lachen?«

»Weil ich das Zeug da nicht komisch finde.«

»Ach«, sagte er, »aber man muß wissen, wann man lachen darf. Lachen kann ein großer Befreier sein.«

…wenn man lachen darf, dachte sie. Sein Sarkasmus blieb ohne Wirkung – vielleicht hatte er auch gar nicht versucht, sarkastisch zu sein. Sie kannte so gut wie er die Methoden dieser Art von Presse: Was – oder wen – sie verspottete, war lange vorher schon und an ganz anderem Ort gewogen und zu leicht befunden worden; die Schreiber und Zeichner von *Krokodil* waren weder Ankläger noch Richter; sie waren nur die Henker; und die Abbildung dieses lächerlichen Vehikels war das Todesurteil für die Straße des Weltfriedens und für die Sorte Architektur, an die zu glauben man sie gelehrt hatte, und nichts würde übrigbleiben, als die Fassaden ihrer Bauten mit Efeu zu bepflanzen.

»Und was willst du erreichen, indem du mir diese Dokumentation unsres Bankrotts vor die Nase hältst, deines und meines?«

»Bankrotts?«

Julia erinnerte sich, wie und wann ihr die Nazi-Entwürfe für die Nachkriegs-Charlottenburger-Chaussee in die Hand gefallen waren, auch eine solche Straßenbahn mit barocken Schnörkeln vorn, hinten, oben und unten, und ihr wurde übel.

»Bankrott?« wiederholte er. »Diese blöde Zeichnung dokumentiert, dass wir endlich anfangen können zu bauen, wie wir immer bauen wollten: besser und eleganter und ökonomischer. Das sollte dich nicht interessieren?«

»*Du* – hast das immer gewollt?« Ein Brechreiz stieg ihr bis in die Kehle. »Soll ich dir ein paar von den Lehrsätzen zitieren, die mir eingetrichtert wurden von dir und einigen anderen noch?«

»Du willst sagen, ich wäre ein Zyniker. Und ich schneidere meine Thesen nach den mir vorgegebenen Maßen.« Er dachte nach. »Vielleicht bist du zu jung, um zu verstehen, auf welch unheimliche Art die Logik eines Menschen funktioniert. Ich frage dich: War die Sache richtig – die Revolution, der Sozialismus?«

Ihr Schweigen deutete an: Ja.

»Wie konnten ihre architektonischen Formen dann falsch sein? So oder ähnlich argumentiert es in deinem Kopf, wenn du zu entscheiden hast, ob du auf eine gewisse Weise bauen sollst oder gar nicht.«

»In anderen Worten, Arnold: Wenn deine Sache gerecht ist, werden auf einmal alle in ihrem Namen begangenen Ungerechtigkeiten gleichfalls gerecht?«

Er seufzte. »Ich habe nur versucht, dir die Dialektik der Situation zu erklären.«

Und er spielt nicht einmal Theater, dachte sie. Wahrscheinlich sieht er sich selber in den großen Zusammenhängen einer historischen Entwicklung, deren Dialektik ihn mit sämtlichen Rechtfertigungen versorgt, die er für nützlich und notwendig hält. Welch Superelastizität des Gewissens bei einem Mann, der sie, das Mädchen Julia, im Geiste geradliniger revolutionärer Prinzipientreue erzogen hatte! Oder gab es in Wirklichkeit gar keinen Widerspruch zwischen dieser Geradlinigkeit und einem Gummigewissen, und die beiden Charaktereigenschaften ergänzten einander aufs beste?

Aber nicht bei ihr. Sie weigerte sich zu akzeptieren, daß die kristallklaren Worte der großen Lehrer a priori diesen eingebauten Opportunismus enthielten und das feurige Rot der Revolution seit je gemischt war mit dem Gelb der Speichelleckerei. Geradlinig: Sie, Julia Sundstrom, geborene Goltz, war, was sie war dank des Mannes, der jetzt hier vor ihr saß, gealtert und entehrt; was er ihr eingeimpft hatte, kehrte sich gegen ihn.

»Könnten wir nicht einen Neuanfang versuchen?« schlug er vor. Er nahm die Zeitschrift noch einmal zur Hand und klopfte auf die Seite mit der karikierten Straßenbahn. »Jetzt, da wir frei sind zu arbeiten, wie es uns richtig erscheint…«

»Frei?« sagte sie.

»Was erwartest du – alles auf einmal? Das Blaue vom Himmel? Hör zu, Julia: Sobald wir wieder anfangen zusammenzuarbeiten, wird sich auch alles andere regeln. Wir werden eine Verlängerung der Straße des Weltfriedens bauen, auf die wir beide, du und ich, stolz sein können.«

»Bitte sehr – baue *du* sie.«

Er wiegte seinen Kopf. »Du hast immer noch Illusionen über die Möglichkeiten des Projekts von Tieck?«

Unwillkürlich warf Julia einen Blick auf den Kleiderschrank.

»Wir werden alles, was daran akzeptabel ist, in unsere Pläne einfügen«, sagte er. »Hiller wird uns dabei helfen; er hat ja ein paar von Tiecks Rohentwürfen aufbewahrt.«

Sie richtete sich auf. »Hiller?«

»Hiller, jawohl.« Auf Sundstroms Gesicht zeigte sich ein Lächeln. »Wußtest du nicht, was? Er arbeitet wieder mit uns, in seiner alten Stellung.«

»Entschuldige mich.« Julia stand auf, ging, als wären ihre Knie aus Watte, zum Waschbecken, ließ Wasser in ihr Glas laufen, trank. John, dachte sie; und dann: Wenigstens hat er sich geniert, mir davon zu erzählen. Und dann: Irgendwo mußte er ja Arbeit finden. Und dann: Jetzt ist aber Schluß mit ihm, definitiv und für immer.

»Tut mir leid«, hörte sie die Stimme ihres Mannes, leidenschaftslos, »ich habe nicht gewußt, daß er dir nichts davon erzählt hat.«

Ihr Schmerz, dachte sie, war doch nicht so heftig, wie sie befürchtet hatte; es war nicht wie ein Stich mit dem Messer, der ihr Inneres zerriß, noch wie ein Brennen in ihrem Herzen; dieser Schmerz war eher stumpf, wie von einem Schlag, der lange vorher gefallen ist – vielleicht weil sie einen solchen Schlag seit Wochen schon erwartet hatte. Ihre Entscheidung bedeutete ihr keinen neuen Kummer. Wie gewonnen, so zerronnen, dachte sie mit einem üblen Geschmack im Mund; Geradlinigkeit, Ethik; alles, wohin man blickte, zerfetzt und kaputt. »Nein«, sagte sie, »davon hat er mir nichts erzählt.«

»Komm nach Hause«, sagte Sundstrom. »Wir einigen uns auf ein Unentschieden.«

Sie trat zu dem Kleiderschrank, öffnete diesen, berührte das Paket. Da stand es und enthielt das einzige unbeschmutzte Objekt, das es noch gab: die Linien von Tiecks nicht, oder noch nicht, vorhandenen Bauten – trotz allem, die Zukunft.

»Wonach suchst du?«

»Oh, nichts weiter.«

Sundstrom sah, daß ihr Gesicht sich verändert hatte: Es war streng und ernst, und nichts mehr war darauf zu sehen von den weichen Formen, die er geliebt hatte. Er bemerkte, daß sie ein Taschentuch zerknüllte. Sie bewahrt ihre Taschentücher auf in dem Schrank, dachte er; nicht einmal eine Kommode für ihre Wäsche hat sie hier. »Komm nach Hause«, wiederholte er mit echter Wärme in seiner Stimme. »Du hast deinen Ausbruch gehabt. Man lebt und lernt. Viele Ehen halten um so besser, nachdem sie ihre Krise gehabt haben.«

»Glaubst du wirklich, ich habe dich verlassen, um einmal auszubrechen?« Sie wartete; da er nichts erwiderte, fügte sie hinzu: »Hat der Genosse Tolkening dir gesagt, du sollst dich mit mir arrangieren?«

»Ich brauche keine Parteibefehle, um meine Privatangelegenheiten zu klären…« Er stand auf; aber irgendwie brachte er es nicht fertig, eindrucksvoll auszusehen. »Julia, Julia« – er trat vor sie hin, versuchte sie zu berühren –, »bitte, hör mir zu…«

Sie bewegte ihre Schultern; seine Hände glitten von ihr ab.

»Wenn es kein Parteibefehl ist«, sagte sie, »was ist es dann? Möglich, daß mir nicht viel Würde geblieben ist – aber du hast ganz und gar keine.«

»Würde…« Er zuckte die Achseln. »Ich liebe dich. Wenn es stimmt, daß du schön bist und willensstark und hochherzig, und du glaubst, daß du dich als Richterin fühlen kannst über mich, dann doch nur, weil ich dich so geformt habe. Ich habe dich als Kind angenommen und darauf geachtet, wie du aufwächst, und deine Erziehung geleitet, und ich liebe in dir ein Stück meines eigenen Lebens – liebe die Frau, das Kind…«

»*Wessen* Kind?«

Seine Augen schienen sich in ihre Höhlen zurückzuziehen. »Und all die Jahre, die wir einander gegeben haben, zählen nichts mehr?« Und nach einer Pause: »Was *wirst* du nun tun?«

»Arbeiten, wahrscheinlich«, sagte sie. »Julian großziehen.«

»Also gut.« Er umklammerte die Lehne seines Stuhls. »Ich treffe ein Abkommen mit dir. Du kommst zurück nach Hause. Du nimmst das eine Geschoß, ich das andere. Du lebst dein Leben, ich das meine. Ich berühre dich nicht. Aber wir erhalten den Rahmen aufrecht.«

Wie tief kann einer sinken, dachte Julia. »So sehr möchtest du mich wieder zu Haus haben?« fragte sie. »Weshalb?«

»Wegen Julian«, antwortete er.

»Das mag am Anfang dein Motiv gewesen sein.«

»Hast du denn nicht bemerkt, wie das Kind aussieht? Julian leidet.«

»Julian war krank. Jetzt geht es ihm schon viel besser.«

»Was für eine Mutter bist du – das Kind durch deine Art von Leben zu zerren, mit diesem Burschen Hiller, den ich nach Belieben kaufen oder verkaufen kann, in dem Schuppen in Kleinmallenhagen oder in Untermiete in diesem Loch.« Seine Stimme wurde wütend. »Das Kind braucht ein anständiges Heim und beide Eltern.«

»Beide Eltern…«, wiederholte Julia, in genau seinem Ton. »Ein Kind braucht beide Eltern, jawohl. Das kann ich bestätigen, aus eigener Erfahrung.«

Die Adern auf Sundstroms Stirn traten hervor.

»Und du willst, daß Julian in unserm Haus aufwächst«, fuhr Julia fort, »mit uns beiden auf verschiedenen Etagen. Und wie soll ich ihn lehren, stolz zu sein auf seinen Vater?«

»Ich wünsche gar nicht, daß du dich in dieser Richtung zu sehr bemühst«, sagte er. »Um Julians Gefühle betreffs meiner Person kümmere ich mich schon selber.«

»Ungefähr so, wie du auch mir beigebracht hast, daß du der beste, edelste und wunderbarste Mann auf Erden bist?« Plötzlich fühlte sie sich mit der Größe ihres Verlusts konfrontiert: einer ungeheuren schwarzen Wand, endlos. Sie setzte sich wieder auf das Bett. Sie hatte keine Tränen. »Du hast die kleine Waise aus dem Kinderheim abgeholt und mitgenommen zu dir, damals in Moskau. Wer hat sie zur Waise gemacht? Du warst ihr Vater und Mutter. Warum mußtest du ihr Vater und Mutter ersetzen? Dann hast du Sex mit ihr gehabt und sie geheiratet. Hast du denn nie an *mich* gedacht? Was das alles *mir* antun würde?«

»Du vergißt den wesentlichen Punkt, Julia. Es gibt so etwas wie einen Klassenfeind und Kollaboration mit ihm. Und es gibt eine Treue zur Partei der Arbeiterklasse und zur Revolution, die mehr wiegt als alle anderen Arten von Verpflichtung. Du selber würdest auch nicht anders gehandelt haben an meiner Stelle. Wir sind sämtlich Gefangene der Zeit, in der wir leben; wir haben unsere Zeit uns nicht ausgesucht, und ebensowenig haben wir ihre Gesetze gemacht.«

Was er sagte, war die Wahrheit, und unwillkürlich paßte er seine Haltung und seinen Ausdruck seinen Worten an. Einen Moment lang erschien er Julia wieder als der alte Bolschewik, der ewige Soldat, spartanisch, sein Leben gebunden an unveränderliche Prinzipien, der ohne zu zögern sich selber opferte und von anderen das gleiche Opfer erwartete, je nach ihrem Anteil am Kampf und ihren Fähigkeiten.

Dann zersplitterte das Bild. »Das mag so sein, wie du sagst«, erwiderte sie, »und dann wieder auch nicht. Ich weiß nicht mehr.«

»Wie meinst du das?«

»Wenn ich Gerüchte von einer Geheimrede auf dem sowjetischen Parteitag gehört habe, dann du doch auch. Aber selbst ohne all das – die Gesetze, die deiner Behauptung nach für uns bindend sind, haben irgendwie einen hohlen Klang bekommen, wenigstens für mein Ohr. Ich habe dir gesagt: Ich klage dich nicht an, Arnold. Ich hoffe und möchte glauben, daß du immer das Richtige getan hast. Aber ich kann einfach nicht mehr unter demselben Dach leben wie du. Du verstehst das sicherlich.«

Nachdem sie von der Geheimrede gesprochen hatte, zerfloß alles andere, was sie sagte. Nur ein Gedanke hielt ihn aufrecht: Kontrolle. Kontrolle über sich selber und über die Umstände. Die Kontrolle wiederherstellen. Wenn die volle Geschichte bekannt wurde und damit ihre schrecklichen Einzelheiten und deren Zusammenhänge, mußte er vorbereitet sein – alle Lecks gestopft, alle Zäune geflickt. Er verfluchte den Augenblick, da er Julia seinen Händen hatte entgleiten lassen; der dadurch entstandene Schaden war schlimm genug; er mußte dafür sorgen, daß absolut Irreparables vermieden wurde.

»Nun, Julia«, sagte er, »du wirst mir zugeben, daß ich getan habe, was ich konnte.«

»Wirklich?« sagte sie. Es war nicht sein Ton – der war normal – oder sein Blick – ohne jegliche Feindseligkeit –, der sie mißtrauisch machte. Aber da war ein Ausdruck um seinen Mund, eine häßliche Art von Entschlossenheit: du oder ich – nun gut, dann doch lieber *du*.

»Ich habe dich gebeten«, fuhr er fort, »ich habe gebettelt, habe mein Angebot gemacht ohne irgendwelche Bedingungen – du hast alles verweigert. Du läßt mir keine Alternative.«

Sie spürte einen Druck in der Brust. So mußte er ausgesehen haben, dachte sie, als er sich entschied, daß gewisse Verpflichtungen mehr galten als andere: mörderisch.

»Du willst also nicht zurückkommen nach Hause – weder als meine Frau noch als die Mutter meines Kindes. Du bestehst auf Trennung. Also gut, Julia, dann laß uns einen sauberen Schnitt machen. Du kennst Professor Rothenstrauch, den Anwalt, den auch die Partei benutzt. Ich werde ihn veranlassen, die für eine Scheidung notwendigen Papiere vorzubereiten, und ich bin überzeugt, daß er die Sache vor Gericht beschleunigen kann. Und obwohl ich unter den obwaltenden Umständen nicht dazu gezwungen werden kann, bin ich zu einem einvernehmlichen Abkommen bereit, das dich nicht in wirtschaftlichen Schwierigkeiten lassen wird. Ich nehme an, daß du mir dafür die sofortige Übergabe von Julian konzedieren wirst. Ich möchte den Kleinen nämlich gleich mitnehmen, sobald Frau Schloth mit ihm vom Tierpark zurückkehrt...«

»Du willst Julian gleich mitnehmen?« Julias Herz schien in ein Vakuum zu stürzen. »Wieso glaubst du, daß ich ihn hergeben werde?«

»Ich befürchte, du wirst es tun müssen. Oder glaubst du, daß irgendein Gericht in dieser Republik die Vormundschaft über ein Kind einer Frau zusprechen wird, die ihrem Mann davongelaufen ist, ihre Verderbtheit zur Schau stellt, indem sie offen mit ihrem Liebhaber zusammenlebt, die Moral ihres Kindes verdirbt und sich gegen die Meinung des Kollektivs stellt...?«

»Nehmen wir an, ich hätte das alles getan.« Sie hielt sich an der Messingkugel auf der Spitze des Bettpfostens fest und zog sich hoch. »Und nehmen wir weiter an, ich teile dem Gericht die Gründe für mein Verhalten mit – was dann?«

»Du vergißt, daß ich nicht allein stehe in dieser Sache«, antwortete er und blickte ihr herausfordernd in die Augen.

»O Gott!« Sie biß sich auf die Knöchel ihrer Hand. Und zu Sundstrom gewandt: »Es wäre menschlicher gewesen, du hättest mich bleiben lassen in meinem Moskauer Kinderheim.«

»Auch deine Tränen werden dir nicht helfen«, sagte er. »Es will dich ja keiner bestrafen. Aber du mußt einfach lernen, wo du lebst und daß du nicht aus der Reihe tanzen kannst. Auch ich habe meine Lektion lernen müssen. Wie wir alle.«

»Nein«, sagte sie. Ein Schluchzen stieg auf in ihrer Kehle und würgte sie. Sie warf sich zurück auf das Bett, verbarg ihren Kopf im Kissen und suchte ihr Schluchzen zu unterdrücken.

Nach einer Zeit wurde sie sich bewußt, daß seine Hand auf ihrer Schulter lag. »Ich höre Julian kommen und Frau Schloth. Wasch dir lieber dein Gesicht.«

Er half ihr zum Waschbecken, ließ kaltes Wasser auf den Waschlappen laufen und stand neben ihr, während sie Augen und Stirn und Schläfen betupfte. »Na, na«, sagte er tröstend, »gleich wirst du dich besser fühlen.«

Frau Schloth klopfte lange. Auf Sundstroms »Herein!« schob sie Julian ins Zimmer, der erhitzt und ermüdet aussah, aber voller Erwartung. »Ich konnte ihn nicht länger zurückhalten«, berichtete Frau Schloth. »Bis zum Affenkäfig ging alles glatt und in Ordnung, aber danach fing er an, sich Sorgen zu machen um seine Mutter und seinen Papa, der arme Kleine. Glauben Sie auch *wirklich*, daß wir alle nach Haus zurückkehren werden, fragte er immer wieder, und ist es auch *wirklich* wahr? Und sein Stück Kuchen hat er auch nicht aufgegessen. Ein sehr empfindliches Kind, Herr Professor, ganz wie seine Mutter. Ich sehe schon, Sie haben sich ausgeweint, Frau Sundstrom. Aber nach jedem Regen kommt Sonnenschein. Wahrhaftig, junger Mann, alles wird sich zum Besten wenden« – ihre Finger fuhren durch Julians Haar –, »darf man Ihnen gratulieren, Herr Professor?«

Sundstrom hob Julian auf den Arm. »Man darf, Frau Schloth«, sagte er, »ich glaube bestimmt, man darf.«

KAPITEL 12

Der geteilte Haushalt hatte etwas von Haftanstalt an sich – sie in ihrer Zelle im Obergeschoß, er im Parterre, im Wachraum des Gefängnisses.

Zuzeiten spürte Julia dies mit besonderer Intensität; beim Frühstück, wenn sie und Arnold einander quer über den Tisch beobachteten und, selbst bei der harmlosesten Konversation, jedes Wort im Geiste dreimal überprüften; oder wenn er nach Hause kam und nach oben ging, um Julian zu sehen und mit dem Kind zu spielen. Dagegen war seine Begrüßung ihrer Person wenig mehr als eine Nebenbemerkung, zu beiläufig, um nicht vorher gründlich abgewogen worden zu sein; meist erwähnte er etwas von seiner Arbeit, Trivialitäten, unterbrochen von unbedeutenden Fragen über ihre Erlebnisse während des Tages.

Aber unter der glatten Oberfläche verbarg sich ihr gegenseitiges Mißtrauen. Obwohl er sich, wie ein guter Gefängniswärter, niemals umwandte, um hinter sich zu blicken, konnte man sicher sein, daß er wußte, was hinter seinem Rücken vorging. Wahrscheinlich zahlte er Frau Sommer eine zusätzliche Summe, damit sie ihre, Julias, Besucher beobachte und ihre Telefongespräche vom Flur aus oder aus einem Nebenraum belausche. Wenn er nicht auf irgendwelchen Versammlungen oder Konferenzen sein mußte, verbrachte er seine Abende in dem Wohnzimmer im Erdgeschoß, saß, soweit Julia feststellen konnte, stundenlang da, ohne auch nur nach einer Zeitung zu greifen. Wenn er nach oben kam, ging er nie weiter als bis zu dem Zimmer des Kleinen, das Julia als eine Art Vorwerk vor ihrer eigenen Befestigung eingerichtet hatte.

Arnold war gleich ihr an dieses Gefängnis gebunden. Jeden Morgen, wenn er zu seiner Arbeit aufbrach, war er gespannt und nervös; seine Scherze mit Julian konnten es nicht verbergen; er entspannte sich nur, wenn er wieder nach Hause kam und sah, daß sich nichts Grundsätzliches verändert hatte, daß alles in bester Ordnung war, die Gitter geschlossen, die Tore verriegelt; und trotzdem spürte er noch einen Rest Unruhe. Hauptsächlich, glaubte Julia, erklärte sich diese Unruhe dadurch, daß sie in ihrer eigenen Zelle seiner direkten Aufsicht entzogen war. Er wußte, das ging aus seinen Fragen hervor, daß sie an etwas arbeitete; aber woran sie arbeitete, wußte er nicht, und das störte ihn. Und als weitere Erschwernis kam hinzu, daß er in keiner Weise fertig war mit ihr, trotz des offenen Bruchs zwischen ihnen beiden und trotz ihrer Affäre mit Hiller, die allerdings jetzt passé war. Manchmal bemerkte sie seinen Blick; manchmal berührte seine Hand die ihre. Dann überlief es sie kalt.

Ein Tag folgte auf den anderen, und nichts entwickelte sich, nichts veränderte sich; die Wochenenden hatten ihren besonderen Horror. Ein- oder zweimal bot er an, sie und Julian zum »Roten Trompeter« zu fahren, einem staatseigenen Restaurant auf einer Anhöhe außerhalb der Stadt, oder zu dem Stausee, zum Schwimmen. Ein- oder zweimal hatte sie die Einladung angenommen, und es hatte ihr leid getan, denn die gekünstelte Heiterkeit zwischen langen Perioden schweren Schweigens war eine besondere Strafe gewesen, die man sich selber auferlegte.

In ihren Nächten erwachte sie zuweilen und fand, daß sie darauf wartete, seine Schritte unten zu hören. Dann fragte sie sich, wie lange dieser Zustand in der Schwebe gehaltener Feindseligkeit noch andauern würde, andauern könnte – Wochen, Monate, Jahre? Und wie er enden sollte – mit einer Explosion? Das Schlimmste war, daß weder die Dauer dieses Zustands noch die Art seines Endes in irgendeiner Weise von ihr abhing oder von dem, was sie geschehen oder nicht geschehen ließ. Sie war in der Tat wie eine Gefangene, nur daß ihr gestattet war, sich durch

Beschäftigung im Gleichgewicht zu halten. Beschäftigung, das hieß: Arbeit und Julian.

Und dann gab es ihre starrsinnige Hoffnung auf Tieck.

An diesem Morgen, über seiner Tasse Kaffee, kündigte Sundstrom plötzlich an: »So kann es nicht weitergehen.«

Julia fuhr fort, ihr Brötchen zu streichen. Julian schlürfte seine Milch; ein paar Tropfen davon fielen auf die Serviette, die um seinen Hals geknotet war.

»Es ist nicht gut, daß wir uns so von der Welt absondern!« nahm Sundstrom, da die Frage nicht kam, die er von Julia erwartet hatte, seine Rede wieder auf. »Nicht gut für dich und für mich. Wir müssen etwas wie – wie Normalität wiederherstellen.«

Julia wischte Julians Kinn ab. »Normalität?«

»Es ist nicht normal für zwei gesunde, verheiratete Menschen, Abend um Abend in ihrem Haus zu sitzen, niemanden zu sehen, mit niemandem zu sprechen und à la longue zu verlernen, daß so etwas wie Leben außerhalb ihrer vier Wände existiert.«

»Ich möchte noch eine Tasse Milch«, sagte Julian. Und während sie ihm die Milch aus einem Krüglein eingoß: »Wirst du heute Cowboy und Indianer mit mir spielen, Julia? Diesmal kannst du der Indianer sein.«

»Ich bin immer der Indianer, glaube ich«, sagte Julia.

»Und es ist nicht normal für den Kleinen, ohne andere Kinder, mit denen er spielen könnte, aufzuwachsen«, sagte Sundstrom. »Er wird sonst zu einem Individualisten, einem asozialen. Ich habe mir das überlegt. Vielleicht sollten wir ihn in einen Kindergarten bringen. Es gibt da einen sehr guten; man müßte nur bei Elise Tolkening anrufen. Was meinst du, Julian – möchtest du nicht auch mal mit anderen Kindern spielen, wenigstens ein paar Stunden am Tag?«

Julian sah seine Mutter an.

Normalität, dachte Julia. Erst hatte er das Kind benutzt, um sie in dieses Haus zurückzuzwingen; und jetzt nahm er ihr das

Kind weg. »Wenn es nur einen Anruf bei Elise Tolkening bedeutet«, sagte sie schließlich, »warum hast du sie nicht angerufen, als ich bei Frau Schloth wohnte? Dann wäre dies alles hier« – eine vage Geste, die den Frühstückstisch, den Raum, das Haus umschloß –, »dies alles hier nicht notwendig gewesen.«

»Du weißt, wie hohl dein Argument ist.« Er war nicht einmal ärgerlich. »Eltern *plus* Kindergarten ist etwas anderes für ein Kind als Kindergarten *minus* Eltern. Aber ich will gar nicht auf diesem Kindergarten bestehen.« Er wandte sich an den Kleinen. »Spiel du nur Cowboy und Indianer mit Julia soviel du willst, und wenn du andere Kinder haben möchtest, um mit ihnen zu spielen, werden wir sie einladen. Wird das nicht lustig sein?« Und zurück zu Julia: »Wir werden auch für dich ein paar Spielkameraden einladen. Das hatte ich im Sinn, als ich von Normalität sprach...« Seine Lippen verzogen sich und zeigten seine Bitterkeit. »Ich will immer nur das Beste für uns, für uns alle drei.«

»Du möchtest der Welt ein glückliches Familienleben vorspielen?«

»Die Leute, die ich einzuladen gedachte, wissen es sowieso besser. Ich möchte einfach Stimmen im Haus, ein bißchen Gesellschaft, für dich, für mich...«

Das klang doch recht bedrückt. Vielleicht deprimierte dies Gefängnis den Wärter eher noch als die Gefangene. »Wen hattest du einzuladen geplant?« fragte sie.

»Wukowitsch.«

»Wukowitsch«, wiederholte sie. Wukowitsch war weder hier noch da, nur einigermaßen unterhaltsam. Und vor Wukowitsch mußte man keine Rolle spielen.

»Waltraut Greve.«

Das ging schon näher an die Haut. Aber vielleicht durfte man nicht zu wählerisch sein, wollte man unter dieser selbstauferlegten Isolation heraus.

»John Hiller.«

Nein, es tat nicht weh, dachte Julia. Sie sah, wie Arnold mit dem Salzstreuer spielte. Er wollte Stimmen im Haus; hatte er gesagt. Und er wollte ihr zeigen, daß er seine Puppen zur Hand hatte und sie tanzen lassen konnte nach dem Takt, den er angab. »Sonst noch jemand?« fragte sie.

»Nein, es sei denn, du hast noch jemanden im Sinn. Zum Anfang genügt auch eine weniger zahlreiche Gesellschaft. Heute abend vielleicht? – Du besprichst das mit Frau Sommer?«

Sie besprach das mit Frau Sommer, die sich sofort auf den Weg machte, um das Nötige einzukaufen. Julian hatte das Cowboy-Spielen satt und sich mit einem Buch in die Ecke gesetzt. Was er Lesen nannte, war in Wirklichkeit eine Gedächtnisübung; nachdem ihm der Text in einem Bilderbuch zwei- oder dreimal vorgelesen worden war, kannte er ihn auswendig und erzählte ihn sich selber; die Illustrationen dienten ihm als Merkmale. So war Julia imstande, sich ihren Zeichnungen wieder zuzuwenden.

Ihre Arbeit ging nicht recht voran, obgleich in diesem Stadium keine übermäßige Konzentration dafür erforderlich war. Sie war soweit gekommen, daß sie selbst belanglosen Veranstaltungen mißtraute; alles war wie durch Fäden miteinander verwoben, und irgendwo zerrte irgendeiner stets an irgendeinem dieser Fäden; Arnolds Gesellschaft heute abend mochte einfach das Resultat einer Laune sein; aber warum heute abend nach so vielen anderen Abenden, und wer oder was hatte seine Laune erzeugt?

Das Läuten an der Haustür zerriß die Stille. Julia stand auf voll böser Vorahnungen. Julian blickte von seinem Buch auf, kehrte aber bald zu seiner Geschichte zurück: von dem kleinen Elefanten mit dem erhobenen Rüssel, der auf dem Weg vom Bahnhof zum Zirkus verlorenging und sich einem kleinen Jungen mit Namen Bimbo anschloß, und von ihrer beider Abenteuern, bis der Zirkusclown den kleinen Elefanten hoch oben auf dem Balkon im vierten Stock des Hauses entdeckte, in dem Bimbos Eltern wohnten, und die Feuerwehr unten ein Netz spannte und Bimbo und der Elefant zusammen ins Netz sprangen, weil einer allein zuviel Angst hatte vor dem Sprung in die Tiefe. Wie Julian kannte auch sie die Geschichte auswendig und sprach sie vor sich hin, während sie, Hand auf dem Geländer, die Treppe hinunterging und durch das Wohnzimmer hindurch in die Vorhalle und bei der Tür stehenblieb. Und das Netz fing sie auf, und die Feuerwehrleute zogen daran mit aller Kraft, und der kleine Elefant und Bimbo hüpften dreimal hoch in die Luft, und die Menschen schrien, hurra!

Es war aber der Mann von den Wasserwerken, der kam, um die Wasseruhr im Keller zu lesen. Julia stieg mit ihm zusammen nach unten, knipste das Licht an und sah ihm zu, wie er seine Lesungen vornahm und die Ziffern in sein Buch eintrug, und folgte ihm die Kellertreppen wieder hinauf und machte sich innerlich über sich selber lustig und über ihre Sorgen.

»Danke, Frau Professor«, sagte der Mann und öffnete die Haustür.

In der Haustür stand Hiller.

Der Mann ging an Hiller vorbei und verschwand. »Überrascht?« fragte Hiller und versuchte zu lachen. Er sah magerer aus als sonst, sein Kragen war verschwitzt, seine Augen glänzten wie im Fieber.

»Ich dachte, du würdest heute abend kommen«, sagte Julia und hielt sich an der Türklinke fest.

»Heute abend?...« Dann erinnerte er sich. »Ah – heute abend.« Eine kurze Geste schob den Gedanken beiseite. »Ich habe Neuigkeiten für dich – für uns. Willst du mich nicht hereinlassen?«

»Neuigkeiten?« fragte sie. »Von Tieck?«

Er blickte sie an; dann verstand er. »Tieck...«, sagte er abfällig. »Was ich habe, ist wichtiger als Tieck, wichtiger als irgendein einzelner. Und es wird sich auf jeden von uns auswirken, aber auf dich ganz besonders. Um Gottes willen, Julia, laß mich nicht hier draußen herumstehen. Denk, was du willst von mir – und ich nehme an, daß nichts davon gut und erfreulich sein wird –, aber höre mich wenigstens an...«

Sie führte ihn in das Parterrewohnzimmer. Er ließ sich in Arnolds Lehnsessel fallen und schloß die Augen.

»Ich höre«, sagte sie und erinnerte sich an Hillers Kopf auf ihrem Kissen. Sie hatte den Ausdruck um seinen Mund herum geliebt, diesen weichen Ausdruck, der sich ausnahmsweise einmal nicht auf die eigene Person bezog; jetzt deuteten seine Mundwinkel nach unten, und die Schatten auf seinen eingesunkenen Wangen ließen seine Nase länger erscheinen als sonst und schief.

»Ich könnte einen Drink gebrauchen«, schlug er vor.

Sie begab sich zu dem Wandschränkchen. »Wodka?«

»Was du hast.«

Das Schränkchen war immer gut gefüllt gewesen; aber Arnold mußte sich von den Vorräten darin wohl reichlich bedient haben während seiner einsamen Nächte. Sie fand einen Rest Gin und goß diesen in ein Glas.

Hiller trank. Dann stellte er das Glas beiseite, richtete sich auf und betrachtete sie. »Jesus, Julia«, sagte er, »du bist so schön wie je.« Und dann: »Du trägst doch nicht etwa dein Haar anders als sonst, oder? Manchmal glaube ich, wenn du eine Nonne wärst und ich könnte von deinem Gesicht nur das Stück zwischen Brauen und Kinn sehen, ich würde trotzdem von deiner Schönheit schwärmen.« Er brach ab, runzelte die Stirn. »Wie geht's Julian?«

»Gut.«

»Er ist ein lieber Junge«, sagte er. Dann, während er seinen Kopf einzog, als schlüge jemand auf ihn ein: »Ich habe mich um eine Wohnung bemüht, Julia, für dich und mich und den Kleinen – und ich habe es noch versucht, lange nachdem…« Er stockte. »Du kannst dich ja erkundigen, bei jedem Scheiß-Wohnungsamt in jedem Scheiß-Bezirk dieser Scheiß-Stadt. Es gab nur einen Mann, der uns diese Wohnung hätte verschaffen können, aber der hatte andere Pläne.«

»Und um mir das zu erzählen, bist du hergekommen?«

»O nein.« Er zerrte an seinem Ohrläppchen. »Ich dachte nur,

ich erzähl es dir, bevor ich dir das hier zeige.« Er griff in die innere Brusttasche seines Jacketts und zog ein langes Kuvert heraus, dem er vorsichtig ein paar mehrfach gefaltete Bogen extra dünnen Papiers entnahm. »Das ist sie also!« verkündete er und deutete auf den kleingedruckten Text auf Vorder- und Rückseiten. »Die Geheimrede.«

»Wo hast du sie her?« fragte Julia, viel zu rasch. Dann setzte sie sich auf den nächsten Stuhl. Auch ohne daß er sich dazu besonders äußerte, wußte sie, daß der Inhalt dieser Rede eine Wirkung auf ihr Leben haben würde.

»Wo ich sie herhabe?« Er hob seine Hand. »Ich habe sie eben.«

»Woher weißt du, daß nicht alles eine Fälschung ist?« Ihre Stimme klang, als käme sie vom anderen Ende des Zimmers. »Die sowjetischen Genossen würden eine geheime Rede auf ihrem Parteitag doch wohl strikt geheimhalten.«

»Mord bleibt nicht geheim.« Er lachte tonlos. »War so schon in der Bibel.«

»Mord…« Sie spürte die plötzliche Kälte in ihren Händen, ihrem Herzen. »Laß mich den Text sehen.«

Er erhob sich aus Arnold Sundstroms Sessel und trat zu ihr, hielt aber das Papier noch fest zwischen den Fingern. »Du kannst das Ganze später lesen«, versprach er, »so oft und so lange du willst. Es ist ein sehr erbauliches Dokument: Über die Ursprünge der Unsitte, die sie als Personenkult bezeichnen, und die Psychologie, die dahintersteckt, und dazu eine Charakteranalyse des Mannes, den sie als ihren großen Führer und als Symbol all dessen angepriesen haben, was gut und edel und fortschritträchtig ist auf dieser Welt, und über die Theorien, die entstellt wurden, und die Doktrinen, die sie verfälscht haben, und die Wahrheit über die Gründe des Chaos, das sie anfangs im Krieg anrichteten, und die sinnlose Liquidierung ganzer Völkerschaften, und dazu eine Bloßlegung ihrer berühmtesten Geschichtsbücher und Romane und Filme und Gesetze…«

»Schluß«, flüsterte sie. »Bitte, mach Schluß.«

»Es ist aber noch so viel enthalten da drin, so viel mehr dieser Art.« Mit seinen hängenden Schultern und seinem verschwitzten Gesicht wirkte Hiller abstoßend. »Nur«, fügte er hinzu, »das betrifft uns im Moment nicht so sehr.«

»Uns?« wiederholte sie.

»Dich, Sundstrom, mich.« Er breitete die Abschrift der Rede auf dem niedrigen Kaffeetisch aus, der vor ihr stand. »Ich habe das Wichtigste angestrichen. Nein, laß mich es dir vorlesen.«

Sie hätte es auch nicht selber lesen können. Das Schwarz der Buchstaben und das Rot seiner Striche verschwammen vor ihren Augen; nur sein Finger, der gnadenlos auf dies oder jenes Wort wies, blieb deutlich, mit dem schlechtgeschnittenen Nagel und dem Häutchen, das den weißen Halbmond fast gänzlich überwachsen hatte.

»Hier – hier ist es: *Zahlreiche völlig unschuldige Menschen, die in der Vergangenheit die Parteilinie stets verteidigt hatten, wurden zu Opfern... Massenverhaftungen und Deportationen vieler Tausender Menschen, Hinrichtungen ohne ordentlichen Prozeß und ohne normale Untersuchungen schufen Unsicherheit, Furcht und oft sogar Verzweiflung...«*

»Wie konnte das sein«, sagte Julia heiser und wußte, daß es nicht nur hatte sein können, sondern Tatsache gewesen war, und wiederholte dennoch wie eine Gebetsmühle, »wie konnte das sein, wie konnte das sein?«

»Hör dir das an, meine Liebe – *viele Partei-, Regierungs- und Wirtschaftsaktivisten, die ... als Feinde, Spione, Saboteure gebrandmarkt wurden... waren immer ehrliche Kommunisten gewesen. Sie wurden einfach stigmatisiert, und oftmals, nicht länger imstande, barbarische Foltern zu ertragen, klagten sie sich selber an ... aller möglichen und unmöglichen schwersten Verbrechen...«*

Julias Blick richtete sich auf Hillers Finger, der, mit seinen braunen Tabaksflecken, noch immer auf die gedruckten Zeilen wies und ins Unerträgliche wuchs, bis er fast ihr gesamtes Gesichtsfeld einnahm.

»*Und nachdem*«, hörte sie Hillers unnachgiebige Stimme, *nachdem die Fälle einer großen Anzahl dieser sogenannten Spione und Saboteure überprüft worden waren, stellte sich heraus, daß es sich dabei um konstruierte Fälle handelte. Die Schuldgeständnisse vieler der Verhafteten und feindlicher Aktivitäten Angeklagten wurden mit Hilfe grausamer und unmenschlicher Mißhandlungen erpreßt…*«

Der Finger wuchs zu solch ausgedehnter Größe, daß er halb durchsichtig wurde und sie durch das Gewebe hindurch Gesichter erkennen konnte. Die Gesichter, obwohl unscharf, erschienen ihr bekannt und lächelten ihr zu.

»…Wie konnte das sein, wie konnte das sein«, äffte er sie nach. »Sag doch nicht immer wieder, wie konnte das sein, die Erklärung findet sich genau hier. *Die Angeklagten wurden jeder Möglichkeit … beraubt, daß ihre Fälle überprüft würden, selbst wenn sie vor Gericht erklärten, daß ihre ›Schuldgeständnisse‹ durch Gewaltanwendung erzwungen wurden, und wenn sie auf überzeugende Weise die Anklagen gegen sie widerlegten…* Beraubt, meine Liebe, auf Anweisung des Kommissariats für Innere Angelegenheiten, *die Todesurteile seien … unmittelbar nach der gerichtlichen Urteilsverkündung durchzuführen.*«

»Nun?« fragte Hiller und suchte auf ihrem Gesicht nach Anzeichen ihrer Gefühle. Ihr Gesicht war weißlich-grau, die Augen übergroß und unklar, fast wie die eines Blinden. Wenn sie doch weinen würde, dachte er; vielleicht habe ich die falschen Stellen für sie ausgesucht; zuviel abstrakte Berichte; Frauen muß man die Wahrheit dreidimensional darstellen.

»Warum tust du mir das an?« fragte sie.

»Julia«, sagte er, »das waren *Menschen*, Menschen mit Händen wie deine und meine, mit Augen zum Sehen und Herzen, die schlugen, und Nerven und Gefühlen. Da war ein Mann mit Namen Eikhe, der in einem Brief an Stalin schrieb: … *Mit meinen zwei Füßen schon im Grabe lüge ich nicht … der schändlichste Akt meines Lebens war mein Geständnis… war, nicht fähig gewesen zu sein, die Folter zu ertragen… Uschakow …*

benutzte seine Kenntnis, daß meine Rippen nie richtig geheilt waren, um mir die schlimmsten Schmerzen zu bereiten... und doch habe ich weder dich je verraten, Genosse Stalin, noch die Partei...«

»Genug«, flehte sie. »Ich habe genug gehört.«

»Du glaubst, du hast genug gehört. Da gab es einen Genossen namens Kedrow, der schrieb an das Zentralkomitee. *Heute wurde ich, ein Mann von zweiundsechzig Jahren, von den Untersuchungsrichtern mit noch strengeren, grausameren und erniedrigenderen Methoden physischer Gewalt bedroht... Sie versuchen ihre Taten zu begründen, indem sie mich als einen verhärteten, tobenden Feind darstellen... Die Partei soll wissen, daß ich unschuldig bin... Alles hat jedoch seine Grenzen. Meine Folter hat ihren Höhepunkt erreicht. Meine Gesundheit ist gebrochen. Meine Kraft und Energie sind geschwunden, mein Ende ist nahe. Gebrandmarkt als elender Vaterlandsverräter in einem Sowjetgefängnis sterben zu müssen – was gibt es da Schlimmeres für einen ehrlichen Menschen... Nein! Nein! Dies wird nicht geschehen; dies darf nicht sein, erkläre ich. Weder die Partei noch die Sowjetregierung wird ein solch grausames, nicht wiedergutzumachendes Unrecht zulassen... Ich glaube zutiefst, daß Wahrheit und Gerechtigkeit triumphieren werden. Ich glaube. Ich glaube...«*

»Ich glaube...«, wiederholte Julia, wie ein Echo. »Und einen Brief von Julian und Babette Goltz?«

»Ein Brief von ihnen wurde in der Rede nicht angeführt.«

Sie schloß ihre Augen. »Warum tust du mir das an?«

Die Frage, zum zweiten Mal bereits gestellt, ließ sich nicht länger abweisen. »Weil ich annahm«, sagte Hiller, »es ist besser, du erfährst das alles von mir als von einem anderen...« Er versuchte ihr Haar zu streicheln, gab den Versuch aber auf, als er spürte, wie sie zurückzuckte.

»Du hast mir noch keine gültige Antwort gegeben«, sagte sie und blickte ihn an. »Warum mußtest du kommen und mir all dies vorlesen?«

»*Wolltest* du es denn nicht wissen? Dein Vater, deine Mutter...«

»Ich begrabe meine Toten selber.«

Hiller versuchte sich aufzurichten; er faltete das Papier wieder und wieder und strich über die Falten und sagte: »Du willst wissen, warum ich mit dem da zu dir gekommen bin? Weil *er* damit erledigt ist. Und weil *du* ihn erledigen wirst. Was soll er denn sagen, wenn du ihn *damit* konfrontierst? Dir erzählen, daß diese Unglücklichen für den Feind gearbeitet haben? Sich auf Geständnisse herausreden? Nein, er hat keine Entschuldigungen mehr, keine Ausflüchte. Er ist fertig, der große Sundstrom, fertig und erledigt, sage ich dir!«

Julia erschauerte. Hillers Haß hatte sein ganzes Gesicht verzerrt, und es blieb auf sonderbare Weise maskenhaft, obwohl seine Stimme sie umwarb. »Und dann sind wir frei, Julia – du und ich. Frei, einander zu lieben. Frei zu bauen, wie man bauen sollte. Frei zu leben.«

Frei, dachte Julia. Eine Welt war zusammengestürzt, und er suchte in den Trümmern nach Steinchen und Stöckchen, die man benutzen könnte, um ein unwertes Leben zu erhalten. Frei, hatte er gesagt. Als ob man die Vergangenheit wegwischen und auf einer frischgescheuerten Schiefertafel neu anfangen könnte.

»Julia!«

Sie schüttelte bedrückt den Kopf.

»Wir müssen damit leben, Julia. Es ist immer besser, man macht sich keine Illusionen.«

Sie wünschte, er ginge schon. Sie versuchte, sich die Gesichter ihrer Eltern ins Gedächtnis zu rufen, aber jetzt, da diese reingewaschen waren von jedem Makel, zogen sich Mutter und Vater zurück in Bereiche, wohin sie ihnen nicht folgen konnte. Ein vages Reuegefühl erfüllte sie, als trüge sie irgendwie Mitschuld an der Verschwörung, Julian und Babette Goltz zu ermorden, und sie suchte nach Erinnerungen an die Tage ihrer Kindheit, nach verpaßten Gelegenheiten, da sie ihre Liebe hätte zeigen können und es versäumt hatte zu tun, oder die Last der Eltern erleichtert haben könnte.

»Befürchtest du, daß er sich auch da noch herauswinden könnte?« fragte Hiller, der unter Julias Schweigen nervös zu werden begann. »Ich schwöre dir, diesmal gelingt es ihm nicht. Das heißt – wenn du aufstehst und das Notwendige aussprichst!« Er pochte mit dem Kuvert auf die Knöchel seiner Hand. »Siehst du denn nicht die Ausmaße dieser Schurkerei? Hier ist dieser beispielhafte Kommunist, dieser Architekt einer neuen Welt, der seinen alten Freund und Genossen und die Frau seines Genossen an die erfahrenen Erpresser von Geständnissen ausliefert und dann, um seine Spur zu verwischen, als der Wohltäter, väterliche Freund und schließlich liebende Gatte des Töchterchens der ermordeten Eheleute auftritt. Ich weiß, das ist schwer zu begreifen, und schwerer noch, wenn du selber eine handelnde Person in diesem Kriminalstück bist.«

»Und du bist der Richter?«

»Ich? – Du, Julia. Jedermann.« Aber etwas von seiner Großspurigkeit hatte sich verflüchtigt. »Oh, ich kenne dein Dilemma. Er ist zugleich auch der Vater deines Kindes.«

»Und was gewinnst du dabei?« Sie leckte sich ihre Lippen, die sie blutig gebissen hatte, und schmeckte das Salz. »Eine bessere Stellung? Oder mich? Oder ein Gefühl von Selbstgerechtigkeit?«

»Julia!« Als könne er es nicht glauben. »Du willst es einfach gehen lassen …? Ich werde dir sagen, was ich dabei zu gewinnen gedenke. Diese Sache ist größer als gemeiner Mord oder selbst hundert oder hunderttausend gemeine Morde. Es geht dabei nicht einmal um Mord *per se*. Selbst wenn keiner ungerecht getötet worden wäre, das Unrecht bliebe bestehen. Lies die Rede und schau auf unsern Teil der Welt – auf die Häuser, die wir bauen, die Güter, die wir herstellen, die Vorträge, die wir hören, und die Romane, die wir schreiben –, alles schäbig, falsch, ungenügend. Es ist wie eine Pest, die über uns gekommen ist. Es ist eine Art zu leben und zu arbeiten, die nichts mit Sozialismus oder Demokratie oder sogar der Diktatur des Proletariats zu tun hat. Es schafft Menschen, deren Rückgrat sich verformt hat, weil sie dauernd über ihre Schulter blicken müssen, und deren Geist gespalten ist, weil sie stets das eine denken und das andere zu sagen gezwungen sind. Es verkrüppelt das Herz und hemmt das Gehirn und beschmutzt die Gedanken und macht elende Heuchler aus Menschen wie mir, die einst davon träumten, aufrecht zu gehen und stolz...«

»Doch nur, wenn du es zuläßt.«

Hiller blies seine Backen spöttisch auf und sagte: »Der Mensch muß doch auch leben, oder?«

»Was hast du je riskiert, um deine kostbare Ehre zu wahren?«

»Ich habe meine Möglichkeiten nie bis zur letzten geprüft. Ich behaupte auch nicht, daß ich ein Held bin.«

»Aber du beanspruchst das Recht zu richten.«

»Hör zu, Julia – wir alle sitzen in Glashäusern; alle außer den Toten. Und doch müssen wir anfangen, Steine zu werfen.« Er setzte sich ihr gegenüber an das Kaffeetischchen, dessen Rand ihm ins Schienbein stieß. Er akzeptierte den blöden Schmerz als Bestrafung für den Überschwang, den er empfunden hatte, als er ihr den dokumentierten Beweis der großen Heuchelei vorlegte. Er hatte gehofft, sie nach ihrem Schock auffangen zu können; der Schock hatte gewirkt, aber in keiner Richtung, die ihm genützt hätte. »Was dann willst du aber tun, Julia?« fragte er. »Und was willst du, soll *ich* tun? Bitte sag mir das...«

»Zeig mir den Text.«

Er gab ihr die Papiere, im Kuvert. Ihre Finger zitterten, als sie das Kuvert entgegennahm, und am Ende mußte er ihr helfen, die dünnen Bogen zu entfalten und glattzustreichen. Dann fand Julia, was sie gesucht hatte, und las, wie ein Schulkind, dessen Lippen unbewußt die Worte mitformen und dessen Stimme in Halbtönen mitspricht. »...*Dies darf nicht sein, erkläre ich... Ich glaube zutiefst, daß Wahrheit und Gerechtigkeit triumphieren werden. Ich glaube. Ich glaube...*«

Hiller sah, wie ihr Tränen in die Augen stiegen. »Du mußt

mich jetzt entschuldigen«, sagte sie mit Mühe. Dann stand sie auf und lief aus dem Zimmer.

Die Kopie der Geheimrede lag immer noch auf dem Kaffeetisch, wo Julia sie hatte fallen lassen. Hiller beschloß, sie wieder mitzunehmen.

Julia legte sich zu Bett. Immer wieder schlief sie ein und wachte mit einem plötzlichen, erschreckenden Ruck auf. Ein Blick auf die Uhr zeigte ihr, daß zwei, höchstens drei Minuten vergangen waren, voll zusammenhangloser Träume.

Kurz nach fünf Uhr hörte sie den Wagen vor dem Haus und bald darauf Julians aufgeregtes »Papa! Papa!« aus dem offenen Fenster seines Zimmers. Dann die schweren Schritte auf der Treppe, die lärmende Begrüßung vor der Nachbartür, und Julians gewichtiges »Julia ist krank, sie liegt im Bett«.

Einen Moment lang war Stille. Julia überlegte, ob sie auf das Klopfen an ihrer Tür reagieren solle. Sie war weiter von Arnold entfernt als durch tausend Zimmer mit tausend Türen.

Er trat ein, hinter ihm der Kleine. Er blickte sich um, ungewiß; es war das erste Mal seit ihrer Rückkehr, daß er seinen Fuß in diesen Teil des Hauses setzte. Julia lag, bleich, gelehnt gegen das weiße Kissen.

»Du fühlst dich nicht gut?« Er trat neben ihr Bett, auf Zehenspitzen. »Was ist passiert?«

Sie erzählte ihm von ihrer Migräne und ihrem Gefühl, ihr Schädel würde ihr in der nächsten Minute zerspringen. Eigentlich log sie nur über die genaue Lokalität ihres Schmerzes; in Wahrheit gab es keinen Teil ihres Körpers, der nicht wie zerschlagen war. Vielleicht käme es von der Hitze, mutmaßte er; der Tag sei erstickend schwül gewesen, kein Hauch von Wind, und das Gewitter, das sie im Radio angesagt hatten, sei auch nicht gekommen; er würde den Professor Bauer anrufen und ihn bitten vorbeizuschauen. Julia sagte, nein. Sie habe schon sämtliche Pillen genommen, die der Arzt verschreiben könnte; sie brauchte Ruhe, Alleinsein, die Vorhänge geschlossen.

»Ich werde die Gesellschaft heute abend absagen«, sagte er und klang zugleich besorgt und enttäuscht.

»Nein, bitte, tu das nicht!« Julia befürchtete, er würde auf einem Abend mit kalten Kompressen bestehen, die er ihr auf die Stirn legte, und mit Tropfen, die er ihr in den Hals schüttete. »Laß deine Gäste kommen. Mein Schmerz wird sich schon legen, und ich will nicht, daß du auf das bißchen Entspannung verzichtest, das du dir so verschaffen könntest.«

»Diese Migräne – ist ganz plötzlich gekommen?«

»Ja.«

»Aber ich kann mich nicht erinnern, daß du je unter Migräne gelitten hättest.«

Vielleicht hätte ich eine gescheitere Entschuldigung erfinden sollen, dachte Julia. Wenn John sich eine Kopie der Rede beschaffen konnte, besaß Arnold höchstwahrscheinlich auch eine. Aber ihre Gedanken wurden träge, und sie spürte die Gleichgültigkeit, die sich in ihrem Bewußtsein ausbreitete wie ein weicher weißer Nebel.

»Nun ja«, hörte sie ihn sagen, »da ist immer ein erstes Mal.« Es war offensichtlich, daß er ihrer Migräne noch immer nicht ganz traute.

Die Luft im Raum war immer noch schwül, als sie völlig zu sich kam. Sie stieß ihre Zudecke von sich und spürte den unangenehmen Film von Schweiß auf ihrer Haut. Die Abenddämmerung hatte eingesetzt, und ihr Schmerz war abgeklungen. Sie richtete sich langsam auf und massierte ihren Nacken. Alles war still in Julians Zimmer nebenan; Frau Sommer und Arnold hatten wohl erreicht, daß er endlich eingeschlafen war. Von außerhalb ihres Fensters drangen unterdrückte Stimmen herauf zu ihr; Arnold instruierte Frau Sommer, ihm zu helfen, Gläser und Teller auf die Terrasse zu stellen; es sei sehr heiß selbst für diese Jahreszeit, sagte er; man würde es angenehmer im Freien haben.

Julia begab sich ins Bad und ließ sich kaltes Wasser über die Innenseiten ihrer Handgelenke laufen. Aus dem Spiegel über dem Waschbecken starrte ihr aus rotumrandeten Augen eine fremde Person entgegen.

Sie duschte sich rasch und zog sich einen frischen Pyjama an und kehrte zurück in ihr Zimmer. Durch das untere Drittel ihres Fensters schien das teils rosafarbene, teils purpurne Licht, das von der Stadt aufstieg; weiter oben im Fenster war die Nacht samtschwarz. Die Gäste schienen eingetroffen zu sein; sie konnte Hillers lässige, selbstsichere Stimme und Wukowitschs Akzent genau hören, und Waltrauts schrille Töne waren unverwechselbar.

Julia warf sich auf ihr Bett. Sie hörte Arnold ihre Abwesenheit entschuldigen; Migräne, ihr versteht; Frauen neigen dazu. Gespräch über Nebensächliches: das Wetter, scheußlich, diese Hitze, aber das kann ja nicht ewig dauern; das Essen, delikat, Frau Sommer richtet das alles her, Sundstroms können froh sein, so eine patente Haushälterin zu haben; Julian geht's gut, könnte nicht besser sein, ein Kind hat natürlich seine Probleme wie jeder Erwachsene auch; und wiederholte Aufforderungen, bitte nicht so laut zu sprechen, wir wollen den Kleinen nicht aufwecken, oder Julia.

Julia stand seufzend auf, ging zu ihrem Tisch, knipste ihre Arbeitslampe an. Aus ihrer Schublade nahm sie den halbfertigen Grundriß von Tiecks geplanter Einkaufshalle; er hatte einmal von den korrekten Proportionen gesprochen zwischen dem Raum, den die Käufer zur Verfügung haben müßten, und dem für Waren und Regale bis hin zu Lieferplattformen; aber es fiel ihr schwer, seine Ratschläge aus den paar Hinweisen zu rekonstruieren, an die sie sich erinnerte, und sie überlegte, ob sie nicht versuchen sollte, ihre eigenen Lösungen zu finden. Sie heftete den Zeichenbogen auf ihr Reißbrett; ihre scharf gespitzten Bleistifte glänzten bunt; ihre Lineale lagen in Griffnähe.

Draußen wandte sich das Gespräch der Arbeit zu; aber man redete nicht allzu ernsthaft davon. Wie viele Varianten der Verlängerung der Straße des Weltfriedens hatte man bisher gefertigt? Wenn der Bauherr sich nicht entschließen kann, findet sich der Architekt am Ende ohne Stellung. Oder ohne Kopf. Gelächter. Bitte, Julian nicht aufwecken. Oder Julia. Julia scheint doch schon wach zu sein, wenigstens brennt ihr Licht oben. Am Ende werden die Herren Auftraggeber sich doch für *irgend* etwas entscheiden müssen. Hätten sie längst tun sollen; so werden wir den Plan nie erfüllen können. Die Avantgarde darf nicht zu weit vor dem Volk einhermarschieren. Der Satz kam von Arnold. Die Avantgarde, das waren in diesem Fall die Architekten, erklärte er; man müsse die Dinge historisch sehen und die Umstände nehmen, wie man sie vorfindet, und das Beste daraus zu machen suchen.

Waltraut lachte – also, dann, der übliche Mischmasch! Nein – dies von John Hiller – mehr Masch als Misch; die Zeiten verändern sich.

Julia vergrub die Hände in ihrem Haar. Das Weiß des Papiers, auf dem der Grundriß gezeichnet war, biß ihr in die Augen; die Linien, die sie zusätzlich zog, dünn, asketisch in ihrer Abstraktion, erschienen unwirklich gegen die Stimmen draußen und das unterdrückte Kichern und gegen den Mischmasch und den Efeu, mit dem man am Ende die Fassaden abdecken würde wie Grabsteine, um derart die Sünden der Architekten zu verhüllen. Eine fette, graubraune Motte warf sich mit selbstmörderischer Ausdauer gegen die elektrische Birne. Julia wollte das Tier mit ihrem Lineal ablenken; doch die Motte war zu dumm, um zu lernen. Ihre versengten Flügel schlugen immer weiter und suchten den haarigen Körper wieder und wieder gegen die glühheiße Birne zu schleudern.

Julia knipste das Licht aus.

Mit einem dumpfen Aufprall schlug die Motte auf den Tisch. Draußen waren sie von dem Thema Architektur abgekommen und erzählten Witze und Anekdoten. Ein erfolgreicher Abend, dachte Julia, und tastete im Dunkel nach ihren Stiften und brach deren Spitzen ab, eine nach der anderen. Wukowitsch sprach von irgendeiner Festung hoch in den Bergen von Kroatien, einem wahrhaften Adlernest, das aus dem Mittelalter stammte und bisher noch jede Belagerung überstanden und im letzten großen Krieg als Partisanenfeste noch einmal gute Dienste geleistet hatte. Er berichtete von kühnen Überfällen, bei denen Männer, die wie die Heroen aus der Sage erschienen, sich auf die Nazis unten stürzten, und von den Gespenstern, die jetzt in den leeren Gängen hausten.

»...praktisch eine Hamlet-Fabel«, sagte Wukowitsch. »Der Schloßherr, der hinterlistig von seinem besten Freund ermordet wird, welcher dann...«

»...dessen Frau heiratet«, ergänzte Hiller.

Julia hörte das heftige »Nein!« aus Wukowitschs Mund. »Nein, nicht die Frau – die Tochter.«

»Der Mörder heiratet die Tochter des Ermordeten?« Das war, in deutlicher Erregung, von Arnold gekommen. Dann, nach einem kurzen, gekünstelten Lachen, »eine Gruselgeschichte par excellence!«

»Wenigstens war es kein Inzest«, warf Waltraut ein, ihr maliziöser Ton eine Anspielung auf just dieses.

Arnold räusperte sich.

»Die alten Griechen, mein Lieber«, erwiderte Waltraut, »würden es als Inzest gespielt haben.«

Julia suchte die Reißzwecken auf ihrem Brett zu ertasten und zog sie eine nach der anderen heraus. Seit wann durfte Waltraut derart intim zu Arnold sprechen und ihn mit *Mein Lieber* beitteln? Und hatte Wukowitsch seine Geschichte von dem Mörder, der die Tochter seines Opfers heiratete, zufällig erzählt, oder hatte Hiller ihn dazu angestiftet?

»Und wann erscheint das Gespenst?« bohrte Waltraut weiter. »Wann bitte?«

»Das Gespenst erscheint in der Nacht...«

»In einer stürmischen Nacht«, verbesserte Hiller.

»Einer stürmischen Nacht«, stimmte Wukowitsch zu. »Ich weiß nicht, was das Wetter damit zu tun haben soll. Jedenfalls erscheint das Gespenst der jungen Frau und fordert sie auf, die üble Tat zu rächen. Sie ist innerlich zerrissen zwischen dem, was sie als ihre töchterliche Pflicht betrachtet, und dem Gebot der ehelichen Treue gegenüber ihrem Gatten, von dem sie bisher nur Gutes und Liebe erfahren hat; auch hegt sie in ihrer Brust einige Zweifel bezüglich der Authentizität des Gespenstes; in den Bergen wimmelt es von Geistern, die sich in vielerlei Gestalt zeigen und mit vielerlei Stimmen sprechen...« Wukowitschs Ton wurde nachdenklich, fast feierlich. »Aber das Gespenst kehrt wieder, ein zweites Mal, und ein drittes – und jedesmal werden seine Forderungen dringlicher.«

»Und wo ist der Ehegatte während all dessen?« verlangte Waltraut zu wissen. »Mir scheint, der Mann müßte doch ein Auge auf seine Frau haben und ihrem Umgang mit Gespenstern und andern Eindringlingen entgegentreten.«

»Also schön« – ein ärgerliches Knurren von seiten Arnolds –, »kommen wir endlich zu Rande!«

Eine Pause trat ein. Wukowitsch wollte wohl seine Gedanken ordnen, oder er hatte sich noch nicht entschieden, ob er seine Erzählung überhaupt zu Ende führen wollte.

»Tut mir leid...« Arnold interpunktierte seine Entschuldigung mit einem verlegenen Lachen. »Es interessiert mich wirklich, wie die Sache ausgeht.«

»Ich werde es kurz machen«, sagte Wukowitsch und bedankte sich dann für den Schnaps, den ihm jemand gegeben hatte. Dann war noch eine Pause, während Wukowitsch den Schnaps kippte. »Ihr erkennt die Parallele zu Shakespeare«, sagte er schließlich. »Die Funktion der Theatertruppe wird von einem fahrenden Sänger übernommen, dem die Tochter aufträgt, eine Ballade zu verfassen, in welcher die Einzelheiten des Mordes dargestellt sind, ganz so, wie sie diese von unserm Gespenst erfahren hat. Die Ballade wirkt stärker noch als die Szene, die Hamlet mit seinen Schauspielern durchprobte. Sie bewirkt in der Tat, daß der Mörder, als der Sänger zum kritischen Punkt, der Mordtat, kommt, laut aufschreit und die Laute des Sängers zerbricht und, gepeinigt von seinen Ängsten, seine Frau anfleht, den Fluch von ihm zu nehmen; da die Frau sich jedoch angewidert von ihm abwendet, hastet er die Stufen zum höchsten der Türme der Burg hinauf und wirft sich herab auf den felsigen Grund.«

Julia konnte hören, wie Wukowitsch sein Glas abstellte.

»Sie zeigen dir heute noch die Stelle, von der aus er gesprungen ist«, schloß Wukowitsch seine Geschichte. »Ich selber bin dort gewesen – der Fels fällt steil ab nach unten; am Fuß der Klippe schlängelt sich ein schäumender Bach wie ein weißer Faden.«

Jemand hüstelte.

»Madame Hamlet«, sagte Waltraut, und Julia hörte ihr spöttisches Lachen.

»Madame Hamlet«, wiederholte Arnold, gleichfalls zu laut. »Nicht übel!... Sie haben die Geschichte doch nicht selber erfunden, Wukowitsch?«

»Warum sollte ich so eine Geschichte erfinden?«

»Oh, um die Gesellschaft zu unterhalten!« Ein Stuhl wurde zurückgeschoben, Arnolds anscheinend, denn gleich darauf vernahm Julia den ihr vertrauten Schritt. Nach einer kleinen Weile sagte er: »Es gibt keine Gespenster, wie ihr wißt.«

»Aber Mord hat es wohl gegeben.« Hillers Stimme. Jemand tappte mit seinem Fuß auf den Boden. »Shakespeare gründete, wie bekannt, seine Tragödien auf die Historie.«

»Wie du willst.« Wukowitsch gähnte. »Ist doch alles schon so lange her, oder irgendein Balladensänger erfand die ganze Sache, und irgendein anderer brachte sie in Verbindung mit der Festung in den Bergen...«

Ohne das Licht wieder einzuschalten, legte Julia die Skizze zurück in ihr Schreibtischfach und begab sich zu Bett. Es war zwecklos zu versuchen zu arbeiten. Draußen schwiegen sie; nur hin und wieder ließ einer ein Wort fallen; die Kühle der Nacht schien die gesellige Stimmung gedämpft zu haben; Waltrauts krampfhafte Bemühungen, sie zu beleben, erzeugten kaum mehr als nur ein brüchiges Kichern. Julia glaubte, die Erleichterung der Gäste fast hören zu können, nachdem Arnold sagte, morgen sei ein anderer Tag mit neuen Aufgaben, die einen klaren Kopf und frische Ideen erforderten; ja, er würde Julia die besten Wünsche der Anwesenden übermitteln, und laßt uns bald wieder zusammentreffen, man muß die Feste feiern, wie sie kommen... Seine Worte verloren sich, da er seine Gäste zum Gartentor geleitete. Julia preßte ihre Augen zu. Selbst wenn sie gar nicht schlief, wollte sie Arnold den Eindruck geben, als schliefe sie. Sie überlegte, ob sie ihre Tür verriegeln sollte, aber das würde zugleich auch Julian ausschließen. Der fahrende Sänger hatte seine Ballade zu Ende gesungen, und der Schloßherr würde zu seiner Frau kommen wollen, um sie zu bitten, ihn von dem Fluch zu befreien, der auf ihm lastete; aber es gab ja keine Gespenster, Madame Hamlet, oder du wärst ihnen schon lange begegnet.

Gewisper auf der Terrasse. Also waren noch nicht alle gegangen... Julia stützte sich auf ihren Ellbogen und lauschte. Unten gossen sie einander zu trinken ein, zündeten Streichhölzer an, lehnten sich zurück in knarrenden Strohstühlen.

»Ich freue mich, daß Sie noch geblieben sind.« Das war Arnold mit halbunterdrückter Stimme. »Ich würde mich nicht wohl fühlen, wenn ich jetzt allein sein müßte.«

»Und Julia?« Waltrauts Stimme, nur wenig mehr als ein Flüstern.

»Julia...« Ein Glas stürzte, wurde aber abgefangen, bevor es zerbrechen konnte.

»Vorsicht«, warnte Waltraut, »hier ist meine Hand.«

»Sagen Sie mir, Waltraut: Warum hassen sie mich alle so – Hiller, Wukowitsch? Was habe ich ihnen Böses getan? Ich habe sie unterstützt und gefördert, ihnen Stellungen verschafft, Geld...«

»Ich nehme an, sie hassen Sie, wie die jungen Krieger den Häuptling des Stammes hassen und auf seinen Sturz warten.«

»Sie meinen, es ist derart atavistisch?«

»Es ist vielerlei.«

»Sie sind ein kluges Mädchen, Waltraut.« Dann knurrte er: »Sollen sie warten auf den Sturz des Häuptlings. Bis die Hölle erlischt. Nur weil man Stalin sein Kostüm vom Leib gerissen hat, bedeutet das noch lange nicht, daß der Rest von uns auf einmal anfangen müßte, nackt herumzulaufen!... Gespenster!... Was wird den Leuten noch einfallen?«

Sie sprach mit gesenkter Stimme ein paar Worte, die Julia nicht verstehen konnte, die ihn aber zu beruhigen schienen. Kurze Zeit später hörte sie, wie er sagte: »Ich habe eine Idee, Waltraut: Ich hole den Wagen aus der Garage und fahre Sie nach Hause.«

Julia sank zurück in ihre Kissen. Das Garagentor knirschte gegen den Kies auf dem Weg; der Starter jaulte ein paarmal auf, bevor der Motor ansprang; die Wagentür fiel ins Schloß; das Quietschen der Reifen, die üblichen Geräusche – dann Stille. Madame Hamlet, dachte Julia. John Hiller spielte ein kindisches Spiel; vielleicht hatte er auch gar nicht die Fähigkeit, ihre Gefühle zu erkennen; die ganze Beziehung zwischen ihr und Hiller war zerbrochen an seiner Unreife. Die Zeit war aus den Fugen, dachte Julia; doch spürte sie keinerlei Bedürfnis, sie wieder einzurichten; im Augenblick wünschte sie nichts, als einen festen Punkt zu finden, auf den sie ihre zwei Füße stellen konnte. Die Stille war erdrückend. Waltraut Greve mit Arnold: Julia versuchte sich die beiden vorzustellen, Arm in Arm, ein lachhaftes Paar. Aber vielleicht war es gerade das richtige für ihn; alles war gut und richtig für ihn, das ihn nicht zwang, sich mit sich selber auseinanderzusetzen. Julia war überrascht über die Objektivität, mit der sie ihre Situation und die Arnolds betrachtete; sie haßte ihn nicht, oder sie war einfach zu abgestumpft für irgendwelche klar definierbaren Gefühle.

Sie hörte den zurückkehrenden Wagen und duckte sich. Keine zehn oder fünfzehn Minuten konnten vergangen sein, seit er abgefahren war mit Waltraut: Also war er nicht bei ihr geblieben. Seine Schritte, quer über die Terrasse; er stolperte, blieb stehen; eine Flasche wurde hörbar auf den Tisch gestellt. Er trinkt zuviel, dachte Julia; ich hoffe, er wird nicht noch bockig und weckt mir Julian auf; es ist ein Wunder, daß der Kleine den ganzen Lärm da draußen verschlafen hat; der Kleine schläft viel besser, seit er wieder zu Hause ist, und sein Fieber ist auch weg.

Die Stille war intensiv, lastend. Dann, plötzlich, das Rücken eines Stuhls. In Julians Zimmer. Ihr Herz begann laut zu pochen; Bruchstücke von Gedanken schwirrten ihr durch den Kopf. Sie stand auf, Schwäche in all ihren Gliedmaßen, und tastete sich entlang der Wand bis zur Tür zum Kinderzimmer und öffnete sie.

Arnold saß im Halbdunkel, nach vorn gebeugt, und starrte auf das schlafende Kind. Ein leichtes Nicken deutete an, daß er ihre Anwesenheit zwischen den Türpfosten bemerkt hatte; aber sein Blick blieb weiter auf Julian gerichtet, als versuchte er, aus den unscharfen Umrissen des kleinen, zusammengerollten Leibes unter der Bettdecke eine Antwort zu erhalten auf eine noch gar nicht gestellte Frage.

Julian rührte sich im Schlaf und murmelte etwas. Alles in Julia spannte sich; dann erkannte sie, daß Arnold völlig bewegungslos dasaß in einer Haltung, als führe er ein stummes Zwiegespräch mit seinem Sohn. Zeit verging; sie vergaß die Minuten zu zählen.

Endlich richtete er sich auf. Sein Gesicht, mit den Schatten darauf, wandte sich ihr zu. Dann erhob er sich und kam mit den langsamen, steifen Schritten einer Aufziehpuppe auf sie zu. Sie wollte aufschreien, aber ihre Kehle und Stimmbänder waren wie ausgetrocknet. Sie spürte, wie der Türpfosten, der ihr Halt gegeben hatte, unter ihren Fingern hinwegglitt; sie hob ihre Hand vor die Augen, als müsse sie einen Schlag abwehren, und wich zurück und umklammerte die nächstbeste Stütze, einen Stuhlrücken.

Er schloß die Tür zum Kinderzimmer hinter sich.

»Was macht deine Migräne?« sagte er. »Du solltest nicht aufgestanden sein. Geh zurück ins Bett.«

Sie legte sich hin, gehorsam, als werde sie von den gleichen Federn bewegt, die auch seine Schritte bestimmten. Er zerrte einen Stuhl neben ihr Bett.

»Ich bin nicht bei Waltraut geblieben«, sagte er, fast tonlos. »Ich wollte erst. Aber ich konnte nicht.«

Julia zitterte.

»Kalt?« fragte er. »Ich hole dir noch eine Decke.«

Sie schüttelte den Kopf.

»Sieht aus, als könnte ich nichts weiter für dich tun«, sagte er, beugte sich vor und starrte auf sie, wie er vorher auf Julian gestarrt hatte. »Es ist, als hätte ich einen stählernen Ring um die Brust, der sich immer enger zusammenzieht. Manchmal glaube ich, daß ich nur die Hälfte des Atems, den ich brauche, in meine Lunge kriege.«

Die fahlen Lichter der Stadt erhellten die Flächen seines Gesichts, der Rest blieb schattenhaft.

»Keiner kann behaupten, ich hätte mein Bestes nicht versucht, Julia«, fuhr er fort in dem Monoton eines hoffnungslos geschlagenen Mannes. »Ich habe es durchgekämpft. Mit all meiner Kraft, meiner Erfahrung und dem Einfluß, den ich vielleicht noch habe. Aber da war *ein* schwacher Punkt – du.«

Sie sah, wie seine Hände sich nervös öffneten und schlossen.

»Ein Mann kann, was ihn schwächt, eliminieren. Aber das war ja das Problem. Mein Herz hing an dir. Alles war miteinander verflochten und verknäuelt, meine Wünsche und meine Ängste, und wir waren die Gefangenen genau der Situation, der wir entfliehen wollten.«

Die krampfartigen Bewegungen seiner Hände beruhigten sich. Julia lag still und beobachtete ihn. Er zerrte an seiner Krawatte und dem Hemdkragen.

»Aber jetzt ist alles anders geworden. Ein qualitativer Sprung, du verstehst?« Er schwieg, als erwarte er, daß sie seine dialektische Anspielung bestätigte. »Eines kommt zum anderen, Quantität häuft sich auf Quantität, bis wir, ganz plötzlich, mit einer neuen Konstellation konfrontiert sind. Furcht. Alles, was uns geblieben ist, ist Furcht, die auf uns drückt. Ich kann nicht so weitermachen. Das siehst du doch ein, Julia?«

Sie wollte nicken, brachte es aber nicht fertig.

»Du willst doch nicht, daß ich wahnsinnig werde. Du willst doch nicht, daß ich etwas Unwiderrufliches tue. Es gibt nur einen Menschen für mich – einen auf der Welt – Julia – so hilf mir doch…«

Sie spürte, wie er nach ihr griff, spürte seine Finger, die sich ihr ins Fleisch bohrten. Sie war wie versteinert, und das Blut in ihren Adern schien zu gerinnen.

»Julia –!«

Sie schrie auf.

Er stand über ihr, schüttelte sie, schlug ihr ins Gesicht. Ihr Schrei durchschnitt die Nacht, scharf, durchdringend, scheinbar endlos. Dann erblickte sie den Kleinen neben ihrem Bett, seine Augen angstgeweitet, seine Fäuste hämmernd gegen die Beine seines Vaters. »Laß Julia los!« rief der Kleine, schrill, wild. »Ich hasse dich! Laß sie los!«

Der Atem versagte ihr. Sie spürte, wie jemand ihren Kopf aufs Kissen senkte. Sie sah, wie Arnold sich langsam umwandte und das Kind ansah, dessen schwache Fäuste immer noch auf ihn einschlugen. Dann packte er Julians Handgelenke und hielt sie fest, bis sie aufhörten zu zucken.

Zuletzt ging er hinaus, mit steifen Bewegungen, seine Schritte mechanisch; ein großes Aufziehspielzeug, das erst stehenbleiben würde, wenn die Feder im Innern abgelaufen war.

KAPITEL 13

Sie war beim Packen.

Sie hatte bei Frau Schloth angerufen, sobald Arnold zur Arbeit gegangen war. Frau Schloth hatte zunächst gezögert, schließlich aber sagte sie, ja, sie denke schon, daß sie ein Zimmer zur Verfügung habe.

Das Packen ging schlecht voran. Ihre Hände flatterten; eine Flasche fiel zu Boden und zerbrach, ein Kleid verfing sich an einer Schrankecke und zerriß, ein Koffer ließ sich nicht schließen; ist doch keine Eile, versicherte Julia sich selber, er kann dich nicht zurückhalten, das ist vergangen und vorbei; aber ihre Nerven waren kaputt und machten sie taub für jeden vernünftigen Zuspruch.

Und da war Julian. Das letzte Mal, als sie auszogen, hatte er sie gefragt, warum – warum dies, warum jenes, bis sie schon keine Erklärungen mehr hatte. Jetzt aber kam nicht einmal ein Warum von seinen blassen Lippen. Er trippelte eifrig umher, ein ernsthafter Zwerg, nahm Hosen, Pullover, Unterwäsche aus den Schüben der Kommode in seinem Zimmer und legte sie zusammen, suchte seine wichtigsten Spielzeuge aus und holte sie aus seinen Regalen, und trieb sie, Julia, zur Verzweiflung mit seinem ewigen Streben, hilfreich zu sein. Mitunter ertappte sie ihn, wie er sie voll eines Verständnisses anblickte, das ein Kind in seinem Alter normalerweise noch gar nicht haben konnte; er war wie eines jener Kinder im Krieg, die gelernt hatten, zwischen dem Heulen der eigenen und der feindlichen Flugzeuge zu unterscheiden, und die wußten, wann man in einen Keller oder einen Granattrichter springen mußte und wann man wieder ans Tageslicht kommen durfte und den Handkarren weiterschieben, auf dem alles lag, was einmal ihr Zuhause gewesen war. Er sprach abwechselnd von seinem Papa und seinem Onkel John Hiller; in seinem Kopf waren sie offenbar in eines verschmolzen durch seine Furcht vor ihnen beiden und ihrer beider Beziehung zu seiner Mutter; und er machte kein Hehl aus seiner Aversion gegen den einen wie den anderen. Julias Hände sanken herab, und ihr Herz zog sich zusammen: Mit welchem Recht lud ihre Generation ihren Fluch ab auf ihre Kinder?

Im Untergeschoß klingelte das Telefon.

Julian erschrak. Und sie dachte: Julian wird frei sein von diesem Fluch, denn ich werde ihn davon befreien; ich *weiß*, und was einer weiß, das kann er aus dem Weg räumen. Und dann: Wenn das Arnold ist, der da anruft, werde ich ihm sagen, daß wir ausziehen aus dem Haus, und nichts kann er dagegen unternehmen, gar nichts, gar nichts, gar nichts.

Frau Sommer kam die Treppe herauf. Julia stand erwartungsvoll. Dann erschien Frau Sommer in der offenen Tür, steckte sich die Haarnadeln in dem grauen Knoten in ihrem Nacken fester und betrachtete die halbgepackten Koffer und das Durcheinander im Raum. »Ein Herr am Telefon, der Sie sprechen möchte«, verkündete Frau Sommer.

»Hat er Ihnen seinen Namen genannt?«

»Hat er nicht.«

»Frau Sommer!«

»Ja, Frau Sundstrom?«

»Es gibt keinen Grund für Sie zu feixen.«

Frau Sommer strich ihre Schürze glatt. »Herr Professor Sundstrom hat sich nie über meinen Gesichtsausdruck beschwert.« Danach wandte sie sich um und schritt gelassen die Treppe hinab.

Julia folgte ihr; im Parterre angelangt, betrat sie das Wohnzimmer und schloß die Tür hinter sich. Der Telefonhörer, ein dickes Ausrufungszeichen hinter einer unausgesprochenen Frage, lag auf dem Kaffeetisch. Zunächst nahm Julia an, es wäre

John Hiller, der sie nach der Gesellschaft gestern abend anrief, und zögerte, den Hörer aufzunehmen – aber plötzlich wußte sie, daß jemand anderes der Anrufer sein mußte.

»Julia?«

Trotz des blechernen Beiklangs, den die Membrane des Apparats der Stimme am anderen Ende verlieh, drang ihr Wesentliches durch, ihre Sensibilität.

»Ja«, sagte sie, »ja.«

»Ich bin's. Daniel Jakowlewitsch. Daniel Tieck.«

»Ich weiß.« Sie schluckte. Ihre Finger versuchten, die Knoten im Kabel des Telefonhörers zu lösen.

»Julia! Bist du noch da?«

»Ja, natürlich.«

»Ich konnte dich nicht mehr hören.«

»Ich hatte nichts gesagt.«

Er wartete. Sie glaubte, seinen Atem zu hören. Dann fragte er, mühsam: »Wie geht es dir, Julia?«

»Gut.« Sie hielt inne. »Gut.« Und nach einer weiteren Pause, »Du warst so schrecklich lange fort.«

»Ich habe mich, so gut ich konnte, beeilt. Aber gewisse Dinge mußten geordnet werden.«

»Ich sehe ja alles ein.« Ein paar Sekunden vergingen, bevor sie weitersprechen konnte. »Und die ganze Zeit kein Wort von dir, kein einziges Wort…«

»Es war mir nicht möglich. Ich hoffte, du würdest verstehen.«

»Du bist doch nicht krank gewesen?«

»Ich war nicht krank. Und bin auch jetzt völlig gesund.«

Wieder schwieg Julia. Was immer man über das Telefon sprach, blieb ungenügend. Da war nur dies große Gefühl der Erleichterung, dem sie sich hingab.

»Du wirst alles verstehen, sobald ich komme und es dir erzähle«, sagte er. »Ich muß dich sehen, Julia. Bald. Jetzt.«

Ihre Fingerspitzen strichen über das Kabel, dessen Verknotung sie eine nach der anderen beseitigt hatte. »Du bist *wirklich* hier?… Ich kann es immer noch nicht glauben. Daniel« – sie lachte besorgt –, »du rufst doch nicht aus einer andern Stadt an oder gar aus einem andern Land?«

»Ich spreche von einer Ecke der Straße des Weltfriedens aus. Du kennst doch die Bauhütte, wo die Arbeiter frühstücken. Hier sitze ich, relativ bequem, und trinke den Kaffee meines Freundes Barrasch.«

»Mußt du ihn zu Ende trinken? Nimm dir eine Taxe. Komm zu mir.«

»Komm du, Julia. Ich warte auf dich.«

»Sag das noch einmal, bitte. Und in dem exakt gleichen Ton.«

»*Was* soll ich sagen? – Oh, ich weiß schon…« Eine Pause; anscheinend suchte er die genaue Stimmung und den Ton von vorhin wieder einzufangen. Dann: »Nein. Wir werden das verschieben müssen. Wir haben Zeit. Ein ganzes Leben lang.«

Sie lauschte. Sie nahm den Telefonhörer vom Ohr und blickte auf die runde schwarze Scheibe, hinter der sich die Membrane befand, welche ihr soeben das Angebot eines ganzen Lebens unterbreitet hatte.

Jetzt allerdings drangen nur kratzende, unverständliche Töne durch.

»Was hast du gesagt?« Sie preßte den Hörer hastig zurück an ihr Ohr. »Wann du mich erwarten kannst?… Ich kann hier nicht weg. Ich kann Julian nicht allein lassen, nicht nach dem Abend gestern… Was an dem Abend passiert ist? Ein Streit, könnte man sagen. Der Vorgang war zu kompliziert und zu erschreckend, um ihn dir jetzt am Telefon zu erklären. Madame Hamlet, verstehst du…« Nein er verstand nicht, dachte sie, wie sollte er auch. »Ich muß dich sehen, Daniel. Mach dir keine Sorgen: Arnold ist in seinem Studio; nur Julian und Frau Sommer sind hier…« Ihre Unsicherheit zeigte sich in ihrer Stimme. Wie lange war er fortgewesen, wieviel war geschehen in der Zeit – und nun dieses unsinnige Hin und Her. »Glaubst du nicht, wenn es an mir läge, ich würde nicht zu dir gelaufen, geflogen kommen…«

»Jetzt hör mir bitte zu, Julia«, unterbrach er sie. Er sprach in einem Stakkato, das sich durch die Vibration der Membrane harsch anhörte. »Es liegt da etwas vor, das ich euch beiden, dir und Arnold, zu sagen habe. Ihn habe ich heute früh schon angerufen. Er hat sich geweigert, sich mit mir zu treffen, und hat gedroht – nun ja –, mich umzubringen, wenn ich auch nur versuchte, mit dir in Verbindung zu treten… Mich umzubringen«, wiederholte er, da Julia erschreckt Luft holte, »obwohl ich bezweifle, daß er so weit gehen würde; er ist nicht der Typ, der eigenhändig jemanden totschlägt. Er soll, wurde mir gesagt, um die Mittagszeit hierher in die Bauhütte kommen, um ein paar technische Fragen zu besprechen; und bis jetzt hat Barrasch noch nichts Gegenteiliges gehört. Du siehst also, Julia, daß es besser wäre, wenn auch du hierherkämst. Natürlich wird Julian ein Problem sein. Sag ihm, daß du ihn auch seinetwegen allein lassen mußt. Sag ihm, wie sehr er dir helfen kann, wenn er sich wie ein richtiger Mann benimmt…«

»Das versucht er ja immer«, sagte sie. »Er ist sehr vernünftig, wirklich.«

»Ist er, sicher.« Die Stimme am Telefon klang mitfühlend. »Ich mag den Kleinen sehr.«

Julia versuchte, das Zittern ihrer Lippen zu beherrschen. »Daniel?«

»Ja, Julia?«

»Ich werde kommen.«

Tieck saß mit dem Rücken zur Tür, neben seinem Ellbogen Barraschs Thermosflasche und die Reste eines belegten Brotes. Die Sonne schien auf das Wellblechdach und zeichnete, durch die Fenster hindurch, Lichtstreifen auf die Wände. Einer dieser Streifen teilte ihn, entlang einer senkrechten Linie, in eine helle und eine dunklere Hälfte.

Er hörte das Schrapen der Tür auf dem sandigen Boden und drehte sich um. Sein Gesicht geriet voll ins Licht. »Julia!« Mit wenigen Schritten war er bei ihr und schloß sie in die Arme.

»Du bist wieder da!« sagte sie, als sei ihr die Tatsache erst jetzt glaubhaft geworden. Dann küßte sie ihn auf die Wangen, die zeremoniellen drei Male. Er hielt sie fest, und sie erlaubte ihm, daß er sie so hielt; ihre Nerven entspannten sich; keine Notwendigkeit mehr für irgendwelche Befürchtungen; laß dich gehen, beruhige dich. Sie lächelte.

»Julia…« Ein Fingerzeig: setz dich. »War es sehr schlimm?« fragte er.

Mit einem leichten Druck ihrer Hand beantwortete sie die tröstende Wärme der seinen. »Ziemlich.«

»Das Schlimmste ist vorbei«, sagte er. »Oder es wird bald vorbei sein. Tut mir leid, daß ich dir nicht früher Bescheid geben konnte und die Möglichkeit, dich innerlich einzustellen auf diesen Teil des Konflikts. Meinst du, du bist trotzdem vorbereitet, einigermaßen?«

Vorbereitet, dachte sie, für die letzte Szene. Was immer geschehen und wie immer die Entscheidung ausfallen würde, die permanente Unsicherheit würde sie nicht mehr belasten. Ihr Blick fiel auf die Reihe von Blechspinden, in denen die Arbeiter ihre Kleidung wegschlossen, und ihre Kellen und ihr anderes Werkzeug, kostbarere Privatbesitz, ergattert aus dem Westen zur Umtauschrate 5:1; in der Ecke lagen ein Paar beschädigte Holzpantoffeln, die einer wohl vergessen hatte, nahebei eine volkseigene Säge, eine Axt, die geschliffen werden müsste; da war die unebene zerkratzte Oberfläche des Tisches und an der Wand, altersverblasst bereits, eine Porno-Dame, gleichfalls westlicher Provenienz, die dem Beschauer ihre Reize präsentierte. Es war ein trister, und doch durchaus passender Hintergrund für ein Duell über die Frage, wie die Zukunft zu erbauen wäre.

»Ich meine«, versuchte Tieck zu erläutern, »es geht um *dein* Leben, und du mußt selber sagen, wie du es leben möchtest.«

Sie musterte ihn. Sein Gesicht zeigte eine gesunde Farbe, es hatte sich gestrafft, die Fältchen, die es früher bedeckten, waren verschwunden, mit Ausnahme der Krähenfüße in den Augenwinkeln, feinste weiße Linien auf der gebräunten Haut. Seine Reise, oder deren Ergebnisse, schien ihm gutgetan zu haben.

»Wir haben nicht viel Zeit. Arnold kann jede Minute hier sein.« Sein Blick deutete auf seine innere Unruhe. »Es wird nicht leicht werden, Julia, und ich biete dir an, mich aus dem Ganzen zurückzuziehen und euch beide, dich und Arnold, irgendwie zusammen weitermachen zu lassen. Mein Koffer liegt in der Gepäckaufbewahrung am Bahnhof. Ich müßte nur meinen Hut nehmen und fortgehen; das wär's dann gewesen.«

»Arnold und ich sind fertig miteinander.«

Er wartete, als sorgte er sich, daß ihrer Feststellung eine einschränkende Fußnote folgen könnte. »Ja«, sagte er dann, »aber was wir zu tun haben werden, ist mehr, als einen Menschen nur fallenzulassen. Ich weiß nicht, ob er danach imstande sein wird, sich noch einmal aufzuraffen.«

»Ich kenne die Geheimrede, Daniel«, sagte sie und ergriff seine Hand. »Oder wenigstens zum Teil.«

»Ja«, sagte er wieder und dann, mitfühlend, »es ist schlimmer für dich als für Leute wie mich, die seit Jahren schon mit diesem Problem gelebt haben.« Vorsichtig zog er seine Hand aus der ihren und stand auf. Dann ging er und öffnete das nächste Fenster, holte tief Atem und sagte: »Du bist Architektin, Julia, und weißt daher, wie schwer es ist, eine allseits tragbare Lösung zu finden und sie Wirklichkeit werden zu lassen. Der Putz ist abgefallen von dem Bau, den wir immer zu errichten geträumt haben; und jetzt erkennen wir die Schwachstellen und die Risse, die ganzen strukturellen Mängel; aber wir können auch feststellen, was und wieviel davon wir abbrechen sollten und wo der Unterbau verstärkt werden muß und welche Teile des Gebäudes zu rekonstruieren wären, damit es bestehen kann in Schönheit und Harmonie, so wie wir es immer haben wollten.«

Seine großen Worte machten ihn verlegen, und er fuhr sich durchs Haar. Julia bemerkte den Schwenk eines Krans draußen, ein schwarzer Schatten, hörte das Geräusch eines Betonmischers, das Aufheulen eines Lastwagenmotors, die Stimmen, die einander zuriefen. Was gab ihr, fragte sie sich, den Eindruck, Tieck werde im nächsten Moment Kelle und Hammer aus dem

Werkzeughaufen holen und die Bauhütte verlassen, um auf die Gerüste zu klettern und anzufangen mit dem Abbruch und der Verstärkung und der Rekonstruktion? Sie hätte ihm gern von ihrer Arbeit an seinem Projekt zur Verlängerung der Straße des Weltfriedens berichtet, aber sie fürchtete, ihre Grundrisse und Pläne für den Innenausbau könnten zu klein und prosaisch sein in Relation zu den weitläufig angelegten, sauberen Strukturen, die seiner Konzeption der Dinge entsprachen.

Er begann von neuem: »Laß mich dir kurz berichten.« Sein nüchterner Ton konfrontierte sie mit der unmittelbaren Realität. »Du solltest wissen, wo ich gewesen bin und was ich unternommen habe und was du jetzt erwarten kannst. Und warum ich damals weggegangen bin, ohne dir oder irgend jemandem Bescheid zu sagen über meine Absichten: Da war immer Arnold mit seinen Verbindungen…«

Er erkannte, daß er nichts weiter zu erklären brauchte. Die Kräne standen still, der letzte Lastkraftwagen schien abgefahren zu sein, und von den Zementmischern setzte nur noch einer seine Arbeit fort.

»Zwei Telegramme«, griff er sein Thema wieder auf, »du erinnerst dich? Zwei Telegramme, ein Vater – der Widerspruch hat mir keine Ruhe gelassen. Und dazu noch konnte ich nicht glauben, daß Arnold seine Beweise gänzlich erfunden haben sollte; im Herzen ist er ein korrekter Bürger und ein Preuße und selbst als Verbrecher noch ein Kleingeist und Gründlichkeitsfanatiker, der sich und anderen für seine Behauptungen akzeptable Gründe vorweisen muß, notariell beglaubigt, wenn möglich. Aber was wäre, wenn es *zwei* Väter gegeben hätte?«

Julia suchte Halt am Rand der Bank. »Zwei Väter – die beide starben –, zwar in verschiedenen Jahren –«

»– aber mit zwei einander entsprechenden Telegrammen aus Deutschland, zur Information der trauernden Angehörigen… Also, mein erster Aufenthaltsort, Berlin, mit täglichen U-Bahn-Fahrten nach Westberlin und Recherchen in amtlichen Archiven und Akten. Und immer die Sorge: Ein Weltkrieg hatte stattgefunden, mit Bomben und Nahkampf und Bränden – wieviel Papier war da vernichtet worden? Doch schließlich, dieses.«

Er zog ein abgegriffenes braunes Kuvert aus seiner Jackentasche und entnahm diesem die Fotokopie eines Dokuments.

»Darf ich?« fragte sie.

»Bitte.«

Es war eine schlechte Kopie. Julia hatte Mühe zu entziffern, daß der Tischlermeister Paul Goltz am 17ten des August, 1939, in Berlin-Charlottenburg an einer Hirnblutung verstorben war.

»Zweiter Stopp«, hörte sie Tieck referieren, »das Dorf Rosenow in Mecklenburg. Dort ein Besuch im Pfarrhaus, ganz einfach. Der jetzige Pfarrer war hoch erfreut, von seinem Amtsvorgänger, Pastor Hohmann, erzählen zu können; er hatte bei Pastor Hohmann assistiert, wenn Diabetes und eine Nierenkrankheit den alten Herrn an sein Bett fesselten von Weihnachten 1934 bis Pfingstmontag 1935. An dem Tag nämlich starb Pastor Hohmann im Schlafe; ein guter, frommer Mensch, beweint von seiner Gemeinde und drei erwachsene Kinder hinterlassend – die Jüngste, Babette, hatte sein Haus verlassen und einen bekannten Kommunisten geheiratet und war zur Zeit des Todes ihres Vaters außer Landes. Ich habe fotostatische Kopien aus den Eintragungen im Register des Dorfvorstehers und dem Kirchenbuch mitgebracht, die das alles bestätigen.«

Er gab Julia die Papiere zur Ansicht.

»Zwei tote Väter, zwei Telegramme«, fuhr er fort in dem trockenen Berichtston, den er während der letzten Minuten benutzt hatte. »Und obwohl das eine mit großer Wahrscheinlichkeit an Babette und das andere an Julian Goltz adressiert war, so wird der Text in beiden Telegrammen wohl nahezu der gleiche gewesen sein: *Tut mir leid dir mitteilen zu müssen daß Vater gestorben ist* – oder etwas der Art. Was sonst hätte der Absender telegrafieren sollen?« Tiecks Stimme wurde lebhafter. »Drittes Reiseziel, Moskau. Es bedurfte ziemlicher Mühe, dorthin zu kommen, aber es gelang mir; und es war noch schwerer, die Genossen zu finden, an die ich mich wenden mußte, doch ich fand sie und –«

Die Tür zu der Baubude wurde aufgestoßen. Tieck wandte sich um, steckte das Kuvert mit den darin noch enthaltenen Dokumenten hastig zurück in seine Tasche und war eben dabei, nach den Papieren in Julias Hand zu greifen, als er erkannte, daß es nur Barrasch war, der eintrat. Julia erschien Barraschs Begrüßung übertrieben laut, ebenso wie der Lärm der Maurer, die nach ihm hereinkamen. Was sollte die Szene, dachte sie, und was sollten die Leute darstellen, Leibwächter? – Und wenn ja, Leibwächter für wen? Aber die mutmaßlichen Leibwächter widmeten sich ihren belegten Broten und ihren Zigaretten – draußen war einfach Arbeitspause, das war alles. Ihre Gedanken kehrten zurück zu Tieck: *Moskau...* Wen und was hatte er in Moskau gesucht?

Die plötzliche Stille fiel ihr auf. Auch der letzte Betonmischer war ausgeschaltet worden. Dann, direkt vor der Baubude, die Stimme – tief, kräftig, volltönend, die Stimme eines Mannes, der sich seiner Stellung und seiner Macht bewußt war... Arnold.

Einen Augenblick lang blieb er in der Tür stehen; hinter seinen Schultern, wie die Häupter minderer Apostel, erhoben sich die Köpfe John Hillers, Wukowitschs und mehrerer anderer jüngerer Architekten.

»Nun, Barrasch –«, die Stimme brach ab.

»Grüß dich, Arnold«, sagte Tieck. »Ich dachte, ich warte gleich hier auf dich.«

Sundstrom blickte um sich. Seine eigene Begleitung blockierte einen Rückzug; außerdem gab es keinen Rückzug mehr für ihn. »Ich habe dir nichts zu sagen, Tieck«, versuchte er es mit pathetischer Geste.

Julia spürte die Anstrengung, die es für ihn bedeuten mußte, überhaupt Worte zu formen. Sie sah, wie Tieck langsam auf ihn zuging. Tieck blickte allerdings nicht auf ihn, sondern auf die Fotokopien, die sie noch in ihrer Hand hielt. »Was ich dir zu sagen habe, Arnold«, konstatierte er ruhig, »wird nur geringe Zeit in Anspruch nehmen.«

Die Veränderung in Sundstrom war beängstigend. Sein Gesicht war um seine Nase herum verfallen, seine Lider flatterten, und seine Haut war fleckig geworden, die Haut eines Greises. Dann fühlte Julia, daß er sie entdeckt hatte, obwohl sein Blick, ohne sie zu erkennen, lange schon auf sie gerichtet gewesen war. Er tat einen Schritt auf sie zu, blieb aber wieder stehen. »Was hältst du da in deiner Hand, Julia?« fragte er mit gekünsteltem Spott. »Geheimnisse?«

Julia schüttelte den Kopf und klammerte sich an ihre Papiere.

»Geheimnisse«, wiederholte er. »Hat doch jeder seine Geheimnisse – meine Frau, mein bester Freund …« Er wandte sich um, seine Schultern gekrümmt. »Du warst verreist, hörte ich, Daniel Jakowlewitsch?«

»Ja«, sagte Tieck, »geschäftlich.«

»In Sachen Architektur?«

»Nun – strukturell.«

»Das nehme ich dir nicht ab. Ich habe dir schon am Telefon gesagt, ich bin nicht interessiert an deinen Ermittlungen. Und noch weniger an deinen Erpressungen.« Seine Stimme steigerte sich. »Weder an deinen –« und brach »– noch an denen meiner Frau.«

Julia sah ihn auf sich zukommen, mit langsamen, ungeschickten Schritten, wie ein Roboter. Dann schien er sich auf sie stürzen zu wollen, und sie schützte die Papiere in ihrer Hand mit ihrem Leib, und um sie herum scharten sich plötzlich Barrasch, die Maurer und John und Wukowitsch. Dann Tiecks ruhige Stimme: »Mach dich nicht lächerlich, Arnold. Selbst wenn du all diese Papiere dir greifen würdest und sie zerreißen und ihre letzten Fetzen in die Toilette werfen, es blieben doch nur Kopien.«

»Kopien …« Sundstrom starrte ihn an. »Kopien. Strukturell.«

»Es befinden sich auch keine Geheimnisse darunter«, fuhr Tieck im gleichen Ton fort. »Julia wird dir gern alles zu lesen geben.«

Julia brauchte einen Moment, um ihre Gedanken zu sammeln. Dann richtete sie sich auf und übergab Arnold die Papiere. Ein Schauder überlief sie. Das war nun der Mann, den sie geliebt und bewundert und an den sie geglaubt hatte, und was sie ihm da aushändigte, war sein Urteilsspruch. Sie wandte ihr Gesicht ab.

Sundstrom blickte geistesabwesend auf die Fotokopien. Und während ihm allmählich klarwurde, was sie bedeuteten, öffnete sich sein Mund, und ein Speichelfaden rann herab zu seinem Kinn.

»Würdest du die Angelegenheit nicht lieber privat besprechen?« schlug Tieck vor.

Sundstrom blieb stumm.

»Bitte!« forderte Tieck mit einer leichten Handbewegung.

Barrasch nickte, und die Maurer verließen den Raum, dann die jüngeren Architekten; dann Wukowitsch und Barrasch selber. Nur Hiller blieb. »Komm, Julia …«, sagte er und legte zögernd seine Finger auf ihren Ellbogen.

Sie schien ihn nicht gehört zu haben.

»Julia!« mahnte er. »Hast du noch nicht genug gehabt …?«

»Ich möchte bleiben.« Mit einer kurzen Bewegung ihres Armes schob sie Hillers Hand beiseite. »Dieses betrifft mich.«

Tieck lächelte kurz.

Hiller zuckte die Achseln. Julia blickte ihm nach, während er durch die Diagonalen von Schatten und Licht hindurch zur Tür der Baubude hinausging. Einer der Kräne draußen nahm kreischend und rüttelnd seine Arbeit auf; wenige Sekunden später, wie auf Befehl, stoppte er wieder.

Julia sah sich um. Arnold saß auf der Bank, den Rücken gegen den Tischrand gelehnt, den Kopf gesenkt, die Augen geschlossen. Die Fotokopien lagen neben ihm, auf einmal anscheinend unwichtig. »Also«, begann er schließlich, ohne seine Augen zu öffnen, »was hast du noch?«

»Das alles macht mir keinen besonderen Spaß, weißt du«, sagte Tieck. Er zog das braune Kuvert aus seiner Tasche. »Dieses Dokument hier ist ein Original«, sagte er und entnahm es dem Kuvert, »aber eine Kopie läßt sich leicht in Moskau anfordern. Möchtest du es lesen?«

»Nicht notwendigerweise.« Sundstrom öffnete die Augen und richtete seinen Blick auf eine Schraubverbindung zwischen Dachbalken und Stützen. »Was steht denn drin?«

»Eine amtliche Erklärung des Moskauer Bezirksgerichts, welche die Angeklagten Julian Pawlowitsch Goltz und Babette Hugoowna Goltz, geborene Hohmann, vollständig freispricht von der Anklage des Hochverrats, der Spionage für eine ausländische Macht und der Zusammenarbeit mit Agenten derselben, ferner von der Anklage der Untergrabung der Sowjetmacht und der aktiven Agitation gegen die leitenden Organe des Sowjetischen Staates sowie gegen die Kommunistische Partei der Sowjetunion.«

Tieck atmete tief und strich das Papier glatt, als sei er drauf und dran, es einem hohen Gericht als Beweisstück A im Falle Menschheit gegen Sundstrom vorzulegen. Aber wo gab es ein solches Gericht, vor dem sich ein solcher Fall verhandeln ließe…? Er steckte das Dokument wieder ein und zündete sich eine Zigarette an.

Sundstroms Interesse an der Dachkonstruktion der Bauhütte schien sich zu verlieren. Er wandte sich schwerfällig um und betrachtete Julia. Da sie ihr Gesicht abkehrte, zog er sich tiefer in sich selber zurück: eine gekrümmte Gestalt, Ellbogen auf den Knien, mit hängendem Kopf.

Nach und nach begann er einzelne Worte zu äußern, dann ganze Sätze. »Ihr versteht nicht… Keiner versteht… Keiner, der das nicht selber durchgemacht hat…« Sein Kopf hob sich. »Den langsamen Verfall eines Menschen, der anfängt mit einem Schweigen, wo er widersprochen, einem Kopfnicken, wo er protestiert haben sollte. Wann das anfing? Wer weiß. Wann hast du dir zum ersten Mal gesagt: Dies ist zu nebensächlich, um darum Lärm zu schlagen? Oder: Soll doch ein anderer sein Maul aufreißen?… Konformismus…« Er nickte. »Aber wo ziehst du die Grenze zwischen Konformismus und Disziplin? Die große Tugend, das revolutionäre Gebot, das die kleine Moral des einzelnen dem ungeheuren Gesetz des Kollektivs unterordnet und in dessen bequemem Schatten die Liebediener und die Lauwarmen, die Heuchler und die Egozentriker Schutz suchen – und finden – und das jedem schleimigen Bürokraten und jedem Denunzianten seine Rechtfertigungen und Vernunftgründe liefert… Seht ihr die Logik denn nicht? Sie ist absolut folgerichtig, beinahe mathematisch. Du brauchst nur ein Minus zu setzen, vor deinen Wert, und schon hast du dessen Gegenteil: Der Judas wird zum positiven Helden; das sklerotische Gehirn des Tyrannen zur Hauptsäule deines Staates.«

»Dein Minus ist einfach eine Perversion«, sagte Tieck kalt.

»Wie kleingeistig du bist!« Sundstrom grinste. »Du glaubst, ich suche nach Entschuldigungen für meine Person. Aber ich erkläre dir ein Phänomen.« Der Mann, der er einst gewesen, schien sich noch einmal aufzubäumen. »Und da sind auch die Belohnungen dafür, daß du dich auf die richtige Seite geschlagen hast. Geld ist davon noch das geringste – Status zählt viel mehr, Sicherheit, Teil sein der Macht; du hebst einen Telefonhörer ab, und irgendwo fängt etwas an, sich zu bewegen, und bringt Ergebnisse; und du hast Freiheit; aber immer in deiner Gruppe und unter fest begrenzten Umständen – doch jedenfalls Freiheit.«

»Korruption«, sagte Tieck. »Was du da beschreibst, ist Korruption.«

»Selbstverständlich«, bestätigte Sundstrom, leicht verärgert über die Möglichkeit, daß einer die Bedeutung seiner Aussage mißverstanden haben könnte. »Aber selbst dieses ist nicht einseitig. Daß ich dich unterstützen konnte in Moskau, Daniel, daß du nicht einfach verhungert bist, war auch Teil davon.«

»Nur daß du dafür von mir nichts weiter erhalten hast als meine Arbeit«, erwiderte Tieck.

»Und was beweist das?«

»Nichts«, sagte Tieck. »Ich habe es auch nicht gesagt, um

etwas zu beweisen. Alle Beweise, die gebraucht werden könnten, sind vorhanden.«

Sundstrom sank wieder in sich zusammen. Ein Gefühl von Widerwillen schüttelte Julia. Das gebrochene, schäbige Individuum auf dieser Sitzbank hatte eine beängstigend große Anzahl von Eigenschaften mit dem Mann gemeinsam, den sie für einen Riesen unter den Liliputanern gehalten und den sie umarmt und liebkost hatte; und doch unterschied sich der Mensch auf dieser Bank von dem, den sie geliebt hatte, wie eine Leiche sich von einem lebendigen Körper unterscheidet, und einen Moment lang glaubte sie, den schweren, süßlichen Dunst der Verwesung einzuatmen.

»Disziplin«, begann Sundstrom von neuem. »Sie sind doch deine eignen Leute, deine eigne Klasse, deine eignen Funktionäre. Und selbst, wo du meinst, du müßtest ihnen Widerstand entgegensetzen – solltest du es tun? Wo liegt die Grenze zwischen bewußter Unterordnung und knechtischer Unterwürfigkeit? Wann befolgst du Befehle aus Überzeugung und wann aus innerer Schwäche? In seiner Auswirkung ist es das gleiche, und die subtilen moralischen Unterschiede schwinden nur zu oft. Ah, und die führenden Genossen haben einen sechsten Sinn für den Moment, da du reif für sie geworden bist. Sie riechen es, wie die Schakale ein Stück Aas riechen ...«

»*Sie*«, sagte Tieck. »Warst du nicht eben noch einer von ihnen?«

»Ich war und dann wieder nicht.« Sundstrom wand sich. »Einen Tag ja und einen Tag nein. Das ist auch eine Form von Dialektik: Du bist beides, Opfer und Täter, Gejagter und Jäger. Du bist gefangen zwischen deinen Ängsten und ihrem Argument: Dies bedeutet so wenig; du hast a, b, c und d gesagt, Genosse, und jetzt auf einmal willst du e oder f oder g nicht mehr sagen? Und du weißt, was sie gegen dich tun können; du, von all deinen Freunden und Bekannten, weißt es am besten; du hast deinen Teil von allem, was da zu sehen ist, gesehen, und du weißt, daß ein einziger Strich mit der Schreibfeder dich von einer Seite des Kontobuchs zur anderen befördern kann; und du willst doch leben, einfach nur leben. Wenn die Stiefel kommen im Morgengrauen, willst du, daß sie vorbeigehen an deiner Tür; wenn die Scheinwerfer ihrer Autos die Straße entlanghuschen in der Nacht, willst dir sagen können, daß sie nicht zu dir fahren. Und manchmal, mitten in deinem Schweiß, wenn deine Haut dir vor Furcht schaudert und deine Zehen eiskalt werden vor Angst, sagst du zu dir selber: Du, ein Kommunist, sieh, wie tief du gesunken bist, sieh, was du ihnen gestattet hast, aus dir zu machen! Und dann trittst du ans Fenster und reißt es auf und willst dich aus dem Fenster werfen, hinab auf die regennasse Straße. Aber du tust es nicht. Das kann nicht dauern bis in alle Ewigkeit, sagst du dir. Dies ist immer noch ein sozialistisches Land; da hat es Marx gegeben und Engels, und Lenin, und jetzt ist Stalin da, das kann doch nicht alles Wahnsinn sein; du mußt nur eines, du mußt überleben; das ist deine höchste kommunistische Pflicht. Und so machst du weiter. Du versuchst, wenigstens einen Teil des Tages ein menschliches Wesen zu sein. Du hast ein kleines Mädchen gerettet…«

»Nachdem du Vater und Mutter des kleinen Mädchens hast umbringen lassen«, sagte Tieck. Der Betonmischer begann wieder zu arbeiten.

»Es waren zwei identische Telegramme gewesen«, sagte Sundstrom. »Ich habe die Untersuchung nicht geführt und…«

Tieck fiel ihm ins Wort. »Und was für Telegramme gab es, als du deinen alten Freund Daniel Jakowlewitsch denunziertest?«

Von draußen her hörte man Barraschs Stimme Anordnungen geben; Ketten klirrten, die man um eine Ladung Ziegel festmachte. Dann schwebten die Ziegel an den Fenstern vorbei nach oben. Julia ertrug es nicht länger ohne menschliche Berührung. Sie trat durch die Diagonalen von Licht und Schatten hindurch auf Tieck zu und legte ihre Stirn an seine Schulter.

Das Gebäude war fertig bis auf den Innenausbau. Auf der Treppe kam Sundstrom an ein paar Arbeitern vorbei, die die

Schlitze verputzten, welche die Elektriker in die Wände gestemmt hatten; die übliche Konfusion; man plante und plante, und dann ging doch etwas schief; ein paar Meter Kabel fehlten, oder ein Zulieferbetrieb hatte eine Bestellung verwechselt, und die schönen glatten Wände mußten wieder aufgemeißelt und durchstoßen werden; doppelte Arbeit zu doppelten Kosten; man schrie und schimpfte, aber jeder hatte seine Entschuldigung, und niemals gelangte man an die Wurzel des Übels. Auf ihren Leitern hockend, grüßten ihn die Leute freundlich genug. Er erwiderte ihre Begrüßungen mechanisch; ein Leben lang in der Arbeiterbewegung hatten sein Lächeln und die paar persönlichen Worte, die man dazu äußerte, zur Floskel werden lassen; keine ausgesprochene Heuchelei, nur Angewohnheit.

Nichts von dem wurde ihm wirklich bewußt: weder die Arbeit, die er sah, noch die Arbeiter. Und während er die Treppe hinaufstieg und dabei gegen Gerüstteile stieß oder stehengebliebene Eimer voll Tünche streifte oder vergessene Zementsäcke, wurde er noch unempfindlicher gegenüber seiner Umgebung. Am Ende sah er nur noch die Treppe, die im Zickzack aufwärts führte, und auf jedem Treppenabsatz spürte er die Last auf seinem Herzen stärker.

Er tastete nach dem Zettel in seiner Tasche. Ein paar flüchtige Zeilen auf einer aus seinem Notizbuch herausgerissenen Seite; seine Hand hatte gezittert, aber er dachte, er müßte dennoch einigermaßen lesbar sein: *An Julia – das Kind soll dir gehören, ebenso das Haus mit allem darin, auch alles Bargeld und das Konto in der Städtischen Sparkasse. Versuche zu erreichen, daß Julian sich an mich erinnert, wie ich möchte, daß mein Sohn sich meiner erinnern würde. Ich habe dich immer geliebt. Immer.* Und die Unterschrift. Er würde nichts anderes zu tun haben, als den Zettel auf dem Dach oben liegenzulassen, auf seiner zusammengefalteten Jacke und beschwert mit einem Stück Ziegelstein. Ziegelbrocken lagen ja genug herum; die Leute wurden nach der gemauerten Fläche bezahlt und nicht für Aufräumarbeiten.

Er dachte nach über den menschlichen Geist, der selbst in

Momenten wie diesem über den Ärger mit höchst nebensäch-
lichen Fragen nachdenken konnte, um deren Lösung sich auch
keiner bemühte. Wahrscheinlich würde er, wenn er draußen an
der Hausmauer vorbei bodenwärts stürzte, sich bis zum Aufprall auf die Erde immer noch Sorgen machen über die Dauer-
haftigkeit der Fliesen und die Verschwendung von Fensterglas.

Im obersten Geschoß angekommen, blieb er stehen. Er war
kurzatmig geworden: Sein Herz war auch nicht mehr, was es
einst gewesen war; er erinnerte sich an seine Bergbesteigungen
im Kaukasus und wie er weit jüngere Männer hinter sich gelassen hatte; das dauernde Herumsitzen auf Bürosesseln war
langsamer, aber sicherer Selbstmord, und die häufigen Gefühls-
aufwallungen schädigten den Menschen mehr als irgendwelche
anderen Mühen und Erregungen.

Er besah sich die stählerne Leiter, die zu der Falltür oben
führte; sie hatte etwas an sich von der Endgültigkeit der Stufen
zu einem Galgen: Nur der Henker durfte diese Stufen wieder
herabsteigen, aber der Henker war ein Ausgestoßener unter den
Menschen. Julias Abschiedsworte klangen ihm noch im Ohr;
ihre Stimme war sanft gewesen statt, wie erwartet, hart und ver-
dammend, und hatte ihn doch in der Seele getroffen. Wäre es
nicht anständiger gewesen, hatte sie gefragt, er hätte sie in irgendeinem fernen Sowjetdorf ihr Leben durch harte Arbeit
fristen oder sie gar zugrunde gehen lassen, als sie in Luxus und
Eleganz großzuziehen und sie für sein Bett und sein schlechtes
Gewissen zu benutzen? Sie zu benutzen... Das war eines gewesen, was er wahrhaftig nicht getan hatte. Bewußt wenigstens
nicht. Er hatte sie im Waisenhaus besucht, weil er es ihrem Vater
versprochen hatte, und sein Herz war angerührt worden von
dem mageren kleinen Wesen, das so verloren und vergessen aussah, und er hatte sie mitgenommen – seine Nemesis, in einem
billigen, schlecht passenden braunen Baumwollschulkleid, mit
großen grauen Augen und zwei fest geflochtenen blonden
Zöpfchen, die seitlich abstanden von ihrem Kopf. »Julia«, sagte
er – ein Stöhnen eher als ein Name; und wieder, »Julia«, diesmal

mit einem Widerhall des Gefühls, das er für sie empfunden hatte. Der Tod kam zu jedem in einer anderen Verkleidung; der seine trug zwei Zöpfchen, die waagerecht abstanden zu beiden Seiten hinter den Schläfen. Sundstrom griff nach den stählernen Stufen der Leiter; Schritt um Schritt zog er sich in die Höhe; die Falltür war unschwer zu öffnen.

Dann stand er auf dem flachen Dach, hinter sich eine Gruppe von Schornsteinen wie eine Polizeipatrouille im Angriff; zu seiner Linken die viereckige Kabine, in welcher sich die Rollen und Räder und der ganze Zugmechanismus für den Lift des Gebäudes befanden. Die Wärme des Tages hatte den frischen Teer auf dem Dach aufgeweicht; seine eigenen Fußspuren, in den Teer gepreßt, waren wie die Spuren eines Unsichtbaren, der ihn lautlos verfolgte. Er fing an zu schwitzen: klebrige, große Tropfen verflüssigter Angst, die in seinen Augenwinkeln brannten. Er riß sich den Kragen auf und stolperte, als schöbe ihn einer auf die Brüstung zu.

Dort blieb er stehen, versunken in die Betrachtung der langen Reihe kniehoher Säulchen, welche die mit Dachpappe bedeckte völlig nutzlose Balustrade abstützten. Diese Säulchen, die sich in halber Höhe verdickten, erinnerten ihn an die muskelbepackten Waden eines Superweibs, das er in einem Zirkuszelt auf irgendeinem Dorfjahrmarkt gesehen hatte; Hunderte von solchen Waden nebeneinander, eine Parade von Muskelwuchs, obenauf dieser überflüssige Sims – nein, nicht so ganz überflüssig, man konnte darauf treten und von da in die Tiefe springen. Vielleicht würde irgendwann einer kommen und die Stelle markieren, zwischen Säulchen siebenundfünfzig und achtundfünfzig, Südwand; und die Kinder der Leute, die in dieses Haus einziehen würden, mochten dann einen Schauder spüren, wenn sie ihren Nachbarkindern, die nicht das Glück hatten, einen Selbstmord durch Sprung von ihrem Hausdach aufweisen zu können, davon erzählten: Dort hat er gestanden, und von da hat er sich in die Tiefe geworfen, und hier ist er aufgeprallt, Junge, Junge, was für eine Schweinerei, Knochen und Eingeweide ein einziges

Gewirr, und das Gehirn überallhin verspritzt, hättest du mal sehen sollen, meine Mutter hat richtig gekotzt, aber meine Mutter kann nicht einmal ein totes Hühnchen sehen, ohne halb in Ohnmacht zu fallen; und im Lauf der Zeit würde sich eine regelrechte Legende bilden, wie die Geschichte von der Bergfestung, die Wukowitsch erzählt hatte; es war alles eine Verschwörung gegen ihn gewesen, von Anfang an, von dem Tag, da er Tieck zum ersten Mal begegnete in dem alten Bauhaus und seinen ersten Entwurf zeichnete und Tieck ihm dabei half, ein paar Linien hier und ein Winkelchen dort, bis heute, bis zu dieser Minute auf dem Dach des letzten fertiggestellten Gebäudes der Straße des Weltfriedens mit Aussicht auf den bereits vorbereiteten Boden für die Verlängerung, die er niemals sehen würde …

Sundstrom zog sein Jackett aus, faltete es sorgsam zusammen und legte es neben die Balustrade. Und hielt inne: Wozu das? Er hatte keinerlei Grund, ohne Jackett zu springen, außer seinem angeborenen Ordnungssinn, der ihn davon abhielt, sein Studio jemals vor des nächsten Tages Arbeit in unaufgeräumtem Zustand und seinen Schreibtisch unordentlich zu verlassen. Oder war es wegen jenes amerikanischen Kurzfilms, den er vor Jahren irgendwo gesehen hatte: Da wurde ein Mann, und zwar in Hemdsärmeln, im Moment seines Absprungs von der Spitze eines Wolkenkratzers gezeigt und so dem Unterbewußtsein von wer weiß wie vielen seiner potentiellen Nachahmer ein Muster gesetzt.

Sundstrom fühlte sich besser ohne sein Jackett, weniger eingeengt, weniger verschwitzt. Er suchte in seinen Taschen nach dem Zettel, den er Julia geschrieben hatte; fand ihn, legte ihn oben auf das Jackett und beschwerte ihn mit einem mittelschweren Stück Ziegel. Dann begutachtete er ein paar Sekunden lang die Miniaturpyramide: das letzte Bauwerk des Arnold Sundstrom, der ein großer Architekt hätte werden können – in einer anderen Zeit.

Dann war nichts mehr zu tun, nichts mehr zu sagen, nichts

mehr zu bedenken. Mit einer ungeschickten Drehung seiner Hüfte kletterte er auf den Sims und stand da, sein Gleichgewicht nur mit Anstrengung wahrend.

Nur noch ein kleiner Stups, dachte er, mit einer Fingerspitze, genügte schon, oder ein Windstoß. Tief unten begann die Erde langsam zu kreisen, und simultan mit ihr die Insekten, die wohl Menschen darstellten, und die Autos auf der Straße und die Kräne und die Häuser. Er spürte, wie er selber mitschwankte, der Abgrund vor seinen Füßen übte eine eigene Anziehungskraft aus, Gott, Gott, Gott, betete er, mach, daß jemand kommt, es kommt doch immer einer im letzten Augenblick, die können mich doch nicht einfach krepieren lassen, nein, das können sie nicht. Mit einer Anstrengung, die jeden Nerv in ihm spannte und ihm neuen Schweiß aus jeder Pore trieb, gewann er sein Gleichgewicht wieder. Keiner dort unten hatte ihn bemerkt, keiner auch hatte das Dach hier oben betreten. Er sah die Straße des Weltfriedens, die sich weithin streckte, seine Straße, tief in die Ruinen hinein. So vieles blieb noch zu tun. Wie alles andere, dachte er, war das Leben ein dialektischer Prozeß: Man mußte die Missetaten eines Menschen abwägen gegen seine Leistungen. Schließlich hatte er die Welt ja nicht geschaffen, diesen unerbittlichen Wirbel da unten, der alles in seinen Schlund saugte. Er war ebenso ein Opfer der Umstände wie Julian Goltz und Babette oder Tieck oder die zahllosen anderen; aber während diese alle bei der Endabrechnung nichts für sich vorzuweisen hatten, hatte er gebaut – vielstöckige Gebäude, ganze Straßen, Sozialismus…

Er glaubte Schritte zu hören. Sein Schwindelgefühl kehrte zurück; die Erde war ein Riesenrad, das sich drehte, schneller, immer schneller, mit ihm in der Mitte der Nabe; die Schritte kamen näher; seine Knie knickten ein, seine Arme schlugen wild um sich, seine Augen quollen ihm aus den Höhlen; er schrie auf, schrie irgend etwas, einen Angstschrei aus Urzeiten, aus dem Dunkel der Stunde seiner Geburt, und warf sich nach rückwärts auf das geteerte Dach.

Später, viel später, richtete er sich halb auf. Er kroch hin zu seiner Pyramide, auf welcher das Stück Ziegelstein mit dem Zettel darunter lag. Sein Atem kam in raschen Stößen. Er griff nach dem Zettel und riß ihn, mit bebenden Fingern, in kleine Stücke.

Dann blickte er auf. »Wie lange sind Sie schon hier, Barrasch?« fragte er heiser.

Der Polier blinzelte gegen das Licht. »Ich habe Sie gesehen, wie Sie da oben standen.«

Sundstrom versuchte sich zu erheben, aber seine Knie verweigerten ihm den Dienst. Der Schuft, dachte er; er hat mich gesehen und hätte mich springen lassen.

Der Polier, verlegen, scharrte mit den Füßen. »Ich hab mir gedacht, ich erschrecke Sie lieber nicht. Ich hab schon erlebt, daß ein Mann vom Gerüst gestürzt ist, nur weil irgendein Witzbold ihn plötzlich von hinten antippte.«

Sundstrom strich über sein Jackett. »Das war sehr rücksichtsvoll von Ihnen, Barrasch«, sagte er. »Wahrscheinlich sollte ich mich bedanken.«

»Ach Gott ...« Barrasch schüttelte bedächtig den Kopf. »Man kann ja nie wissen, was ein Mensch wirklich vorhat.«

Die Bemerkung ließ sich auf vielerlei Art deuten. Sundstrom spürte, daß er sich zu ärgern begann. Es war wie ein Wunder, Leben, das zurückkehrte in ein abgestorbenes Glied, eine Wiedergeburt. »Helfen Sie mir aufzustehen«, bat er, und nachdem er wieder sicher auf seinen beiden Füßen stand, versuchte er zu lachen. »Wenn ich irgendwelche Geschichten zu hören kriege, Barrasch, lasse ich Ihnen Ihre Haut abziehen, bei lebendigem Leibe.«

KAPITEL 14

Ein leichter Duft von Weinlaub hing in der Luft – Herbst. Das klare, weiche Licht der Jahreszeit ließ sogar die Kaiser-Wilhelm-II-Gotik des Rathauses erträglich erscheinen.

Auf den Stufen zum Portal zögerte Julia.

»Nervös?« fragt Tieck.

»Das auch«, gab sie zu. »Aber in diesem Moment ist mir eingefallen: Hier hat alles angefangen. Hier, an dieser Stelle, in einer Winternacht des vorigen Jahrs, habe ich gestanden und auf Arnold gewartet, der gerade dabei war, den Wagen an der Straßenseite gegenüber zu parken. Wir waren auf dem Weg zu einem Empfang.«

Tieck runzelte die Stirn; er schien nachzurechnen.

Sie schüttelte den Kopf. »Noch kein Jahr her – und für mich hat sich eine Welt geändert.«

»Nicht nur für dich.«

»Meinst du wirklich, Daniel?« Sie versuchte auf seinem Gesicht nach der Antwort hinter seiner Antwort. »Meinst du, wir werden eine Chance haben?«

»Ich werde dir sagen«, ein Lächeln zog sich von seinen Augen bis hin zu seinen Mundwinkeln, »der Sozialismus ist eine so logische, vernünftige Sache, daß keiner, selbst nicht der größte Schuft und Narr, ihn umbringen kann. Immer wird es auch die anderen geben: die Schöpferischen. Und diese sind in der Mehrheit und lassen sich auf die Dauer nicht unterdrücken.«

»Eigentlich bezog meine Frage sich nur auf unser Projekt«, erwiderte Julia nach einer Pause.

»Oh, das…« Er öffnete die Eingangstür des Rathauses und ließ Julia eintreten. »Das werden wir bald genug wissen.«

Ein ziemlich geräumiger Saal, festlich beleuchtet, war reserviert worden für die Ausstellung der Modelle und Baupläne, aufgrund deren die Jury ihre Entscheidung treffen sollte. Ein Transparent, beschriftet mit monumentalen Schmuckbuchstaben, zog sich über die Länge der Wand: STRASSE DES WELT-FRIEDENS, und darunter, in etwas geringerer Größe, *Erbaut durch das Volk für das Volk.*

Arnold Sundstrom musterte kritischen Blicks das Transparent und dann sein Modell auf dem breiten Tisch in der genauen Mitte des Raums: weißer Gips, sehr sauber und vollständig bis zum letzten Papiermachébäumchen. An einem Ende des Tisches war eine beigefarbene Karte befestigt, auf welcher zu lesen stand: *Projekt Sundstrom–Hiller.*

Eine Zeitlang starrte er auf das Modell, sein Hirn leer. Allmählich füllte die Leere sich mit Bruchstücken von Gedanken, keines davon besonders erbaulich. Es gab nur dies eine Modell. Das Projekt *Tieck–Julia Sundstrom* bestand nur aus Zeichnungen, und diese in sparsamer Zahl, und montiert an einer Stelle der Wand, wo das Licht weniger günstig war. Er versuchte, nicht auf diese Stelle zu blicken; er kannte das Raumgefühl, das *Tieck–Julia Sundstrom* suchen würden zu vermitteln; es mißfiel ihm, obwohl irgend etwas in seinem Innern sich davon angezogen fühlte, ein Schatten des Arnold Sundstrom, der in seinen Bauhaus-Tagen von den Früchten des Baums der Erkenntnis gekostet hatte.

Noch befand er sich allein im Raum, und die Stille und das Warten auf, er wußte nicht was, begannen ihm auf die Nerven zu gehen. Wo blieben denn alle? Er warf einen Blick auf die Tür, die von der Vorhalle in den Saal führte, und dann auf die Tür gegenüber, zum Sitzungszimmer der Jury. Er wußte, daß Krummholz von der Akademie in Berlin in der Stadt eingetroffen war, wie auch Pietzsch vom Zentralkomitee und Wilczinsky von der

Plankommission; sie waren zu Mitgliedern der Jury ernannt worden zusammen mit solch örtlichen Größen wie Genosse Bürgermeister Riedel und Genosse Bunsen, der für die Presse zuständig war, und Elise Tolkening als Vertreterin der Frauen der Stadt.

Er begann auf und ab zu gehen. In der Vergangenheit hatte solch Promenieren ihn meistens erleichtert; jetzt versagte auch das. Ich bin zu reizbar geworden, dachte er, werde ich meine Nerven denn nie wieder in Ordnung bekommen? Seine Schritte brachten ihn dem Projekt *Tieck–Julia Sundstrom* immer näher; hinter seiner Stirn spürte er eine unangenehme Hitze aufsteigen, und sein Hemdkragen war ihm plötzlich zu eng.

»Das ist auch zu dumm!«

Er brach ab. Da hatte er doch ein Selbstgespräch angefangen. Ich darf mich nicht so erschüttern lassen, nahm er sich vor, und wandte sich, entschlossen, der ersten der Zeichnungen zu. *Projekt Tieck–Julia Sundstrom* – die Handschrift auf dem Etikett in der unteren rechten Ecke der Blaupause war ihm schmerzlich bekannt, die Kurven im Buchstaben *S* – als Groß- wie als Kleinbuchstaben; er war es, der ihr den Namen Sundstrom gegeben hatte, und sie signierte seit langer Zeit schon mit diesem Namen, in lateinischer wie in kyrillischer Schrift, Gott, mein Gott, werde ich denn nie zu vergessen lernen?

Schritte.

Er fuhr herum. Sie hatten, schien es, ihn noch nicht bemerkt. Sie standen in der Tür, die von der Vorhalle in den Ausstellungsraum führte, entspannt, heiter, mit sich selber zufrieden.

Sundstrom hüstelte.

»Oh, hallo!« rief Tieck und geleitete Julia in den Saal, hin zu dem Tisch, auf dem das Sundstrom-Hiller-Modell in aller Pracht seiner Dimensionen aufgebaut war.

»Hallo«, grüßte Sundstrom.

Julia schwieg. Ihre Lippen wirkten sehr rot in ihrem bleichen Gesicht.

»Du bist sehr früh gekommen«, sagte Tieck.

»Scheint so«, bestätigte Sundstrom. »Ich habe mir gerade eure Entwürfe angeschaut.«

»So, hast du?« sagte Tieck.

Julia stand gegen den Tisch gelehnt. »Nimm dich in acht, Julia«, warnte Sundstrom, »sonst wirst du dir deinen Rock schmutzig machen an dem Gips.«

»Danke«, sagte sie und trat einen Schritt zurück.

»Euer Projekt hat vieles für sich«, fuhr Sundstrom fort, an Tieck gerichtet. »Besonders eure Lösung von…«

Die Tür hatte sich wieder geöffnet.

»Genosse Tolkening!« grüßte Sundstrom.

»Ah, unsere Architekten!« Tolkening strahlte sie sämtlich an. »Schon gespannt, was? Heute ist der große Tag! Sie sehen ein bißchen nervös aus, Julia…« Tolkening tätschelte ihre Hand in seiner besten Vater-des-Volkes-Manier. »Und du, Genosse Tieck, alles in Ordnung bei dir? Ich höre, du assimilierst dich prächtig bei uns. Gibt ja auch keinen besseren Ort auf der Welt als die alte Heimat, um wieder zu sich selber zu finden…« Er zog seine Brauen hoch. »Ich weiß, es ist schwierig, aber wir brauchen die erfahrenen Genossen, brauchen sie nötig, besonders angesichts der –«

»Jawohl, Genosse Tolkening«, unterbrach Tieck den mitfühlenden Redestrom des Parteisekretärs.

Tolkening sah ihn an, teils mißtrauisch, teils erstaunt über die Anmaßung eines so tief Untergeordneten. Dann, abrupt, sagte er zu Sundstrom: »Ich hätte gern ein paar Worte mit dir gesprochen.«

Sundstrom schaute auf sein gipsernes Modell. »Jetzt?«

»Jetzt.«

Sundstrom glaubte Julias und Tiecks Blicke in seinem Nacken zu spüren; er zog seinen Kopf zwischen die Schultern und folgte Tolkening gehorsam, heraus aus dem Saal, die Vorhalle entlang, vorbei an zahllosen polierten Holztüren; es war ihm, als sei er zwischen parallelen Spiegeln gefangen, welche das immer gleiche Bild bis ins Unendliche reflektierten.

Dann kam eine noch breitere Tür, und Sundstrom wußte auf einmal, wo er sich befand; aus den Dossiers in seinem Gedächtnis zog sein Architektenhirn die Grundrisse des Rathauses und die Einzelheiten von dessen Innenausbau, wie er und Julia sie nach den Zerstörungen des Krieges einst entworfen hatten; er stand vor der Suite des Bürgermeisters: Vorzimmer, Empfangs- und Konferenzräume, dahinter das Privatbüro, und alles mit der Großzügigkeit geplant, welche der Figur des Genossen Riedel das ach so notwendige Gewicht verleihen würde.

»Bitte, Genosse Sundstrom!« Mit einer imperativen Geste lotste Tolkening ihn durch die Türen von Vorzimmer, Empfangsraum und Konferenzsaal in das private Studio.

Genosse Riedel, der gerade die tägliche Presse durchblätterte, sprang hinter seinem Schreibtisch auf und setzte zu einer ausführlichen Begrüßung Tolkenings an. Tolkening gab nicht einmal vor, ihm zuzuhören; er zeigte den leicht gelangweilten Ausdruck eines Landadligen, der gekommen ist, seinen säumigen Pächter von dessen Grund und Boden zu vertreiben, und sagte: »Ich nehme an, die Jury wird gleich zu tagen beginnen, Genosse Riedel. Du hast wohl nichts dagegen, wenn Genosse Sundstrom und ich die angenehme Ruhe deines Privatbüros für uns nutzen?«

»Aber natürlich nicht!« versicherte der Genosse Bürgermeister Riedel dem Genossen Tolkening, raffte seine Zeitungen zusammen und verließ eilig das Zimmer. Leicht seufzend ließ Tolkening sich in den noch von dem Bürgermeister gewärmten Sessel fallen und bedeutete Sundstrom, ihm vis-à-vis Platz zu nehmen. Sundstrom zog sich einen Stuhl mit gerader Lehne heran; es wäre schlechte Form, dachte er, wenn er sich's bequem machte; außerdem fühlte er sich in keiner irgendwie gelösten Stimmung.

Tolkening schien seine Unruhe bemerkt zu haben. Mit einem wissenden Lächeln lehnte er sich zurück, streichelte die Sphinxköpfe am Ende der Armlehnen des bürgermeisterlichen Sessels und betrachtete Sundstrom mit nachdenklichem Blick. Sundstrom drückte seine flach aneinandergepreßten Hände zwischen seine Knie; sein Gesicht, seine Schultern, alles an ihm schien schmaler zu werden; er wurde zum Bittsteller, zum Sünder, zur personifizierten Selbstkritik; hätte er die Begegnung vorausgeplant, nie hätte er sich so tief erniedrigt; aber jetzt hatte sein Selbsterhaltungsinstinkt sich seiner bemächtigt.

»Ich bin erfreut, daß wir diese Gelegenheit haben«, begann Tolkening. »Du und ich, Genosse Sundstrom, wir haben kein echtes Gespräch von Mann zu Mann gehabt seit…«

»Seit Anfang des Jahres«, half Sundstrom dem Gedächtnis des Parteisekretärs nach. »Seit uns die ersten Nachrichten vom Parteitag der sowjetischen Genossen erreichten.«

»Richtig«, nickte Tolkening. »Und die ersten Zweifel an deinem ersten Projekt.«

Sundstrom erlaubte sich kurz, aber höflich zu lachen. »Du warst so im Recht, Genosse Tolkening, als du auf die dialektischen Zusammenhänge zwischen politischen Entwicklungen und Architektur hingewiesen hattest.«

Tolkening erinnerte sich längst nicht mehr der Weisheiten, die er vor so vielen Monaten Sundstrom mitgeteilt hatte. Einen Augenblick lang fühlte er sich geschmeichelt, daß der Mann während des ganzen Auf und Ab dieses hektischen Jahres seiner Worte gedacht haben sollte; dann jedoch warnte ihn seine durch lange Erfahrung geschärfte Wachsamkeit davor, sich durch derlei Artigkeiten von seinem Weg abbringen zu lassen. »Natürlich hatte ich recht«, sagte er in einem Ton, der ihm ersparte, hinzuzufügen zu müssen: Und ich brauche dich nicht, mir das zu attestieren; und fügte hinzu: »Aber das war nicht, was ich mit dir besprechen wollte.«

Sundstrom lauschte in die Pause hinein. Die gespannte Haltung, in welcher er saß, veranlaßte ihm Schmerzen im Kreuz; und er wußte nicht, welche Meinungen, wenn überhaupt, Tolkening von ihm zu hören erwartete. Allmählich stieg Haß in ihm auf gegen Tolkening und den sichtlichen Genuß, mit welchem der Parteisekretär sein Spiel in die Länge zog; Tolkening kannte die Entscheidung der Jury; also warum sagte er nicht ja oder nein, und fertig.

»Wie fühlst du dich, Genosse Sundstrom?« erkundigte sich Tolkening.

»Danke der Nachfrage«, sagte Sundstrom. »Dem Infarkt nicht viel näher als letztes Mal, hoffe ich.«

»Ich höre, du hattest ein paar Unannehmlichkeiten. Meine Frau hat mir da einiges erzählt – betreffend Julia?«

Als ob Tolkening seine Informationen, politische und andere, über Elise erhielte. Sekundenlang hatte Sundstrom das Bedürfnis, seine Faust auf den Schreibtisch des Bürgermeisters zu schmettern und dem Genossen Tolkening zu empfehlen, sich zum Teufel zu scheren, und aus dieser ganzen elenden Bürgermeistersuite wegzulaufen und immer weiter zu laufen, immer weiter. Aber das wäre Selbstmord – wie sein Sprung von dem Dach; und er war ja nicht gesprungen; er hatte große Häuser gebaut und ganze Straßen und hatte die Absicht, noch viel mehr zu bauen – und zu leben vor allem, zu leben. »Julia hat mich verlassen«, sagte er.

»Wie bedauerlich.« Tolkening stieß einen Laut aus, der etwas in der Art von Mitgefühl ausdrücken sollte. »Für dich, für Julia, für uns alle. Wir haben schon so genügend Probleme.«

Sundstrom zog seine Hände zwischen seinen Knien hervor. »Wirklich, Genosse Tolkening, ich habe mein Bestes getan. Ich habe Julia wieder aufgenommen in mein Haus nach ihrer Eskapade in Kleinmallenhagen. Ich weiß, daß persönliche Skandale schädlich sind für die Partei –«

»Sie bringen das Boot zum Schwanken.«

»Sie bringen das Boot zum Schwanken«, stimmte Sundstrom ihm bei. »Aber Julia hat ihren eigenen Kopf. Ich kann sie doch nicht anketten – oder?«

»Nein, nehme ich an«, sagte Tolkening gedankenverloren. Er war nicht sehr glücklich. Es war ihm unangenehm, Menschen enttäuschen zu müssen; er zog bei weitem vor, ihnen frohe Nachricht zu geben; im Grunde hatte er eine gutmütige Ader;

sein strahlendes Lächeln, das allen galt und das seine Verleumder scheinheilig nannten, war ihm ursprünglich durchaus vom Herzen gekommen. »Aber dieser Unfall?«

»Unfall?«

»Mir ist berichtet worden, du hättest fast einen tödlichen Unfall gehabt.«

Barrasch, dachte Sundstrom. Der Polier hatte geredet. Natürlich – mit anzusehen, wie sein Chef auf bestem Weg war, sich umzubringen, und im letzten Augenblick davor zurückscheute, war eine zu gute Geschichte, um sie gänzlich zu verschweigen. »Unfall?« wiederholte Sundstrom. »Nein, Genosse Tolkening. Das war kein Unfall. Ich war schon fast an dem Punkt, von dem aus es keine Rückkehr mehr gibt. Wir Architekten kennen eine Kraft, die wir als Dehnung bezeichnen. Aber auch diese Dehnung hat eine Grenze. Und wenn die Grenze erreicht ist, dann reißt irgend etwas. Du verstehst, Genosse Tolkening – die Grenze *war* erreicht. Aber dann, als ich hinabblickte auf die Straße des Weltfriedens, wie sie da unten lag in ihrer ganzen Länge, da dachte ich, daß mein Tod doch einen ziemlichen Schaden bedeuten möchte: für die Straße, für das Projekt ihrer Verlängerung, für die Partei. Es würde« – er blickte Tolkening an und suchte dessen Stimmung, Absichten, Situation abzuschätzen – »das Boot zum Schwanken bringen.«

Ein momentanes Zucken der Augen; dann ein kurzes Auflachen; dann das berühmte Strahlen von Vertrauen und Verständnis: Du bist unzerstörbar, Genosse Sundstrom – oder du glaubst wenigstens, daß du es bist. In der Tat spürte Tolkening fast so etwas wie Bewunderung für den Mann. Politisches Kapital aus den Gefühlen zu schlagen, die einen an die Grenze des Selbstmordes trieben, war eine Leistung, die kaum einer erreichte. Doch sofort wurde er wieder wachsam, und er sagte: »Möchtest du etwa, daß ich mich bei dir für so viel Rücksichtnahme bedanke?«

»O nein«, sagte Sundstrom erschrocken.

»Also dann«, riet ihm Tolkening, »wollen wir uns doch nicht

soviel zugute halten auf etwas, was in jedem Fall die erste und höchste Pflicht eines Kommunisten ist: zu leben.«

Sundstrom nickte zustimmend.

»Nimm einen Genossen wie Tieck, zum Beispiel«, entwickelte Tolkening seinen Gedanken weiter. »Glaubst du, es war leicht für *ihn*? Wie oft wird er empfunden haben, besser, ich mache Schluß und sterbe? Aber er hat es nicht getan; er hat Vertrauen zur Partei gehabt und zur Arbeiterklasse. Ich habe den größten Respekt vor solchen Genossen. Du sicher auch?«

»Doch, doch«, versicherte ihm Sundstrom.

»Dann wirst du Verständnis dafür haben, Genosse Sundstrom, daß wir alles in unserer Macht Stehende tun werden, um Tieck und Menschen wie ihn zu unterstützen.« Tolkening wartete, bis Sundstrom bestätigte, daß er solcherart Verständnis durchaus habe.

»Ich habe seit langem schon alles, was ich konnte, für Tieck getan«, sagte Sundstrom endlich. »Ich habe ihn in meinem Hause aufgenommen; ich habe ihm seine Arbeitsstelle gegeben…« Er richtete sich auf, die Schmach, die ihm da angetan wurde, verlieh seiner Stimme einen kreischenden Ton. »…*Tieck–Julia Sundstrom*. Darf *ich* denn keine Gefühle haben, Genosse Tolkening?«

Tolkening starrte ihn an.

Tieck–Julia Sundstrom… dachte Sundstrom. Aber das war unmöglich. Das konnten sie nicht tun. Sie konnten doch nicht von einem Extrem ins andere fallen, von der Straße des Weltfriedens in Tiecks Kosmopolitismus. »Entschuldigung«, sagte er. »Ich bitte um Entschuldigung, daß ich meine Selbstbeherrschung verlor. Vielleicht war auch diese Stunde vor der Entscheidung der Jury nicht der richtige Moment für eine ruhige Einschätzung des…«

Er brach ab. Was sollte eingeschätzt werden?

»Einschätzung deines und meines Standpunkts?« fragte Tolkening sehr ruhig, aber die Drohung war unverkennbar.

Sundstrom bereitete sich auf den Schlag vor, der da folgen

würde. Es würde der letzte sein, der endgültige. Ehre und Liebe waren Phantasiewerte; man konnte leicht genug Ersatz für sie finden oder sich panzern gegen ihren Verlust; Macht und gesellschaftliche Stellung waren da etwas ganz anderes; und die Axt, die einem den Boden unter den Füßen weghackte, war gnadenlos.

»Heute früh, bevor ich hierherkam«, sagte Tolkening, »habe ich mir deine Kaderakte kommen lassen.«

Sundstrom saß bewegungslos. Diese Kaderakte würde ein paar Zusätze aus kürzlichen Tagen aufweisen – die Klinge an seiner Halsschlagader, die Pistole an seiner Schläfe.

»Auch sind da einige Gutachten eingegangen über die Straße des Weltfriedens, im Lichte neuerer Entwicklungen. Keine Zensur, selbstverständlich« – Tolkening hob seine Hand –, »keine Verneinung der Errungenschaft; aber genügend verschiedenartige Gesichtspunkte wurden dargelegt zu diesem oder jenem Grundzug, um auszuschließen, daß du den Nationalpreis erhältst.«

»Den Nationalpreis«, wiederholte Sundstrom mechanisch. Großer Gott, da hatte er doch alles, was mit dem Preis zusammenhing, komplett vergessen; das gute Stück war ihm versprochen worden zu einer Zeit, als das Leben noch in geregelten Bahnen verlief und oben oben war und unten unten und der Mensch wußte, was sein Nächster demnächst tun würde. Und wie rasch auch die eigenen Werte sich veränderten: Was machte er sich aus dem Preis, solange man ihn nicht den Wölfen zum Fraß hinwarf, den Hillers, den Wukowitschs, den Tiecks...

Tolkening zuckte die Achseln. »Ich weiß, es ist kein großes Unglück; aber man muß trotzdem darüber reden.«

Sicher, sicher, dachte Sundstrom. Aber dann: Soviel Vorbereitung aus so geringem Anlaß? »Genosse Tolkening...« Er atmete schwer.

»Ja?«

»Genosse Tolkening...« Fast nur noch ein Flüstern.

Das war jetzt tiefste Unterwerfung, vollständige Übergabe.

Tolkening bemühte sich nicht einmal, sein Lächeln aufzusetzen. »Die Jury wird natürlich das Sundstrom-Hiller-Projekt auswählen«, sagte er. »Was das andere betrifft, nehme ich an, wir verstehen einander?«

Immer noch saß Sundstrom stocksteif da.

»Also?« sagte Tolkening.

»Ja, natürlich, natürlich«, stammelte Sundstrom, seine Zunge zu langsam für seine hastigen Versicherungen.

Tolkening blickte auf seine Uhr. »Die Jury«, sagte er, »sollte in ein paar Minuten geendet haben.«

Sundstrom brauchte eine Weile, um zu begreifen, daß er tatsächlich gewonnen hatte – gewonnen mangels eines gleichgewichtigen Gegners, gewonnen durch Schikane, durch die Macht der Gewohnheit, was kam es auf die Gründe an; worauf es ankam, war, daß aus dem Gewirr von Zusammenbruch und Niederlage sich etwas herausschälte, an das man sich halten konnte: die Straße und das Projekt ihrer Verlängerung.

Wund, besudelt, bespien – der Sieger. Hiller schüttelte ihm die Hand; Hiller schien alles bereits zu wissen, obwohl die Jury ihre Entscheidung noch immer nicht verkündet hatte: Bürgermeister Riedel, der im Namen der Jury sprechen sollte, säuberte seine Brille und hüstelte. Sundstrom empfand, unmittelbar auf seine Erleichterung, ja, sein Triumphgefühl folgend, Erbitterung – wofür hatte er sich das angetan, seine ganze Qual, seine Selbsterniedrigung? Er hätte doch wissen müssen: Nie würde eine Jury es wagen, psychologisch, politisch, architektonisch, das Projekt *Tieck–Julia Sundstrom* zum Sieger des Wettbewerbs zu erklären, nie hätte ein Funktionär so etwas gebilligt; er hatte sich von Tolkening ins Bockshorn jagen lassen, er hatte gewinselt und geweint vor einem Mann, der gleich ihm selber verantwortlich war für jeden Kitsch am Bau und die Doppelzüngigkeit jeder artistischen Aussage.

Hiller grinste. Er nickte in Richtung ihres gemeinsamen Modells und erklärte: »Habe ich's dir nicht gesagt, Genosse Sundstrom? – die richtige Mischung muß es sein aus den richtigen Zutaten, für einen Nationalpreis. Pietzsch vom Zentralkomitee hat es schon angedeutet. Und in zwei oder drei Jahren wird die Verlängerung stehen, und man wird sie mit Ehrfurcht betrachten…« Sein Grinsen verschwand. Julia, die hinter dem Modell stand, hatte es ihm ausgetrieben: eine Fremde, mit fremden Augen.

»Es geht nicht um den Preis«, sagte Sundstrom zerstreut. »Es geht um die Arbeit, um die Menschen, den Sozialismus.« Dies alles kam wieder wie auswendig gelernt, er war zurück in der alten Spur, äußerlich zumindest. Elise Tolkening, ihre Löckchen frisch vom Friseur, redete lauthals auf Julia ein: Allgemeinplätze bewußt kleingehalten; wie geht's dem kleinen Julian, ein liebes Kind, und so schön und begabt, warum bringst du ihn nicht einmal mit.

Dann betrat Waltraut Greve den Raum, dann Wukowitsch; dann die Fotografen und die Presse; dann kamen die Unbekannten, das Publikum. Die Luft wurde stickig; Sundstrom spürte, wie diese Luft sich ihm um die Kehle legte und auf seine Brust drückte, dann war ein Gedränge in Richtung des Sundstrom-Hiller-Modells. Irgendwo weit weg Tiecks Stimme: »Heuchelei in Gips.«

Sundstrom erblickte Julia, und sein Bedürfnis nach einem Wort von ihr wuchs. Aber es war nicht die jetzige Julia, die er sah; es war das Mädchen in dem Kleid mit den goldenen Pailletten, das sich sein loses Haar zurechtzupfte vor dem Spiegel.

»…Projekt Sundstrom-Hiller…« Wie lange sprach der Bürgermeister schon? Sundstrom blickte auf die fetten kleinen Hände, die das Manuskript hielten, auf das rote Gesicht. »…das Projekt Sundstrom-Hiller kombiniert die besten architektonischen Traditionen mit einer gesunden Einstellung zu all dem, was die Moderne verlangt, und zu letzten technischen Entwicklungen, und folgt zugleich, in verschiedensten Formen, dem Grundsatz der größten Sparsamkeit und dem Geist des sozialistischen Realismus…«

Sundstroms Augen begegneten denen des Genossen Tolkening. Tolkening strahlte. Mit seinem glänzenden Haar und seinem frömmelnden Blick ähnelte er einem der Heiligen, die Sundstrom auf einer alten Ikone im Kloster Sagorsk gesehen hatte; und etwas in der Stimme des Genossen Bürgermeister Riedel erinnerte ihn an den rituellen Gesang der Mönche.

»... ist es auch die Pflicht der Jury, nicht zu vergessen, die hervorragenden Ideen und Neuerungen im Projekt Tieck-Julia Sundstrom zu erwähnen. Die Jury ist der Meinung, daß – obwohl das Projekt innerhalb des Ensembles der Straße des Weltfriedens fehl am Platze wäre – einige seiner Elemente in dem größeren Kontext des sozialistischen Wiederaufbaus unserer Stadt sehr wohl genutzt werden könnten; und die Jury empfiehlt daher, daß dieses vielversprechende Kollektiv von Architekten verpflichtet wird für den Entwurf der Modernisierung und des Ausbaus der Karl-Marx-Spinnwaren- und Textil-Werke in der Vorstadt von...«

Das Lächeln des Genossen Tolkening schien dem ganzen Raum zu gelten samt dem Modell und sämtlichen Zeichnungen, der Jury, dem Herrn Professor Krummholz, dem Genossen Pietzsch, dem Hauptabteilungsleiter Wilczinsky, den Architekten, den Journalisten und dem Volk. Nein, dies war kein Gleichgewichtsakt, dachte Sundstrom – dies war die Synthese, die sich aus These und Antithese ergab; und er, Arnold Sundstrom, fand seinen Platz in dieser glücklichen Konstellation ebenso wie *Tieck–Julia Sundstrom*, und über ihnen allen, unerschütterlich, jenseits von Gut und Böse, Genosse Tolkening, fest an der Spitze gehalten durch den konvergierenden Druck von unten, wie der Schlußstein eines Gewölbes. Nichts hatte sich geändert. Oder alles.

Höflicher Applaus kennzeichnete das Ende der Ausführungen des Genossen Bürgermeister Riedel. Sein Gesicht verlor ein wenig von seiner Röte, er mischte sich unter die Jury. Sundstrom fand sich herumgestoßen im Gedränge; Julia, Tieck, gerieten außer Sicht; Kameras schwebten in die Höhe; Stimmen forderten auf: »Hier, Genosse Professor – mehr nach der Mitte zu, bitte – so ist's recht – lächeln Sie, freundlichst.« Hinter sich hörte er das mühsame Keuchen des Bürgermeisters, zu seiner Rechten standen Tolkening und Elise; links Hiller. Sein Blick erhaschte irgendwo in der Nähe Krummholz von der Akademie und Pietzsch vom Zentralkomitee und Wilczinsky von der Plankommission. »Genossen, Genossen!« Dann wieder die Mahnungen: »Bitte gruppieren Sie sich um das Modell – betrachten Sie es prüfend, bitte – und reden Sie miteinander, egal, was – das ist schon besser – und lächeln!« Die Kameras, sah Sundstrom, stiegen höher. Der Raum war übervoll; das verfluchte Publikum gab den Fotografen keine Chance. Wilczinsky, sah er, verlor seinen Halt, oder war es Pietzsch; wer immer, der Mann griff wild um sich; seine Hand geriet zwischen die zwölfstöckigen Gebäude der Verlängerung der Straße des Weltfriedens; die Dach-Cafeteria schwankte, der Turm mit den Junggesellenapartments, das Hotel; Sundstrom warf sich nach vorn, versuchte zu retten, was sich retten ließ –

Dann die Blitzlichter.

Die Zeit vergeht.

Wie fühlt man sich am Ende eines Teils seines Lebens, und der nächste Teil hat noch nicht begonnen? Gab es da ein Muster? Julia zitterte, schlug ihren Mantel um sich und griff nach Tiecks Arm. Sie war zu empfindlich, dachte sie, für diese Brüche im Ablauf der Dinge: das Zischen einer Lokomotive, die auf offener Strecke anhielt; Fabriksirenen, die einen unsicheren Frieden begrüßten; das monotone Zählen einer Krankenschwester, bevor der Äther das Bewußtsein löscht.

Das waren die Momente, da man den anderen Menschen braucht, Wärme, Liebe. Du hast keine Schale mehr um dich herum zum Schutz von Leib und Seele, bist verletzbar; die unterbrochene Bewegung läßt jedes Gleichgewicht ungewiß erscheinen; aber die nächstgelegene Stütze mag nicht die beste sein; und da gibt es Elemente wie Stolz, und die Narben, und

Altersunterschiede – versuchst du schon wieder, dich anzukuscheln an Papa? – Und sieh dich um, bevor du springst, und du möchtest ja nicht einfach umkippen und dich auf den Rücken legen, es ist nicht diese Art von Beziehung; diese muß halten, wie viele Experimente kannst du dir leisten, ohne beschädigt zu werden?

»Soll ich dir sagen, was du denkst?« fragte Tieck, während sie über den Kiesweg zwischen den Grünflächen hinter dem Rathaus schritten. Eines Tags würde hier ein kleiner Park stehen; jetzt waren es noch eine magere Anpflanzung von nackten, zitternden Zweigen auf rötlichem Lehm und Flecken von dürftigem Rasen.

Vielleicht wußte er wirklich, was in ihr vorging. Sie erinnerte sich Arnolds, der stets solchen Wert darauf gelegt hatte, auch das letzte Eckchen ihres Gehirns zu durchdringen. Aber zu ihrer Überraschung sagte Tieck: »Ich fühle mich ebenso hilflos wie du. Ich wollte dich sofort und auf einmal nehmen, *Tieck–Julia Sundstrom*, dieses vielversprechende Kollektiv von Architekten« – er blickte sie an –, »aber ich konnte den Anfangspunkt nicht finden für den großen Ansturm, und bei Menschen wie dir und mir sollte man es vielleicht sowieso nicht mit Eins-zwei-drei-Hurra und Kuß und Umarmung versuchen, sondern lieber mit Vorsicht und jeden Schritt bedenkend.«

Tieck–Julia Sundstrom, dachte er. Was für Schritte sie auch unternahmen, welchen Weg sie auch wählten, dies dürfte das einzige Projekt bleiben, das auf die Art gekennzeichnet war.

»Wir müssen uns beide eine neue Haut wachsen lassen«, fuhr er fort, und seine Augen suchten ihre. »Wir sind beide noch viel zu empfindlich. Aber, in aller Offenheit, siehst du jemanden für dich oder mich außer dir und mir?«

»Klingt das nicht zu sehr nach einer arrangierten Paarung?« fragte sie.

»Sicher«, sagte er und wurde apodiktisch. »Auch die Paarung von Adam und Eva hatte einer arrangiert.«

Seine Logik war bestechend. Trotzdem widersprach sie. »Aber

wir sind nicht allein auf der Welt, und weder ist dieses Land ein Paradies noch diese Stadt.«

»Jeder Neuanfang«, sagte er, »ist Adam und Eva.«

»Ja«, sagte sie und wußte, daß die lange Zeit des Wartens vorbei war und damit zugleich ihre Unruhe und ihre Ängste.

»Ich glaube, wir werden einander sehr lieben«, sagte er.

Sein Blick hielt den ihren; das Grau ihrer Augen war nicht länger fahl und müde, es war von tiefer Klarheit; Julian, dachte sie und wußte zugleich, daß der Kleine in einer Familie mit ihm kein Problem darstellen würde; und sie sagte »Ja«, und gleich darauf, mit einem ersten Anklang von Freude in ihrer Stimme, noch einmal »Ja!«

Tieck ergriff ihre Hand; dann, mit plötzlicher Leidenschaft, küßte er ihre langen, schön geformten Finger.